ADMINISTRATION PUBLIQUE ET MANAGEMENT PUBLIC

EXPÉRIENCES CANADIENNES

LES PUBLICATIONS DU QUÉBEC
1500 D, rue Jean-Talon Nord, Sainte-Foy (Québec) G1N 2E5

VENTE ET DISTRIBUTION
Case postale 1005, Québec (Québec) G1K 7B5
Téléphone : (418) 643-5150, sans frais, 1 800 463-2100
Télécopieur : (418) 643-6177, sans frais, 1 800 561-3479
Internet : http://www.publicationsduquebec.gouv.qc.ca

Ministère des Relations avec les citoyens et de l'Immigration
Bibliothèque administrative
ÉLÉMENTS DE CATALOGAGE AVANT PUBLICATION

Bourgault, Jacques

Administration publique et management public, expériences canadiennes/Jacques Bourgault, Maurice Demers, Cynthia Williams; [préparé par le Comité organisateur de Rendez-vous 1997, Québec, Canada]. – Sainte-Foy, Québec: Publications du Québec, [1997].

Bibliogr.
ISBN 2-551-17704-9
Publ. aussi en anglais sous le titre: Public administration and public management: experiences in Canada.

1. Administration publique – Canada 2. Canada – Administration I. Demers, Maurice. II. Williams, Cynthia. III. Rendez-vous 1997 (Québec, Canada). Comité organisateur.

ADMINISTRATION PUBLIQUE ET MANAGEMENT PUBLIC

EXPÉRIENCES CANADIENNES

JACQUES BOURGAULT

MAURICE DEMERS

CYNTHIA WILLIAMS

LES PUBLICATIONS DU QUÉBEC

Québec

Cette publication a été réalisée par le
Comité organisateur de Rendez-vous 1997,
Québec, Canada.

Cette édition a été produite par
Les Publications du Québec
1500 D, rue Jean-Talon Nord, 1er étage
Sainte-Foy (Québec) G1N 2E5

Coordination
Jacques Bourgault
École nationale d'administration publique
Université du Québec à Montréal

Grille typographique
Charles Lessard

Dépôt légal – 1997
Bibliothèque nationale du Québec
Bibliothèque nationale du Canada
ISBN 2-551-17704-9

Remerciements

Les auteurs remercient les nombreux organismes et commanditaires qui ont rendu possible la parution de cet ouvrage : Les Publications du Québec, qui ont accepté de le publier grâce à la participation financière du ministère des Relations avec les citoyens et de l'Immigration. Nos remerciements vont aussi au Centre canadien de gestion et à l'Observatoire de l'École nationale d'administration publique qui ont assuré la majeure partie de la traduction des chapitres, ainsi qu'à l'Université de Québec à Montréal qui a fourni le graphisme de la couverture.

La publication de l'ouvrage, constitué à l'occasion de la table ronde de 1997 de l'Institut international des sciences administratives à Québec (Rendez-vous 1997, Québec, Canada), a été rendue possible grâce à la collaboration particulière du Centre canadien de gestion, de l'École nationale d'administration publique et de l'Institut d'administration publique du Canada.

Les directeurs de la publication sont particulièrement reconnaissants envers les personnes qui ont joué un rôle crucial dans la réalisation de l'ouvrage, notamment messieurs Claude Beausoleil et André Chénier, auprès des commanditaires, mesdames Nicole Fontaine et Marcelle Girard, pour leur appui à l'édition, mesdames Ginette Guilbault, Nadine Apollon-Cabana et Ginette Turcot-Ladouceur, au suivi des textes, et Carole Breton, pour la page couverture ; monsieur Claude Marceau a supervisé le travail d'édition, et madame Brigitte Carrier s'est chargée du graphisme intérieur.

Note des directeurs

Publier un ouvrage sur les institutions nationales constitue une tâche à la fois emballante et ingrate. Nous avons dû choisir les institutions qui feront l'objet de chapitres et délaisser d'autres aspects de l'administration au Canada qui auraient pu mériter un meilleur sort : c'est le cas, par exemple, des politiques de ressources énergétiques en Alberta, d'agriculture au Manitoba et en Saskatchewan, de protection environnementale des Grands Lacs en Ontario, de développement culturel et technologique au Québec ou, encore, de redéploiement de l'infrastructure économico-industrielle dans les provinces atlantiques, notamment au Nouveau-Brunswick.

De fait, plusieurs de ces chapitres faisaient partie de la table des matières originale ; par de malheureux concours de circonstances, certains auteurs ont dû se retirer du projet.

L'espace limité disponible, malgré l'envergure déjà imposante de cet ouvrage, publié en français et en anglais, nous a incités à choisir les auteurs en tenant compte à la fois des champs de spécialisation, des thèmes de chapitre et d'une saine répartition des provenances professionnelle et régionale, ainsi que des groupes linguistiques. Nous regrettons donc de n'avoir pu solliciter la collaboration de plusieurs de nos éminents collègues de la communauté des universitaires et des praticiens de l'administration publique qui auraient apporté une riche contribution à l'ouvrage.

Cet ouvrage compte quatre parties : l'administration publique du gouvernement du Canada, celle des provinces et des municipalités, celle de la province de Québec et une dernière qui porte sur l'enseignement et la reconnaissance professionnelle de l'administration publique au Canada.

Les codirecteurs

Monsieur Jacques Bourgault est professeur au Département de science politique de l'Université du Québec à Montréal et professeur associé à l'École nationale d'administration publique. Il est le président de l'Institut d'administration publique du Canada pour 1997-1998.

Monsieur Maurice Demers est directeur du réseau international du Centre canadien de gestion.

Madame Cynthia Williams est directrice générale au ministère des Affaires indiennes et du Développement du Nord canadien. Elle est présidente du comité de la recherche de l'Institut d'administration publique du Canada.

Les textes du présent ouvrage ont été rédigés en janvier 1997.

Avertissement

Les textes du présent ouvrage reflètent les opinions émises par leurs auteurs en toute liberté ; celles-ci n'engagent d'aucune manière ni les auteurs des autres chapitres, ni les codirecteurs de la publication, ni les organismes qui ont commandité l'ouvrage ou qui ont contribué de quelque manière à sa publication.

Introduction

Le Canada et l'administration publique

Ralph Heintzman
Directeur de la recherche
Centre canadien de gestion

Le Canada est un pays singulièrement façonné par l'administration publique et par les débats et les controverses entourant cette dernière. Les origines de l'importance de l'État et de la bureaucratie y sont nombreuses : la géographie, les impératifs des grandes distances, le fédéralisme, le système parlementaire, le dualisme linguistique, l'influence et la puissance de nos voisins du Sud, la tradition colonialiste et, enfin, la culture politique modelée par tous ces facteurs. Certains intellectuels ont même attribué les tensions modernes, qui mettent en péril l'unité du Canada, au conflit entre les intérêts et les ambitions de la bureaucratie[1]. Si cela est vrai, il ne s'agirait que d'un tournant de plus d'une longue histoire. Toutefois il est important de bien comprendre cette histoire si l'on veut bien comprendre l'administration publique au Canada aujourd'hui. D'autant plus que plusieurs des tendances qui se manifestent dans le management public nous rappellent curieusement les orientations des premières années, une observation à laquelle nous reviendrons en concluant ce texte. (Dans ce qui suit nous traiterons primordialement, en nous en excusant d'avance, du gouvernement fédéral et des deux provinces les plus populeuses).

Contrairement à la création de certains États nouveaux, la colonisation du Canada a été généralement précédée ou accompagnée du renforcement du pouvoir royal et gouvernemental, ce qui suppose dès le début la présence d'un cadre d'administration publique. Selon certains observateurs, cette présence précoce et constante du pouvoir public explique (ou exprime) le caractère pacifique et ordonné de la vie au Canada ; on dit d'ailleurs que les valeurs fondamentales de la Constitution de 1867 étaient « la paix, l'ordre et la saine gestion publique »[2].

1. Alan C. Cairns, « The Governments and Societies of Canadian Federalism », *Revue canadienne de science politique*, 10 (1977), p. 695-726 ; Donald SMILEY, *Canada in Question : Federalism in the Eighties*, troisième édition, Toronto, McGraw-Hill Ryerson, 1980, p. 1-8.

2. W.L. Morton, *The Canadian Identity*, Toronto, University of Toronto Press, 1961, p. 111 et 86.

Si la paix a eu une influence certaine sur la place prééminente du pouvoir public au Canada, il en va de même pour la guerre. La Nouvelle-France était surtout une colonie militaire. Les dépenses publiques liées aux activités militaires constituaient le principal moteur de l'économie. C'est pourquoi cette société et ses valeurs étaient empreintes de militarisme et de hiérarchie[3]. La Nouvelle-France était une société régie par le rang et la classe, où le prestige social était acquis au moyen « du dévouement au Roi »[4].

L'arrivée du Régime britannique, en 1763, n'a pas modifié l'importance de l'armée ni celle de l'État. En effet, en 1800, les dépenses militaires annuelles pour le Haut-Canada et le Bas-Canada se chiffraient, selon les estimations, à 260 000 £, et elles ont augmenté de façon constante durant les décennies suivantes[5]. Mais dorénavant, les États coloniaux allaient s'engager de façon marquante dans le développement économique, en particulier dans la construction d'infrastructures destinées au transport (canaux de navigation), dans l'exploitation des ressources naturelles et dans la poursuite de la colonisation. Un historien spécialiste de la mise en valeur des ressources naturelles décrivait la tradition étatiste et législative, ainsi que le rôle actif et précoce de l'État dans les activités économiques du début de la colonie, comme l'époque de la « monarchie pionnière »[6]. Selon l'avis d'un historien de l'économie, « l'interprétation généralement acceptée de toute l'histoire de l'économie canadienne attribue à l'État le rôle principal de guide et de promoteur de l'économie ; dans toutes les archives historiques, les décisions et les orientations de l'État sont vues comme des facteurs décisifs »[7].

Les gouvernements du début de la colonie ont hérité d'une politique britannique du XVIIe siècle prônant la suprématie de la « noblesse » au détriment du « peuple »[8]. De plus, les réformateurs étaient davantage attirés par l'exercice du pouvoir exécutif que par la nécessité de mettre fin à cette politique. C'est d'ailleurs ce qui a favorisé les rébellions de 1837 dans le Haut-Canada et le Bas-Canada.

L'ancienne tradition du Canada réservait un rôle important à l'État, mais les gouvernements coloniaux du début du XIXe siècle n'avaient toutefois pas encore réussi à créer un mécanisme efficace de gestion publique. Envoyé par le gouvernement britannique pour enquêter sur les causes de la rébellion, lord Durham

---

3. W.J. Eccles, « The Social, Economic and Political Significance of the Military Establisment in New France », *Canadian Historical Review*, 1971, n° 52, p. 1-22.

4. Dale Miquelon, *New France, 1701-1744 : « A Supplement to Europe »*, Toronto, McClelland and Stewart, 1987, p. 228-229.

5. C.P. Stacey, *Canada and the British Army, 1840-1871*, Londres, 1936, 1963, p. 11.

6. H.V. Nelles, *The Politics of Development: Forests, Mines and Hydro-electric Power in Ontario, 1849-1941*, Toronto, Macmillan, 1974.

7. H.G.J. Aitken, « Defensive Expansion : The State and Economic Growth in Canada », *Approaches to Canadian Economic History*, W.T. Easterbrook and M.H. Watkins éditeurs, Toronto, McClelland and Stewart, 1967, p. 184.

8. Gordon T. Stewart, *The Origins of Canadian Politics : A Comparative Approach*, Vancouver, University of British Columbia Press, 1986.

était précisément aux prises avec la nécessité d'améliorer les rouages des affaires de l'État dans le Haut-Canada et le Bas-Canada, afin de promouvoir une gestion saine et efficace. Pour ce faire, il a « confié la direction des différents ministères gouvernementaux à des fonctionnaires compétents »[9]. Son successeur, Charles Poulett Thomson (plus tard devenu lord Sydenham), premier gouverneur nommé à la suite de l'Acte d'Union et ancien homme d'affaires de Manchester, s'est attaqué énergiquement au remaniement des divers organismes et ministères gouvernementaux pour en faire une série plus ou moins cohérente de ministères dotés d'une orientation commune et comptant chacun un représentant au Conseil exécutif. Ainsi, les premiers jalons de la notion moderne de cabinet ministériel étaient déjà posés, avant même l'introduction du « gouvernement responsable » (tel qu'on l'appelle au Canada), lequel fut d'abord instauré en Nouvelle-Écosse puis ensuite dans les deux Canadas en 1948.

Inspiré par le rapport Northcote-Trevelyan de 1853 et par la création (symbolique) de la Commission britannique du service civil en 1855, le Parlement de la province du Canada (issu de l'Acte d'Union) a adopté, en 1857, la Loi sur le service civil, qui prévoyait la création d'une Commission d'examen du service civil dont le rôle était d'étudier les candidatures pour les postes de fonctionnaires. C'est dans la loi de 1857 qu'on fait référence pour la première fois au poste de sous-ministre. Le gouvernement Gladstone a réussi à imposer la réforme britannique en 1870, au moyen d'un décret en conseil qui obligeait la tenue d'un concours pour l'accession aux postes de la fonction publique. Au Canada, cet organisme demeura toutefois inefficace pendant encore une cinquantaine d'années, puisque les ministères n'étaient pas obligés de recourir à la tenue d'examens et que, de toute manière, ceux-ci étaient de difficultés élémentaires et non compétitifs. Au cours des cinquante années qui ont suivi la Confédération de 1867, on a mené quatre enquêtes importantes sur la fonction publique canadienne : de 1868 à 1870 et de 1880 à 1887 (commission McInnes), de 1891 à 1892 (commission Hague) et de 1907 à 1908 (commission Courtney). Les rapports de deux de ces commissions (1868-1870 et 1880-1881) faisaient référence aux réformes britanniques, ce qui a incité le gouvernement fédéral à donner suite à la recommandation selon laquelle il fallait mettre sur pied une nouvelle Commission d'examinateurs du service civil dont le rôle serait d'étudier les candidatures et d'avoir recours à des examens d'admission pour combler les postes à la fonction publique. Les deux commissions royales de 1891-1892 et de 1907-1908 recommandaient la création d'une Commission du service civil. Placé dans l'embarras en raison d'une série de scandales au sein du ministère de la Marine et des Pêcheries, le gouvernement Laurier a adopté un amendement à la Loi de 1908 modifiant la Loi du service civil et créant une nouvelle Commission du service civil qui remplaçait et intégrait l'ancienne Commission d'examinateurs du service civil.

S'il a fallu cinquante ans pour passer de la Loi sur le service civil de 1857 à la Commission du service civil de 1908, ce délai était surtout attribuable à la place particulière du favoritisme dans la société canadienne. Selon Gordon

9. J.E. Hodgetts, *Pioneer Public Service : An Administrative History of the United Canadas, 1841-1867*, Durham Report, Toronto, University of Toronto Press, 1955, p. 22.

Stewart, au Canada, la culture politique du XIXe siècle était façonnée par un mélange caractéristique de l'héritage institutionnel britannique, de l'influence américaine et des besoins locaux. Bien que le Canada (en particulier la province du Canada, de 1841 à 1867) ait hérité de la politique britannique du XVIIe siècle prônant la suprématie de la « noblesse » au détriment du « peuple », il s'est laissé influencer davantage par la tradition nord-américaine dans la façon dont il exprimait sa tendance centralisatrice et imposante en exploitant le favoritisme sans limites. Cependant, contrairement aux États-Unis, où le favoritisme servait surtout à conserver le pouvoir local afin de circonscrire l'État et de résister au pouvoir central – réactions propres à la tendance envers la primauté du « peuple » de l'ancienne politique britannique –, au Canada, le favoritisme a surtout servi à promouvoir l'unification et l'activisme en faveur de l'État et du pouvoir central. Le favoritisme a sans doute joué un rôle dans les politiques britanniques et américaines, mais la politique canadienne du XIXe siècle n'était pas du même moule puisque, selon Stewart, elle « portait plus explicitement *sur* le favoritisme »[10].

En plus de la tradition d'activisme en faveur d'un État centralisé, le favoritisme a joué un rôle important dans la culture politique canadienne du XIXe siècle en raison de son importance en tant que véhicule social de la promotion de la classe moyenne professionnelle. Dans un contexte économique largement préindustriel, la classe moyenne en quête de sécurité et de prestige était très attirée par les nombreuses occasions d'emploi offertes par un État en plein essor, qu'il s'agisse d'un poste d'agent des douanes ou de commis des postes en passant par les nominations à la magistrature. Cette quête de reconnaissance sociale a jeté les fondements de la vie politique canadienne du XIXe siècle et a donné naissance à une culture politique fortement partisane. Le premier à accéder au poste de premier ministre après la Confédération, John Macdonald, s'est servi en maître du pouvoir du favoritisme, dans un contexte où l'État était en pleine croissance, pour construire son propre Parti conservateur au sein de la nouvelle fédération et affaiblir, autant que possible, les pouvoirs régionaux qui menaçaient la stabilité du nouvel État fédéral. Son succès et son exemple ont toutefois incité les gouvernements provinciaux à faire de même, en particulier en Ontario, où le premier ministre libéral de longue date, Oliver Mowat, avait mis sur pied un régime de favoritisme très bien rodé, destiné à accroître et à centraliser les pouvoirs provinciaux. Son régime a même réussi à éclipser l'organisation conservatrice de Macdonald au profit d'un système efficace, neutre et impartial[11]. Selon un observateur de l'époque, « pendant toute une génération, aucun Conservateur n'a été nommé à la fonction publique de l'Ontario ». « Bien que la justesse des nominations n'ait jamais été négligée, la fonction publique constituait une part importante des rouages politiques de l'administration Mowat[12]. »

---

10. Stewart, *The Origins of Canadian Politics*, p. 31.

11. S.J.R. Noël, *Patrons, Clients, Brokers: Ontario Society and Politics, 1791-1896*, Toronto, University of Toronto Press, 1990.

12. *Ibid.*, p. 282.

Le favoritisme sous ses diverses formes a marqué tout le XIXe siècle au Canada, sans s'arrêter aux frontières provinciales. Mais cette politique a exercé une incidence particulière au Québec, où la minorité linguistique était aussi économiquement désavantagée et, par conséquent, plus portée à se servir des ressources du favoritisme comme moyen de promotion économique et sociale. Après 1763, habitués qu'ils étaient, pendant le Régime français, à jouir de tous les privilèges de pouvoir faire carrière au service d'un État militaire et actif, les Canadiens de langue française n'ont pas tardé à revendiquer leur juste part des emplois gouvernementaux. Un des sujets repris régulièrement dans le plaidoyer politique des Canadiens français porte sur leur « droit incontestable au partage, en rapport avec [leur] nombre, des postes honorifiques et lucratifs dans le service administratif »[13]. La prétention de partager et même d'avoir la main haute sur les ressources provenant du favoritisme étatique a constitué un des moteurs du nationalisme canadien-français à partir de 1800[14]. La frustration de ces ressources a contribué à la détérioration politique et sociale qui a conduit finalement à la rébellion armée de 1837. Sa jouissance pendant la décennie de 1840 a aidé non seulement à faire accepter aux Canadiens français l'union du Haut-Canada et du Bas-Canada, mais elle a de plus contribué à engendrer une euphorie optimiste qui a prédisposé à une union plus vaste. Pour les Canadiens français, le favoritisme politique est devenu un important symbole, quoique ambigu, de leur émancipation politique, un outil précieux d'avancement économique et social, ainsi qu'une garantie de représentation proportionnelle dans les fonctions officielles et la fonction publique[15]. Il fallait s'attendre à ce que tout ce qui menaçait ou entravait ces avantages soit considéré avec circonspection.

Toutes ces pressions aident à comprendre pourquoi cinquante ans se sont écoulés avant que soient réalisés les progrès promis par l'adoption de la Loi sur le service civil de 1857. Cependant, un autre facteur a influencé le système de favoritisme dans la fonction publique. Au Canada, tant à l'échelle fédérale que provinciale, il y avait une nette distinction entre le service « extérieur », formé de tous les fonctionnaires travaillant à l'échelle locale, et le service « interne », comprenant les fonctionnaires assignés aux principaux bureaux des ministères situés soit dans la capitale nationale, soit dans la capitale provinciale, en particulier aux échelons supérieurs. Avant la Confédération, la fonction publique de la province du Canada comptait environ 2700 employés dont les deux tiers faisaient partie du service « extérieur »[16]. En 1896, on estimait ce nombre à 10000, dont environ 4000 faisaient partie du « service interne »[17]. Dans le service extérieur, bon nom-

13. Fernand Ouellet, *Histoire économique et sociale du Québec, 1760-1859*, Montréal, Fides, 1966, p. 146 ; Michel Brunet, *Les Canadiens après la Conquête, 1759-1775*, Montréal, Fides, 1969, p. 238, 242, 246, 248.

14. Gilles Paquet et Jean-Pierre Wallot, *Patronage et pouvoir dans le Bas-Canada (1794-1812)*, Montréal, Les Presses de l'Université du Québec, 1973.

15. Ralph Heintzman, « The Political Culture of Québec, 1840-1960 », *Canadian Journal of Political Science*, 1983, n° 16, p. 3-59.

16. Hodgetts, *Pioneer Public Service*, p. 53.

17. J.E. Hodgetts, William McCloskey, Reginald Whitaker et V. Seymour Wilson, *Biography of an Institution: The Civil Service of Canada, 1908-1967*, Montréal, McGill-Queen's University Press, 1972, p. 21, n. 31.

bre des emplois étaient de courte durée et saisonniers (équipes affectées aux voies publiques, par exemple), et le système de favoritisme était pleinement exploité, occasionnant régulièrement un grand roulement de l'effectif fondé sur l'appartenance au parti politique du moment. Toutefois, dans le service « interne », même si le recrutement se faisait sur une base partisane, les fonctionnaires, une fois nommés à un poste, avaient le droit de le conserver. Il y avait donc peu ou pas de roulement de personnel entre les changements de gouvernement et pas de système de « dépouilles » comme aux États-Unis. En dépit des premières nominations se faisant sur une base partisane, ce modèle de carrière dans la fonction publique semble avoir été un prolongement du modèle d'administration coloniale antérieur à la mise en place d'un gouvernement responsable. Les emplois dans la fonction publique d'alors étaient des postes à vie et parfois transmis à l'intérieur des familles. Quelle qu'en soit l'origine et malgré l'atmosphère envahissante de la politique du favoritisme, ce système avait pour effet de créer une remarquable stabilité et parfois d'assurer une grande compétence aux échelons supérieurs de l'administration publique. Immédiatement avant la Confédération, parmi les neuf sous-ministres dans la province du Canada, six avaient gravi les échelons de la hiérarchie en obtenant des promotions ; quatre possédaient plus de vingt ans d'expérience ; le plus ancien de tous, secrétaire du Conseil exécutif, pouvait prétendre avoir plus de quarante ans de service dans la fonction publique[18]. Ce modèle s'est maintenu après 1867. À l'époque de la Première Guerre mondiale, par exemple, les vingt-quatre sous-ministres fédéraux avaient en moyenne vingt ans d'expérience[19].

Ce haut niveau de stabilité et de compétence professionnelle a servi de fondement à l'activisme considérable de l'État pendant la seconde moitié du XIXe siècle et les premières décennies du XXe. Il serait erroné de croire qu'une culture politique si fermement ancrée dans le favoritisme signifie un État inactif. Rien ne serait plus loin de la réalité, du moins dans les deux provinces centrales et à l'échelle fédérale. En Ontario, par exemple, commençant par le Municipal Loan Fund Act de 1873, le gouvernement Mowat a adopté une foule de lois et de règlements, dans des domaines comme la santé, l'éducation, la vente des spiritueux et l'agriculture, qui ont servi à redéfinir le rôle du gouvernement provincial. Cette expansion du rôle de l'État a multiplié les occasions de favoritisme, mais, comme le fait observer Sid Noël, elle a aussi projeté le gouvernement directement et officiellement dans le quotidien des collectivités locales « à une échelle jamais vue auparavant »[20]. Au Québec, grâce à l'aide de hauts fonctionnaires compétents, tels Siméon Lesage et Édouard Bernard, le gouvernement provincial s'est lancé dans une réorientation fondamentale de l'agriculture au Québec et un ambitieux programme de construction de chemins de fer, dont un important tronçon construit par le gouvernement provincial lui-même (et qui lui a appartenu pendant une brève période). Ce programme a laissé un lourd

18. Hodgetts, *Pioneer Public Service*, p. 52.

19. Alasdair Roberts, *So-called Experts : How American consultants Remade the Canadian Civil Service, 1918-21*, Toronto, Institut d'administration publique du Canada, 1996, p. 37.

20. Noël, *Patrons, Clients, Brokers*, p. 282.

fardeau financier à la province, à la fin du siècle[21]. De la même manière, le gouvernement fédéral a entrepris un important programme de construction et d'installation d'infrastructures, en particulier la construction de chemins de fer (notamment le chemin de fer public Intercolonial), l'amélioration de la navigation et la construction de ports.

Au début du siècle, la croissance de l'industrialisation, de l'urbanisation et d'une économie d'entreprises, la plus grande diversification des élites, l'envergure de l'activité gouvernementale qui a entraîné l'expansion et une complexité accrue des fonctions publiques, ont exercé une pression de plus en plus grande sur le besoin de changement et de réforme, surtout au niveau fédéral. Selon les réformateurs, une nouvelle façon de gouverner, plus valorisante, plus scientifique, dont l'esprit est plus proche de l'entrepreneuriat, s'imposait. De plus, en 1906-1907, une enquête sur la corruption au sein du ministère de la Marine et des Pêcheries a créé des conditions politiques favorables au changement. Ainsi, en 1908, la Commission de la fonction publique fut finalement instituée, et elle avait compétence sur le « service interne ». Au cours de la décennie suivante, la Commission a élaboré un régime d'emploi dans la fonction publique, essentiellement britannique à l'origine, composé du sommet à la base de trois grands niveaux de personnel. Elle a aussi établi une relation décentralisée et de collaboration avec les ministères, allant jusqu'à accorder aux sous-ministres tout pouvoir quant aux promotions.

Après une décennie de progrès sur cette voie essentiellement « britannique » et de décentralisation – progrès allant de pair avec le haut degré de professionnalisme et de compétence qui s'était instauré aux plus hauts échelons de la fonction publique depuis les années 1850 – la fonction publique fédérale a pris soudain un virage radical à la suite des conditions nouvelles créées par la Première Guerre mondiale. Cherchant à former une coalition avec les Libéraux dissidents afin de poursuivre avec succès l'engagement du Canada dans la guerre, le premier ministre conservateur Robert Borden a dû apaiser les querelles entre les Conservateurs et les Libéraux au sujet du favoritisme fédéral. Il subissait donc de fortes pressions à tenir sa promesse d'avant-guerre de soumettre le « service extérieur » aux dispositions de la Loi sur le service civil. Pressée d'agir rapidement, la Commission de la fonction publique s'est tournée, en désespoir de cause, vers une société d'experts-conseils américaine. Comme l'a élégamment raconté Alasdair Roberts[22], ces experts-conseils ont élaboré un système complexe, rigide et très centralisé, adapté au contexte d'exploitation politique organisée et corrompue des villes américaines plutôt qu'aux fonctions publiques canadiennes formées de fonctionnaires de carrière et de professionnels. Ce système fut adopté en toute vapeur en 1918 et il a donné à la fonction publique fédérale, pour le meilleur et pour le pire, les traits qu'elle a conservés pendant les cinquante années qui ont suivi.

---

21. James Iain Gow, *Histoire de l'administration québécoise, 1867-1970*, Montréal, Les Presses de l'Université de Montréal, 1986, p. 35-78 ; Jean Hamelin et Yves Roby, *Histoire économique du Québec, 1851-1896*, Montréal, Fides, 1971.

22. Roberts, *So-called Experts*, p. 33-46.

Les provinces ne se sont pas empressées de suivre l'exemple fédéral, et ce, pour plusieurs raisons. Une d'entre elles peut être énoncée ainsi : puisque le robinet alimentant le favoritisme était fermé à Ottawa, il fallait bien que les provinces en ouvrent un chez elles pour combler le vide, en particulier au Québec où le Conseil de la fonction publique, nominal et inefficace, a été complètement aboli en 1926[23]. La Nouvelle-Écosse a attendu jusqu'en 1935 pour se doter d'une Commission de la fonction publique, le Nouveau-Brunswick, jusqu'en 1943 (l'année même où le premier ministre Adélard Godbout en a rétabli une sur papier au Québec) et l'Île-du-Prince-Édouard, jusqu'en 1951. Sans aucun doute, dans toute l'histoire du Canada, c'est au cours de ces décennies qu'on a vu fleurir les meilleures organisations politiques fondées sur le favoritisme : celle de McBride en Colombie-Britannique, celle de Sifton en Alberta, celle de Gardiner en Saskatchewan, celle de Rodmond Roblin au Manitoba, celle de Taschereau et de Duplessis au Québec, celle de McNair et de Hugh John Flemming au Nouveau-Brunswick, celle d'Angus L. Macdonald en Nouvelle-Écosse et, enfin, celle de Squires à Terre-Neuve[24].

Au niveau fédéral cependant, l'existence désormais solide d'une fonction publique neutre au sein de laquelle on pouvait mener une carrière professionnelle, cela même dans le cadre rigide de la réforme de 1918, a ouvert la porte à un nouveau genre de fonction publique et de gouvernement. Depuis le début du siècle, une nouvelle collectivité intellectuelle s'était formée et développée, partiellement et non exclusivement rattachée aux universités, telle l'université Queen's. Elle veillait à ce que l'État assume un nouveau rôle social, celui de remédier aux maux causés par l'industrialisation et l'urbanisation. Avec le temps, ces intellectuels ont aussi veillé à ce que la fonction publique soit un lieu où eux-mêmes, peut-être eux seuls, pourraient jouer un rôle dans la formation d'un avenir meilleur pour leur pays, par l'application de leurs nouvelles compétences en sciences sociales à la politique gouvernementale[25]. Adam Shortt, professeur à l'université Queen's, qui avait été l'un des premiers commissaires de la fonction publique en 1908, avait rêvé d'une fonction publique canadienne modelée sur la fonction publique à la britannique instaurée en Inde, fonction publique professionnelle qui attirerait les meilleurs et les plus brillants bacheliers sortant des universités. Au cours des années 20 et 30, deux de ses collègues furent nommés

---

23. Heintzman, « Political Culture in Québec », p. 37.

24. S.J.R. Noël, « Dividing the Spoils : The Old and New Rules of Patronage in Canadian Politics », *Revue d'études canadiennes*, vol. 2, n° 2, 1987, p. 75 ; Martin Robin, *The Rush for Spoils : The Company Province, 1871-1933*, Toronto, McClelland and Stewart, 1972 ; L.G. Thomas, *The Liberal Party in Alberta*, Toronto, University of Toronto Press, 1959 ; David Smith, *Prairie Liberalism : The Liberal Party of Saskatchewan, 1905-1971*, Toronto, University of Toronto Press, 1975 ; M.S. Donnely, *The Government of Manitoba*, Toronto, University of Toronto Press, 1963 ; Bernard L. Vigod, *Quebec Before Duplessis : The Political Career of Louis-Alexandre Tachereau*, Montréal, McGill-Queen's University Press, 1986 ; Hubert F. Quinn, *The Union Nationale*, Toronto, University of Toronto Press, 1963 ; Hugh Thorburn, *Politics in New Brunswick*, Toronto, University of Toronto Press, 1961 ; J. Murray Beck, *The Government of Nova Scotia*, Toronto, University Press, 1957 ; S.J.R. Noël, *Politics in Newfoundland*, Toronto, University of Toronto Press, 1957.

25. Doug Owram, *The Government Generation : Canadian Intellectuals and the State, 1900-1945*, Toronto, University of Toronto Press, 1986.

sous-ministres : O.D. Skelton aux Affaires extérieures et Clifford Clark aux Finances. Ils contribuèrent à réaliser le rêve d'Adam Shortt. Ils ont travaillé ensemble à attirer au sein de la fonction publique fédérale une nouvelle génération de jeunes universitaires, dont beaucoup possédaient des compétences en sciences sociales, principalement en économie. De 1930 à 1950, ce groupe de nouveaux venus a formé graduellement ce qui a été appelé une nouvelle classe de « mandarins », qui a exercé une très grande influence sur les affaires publiques[26].

L'ascension de ce nouveau type de fonctionnaire a coïncidé avec l'incroyable expansion du rôle gouvernemental dans les affaires sociales et la gestion macroéconomique. En fait, elle l'a rendue possible et elle l'a promue. Au Canada d'ailleurs, il y avait toujours eu une tendance vers l'action étatique, mais au cours des années 30 et 40, l'attention du gouvernement fédéral passera de domaines, comme ceux des tarifs et du transport (piliers de la « politique nationale » canadienne à la fin du XIXe siècle) à de nouvelles préoccupations, telles la politique monétaire et l'édification d'un nouvel État providence, décrit par un observateur comme une « nouvelle politique nationale »[27]. Les périodes de dépression et la guerre mondiale ont fourni des occasions et exercé des pressions pour étendre le rôle du gouvernement fédéral dans ces domaines. Ainsi, dès 1945, le nombre de fonctionnaires fédéraux se chiffrait à 115 000 alors qu'il était d'environ 10 000 en 1896. À elle seule, la rémunération de ces employés représentait une somme cinq fois supérieure au budget global du gouvernement cinquante ans plus tôt. Entre 1896 et 1945, le budget du gouvernement fédéral est passé de 36 millions de dollars à 5,25 milliards de dollars. L'action gouvernementale a pris la forme d'allocations de vieillesse, d'assurance-emploi, d'allocations familiales, de logements subventionnés et d'autres mesures sociales. Une nouvelle conception du rôle du gouvernement fédéral s'est aussi manifestée en matière de gestion économique[28].

À la Conférence du Dominion et des provinces sur la reconstruction, tenue en 1945-1946, le gouvernement fédéral a présenté une série de propositions audacieuses, rédigées par ses ambitieux experts de la fonction publique, qui comprenait un large éventail de programmes sociaux, y compris l'assurance-santé. Toutes ces propositions étaient liées à une nouvelle vision de la gestion macroéconomique keynésienne, et elles devaient être appliquées, bien sûr, par le gouvernement fédéral et ses « mandarins ». Bien que cette conférence fût un échec monumental, le gouvernement et ses bureaucrates ont poursuivi leur vision de réforme sociale et de gestion macroéconomique keynésienne pendant les décennies suivantes[29]. Ils ne l'ont pas fait sans rencontrer quatre obstacles importants.

---

26. J.L. Granatstein, *The Ottawa Men : The Civil Service Mandarins, 1935-1937*, Toronto, University of Toronto Press, 1982.

27. V.C. Fowke, « The National Policy – Old and New », *Revue canadienne d'économique et de science politique*, n° 18, 1952, p. 271-286.

28. Goram, *Government Generation*, ix-x.

29. Dennis Guest, *The Emergence of Social Security in Canada*, Vancouver, University of British Columbia Press, 1980.

Il fallait d'abord surmonter un obstacle sur le plan provincial : la traditionnelle querelle fédérale-provinciale qui se déroulait depuis la Confédération, amorcée par la querelle entre le favoritisme des Conservateurs fédéraux de John A. Macdonald et celle des Libéraux d'Oliver Mowat en Ontario (quoique les étiquettes qu'on accordait alors à ces partis aient été renversées). Les principales provinces se sont opposées au désir d'Ottawa de conserver la plupart des recettes fiscales acquises durant la guerre et ont insisté pour obtenir leur « juste » part. Au cours des décennies d'après-guerre, elles ont obtenu gain de cause. En mettant sur pied leur propre bureaucratie technocratique, les gouvernements provinciaux ont pu protester contre le monopole exercé par Ottawa en matière de fiscalité et de politique gouvernementale et mettre en œuvre un processus appelé « développement d'une province », processus qui s'opposait à la vision traditionnelle du gouvernement fédéral, à savoir le « développement d'un pays »[30]. La part des provinces et des municipalités à la totalité des recettes gouvernementales est passée d'un peu moins de 30 % en 1945 à 55 % en 1980, tandis que la part du fédéral a chuté, passant de 70 % à presque 45 %. Après la prise en compte des transferts gouvernementaux, la part provinciale atteignait presque 70 %[31].

En deuxième lieu, l'administration publique fédérale devait franchir un obstacle étroitement lié au premier, celui de la langue française et du Québec. Bien que depuis le début du Régime britannique, tel qu'il a été mentionné plus haut, les Canadiens de langue française aient fait valoir leur droit d'occuper un nombre de postes au sein de la fonction publique, en fonction de leur population, cet objectif leur a progressivement échappé après la Confédération de 1867. Ainsi, en 1863, des 450 fonctionnaires de l'administration centrale de la province unie du Canada, 115, soit 35 %, étaient des francophones (bien que leur rémunération ne représentait que 20 % de la masse salariale)[32]. À la fin de la Première Guerre mondiale, le pourcentage de francophones au sein de la fonction publique fédérale avait chuté à 22 %, et à la fin de la Deuxième Guerre mondiale, il baissait à 13 %[33]. L'abolition du favoritisme a plutôt nui aux francophones, car c'était grâce à lui que les dirigeants du Québec avait pu obtenir une part équitable de postes dans la fonction publique fédérale. Les francophones n'ont pas accueilli son abolition avec enthousiasme, et leurs craintes étaient tout à fait justifiées[34].

Depuis le début du siècle, l'incapacité de la fonction publique fédérale d'intégrer un certain nombre de Canadiens de langue française a constitué l'un des

---

30. Cette expresssion a été employée pour la première fois dans E.R. Black et Alan C. Cairns, « A Different Perspective on Canadian Federalism », *Administration publique du Canada*, n° 9, 1966, p. 27-45.

31. Gouvernement du Canada, *Federalism and Decentralization Where do we Stand?*, Ottawa, Ministre des Approvisionnements et Services, 1981, p. 33-36.

32. Hodgetts, *Pioneer Public Service*, p. 57.

33. Commission royale d'enquête sur le bilinguisme et le biculturalisme, *Rapport*, Ottawa, Queen's Printer, 1969, 3, p. 101-103.

34. Heintzman, « Political Culture of Québec », p. 36-37.

motifs qui ont alimenté le nationalisme canadien-français[35], nationalisme qui, en 1960, s'affichait ouvertement en faveur du séparatisme du Québec. Après que l'entrée au pouvoir du gouvernement libéral de Jean Lesage eut marqué et encouragé la montée du nationalisme québécois, il est devenu rapidement évident que le rôle accru des francophones au sein de l'administration fédérale représentait la condition minimale pour conserver l'unité du pays. Ainsi, en 1968, la Loi sur les langues officielles a jeté les bases d'une fonction publique fédérale bilingue et, par le fait même, a donné à la Commission de la fonction publique un nouveau rôle important, à un moment tout à fait opportun.

Ce rôle accordé à la Commission était intégré au troisième obstacle d'après-guerre auquel devait faire face l'administration publique fédérale, celui de la gestion. La réforme effectuée en 1918 avait pourvu la fonction publique d'un système de gestion du personnel rigoureux, complexe et « archaïque », mais elle l'avait en même temps singulièrement déséquilibrée. En effet, l'absence d'autres organismes centraux de coordination permettait à la Commission de la fonction publique d'occuper tout l'espace à elle seule. De plus, la nouvelle classe de mandarins ne s'intéressait pas beaucoup à la gestion, mais plutôt à la politique gouvernementale. Au cours des décennies qui ont suivi, l'appareil gouvernemental central a commencé à être congestionné, créant ainsi des pressions visant à enclencher une réorganisation et une simplification du système mis en place en 1918, ainsi qu'à établir des normes plus élevées en matière de méthodes de gestion. Le Conseil du Trésor, en tant que comité du Cabinet, avait été créé au lendemain de la Confédération, le 2 juillet 1867, mais n'avait jamais joué un rôle important dans l'administration publique. Cependant, en 1931, sous l'effet de la Dépression, le gouvernement Bennett a revitalisé le Conseil du Trésor grâce à une législation, nommé un fonctionnaire énergique (W.C. Robson) en tant que secrétaire adjoint à la direction du personnel du Conseil et lui a accordé autorité en matière de dépenses ministérielles et de politique de gestion du personnel. En mars 1940, près de dix ans plus tard, le premier ministre King nommait son premier secrétaire, Arnold Heeney, greffier du Conseil privé et secrétaire du Cabinet. Heeney a immédiatement procédé à la réorganisation du Bureau du Conseil privé, pour en faire un secrétariat moderne du Conseil des ministres, ce que le Canada n'avait pas connu jusque-là.

La présence de ces nouveaux centres de coordination et de pouvoir ont entraîné une révision continue de leur rôle respectif et une recherche visant la mise en place de méthodes plus simples et plus saines de gestion de la fonction publique. Ainsi, les commissions Gordon (1946), Glassco (1962) et Lambert (1976) ont lutté, chacune à leur façon, pour la rationalisation du système. Le point commun de leurs recommandations portait sur la décentralisation et la délégation des responsabilités aux ministères, tout en les accompagnant d'un renforcement sélectif du centre, surtout du Conseil du Trésor. En théorie, ces recommandations entraînaient le démantèlement de la réforme de 1918 et un changement substantiel du rôle de la Commission de la fonction publique, dont la plupart des tâches auraient relevé du Conseil du Trésor ou d'autres ministères. En pratique, la réforme de 1918 est sortie quasi indemne, et la Loi sur l'emploi

35. G. Raymond Laliberté, *Une société secrète : l'Ordre de Jacques-Cartier*, Montréal, Hurtubise HMH, 1983.

dans la fonction publique de 1967 a essentiellement confirmé le rôle de la Commission en tant qu'organisme central de dotation, détenant un rôle nouveau et important : celui d'instaurer le bilinguisme au sein de la fonction publique[36].

À partir des années 80, la gestion a cédé le pas à la fiscalité et à la politique. À mesure que le rôle du gouvernement s'étendait, que les dépenses publiques représentaient une part toujours plus grande du PIB et que le déficit budgétaire annuel accumulé depuis le milieu des années 70 faisait augmenter la dette publique, un nombre de plus en plus élevé de Canadiens ont commencé à remettre en question le rôle du gouvernement dans la société, aussi bien que ses structures internes et son mode de fonctionnement[37]. Au Canada, comme partout ailleurs, cette remise en question du rôle de l'État et de la valeur de la fonction publique et de son administration a donné lieu à une foule de nouvelles mesures, entre autres, la rationalisation, la privatisation, la sous-traitance, le transfert de responsabilités, la restructuration, de nouvelles formes d'organisation, des agences de service autonomes, des contrats et des mesures de performance, etc. Les notions mêmes de fonction publique unifiée et de carrière en son sein ont semblé vouloir être abandonnées[38].

Bien que ces débats et ces expériences ressemblent à celles vécues dans d'autres pays, ils ont été marqués par des circonstances distinctement canadiennes et ont eu des effets potentiellement distinctement canadiens. Le désenchantement à l'égard du gouvernement a été influencé, par exemple, par la crise toujours actuelle portant sur l'unité nationale, par la lassitude éprouvée devant l'interminable conflit fédéral-provincial, par les pressions conflictuelles réclamant à la fois la décentralisation et la centralisation du pouvoir et, enfin, par trente ans de tentatives infructueuses à la recherche d'un accord constitutionnel avec le Québec[39]. Cette situation a également engendré des conséquences potentiellement intéressantes pour la conception même du Canada. L'État avait joué un rôle important tout au long de l'histoire canadienne, et vers le milieu du XXe siècle, il s'est intégré dans l'âme du pays, lorsqu'une place centrale dans l'identité canadienne moderne a été accordée aux programmes sociaux de la « deuxième politique nationale ». Le retrait de l'État au Canada a soulevé des questions potentiellement délicates non seulement au regard de la politique gouvernementale, mais aussi concernant l'identité des Canadiens comme peuple et le genre de communauté qu'ils partagent[40].

À la fin du XXe siècle, l'administration publique canadienne semble être presque revenue au point de départ et aux prises avec bon nombre des pro-

---

36. Hodgetts et coll., *Biography of an Institution*, p. 324-332.

37. Donald J. Savoie, *The Politics of Public Spending in Canada*, Toronto, University of Toronto Press, 1990.

38. Donald J. Savoie, *Thatcher, Reagan, Mulroney : In Search of a New Bureaucracy*, Toronto, University of Toronto Press, 1994 ; Peter Aucoin, *The New Public Management : Canada in Comparative Perspective*, Montréal, Institut de recherches en politiques publiques, 1995.

39. Peter H. Russell, *Constitutional Odyssey : Can Canadians Be a Sovereign People ?*, Toronto, University of Toronto Press, 1992.

40. André Burelle, *Le mal canadien. Essai de diagnostic et esquisse d'une thérapie*, Montréal, Fides, 1995 ; *Le droit à la différence à l'heure de la globalisation. Le cas du Québec et du Canada*, Montréal, Fides, 1996.

blèmes et des situations que devait envisager cette même fonction publique au temps des pionniers, bien que le dynamisme actuel semble indiquer une direction opposée. Les expériences de partenariat et de sous-traitance mettent à contribution, une fois de plus, les intérêts privés pour atteindre des objectifs publics. Les principes de « frais à l'usager » et de « génération de revenus » mis de l'avant semblent nous ramener à l'époque des « services autosuffisants » qui étaient courants avant 1867[41]. On essaie de doter les services essentiels de la fonction publique d'une forme non ministérielle, analogue à celle dont jouissait le Conseil des travaux publics au cours des années 1840[42]. Il est possible que ces expériences favorisent une fragmentation en organismes distincts, plus éloignés du pouvoir politique (comme au temps des pionniers) et comportant un potentiel de conflits ouverts entre les ministres et les représentants officiels, ce qui n'était pas rare avant la Confédération[43]. Comme ce fut le cas de 1840 jusqu'aux premières décennies du XXe siècle, les modifications au régime d'emploi et à la structure gouvernementale peuvent bien nous ramener à une distinction entre service « interne » et service « extérieur ». Les emplois dans ce dernier seraient plus contingentés et de plus courte durée toutefois.

Si, à l'heure actuelle, l'avenir de l'administration publique ressemble étrangement à son passé, doit-on penser que le progrès est illusoire ? Probablement pas. Cela signifie plutôt que l'administration publique saine est une question d'équilibre entre des forces ou des dynamismes contraires et que cet équilibre varie au gré du temps et des circonstances. Dans son étude classique sur l'administration publique du Canada au temps des pionniers, publiée en 1955, au moment où le mandarinat était à son plus fort, le doyen des professeurs en administration publique du Canada laisse entendre qu'« il serait possible de soutenir une thèse démontrant que l'histoire du développement de la fonction publique fédérale révèle une réduction graduelle des pouvoirs délégués aux agents locaux et la substitution d'une centralisation à l'administration centrale qui, dans les conditions modernes, ont eu tendance à placer sur les épaules de quelques représentants importants un lourd fardeau difficile à porter. Il est probable que la recherche d'un équilibre juste entre l'autorité des représentants de l'administration centrale et les pouvoirs délégués aux représentants régionaux ne soit pas encore atteinte, même si les principaux défauts qui accompagnent la décentralisation en période d'adolescence ont été corrigés »[44].

Les années intermédiaires ont servi à confirmer que cette thèse est en effet soutenable et les prévisions, très justes. La recherche du juste équilibre entre la coordination et le renforcement du pouvoir se poursuit avec la même intensité aujourd'hui et se poursuivra encore indéfiniment, réservant de nombreuses surprises.

---

41. Des ministères, tels Travaux publics, Crown Lands, Post Office et Indian Office, ainsi que des services comme Fisheries Branch, Cullers Office, Emigration Office, Marine Hospital et River Police, étaient tous des « services autosuffisants ». Hodgetts, *Pioneer Public Service*, p. 70-71.

42. *Ibid.*, p. 190.

43. *Ibid.*, p. 166-171, 190.

44. *Ibid.*, p. 278.

SECTION A

Institutions fédérales

CHAPITRE 1

Le système du gouvernement et ses particularités

James Mallory
Professeur émérite de science politique
Chaire R.B. Angus
Université McGill

Le Canada est une fédération dotée d'une structure gouvernementale de type britannique. Il y a environ 100 ans, un des délégués à la convention établissant le Commonwealth de l'Australie prévoyait qu'une telle combinaison causerait la chute de la fédération ou du système de Westminster. Jusqu'à présent, cette prédiction ne s'est pas réalisée mais, du moins dans le cas du Canada, la combinaison fédération-système britannique a engendré certaines particularités, que nous allons souligner dans les lignes qui suivent.

Une des grandes caractéristiques de ce qu'on appelle le « système de Westminster » est qu'il favorise un gouvernement fort. Le parti au pouvoir peut gouverner à son aise jusqu'à la dissolution du Parlement. Cette situation est attribuable à deux phénomènes : le système majoritaire tend à réduire au minimum le nombre de partis en lice et fait en sorte que le résultat du suffrage accorde au parti élu une majorité de sièges, souvent importante. Étant donné la nécessité de suivre la politique du parti, le gouvernement peut, de l'avis des critiques, gouverner comme il l'entend sans se préoccuper des récriminations de l'opposition et se comporter, comme l'avait indiqué Lawrence Lowell, comme une dictature virtuelle d'une élection à l'autre. Bien sûr, Lowell comparait le système britannique et le système américain, dans lequel la séparation des pouvoirs, entre l'exécutif et le législatif, limite constamment la capacité du premier à contrôler le second. En réalité, la différence entre les deux systèmes n'est pas aussi marquée, mais cela signifie tout de même que le parti d'opposition n'a guère mieux à faire que de se placer en bonne position en vue des prochaines élections. Comme l'a déjà indiqué Bernard Crick, le débat parlementaire ressemble fort à une campagne électorale permanente. La discussion des questions de politique – celle qui aboutit à une solution de compromis parmi tous les arguments avancés – n'a pas lieu en assemblée législative, mais bien dans les réunions secrètes du parti au pouvoir.

Ce système diffère, du moins en apparence, des systèmes politiques comportant un grand nombre de partis, situation qui fait que seules des coalitions peuvent accéder au pouvoir et dans laquelle les gouvernements forment ouvertement des alliances de divers partis représentant des idéologies et des intérêts politiques différents. En réalité, ce système n'est pas aussi différent qu'il ne le paraît. La véritable différence est que, dans le cas des coalitions, la décision des différents partis de former une alliance précède la création du gouvernement, alors que dans le système britannique, le parti au pouvoir constitue en soi une coalition d'intérêts passablement variés, qui font front commun face au public, mais qui doivent régler en privé leurs divergences d'orientation. Normalement, la conciliation de ces différences s'effectuera à l'intérieur du Cabinet, mais les divergences que soulève le pluralisme universel du parti au pouvoir seront aplanies derrière les portes closes des réunions du caucus, et non dans un débat public à la Chambre des communes.

Dans un pays constitué de deux groupes linguistiques « fondateurs », de quatre ou cinq régions distinctes, et présentant les distinctions habituelles de classes et les autres cloisons qui caractérisent des sociétés modernes, le parti au pouvoir doit chercher à représenter le plus d'intérêts différents possible. Les autochtones, autrefois en marge du processus politique, entrent de plus en plus dans la course, à mesure que s'accroît leur reconnaissance.

Il n'y a pas que le gouvernement fédéral qui obéisse aux lois du système de Westminster: chacune des dix provinces participe au même cadre constitutionnel. La différence la plus importante entre les deux niveaux de gouvernement est que les provinces, constituant des sociétés relativement homogènes, sont beaucoup plus susceptibles d'avoir à leur tête des gouvernements qui, avec environ la moitié seulement du vote populaire, jouissent d'une forte majorité et se rapprochent des dictatures évoquées par Lowell, que seule peut freiner l'éventualité d'une défaite aux prochaines élections.

Quel est l'impact de tout cela sur le système fédéral ? Au moment de la mise en place de la fédération, il semble qu'on ait confié au gouvernement central les fonctions les plus importantes d'un gouvernement, ou du moins celles qui semblaient les plus importantes au milieu du XIXe siècle. Depuis ce temps, les secteurs qui ont le plus mobilisé l'activité de l'État ont été l'éducation, le bien-être et la santé du public, domaines qui ont été confiés aux provinces, peut-être parce que ces questions étaient jugées secondaires et avaient été dans une large mesure laissées au secteur privé ou aux organismes de bienfaisance.

Au début, la ligne de démarcation entre les deux niveaux de gouvernement était plutôt floue mais, au fil des ans, les cours de justice ont été appelées à en définir les limites et les interprétations judiciaires ont fait en sorte d'isoler les deux niveaux de compétences en compartiments étanches. Une opinion largement répandue veut que l'insertion de la Charte des droits et libertés dans la Constitution ait mené à la judiciarisation de la politique canadienne, soit le transfert de l'élaboration de la politique de l'arène politique aux cours de justice. On doit comprendre que ce processus a eu lieu un siècle plus tôt. Ce fut, au départ, l'outil des puissants intérêts privés, capables de financer des batailles juridiques jusqu'aux plus hautes cours pour combattre le développement de l'État réglementant et démontrer que le gouvernement compétent – fédéral ou provincial – était celui qui ne semblait pas disposé à régir le commerce, la sécurité ou la morale publique. Ensuite, les politiciens de tous les niveaux de gouvernement ont vu dans ce type de procédure un moyen de protéger ou d'étendre leur champ de compétences.

Ces conflits se sont estompés durant la Seconde Guerre mondiale, qui a vu le rôle du gouvernement fédéral se développer considérablement. On savait qu'après la guerre la question de la division fédérale des pouvoirs – largement laissée en suspens vu les circonstances exceptionnelles de la guerre – allait nécessairement refaire surface. Toutefois, les choses ne se sont pas passées exactement comme prévu. Les tribunaux ont délaissé le concept du cloisonnement étanche des compétences législatives, qui aurait imposé un lourd fardeau au gouvernement, étant donné son champ d'activité considérablement étendu, et ont admis un champ de compétences simultanées beaucoup plus étendu. Ils ont, en outre, autorisé la passation, entre les deux niveaux de gouvernement, d'ententes de coopération axées sur la poursuite d'objectifs communs en matière de politique. Ce processus a été largement inspiré par une bureaucratie fédérale dominante, beaucoup plus élaborée, et largement financé par le Trésor beaucoup plus considérable du gouvernement fédéral. Au fil des ans, les gouvernements provinciaux ont à leur tour mis en place une bureaucratie qualifiée, de sorte que, dans les négociations intergouvernementales, la capacité de négociation des différentes parties était plus équilibrée. Elle était révolue depuis longtemps l'époque où, comme me le racontait un ancien politicien, un premier ministre provincial s'était présenté à une conférence des premiers ministres accompagné uniquement de son procureur général.

En fait, la Conférence des premiers ministres était devenue une institution fondamentale du fédéralisme canadien au cours de cette période. La négociation intergouvernementale constituait la méthode privilégiée pour résoudre les conflits, si bien que dans les années 70, les litiges sur le partage des compétences représentaient 2 ou 3% des dossiers déposés chaque année devant la Cour suprême du Canada. Les ententes fédérales-provinciales étaient efficaces étant donné que les parties pouvaient garantir les lois nécessaires, puisqu'elles disposaient d'une majorité fidèle à la ligne du parti au sein de leur législature respective. Ce système, qu'on appela le « fédéralisme exécutif », émergea comme le mécanisme par lequel l'État fédéral canadien pouvait allier l'efficacité administrative que nécessitait la portée élargie de l'État moderne avec la nature essentiellement fédérale de la politique. En fait, ce système fonctionnait la plupart du temps. Les conflits n'éclataient que lorsque les objectifs fondamentaux des deux ordres de gouvernement s'avéraient inconciliables.

Toutefois, le mécanisme des ententes fédérales-provinciales a été sérieusement remis en question par deux modifications de la culture politique canadienne qui, de l'avis de certains observateurs, n'étaient pas étrangères l'une à l'autre. La première a été l'enchâssement de la Charte des droits et libertés de 1982 à la Constitution, ce qui a eu des répercussions considérables sur le système politique canadien. La Charte a ouvert une nouvelle voie permettant la mise en œuvre d'une politique qui, jusqu'alors, présentait des difficultés insurmontables sur le plan politique. Une Cour suprême bienveillante pouvait légitimer un changement d'orientation que les politiciens aux positions inconciliables n'osaient pas aborder, comme cela a été le cas lorsque les tribunaux ont autorisé le financement des écoles secondaires catholiques romaines de l'Ontario, en 1987. La Charte sonna un nouveau réveil de la judiciarisation de la politique canadienne qui, jusqu'à présent, s'était limitée aux guerres de compétences – que les belligérants avaient quelque peu délaissées en choisissant de régler leurs conflits dans l'arène du fédéralisme exécutif.

Cet événement contribua à augmenter un certain dédain à l'égard de l'élitisme, déjà largement répandu dans la société, qui trouva une cible toute désignée dans le fédéralisme exécutif, perçu comme la résolution des problèmes politiques par une petite élite (les bureaucrates) de politiciens réunis en secret, plutôt que par la consultation des électeurs. Il y a toujours eu un courant de populisme dans la culture politique canadienne. Ce manque de confiance à l'égard des groupes dominants, que ce soit dans la vie politique, sociale ou économique, a été nourri par le désillusionnement qui a suivi la Première Guerre mondiale. Cet état d'esprit était manifeste dans le mouvement progressiste des années 20, qui s'est profondément enraciné dans l'ouest du pays. Signalons, à cet égard, la décision très révélatrice du chef du parti du Crédit social de l'Alberta, William Aberhart, en 1935, d'exiger que les candidats de son parti soient libres de toute association passée avec un parti politique, quel qu'il soit. Le Crédit social avait remporté haut la main les élections de 1935 dans cette province.

La méfiance à l'endroit des élites a réapparu dans les années 80, à l'époque où l'on a vu dans les référendums la panacée à tous les problèmes politiques de la fédération. Cela a eu pour conséquence de rendre la Constitution fédérale, dont la formule d'amendement était déjà terriblement rigide en 1982, encore plus inflexible avec l'utilisation croissante des référendums constitutionnels. C'est ce qui a causé l'échec du prétendu Accord de Charlottetown, en 1992, lequel a constitué la dernière tentative de faire du renouvellement de la Constitution un mégaprojet, difficilement élaboré à coups de transactions passées parmi le cercle restreint des premiers ministres, et que l'électorat, exclu du processus, n'a jamais voulu ratifier. La Constitution canadienne, qui apparaît maintenant immuable, est toutefois menacée par le spectre de la dissolution.

Le danger vient de différentes directions. Le premier, et le plus facilement identifiable, est la menace de sécession au Québec. Ce phénomène est apparu à la suite d'une transformation de la nature du nationalisme québécois. Le Québec a toujours été une partie distincte des provinces britanniques de l'Amérique du Nord. Sa population, à forte majorité francophone, a survécu ; la langue et le mode de vie de la majorité se sont maintenus et développés dans tous les aspects de la vie quotidienne sous la houlette de l'Église catholique. La principale raison pour laquelle l'Union de 1867 était fédérale et non unitaire résidait dans la nécessité de créer une politique provinciale qui puisse éliminer les questions fractionnelles qui avaient mené la province unie du Canada à l'impasse. Ainsi, le Québec pouvait garder le contrôle de son système juridique basé sur le droit romain, revu et modernisé à l'époque de l'Union en s'inspirant du droit écossais, lui-même fondé sur le droit romain. La province se distinguait également dans les secteurs de l'éducation et de ce qu'on appellerait maintenant l'aide sociale, qui étaient principalement dévolus au clergé alors que, dans les autres provinces, le système d'éducation était strictement séculier et la politique sociale, quand elle existait, devenait graduellement la responsabilité du gouvernement.

Durant près d'un siècle, après la Confédération, le système distinct du Québec est demeuré immuable, jusqu'à ce que la Révolution tranquille ne vienne précipiter la sécularisation. Cette transformation sociale, presque sismique, s'est opérée en moins de dix ans et a eu comme principale conséquence la croissance rapide de l'État provincial et la multiplication des disputes de compétences avec le gouvernement fédéral. Le nouveau nationalisme québécois est devenu un nationalisme politique, qui exerçait une pression sur une fédération créée à une époque où le gouvernement était limité, mais transformé par la suite en un État moderne dans lequel les deux niveaux de gouvernement en sont arrivés à assumer des responsabilités inimaginables un siècle auparavant. Le provincialisme agressif du Québec trouvait écho dans le provincialisme croissant des autres provinces. De plus, il devenait plus difficile de répondre aux aspirations du Québec, en raison de la force corrosive d'une doctrine relativement nouvelle (qu'on aurait autrefois assimilée à une hérésie), prônant l'égalité de chaque province au sein de la Constitution. En réalité, chaque province se distinguait des autres d'une façon ou d'une autre, en raison des limitations particulières de ses pouvoirs dans les secteurs de l'éducation, de la langue et dans d'autres domaines. Cela n'a pas empêché les politiciens de toutes les autres provinces d'entretenir systématiquement le dogme constitutionnel de l'égalité des provinces. Cette attitude est venue donner plus de poids à l'idée qu'on n'aurait jamais dû accorder au Québec des pouvoirs différents de ceux des autres provinces. C'est ainsi qu'est mort l'Accord du lac Meech, lequel portait sur la réforme constitutionnelle, en 1990, tout comme l'Accord de Charlottetown qui a suivi.

De plus, les pouvoirs exécutifs puissants et établis de longue date – héritage d'un système parlementaire à la Westminster – ont alimenté à leur tour le ressentiment croissant à l'égard des élites politiques. Le système comportant des organes exécutifs forts et cohérents n'avait jamais été aussi décrié depuis le désenchantement inspiré par le mouvement progressiste. Malheureusement, cette tendance est apparue à un moment où le double problème des restrictions financières et de l'unité nationale allait diminuer la capacité des ministres et de leur appareil bureaucratique à embrasser l'ensemble des enjeux et à adopter des mesures pour y faire face.

Malgré l'admirable uniformité qui semble caractériser le système de Westminster, celui-ci ne dispose pas moins de certains mécanismes internes de régulation. Le Cabinet est loin d'être monolithique, malgré qu'il soit normalement constitué par un parti unique. Le parti même est une coalition de différents courants idéologiques. En outre, les ministres subissent une forte pression pour favoriser les intérêts de leur région, sous peine de représailles de l'électorat. Ces particularités ne se limitent pas aux ministres. Les hauts fonctionnaires des ministères déploient une énergie féroce à protéger leur sphère de compétences contre les incursions des ministères rivaux et des organismes financiers centraux chargés de distribuer des ressources limitées. La législature non plus ne manque pas d'outils pour freiner le gouvernement. Au cours des 30 dernières années, une des particularités des cabinets canadiens a menacé de saper leur capacité de gouverner efficacement. Non seulement le principe fédéral est-il omniprésent dans la Constitution canadienne, mais la condition fédérale touche toutes les institutions occupant sa sphère d'influence. Ainsi, le Cabinet – en constante expansion depuis que l'activité tentaculaire du gouvernement a mené à la multiplication des ministères – a-t-il compté jusqu'à 40 membres à une certaine époque. Nul besoin de se référer à la Loi de Parkinson pour comprendre que le Cabinet était devenu un organe pratiquement incapable de prendre des décisions et dans lequel les ministres – pour reprendre l'expression de l'un d'eux – « n'arrivaient pas à reconnaître les collègues assis à l'autre bout de la table ». Par conséquent, le pouvoir décisionnel relevait d'un organe interne, qui devait lui-même abandonner le pouvoir d'établir les programmes à un autre organe interne, plus petit. Lorsque les premiers ministres – y compris Kim Campbell et l'actuel premier ministre Jean Chrétien – ont constaté l'absurdité d'un tel système, ils sont revenus au cabinet beaucoup plus restreint d'avant-guerre. Le Cabinet du premier ministre Chrétien compte 22 membres, assistés par plusieurs ministres de second rang, extérieurs au Cabinet.

On a parfois affirmé que, au sein du système de Westminster, le Parlement n'est plus ce que Walter Bagehot a décrit comme l'une des composantes efficaces de la Constitution, mais est devenu l'une des parties cérémoniales ou purement symboliques de la structure constitutionnelle. C'est exagérer le déclin du Parlement qui contribue encore, dans une certaine mesure, à l'équilibre du système.

Il est vrai que la fameuse période des questions quotidienne ne permet pas, en général, de tenir les ministres responsables des échecs de leur administration, grands ou petits. Depuis que les débats sont télédiffusés, on assiste la plupart du temps à un échange de trames sonores, soigneusement préparées par chacune des parties, mais peu éclairantes, bien que ces échanges permettent d'établir l'attirail des questions qui feront l'objet de la prochaine bataille électorale. Certes, la période des questions constitue l'aspect le plus visible de l'exercice parlementaire, mais elle ne représente pas le mécanisme le plus efficace dont disposent les partis d'opposition pour contrôler les activités du gouvernement. Il convient de souligner que, dans le jeu parlementaire, l'atout principal est le temps. Le gouvernement a besoin de temps pour mener à terme son programme législatif. La plus précieuse ressource de l'opposition est la capacité de retarder le déroulement des procédures, sans s'y opposer au point de bloquer complètement le processus. Une opposition habile saura subtilement tirer les ficelles de façon à ne pas laisser croire qu'elle tente de bloquer totalement le processus, ce qui risquerait de lui faire perdre la sympathie du public. Un bon dirigeant du gouvernement à la Chambre de communes se reconnaît par sa capacité à bien gérer le temps passé à la Chambre, à déterminer le moment propice au compromis ou à la fermeté et à respecter ses promesses. Le taux élevé du renouvellement dans les élections parlementaires, qui tourne autour de 40 % au Canada, fait qu'il y a trop peu de députés avertis et expérimentés des deux côtés de la Chambre. Cette situation amoindrit également l'efficacité des commissions parlementaires.

Bien des raisons évidentes font que les Canadiens – imprégnés de l'imagerie de la politique américaine véhiculée par les médias, la télévision en particulier – appliquent à leurs institutions politiques des concepts américains. Ce phénomène est particulièrement remarquable lorsqu'il s'agit de l'assemblée législative, notamment de son système de commissions. Il est évident que ce qui se passe dans la législature américaine est largement symbolique. L'action et le pouvoir sont dans les mains des membres des commissions. C'est pourquoi les réformes parlementaires favorisent l'augmentation des pouvoirs des commissions. Ce n'est pas un objectif facile à atteindre, puisque notre système de commissions reflète les activités de la Chambre. Le parti au pouvoir contrôle les activités de la Chambre parce qu'une ligne de parti très stricte vient renforcer son orientation. Il en va de même au sein des commissions, dont le président est nommé par le gouvernement et dans lesquelles les whips – en remplaçant les membres absents – garantissent que le parti au pouvoir obtiendra la majorité.

Il est manifeste que l'activité des comités du Congrès est largement contrôlée par les conseillers. Des observateurs avisés craignent que ce déplacement du centre de gravité ne se produise également au Canada, au détriment du rôle actuellement tenu par les membres mêmes des comités. Jusqu'à présent, les conseillers des comités n'ont pas tenu un rôle dominant ou partisan au Canada, et cela est en partie imputable au fait que les conseillers ou les collaborateurs sont souvent des experts recrutés au sein du secteur privé et qui, en général, font montre d'une étonnante et incorrigible ignorance de la réalité de la vie parlementaire. D'habitude, on puise les noms des conseillers des comités au Service de recherche de la bibliothèque du Parlement, dont le personnel organise adroitement les travaux des comités, mais on le fait avec la plus sereine impartialité, laissant aux membres le soin de se débrouiller avec l'orientation des travaux des comités. Étant donné le roulement important de l'effectif de la Chambre et des affectations aux comités, les membres n'ont pas beaucoup l'occasion de développer des aptitudes à cet égard. Même lorsqu'un comité développe une personnalité collective et une volonté propre, il est facile pour le gouvernement de ne pas considérer son point de vue ou de le modifier en Chambre.

Un autre mécanisme permettant de contrôler le pouvoir écrasant du gouvernement peut être observé à Ottawa et nulle part ailleurs au Canada. Alors que toutes les provinces et territoires ont une assemblée législative unique, le Parlement fédéral a conservé une seconde chambre. Bien que ses membres soient nommés – ce qui témoigne du malaise éprouvé au XVIIIe siècle face aux dangers d'une démocratie débridée dans une chambre élue par le peuple –, le Sénat conserve son rôle de chambre de réflexion. Certes, presque tout le monde lui reproche son caractère élitiste et le fait que ses membres ne sont pas élus. Cependant, il n'est pas rare que le Sénat joue un rôle utile, en corrigeant des lois boiteuses et mal conçues par une Chambre des communes débordée, fréquemment bousculée par le temps. Le rythme plus lent du Sénat permet de procéder à certains ajustements. Bien que le Sénat ne soit pas composé de partisans aussi bruyants que ceux de la Chambre, ses membres n'en demeurent pas moins des hommes et des femmes généralement loyaux envers leur parti. Par conséquent, il peut arriver à l'occasion – généralement dans les deux ou trois ans suivant un changement de gouvernement, lorsque l'attrition ramène la majorité du Sénat au même niveau que la majorité du gouvernement à la Chambre des communes – qu'un Sénat dominé par l'opposition puisse retarder ou rejeter une mesure législative du gouvernement et, parfois, forcer la tenue d'élections générales, en raison d'une divergence profonde des parties sur une question particulière. Bien que cette démarche ne soit généralement pas reçue avec plaisir, elle constitue une autre façon d'exercer un contrôle, parfois utile, sur le gouvernement, lequel disposerait, autrement, d'un pouvoir presque absolu dans le système.

Comment la bureaucratie se situe-t-elle par rapport à la branche politique du gouvernement, placée sous l'autorité législative qui, comme l'a fait remarquer Bagehot, constitue le trait d'union entre le pouvoir exécutif et la législature ? S'il existait une nette séparation entre le politique et l'administration, la question serait simple. La fonction publique accomplirait consciencieusement la volonté de ses dirigeants politiques, les ministres, et resterait totalement à l'écart du processus de la politique. Toutefois, les choses ne sont pas aussi simples. Lorsqu'il s'acquitte de sa tâche de conseiller les ministres et de mettre en œuvre la politique, le fonctionnaire ne peut pas méconnaître les conséquences politiques de son action, de sorte qu'une bureaucratie censément centrale (en particulier les hauts fonctionnaires) doit servir les dirigeants politiques actuels et connaître parfaitement la politique du moment, tout en étant également prête à servir un nouveau parti avec la même loyauté et le même zèle.

Tout ce qui précède est évident. Cela fait partie de la nature même du système. Cependant, la situation n'est pas aussi claire lorsqu'on envisage ce que sont les relations avec le Parlement lorsqu'on ne traite pas avec les ministres. Il y a des tractations de toutes sortes, certaines se produisent presque quotidiennement. Il est relativement facile, avec de l'expérience et une certaine habileté, de traiter avec les commissions parlementaires, si l'on évite d'être associé publiquement à une question de politique – cela vaut pour les ministres – et qu'on ne répond qu'aux questions portant sur des détails administratifs. Autrement, un fonctionnaire peut devenir le bouc émissaire pour une politique qui a mal tourné, vulnérable aux représailles d'un nouveau gouvernement formé par un autre parti.

Rien de cela n'aurait eu beaucoup d'importance il y a quelques années, puisque les députés, individuellement et collectivement, étaient vus comme des parties négligeables au point de vue de la politique. Cependant, les différents publics, allant des groupes d'intérêts carrément avides aux groupes intéressés par un aspect du bien-être public, se sont efforcés d'influencer les ministres, de sorte que les efforts des groupes de pression ont été tournés vers les ministres, individuellement et collectivement. Une connaissance plus approfondie du processus d'élaboration de la politique leur a permis de comprendre que celle-ci est fréquemment issue de la bureaucratie et a souvent pris une forme plus ou moins définitive avant d'être soumise à la sanction des ministres. Ainsi, le point d'impact sur la politique se trouvait au cours de la phase d'incubation, ce qui signifiait qu'il fallait découvrir quel fonctionnaire était chargé de réfléchir à tel ou tel changement de politique, bien avant qu'elle n'émerge sous une forme définie. Les années 70 et la décennie suivante devaient constituer une véritable mine d'anciens fonctionnaires et d'occupants provisoires des bureaux privés des ministres. Ainsi, sans toutefois oublier les ministres et les commissions parlementaires, les groupe de pression se sont efforcés de tisser des liens dans le milieu de la bureaucratie. Tout ce qui était nécessaire à ce jeu était une connaissance du fonctionnement de l'appareil gouvernemental, un téléphone et l'annuaire téléphonique du gouvernement.

Les dernières années ont vu apparaître différents changements, pas seulement esthétiques, visant à accroître le rôle de la Chambre, et plus particulièrement de ses commissions, dans le processus d'élaboration de la politique. C'est pourquoi l'attention des groupe de pression, qu'elle soit intéressée ou non, s'est tournée à nouveau vers les commissions parlementaires. Cela a eu un impact sur la bureaucratie. Il est devenu nécessaire de traiter les parlementaires avec plus d'égards. Ce n'est pas par hasard qu'on s'est intéressé soudainement à la nécessité de préparer les hauts fonctionnaires à se présenter devant les commissions. Les fonctionnaires connaissaient bien les parlementaires. Ils étaient habitués depuis les tous premiers temps aux efforts fournis par les députés pour tenter d'améliorer le sort de leurs électeurs en conflit avec les procédures jusqu'alors insondables de la bureaucratie, et l'aptitude de l'administration à régler ces problèmes faisait partie du quotidien. Toutefois, traiter individuellement avec les députés était bien différent de traiter avec les commissions. Dans la salle de la commission, le gouvernement et l'opposition sont en constante lutte pour obtenir un avantage partisan. En pareille situation, le bureaucrate averti doit protéger la frontière imaginaire entre la politique et l'administration, faire preuve de ruse, si nécessaire, et éviter d'être associé publiquement et personnellement avec la politique, qui est du domaine des ministres. C'est un équilibre difficile à maintenir, à plus forte raison si le ministre s'emploie à rejeter sur ses subordonnés le blâme d'une politique indéfendable – tactique adoptée dans certains cas bien connus au cours des dernières années.

Cette situation a rendu la fonction publique nerveuse, et à raison. Le danger est d'autant plus grand depuis que la réduction de l'effectif et l'attrition font planer le spectre d'une haute fonction publique surchargée et sous-expérimentée. C'est l'un des dangers qui menacent le gouvernement du Canada. Du point de vue de la bureaucratie, à tous les niveaux, le gouvernement est tiraillé par le besoin parfois irréfléchi de « restructurer » les organisations, inspiré par des idées à la mode, mais mal conçues et empruntées à tort au secteur privé.

En résumé, tout le système gouvernemental du Canada est exposé à plusieurs forces qui tendent à saper son fondement. Parmi celles-ci se trouvent une opposition aux élites et un populisme qui ébranlent l'autorité du gouvernement et, par là, sa volonté de régler les problèmes, une peur omniprésente et excessive d'augmenter la dette publique et d'acculer le pays à la faillite, et la menace à la survie du système, causée par le risque que présente la sécession du Québec, accompagné par un sérieux malaise des régions qui, à lui seul, pourrait mener à la dissolution de la fédération. Tous ces dangers se sont déjà présentés par le passé et ont été surmontés. Cette fois, ils semblent s'être donné rendez-vous. Toutefois, il ne faudrait pas sous-estimer la formidable inertie de ce système, et sa souplesse, qui pourraient s'avérer le secret de sa survie et de sa capacité d'adaptation.

CHAPITRE 2

L'Administration et le Parlement

S.L. Sutherland
Directrice des études avancées
Département de science politique
Université Carleton

J.R. Mitchell
Associé, Sussex Circle
Ex-secrétaire (appareil gouvernemental)
Bureau du Conseil privé

Les auteurs souhaitent remercier les trois lecteurs pour leurs suggestions. Le texte a été traduit de l'anglais par Diane Vanasse, chercheure indépendante.

2.1 Introduction

Le présent chapitre traite des relations entre le Parlement et l'Administration publique dans le système canadien de gouvernement. Le Parlement se compose de la reine en conseil avec la Chambre des communes et le Sénat ; il s'agit ici de l'arrangement institutionnel formel de notre État démocratique. Le Cabinet, en tant que conseiller de la Couronne sur les affaires courantes, la Chambre des communes et tous ses comités, le Sénat et ses comités et les comités conjoints des deux chambres en sont les composantes agissantes.

Dans le texte qui suit, le terme « administration » sera utilisé pour désigner une fonction aussi bien qu'une institution. Administrer, c'est planifier, prendre des décisions, mettre en œuvre, superviser et corriger la direction des affaires de l'État. Ce chapitre sert à illustrer comment le personnel politique de l'État agit à travers la bureaucratie en même temps qu'il la corrige et qu'il est responsable de ses actes. Par ailleurs, dans le système de Westminster, l'Administration, c'est le pouvoir exécutif au sens large, comprenant l'exécutif élu (les ministres), de même que l'exécutif « nommé », c'est-à-dire la haute fonction publique telle qu'elle est décrite dans les organigrammes complexes des ministères et des agences gouvernementales. Nous voulons démontrer que le contrôle de la bureaucratie dans le modèle de Westminster passe nécessairement par la fusion de l'administration et de la politique.

La discussion sur les aspects constitutionnels de ces questions se limitera aux seuls éléments indispensables à notre argumentation, référant le lecteur au chapitre du professeur Mallory sur ce sujet. Chacun des principaux acteurs au sein du Parlement développe ses relations particulières avec la direction politique de l'administration, ainsi qu'avec les agents permanents de l'administration, la bureaucratie. Ces relations varient selon chacune des trois phases du cycle de vie des politiques : l'élaboration, la législation et la rétrospection. Il nous semble que cette dernière phase fut particulièrement touchée par les effets pervers du courant « managerialiste », alors que les deux premières phases, dans lesquelles les politiciens semblent plus à l'aise, demeurent conformes à la doctrine classique.

2.2 Les maximes d'un gouvernement du modèle de Westminster

Le modèle de Westminster, comme toute autre version, apparaît comme outil de centralisation des éléments de « souveraineté[1] » (espaces politiques

1. Comme le dit Ignacio Ramonet, « si l'on considère le chiffre d'affaires global des 200 principales entreprises de la planète, son montant représente plus du quart de l'activité économique mondiale ; et pourtant, ces 200 firmes n'emploient que 18,8 millions de salariés, soit moins de 0,75 % de la main-d'œuvre planétaire... Le chiffre d'affaires de Ford est plus important que le PNB de l'Afrique du Sud... Et nous sommes ici dans le domaine de l'économie réelle, celle qui produit et échange des biens et des services concrets. Si l'on y ajoute les acteurs principaux de l'économie financière (dont le volume est cinquante fois supérieur à celui de l'économie réelle), le poids des États devient négligeable. » *Le monde diplomatique*, janvier 1997 : 1.

influençables par l'appareil gouvernemental) sous le contrôle des hommes politiques. Les relations de pouvoir et de responsabilité entre le gouvernement et les deux institutions avec lesquelles il interagit, la législature et la bureaucratie, peuvent être décrites à l'aide d'un certain nombre de maximes.

1. *L'unité de base dans un gouvernement de type Westminster est le ministère.* La tâche des ministères vient des pouvoirs conférés par la loi au ministre. Le ministre s'appuie sur la hiérarchie des fonctionnaires qui, sur le plan constitutionnel « incarnent » le ministre. Quand les fonctionnaires posent un geste, ils le font en vertu de l'autorité, des charges et des missions accordées au ministre par la loi[2]. La relation entre les ministres et leurs fonctionnaires est une relation de symbiose.
2. *Les ministres sont à la fois parlementaires et mandataires du Parlement[3] ; ils sont donc redevables devant la Chambre des communes* pour y répondre de ce qui est fait ou de ce qui doit être fait par le ministre ou par ceux qui agissent en son nom.
3. *Un gouvernement doit s'assurer de la responsabilité de chaque ministre devant la Chambre des communes en même temps qu'il contrôle efficacement la Chambre.* L'ensemble des ministres forme un comité informel, politique, qui s'appelle le Cabinet, et qui est à la fois un forum pour débattre et un comité de direction de la Chambre des communes, composante la plus active du Parlement. Les ministres sont en outre assermentés comme chefs de l'administration des organismes du gouvernement[4]. Le gouvernement doit s'assurer de la confiance de la majorité des membres de la Chambre des communes pour bien fonctionner et, comme dans un gouvernement responsable le programme législatif doit être attribué au gouvernement dans son ensemble[5], la solidarité ministérielle constitue une stratégie de base pour s'assurer de la majorité à la Chambre : il s'agit d'un concept de responsabilité et de redevabilité du gouvernement dans son ensemble devant la Chambre pour sa politique, ses programmes et ses actions. Ainsi, la responsabilité « collective » des ministres pour la politique et les programmes du gouvernement dans son ensemble fonde et supporte le principe de la responsabilité « individuelle » des ministres pour les programmes et les activités qui se situent dans le domaine qui leur a été assigné en propre par le Parlement. On ne se débarrasse pas à la légère des ministres et ils jouissent de la possibilité de répondre à leurs critiques. Le

---

2. C'est une généralisation. Il y a des cas précis, comme la Loi des douanes, où les fonctionnaires du ministère sont investis de pouvoirs, indépendamment du ministre, mais ces cas existent invariablement pour répondre aux inquiétudes du public ou des parlementaires concernant la possible ingérence politique dans des fonctions administratives qui touchent les droits ou les biens des individus.

3. Les ministres viennent presque toujours de la Chambre des communes. Aucun gouvernement dans les temps modernes n'a osé dépasser le quota de deux sénateurs : le leader du gouvernement au Sénat et un sénateur détenant un portefeuille ministériel.

4. Par convention, les ministres conseillent conjointement le gouverneur général qui détient les pouvoirs de prérogative royale. La législation déléguée (Ordres en conseil) est approuvée au cours d'une rencontre d'une rencontre du gouverneur général avec un quorum de ministres dans l'exercice de leur fonction de membres du Conseil privé de la reine.

5. Plutôt que, comme dans le système américain, avec la Chambre elle-même ou les partis en Chambre.

succès de tout gouvernement, dans notre système, dépend de sa capacité à équilibrer les deux formes de responsabilité. Lorsqu'un gouvernement ne parvient pas à équilibrer ces deux formes de responsabilité, il peut arriver trois choses : soit qu'un ministre soit forcé de démissionner ; soit qu'un gouvernement soit défait en Chambre, ce qui forcera le premier ministre à démissionner et impliquera la démission de tous les ministres ; soit que la façon dont le gouvernement agit porte l'électorat à croire qu'il est indigne de gouverner et il sera défait à la prochaine élection.

4. *La bureaucratie*[6] *est et doit demeurer à l'écart de la vie politique :* les fonctionnaires de carrière sont nommés et promus suivant des critères de mérite et de qualité de leur travail, et leur carrière est protégée par une agence indépendante, la Commission de la fonction publique, une organisation elle-même composée de fonctionnaires de carrière.
5. *Les ministres détiennent l'autorité ultime sur les actes des fonctionnaires de leur ministère.* Même si la permanence de ces personnes ne dépend pas officiellement du ministre, elles sont tout de même sous sa responsabilité par l'intermédiaire du sous-ministre et, en dernière analyse, elles lui doivent obéissance, dans le cadre de la loi.
6. *La hiérarchie de la responsabilité va du fonctionnaire au ministre, puis au Cabinet (sous la direction du premier ministre), ensuite au Parlement et à l'électorat ; et cela, sans aucun raccourci possible*[7].

Dans le modèle de Westminster, la phase de législation est une phase de « réalisation » comprise entre deux phases plus délibératives. Les relations entre les composantes du Parlement et la bureaucratie varient selon la phase du cycle de vie des politiques. La figure 1 présente ces relations. Considérons pour le moment que la phase législative n'a lieu qu'au sein des institutions de représentation, alors que la phase rétrospective doit absolument se dérouler au sein de la Chambre des communes pour générer quelque conséquence sur le processus démocratique. Enfin, la première phase, la planification et l'élaboration de la politique, se déroule à la fois à l'intérieur et à l'extérieur des organismes gouvernementaux dans l'important système, aux frontières imprécises, des réseaux d'information et d'influence. La dernière colonne du schéma, qui présente la forme contemporaine des relations, sera décrite plus loin dans ce chapitre.

6. Nous utiliserons indistinctement les termes « bureaucratie », « fonction publique » et « hauts fonctionnaires ».

7. Les trois derniers axiomes paraphrasent largement Robert Parker dans *The Administrative Vocation*, Sydney, Australia, Hale and Iremonger/RIPAA, 1993, p. 119-121.

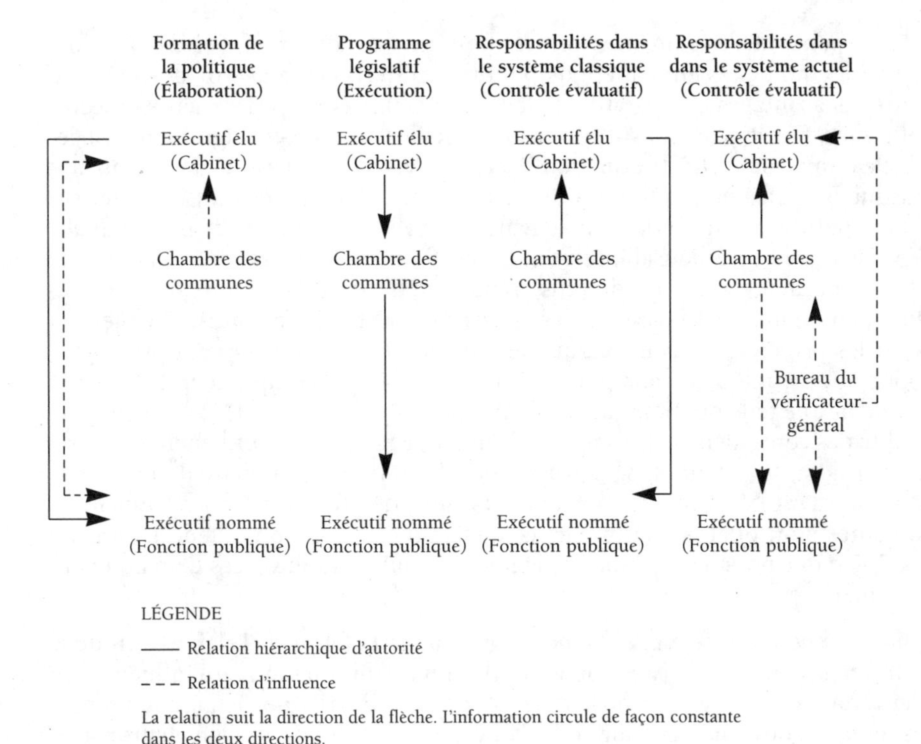

Figure 1
Relations d'autorité et relations d'influence dans un système fusionné

2.3 Le Parlement et l'Administration à l'étape de l'élaboration de politiques

À cette étape de l'analyse des politiques, faite d'analyse politique et d'examen des instruments potentiels d'intervention, la fonction publique ne constitue qu'une des sources de conseils aux ministres, alors que lui font concurrence les militants, les groupes de pression, la Banque du Canada, le monde des affaires et de nombreux autres intérêts dans un monde où les politiques ont des effets extranationaux. Dans le cours de son travail, la fonction publique devient ainsi le dépositaire de l'information sur les rôles et ressources des organismes de l'appareil administratif et sur les caractéristiques de la population qu'elle dessert et les diverses clientèles politiques. Ce savoir n'est emmagasiné nulle part, mais existe à l'état diffus dans tout l'appareil d'État. Il n'y a pas de lieu central de détention de cette information bien que les agences centrales ou de contrôle tentent de générer une mémoire collective et de la maintenir actuelle. Ainsi, afin de bien comprendre la politique publique, chaque acteur du Parlement doit être en contact avec une grande variété de fonctionnaires. Tous les politiciens (ministres et députés) ont besoin d'un accès facile à l'information, publiée ou non, et dans ce cas, notamment, par les réponses aux appels et aux lettres des députés et leurs exposés aux divers comités de la Chambre des communes et du Sénat.

Cependant, les ministres ont le droit exclusif de bénéficier des avis des hauts fonctionnaires en matière de politique gouvernementale. Ils doivent connaître les avantages comparatifs de leurs décisions, en regard de leurs objectifs politiques. Sur le plan constitutionnel, conseiller un ministre signifie prolonger la réflexion personnelle de celui-ci. En fait, cet avis n'existe pas « matériellement », puisque la seule chose qui importe sur le plan légal, et qui devrait importer sur le plan politique, est l'action finalement arrêtée par le ministre et pour laquelle il porte l'entière responsabilité comme chef de l'administration[8]. Sur le plan éthique, cet avis est protégé du plus grand secret, car sa révélation pourrait indiquer qu'un ministre n'a pas suivi les conseils de ses grands commis. Elle mettrait à mal les principes de contrôle que le modèle de Westminster veut privilégier. L'opposition voudrait savoir pourquoi on n'a pas tenu compte d'un tel avis ou comment une telle opinion, jugée erronée, a pu être produite. Dans ce contexte, l'utilité des conseillers de la fonction publique se trouverait inutilement sacrifiée. Au contraire, si l'attention se concentre sur les ministres, la phase de rétrospection, par sa seule existence, créera un ensemble de pressions sur les hauts fonctionnaires pour qu'ils soient proactifs, qu'ils prévoient et conseillent le ministre aussi bien que possible et associent la fonction publique au succès d'un bon gouvernement.

Comme le montre la colonne de gauche de la figure 1, l'élaboration de la politique se fait dans le cadre de multiples flux d'information et d'influence, en aller-retour avec les acteurs de la base ; les députés d'arrière-banc faisant des suggestions au gouvernement sur l'effet qu'aurait tel ou tel projet dans leur comté, s'informant auprès des fonctionnaires, alors que les membres du Cabinet discutent avec leurs hauts fonctionnaires et, à l'occasion, avec des organismes-conseils externes, et leur demandent de rédiger des documents de discussion.

Ce qu'on ne voit pas dans la figure est l'influence exercée par le vaste système, aux contours flous, du pouvoir politique à l'extérieur des limites étroites des institutions représentatives – par la direction des partis politiques, par les citoyens et les acteurs ci-haut mentionnés. Cette influence est aussi légitime que celle des hauts fonctionnaires[9]. Comme le gouvernement est responsable devant la Chambre des communes pour tous les résultats de sa politique, même les résultats des non-décisions, les politiciens de l'exécutif porteront la responsabilité du gouvernement.

2.3.1 L'étape législative ou d'exécution

Parce que l'exécutif contrôle nécessairement la majorité des membres de la Chambre des communes, cette phase implique la transformation des idées et

8. La fonction publique est entièrement « consacrée » à la satisfaction et à la popularité du parti qui forme le gouvernement. En ce sens, la bureaucratie n'est pas réellement « neutre », mais plutôt bipartisane. Cependant, les bureaucrates doivent se tenir résolument à l'écart des stratégies et tactiques partisanes. Dans le système de Westminster, il importe de prendre charge d'un problème lorsque celui-ci est porté à l'attention du responsable.

9. Quand on ne va pas jusqu'aux extrêmes de l'intimidation, de la corruption ou simplement de l'achat des élections ou des orientations des politiques grâce à l'argent qui finance et rend les politiciens redevables.

propositions de politique en loi par l'exercice du contrôle gouvernemental sur le programme législatif. L'usage de sa majorité pour contrôler l'ordre du jour, le programme et les actions de la législature implique l'indéniable responsabilité du gouvernement pour la politique publique.

2.3.2 L'étape rétrospective de la responsabilité

La phase de rétrospection, dans l'esprit du processus prévu à la Constitution permet, au sein de la Chambre des communes, une intense discussion et l'évaluation politique de la politique et de la conduite politique du gouvernement. Chaque ministre doit rendre compte, et en accepter les conséquences politiques, des responsabilités légales qu'il a acceptées. Idéalement, la performance gouvernementale sera mûrement évaluée et débattue parmi des politiciens élus qui détiennent le pouvoir de renvoyer le gouvernement. Même si les membres de la Chambre ne sont pas toujours équitables, la dynamique essentielle est celle d'une recherche de l'amélioration, recherchant l'angle le plus accrocheur pour que la politique proposée obtienne l'adhésion des acteurs politiques qui détiennent l'autorité.

La Chambre des communes, tous les comités et les agents ont le pouvoir de demander des explications publiques aux politiciens de l'exécutif. Un ministre fait face à une Chambre assez bien informée et agressive. Son obligation de rendre des comptes devrait le porter à poser des questions à l'administration publique sur ce qui se passe dans le ministère et, idéalement, devrait inciter l'administration à informer les ministres des difficultés qu'elle anticipe, de sorte que le gouvernement puisse déceler à la fois les possibilités politiques et les dangers.

La troisième colonne de la figure montre que l'exécutif politique (le Cabinet) exige que l'exécutif permanent (la fonction publique) lui rende des comptes (réponses, compte rendu d'événements). Comme on l'a déjà noté, le second est, sur le plan constitutionnel, une simple extension du premier. La reddition de comptes à l'intérieur du pouvoir exécutif devrait donc normalement avoir lieu au sein des ministères et agences dont les ministres ont la responsabilité, et les mesures disciplinaires prises à l'encontre des fonctionnaires devraient être celles qui sont prévues par les lois.

Faire porter le blâme aux fonctionnaires, en les rappelant à l'ordre au Parlement, devrait être très rare. En tout premier lieu, il faut éviter de diviser la responsabilité, et donc le pouvoir, entre l'exécutif élu et l'exécutif permanent. Ensuite, on respecte cette convention en vertu de la justice naturelle, car les hauts fonctionnaires n'ont pas voix au chapitre dans les institutions parlementaires et ne peuvent donc pas répondre efficacement ni se défendre. Enfin, comme ils sont sanctionnés de l'intérieur, le blâme public constituerait une double punition, s'il y a réellement eu faute, et une injustice, s'il n'y en a pas eue.

La symbiose entre le ministre et son ministère entraîne la responsabilité et la redevabilité du ministre, qu'il participe personnellement à une décision ou qu'il en ait eu que connaissance. De façon similaire, la « complexité » actuelle du gouvernement ne modifie en rien la responsabilité du leadership politique envers l'administration. Cela à cause du fait que la dimension rétrospective a curieusement prévu les limites humaines à l'étendue du contrôle qu'un ministre « amateur » peut exercer d'après une logique « d'anticipation du désastre ». Le monde de la politique distille les scandales et les urgences en petite quantité à la fois, ne serait-ce que parce que l'opposition doit trouver des problèmes susceptibles de retenir l'attention du public. Cela implique qu'un ministre n'a que quelques dossiers embarrassants à maîtriser à la fois. Ainsi, sur le plan pratique, il n'est pas difficile à un individu qui a ce qu'il faut pour être ministre de répondre des « affaires » d'une grande organisation, puisqu'il ne doit répondre et contrôler que quelques dossiers difficiles à la fois[10].

Diana Woodhouse, réfléchissant à certaines hypothèses posées par Geoffrey Marshall, parle d'une approche de la responsabilité ministérielle à plusieurs paliers. L'erreur personnelle de nature criminelle ou morale d'un ministre peut entraîner sa démission, mais les ministres ne vont jamais jusqu'à démissionner à cause des erreurs des fonctionnaires[11]. Au pire le ministre proposera un correctif pour les erreurs de son ministère. Les divers éléments de la responsabilité, remarque-t-elle, sont devenus confus, parce que le ministre agit dans le cadre d'une obligation légale de responsabilité déléguée pour ce qui est fait au nom de la Couronne, et cette responsabilité légale s'est confondue dans l'esprit de certains observateurs avec la responsabilité politique.

La responsabilité ministérielle, purement statutaire lorsque les dossiers cheminent sans difficulté, s'exercera réellement lorsque surviennent les problèmes ou, encore, si un changement de politique s'annonce. La boucle se trouve bouclée, lorsque la Chambre des communes qui a soutenu le gouvernement exige qu'une action soit posée. La phase de rétrospection donne l'occasion aux parlementaires de discuter à fond des mesures de nature à réduire la frustration et l'angoisse du public. On peut même, bien que rarement, aller jusqu'à utiliser le pouvoir ultime de sanction qui se traduit par le renvoi de l'exécutif.

2.4 L'application de la responsabilité ministérielle dans l'administration fédérale : défaire la responsabilité du gouvernement

Comme dans plusieurs pays, les 20 ou 25 dernières années ont vu l'exécutif politique canadien s'éloigner de ses responsabilités dans l'usage ou le non-usage du pouvoir d'État, ce qui réduit l'attrait du modèle de Westminster[12].

---

10. Voilà qui ressemble à la situation des CEO du secteur privé. En vertu d'une théorie sur la perte d'information, personne, au sommet d'une grande organisation, ne saurait plus de 2 % de ce qui s'y passe et la moitié de cela serait faux ! On gère par des exceptions qui remettent en cause la politique et commandent sa réécriture. Voir Anthony Downs, *Inside Democracy*, Harper Collins, 1967, p. 117 ; et Gordon Tullock, *The Politics of Bureaucracy*, Washington, Public Affairs Press, 1965.

11. Les précédents « ont établi la nécessité d'une relation directe entre la connaissance et l'implication du ministre (dans la malversation) et l'exigence de démissionner ». Les précédents de Woodhouse remontent à 1864 en Grande-Bretagne, dont Crichel Down. Voir son *Ministers and Parliement : Accountability in Theory and Practice*, Oxford, Clarendon Press, 1994, chapitre 2.

12. Cela est particulièrement dysfonctionnel dans le modèle de Westminster, car la responsabilité légitimise et fonde le pouvoir exécutif qui entre en action au moment de la phase législative.

Concentrons-nous sur la phase du contrôle évaluatif (les troisième et quatrième colonnes de la figure), où les relations de l'Administration avec le Parlement se sont transformées depuis le système classique que nous avons décrit vers le système embrouillé et inefficace que nous avons actuellement. Deux types d'événements ont contribué au passage de la responsabilité ministérielle à la responsabilité administrative : la législation qui a fait une responsabilité administrative d'importants aspects de la reddition de comptes, créant ainsi beaucoup de confusion constitutionnelle ; d'autre part, le laissez-faire ministériel, sous l'emprise de la nouvelle théorie de la gestion publique, cautionne le retrait des ministres de certains champs de responsabilité.

2.4.1 Une résultante : responsabilisation politique des bureaucrates

Depuis les années 80, les hommes politiques se sont rapidement délestés de leurs responsabilités, au nom de l'idéologie de la nouvelle gestion publique que l'on peut résumer ainsi : il est possible de mesurer les résultats de toutes les activités de façon valide et fiable ; le système privé est toujours meilleur, plus sensible et économique que le public ; la citoyenneté peut être répartie en plusieurs unités divisibles de clients, de façon à ce que chacune puisse alors travailler à ses propres intérêts, en exigeant des normes de service ; le meilleur gouvernement est celui qui gouverne le moins et serait une sorte de gouvernement « virtuel » sans ressources humaines, qui ferait produire des biens publics par des producteurs privés ; de toute façon, les biens publics sont devenus trop coûteux pour que les États puissent les fournir dans cette nouvelle période de compétition mondiale[13].

Le retrait des politiciens de la gouverne résulte du transfert de certaines redditions de comptes vers les professionnels, notamment, la délégation aux gestionnaires du leadership de l'administration, non pas sur les plans légal et politique, mais sur le plan normatif. Voilà un moment historique où des bureaucrates et des consultants s'arrogent des tâches politiques. Ainsi, on isole la politique du domaine du raisonnement, la réduisant à une espèce de corruption de la pensée.

2.4.2 Erreurs constitutionnelles dans la législation

Plus concrètement, parlons par exemple de la législation encadrant le rôle du Bureau du vérificateur général et de certaines caractéristiques de la Loi de l'accès à l'information. Précisons d'entrée de jeu que, lorsqu'une législation semble en contradiction avec les principes constitutionnels du contrôle politique de la bureaucratie et des résultats du gouvernement, il ne faut certainement pas chercher à en faire porter le blâme à l'organisation chargée de réaliser le mandat, pas plus qu'aux personnes qui la composent. Ainsi, ce qui suit ne représente pas

13. Voir Henry Mintzberg, « Managing Government, Governing Management », *Harvard Business Review*, mai-juin 1996.

une séance de recherche de responsables. Au contraire, toute la responsabilité appartient au gouvernement qui a rédigé ces lois.

La loi constituant le Bureau du vérificateur général du Canada (BVG) a été votée en 1977. L'interprétation de son propre mandat par le BVG a eu deux effets principaux sur le système constitutionnel canadien.

Premièrement, elle a fait du vérificateur général un évaluateur de programme[14] . Cela veut dire que le Bureau du vérificateur général, dans le cours de ce que l'on appelle toujours une « vérification », a le droit d'abandonner son terrain traditionnel de la vérification des comptes et des registres et d'évaluer plutôt l'atteinte par les programmes gouvernementaux des résultats prévus pour lesquels le ministre, en en définissant les objectifs, aurait engagé publiquement ses bureaucrates. À ce moment-là, on s'imagine que les bureaucrates-vérificateurs pourraient constituer une tierce partie, habilitée à juger de la qualité des résultats de la délégation de pouvoir[15]. Autrement dit, la loi, ainsi que ses implications professionnelles, constitue une réfutation de la théorie de la responsabilité ministérielle ainsi qu'une réduction du rôle de direction politique en démocratie. Les nouveaux pouvoirs de vérification comprennent le droit de qualifier les coûts, le rendement et la performance des programmes gouvernementaux. Le développement de son mandat d'évaluation a entraîné le Bureau du vérificateur général à porter des jugements en matière de politique publique. Depuis 1977, des amendements à la loi, par exemple l'évaluation périodique des programmes, ont accru la liberté d'action du BVG, de même que d'autres initiatives, comme la décision du Bureau d'offrir de l'information, des conseils et, même, du personnel de recherche aux comités permanents de la Chambre des communes.

Que de tels pouvoirs aient été inscrits dans une loi résulte en partie de la métathéorie de la gestion gouvernementale qui se répand au Canada depuis le début des années 70, et particulièrement le rapport Lambert[16] de 1976. Ce rapport a fourni une justification « managériale » à l'idée d'améliorer l'efficacité gouvernementale, en incorporant le système politique et ses institutions dans le contexte plus large du cycle de gestion. L'idée centrale est que la planification fiscale et la préparation des programmes publics devraient être insérées dans un cycle de cinq ans au Secrétariat du Conseil du Trésor et au ministère des Finances (formant ensemble le Conseil de gestion). Ces plans et ces projets iraient ensuite directement à la Chambre des communes, où le gouvernement et l'opposition

---

14. Voir S.L. Sutherland, « The evolution of program budget ideas in Canada : Does Parliement benefit from Estimates reform? », *Administration publique du Canada* 33, 2, été 1991 p. 133-164. La Loi du BVG est un sous-produit de l'époque hyper-rationnelle des années 60 et 70 ; il ne pourra se moderniser dans le cadre de la Constitution.

15. Voir *Le rapport du Comité de l'évaluation indépendante du Bureau du vérificateur général du Canada*, Ottawa, Information Canada, 1975. Ce comité, créé et encouragé par l'actuel vérificateur général, s'inspire d'une version antérieure du rôle du BVG.

16. Nommé d'après son président, banquier, le rapport est le fruit du travail de la Commission royale d'enquête sur la gestion financière et la reddition de comptes, créée par le gouvernement libéral, en 1976, après qu'un rapport du vérificateur général ait montré que le gouvernement était en train de perdre le contrôle de ses dépenses. En rapport avec la responsabilité personnelle, on pourrait lire avec profit les pages 371 et 376, tout le chapitre 9 et les pages 188 et 189.

feraient partie de comités qui décideraient, de façon objective, du mérite des plans proposés. Le « superviseur des résultats », devenant ainsi la figure dominante du cycle, serait le BVG, secondé par la Chambre des communes[17]. Le système proposé par Lambert a été largement mis de côté, parce qu'il n'était pas politiquement réaliste ; en fait, il niait le politique. Mais le plan du rapport Lambert pour la reddition de comptes en matière de prestation de biens publics a été mis en place avec la Loi du BVG de 1977. C'était là le signal du début du combat.

Le deuxième problème provient du fait que la Loi ne prévoit pas de mécanisme de surveillance politique du Bureau du vérificateur général et, donc, de légitimité constitutionnelle, contrairement à la loi britannique sur la vérification nationale de 1983. Celle-ci crée un cadre de vérification de l'Administration, qui définit les relations de pouvoir et de responsabilité entre le vérificateur en chef et les institutions démocratiques de la Chambre des communes britannique, dont il relève directement – le Comité des comptes publics et une nouvelle structure créée par la Loi appelée la Commission des comptes publics. Au Canada, la bureaucratie de la vérification ne relève pas du Parlement et n'est pas suffisamment responsable devant lui. Le BVG fonctionne plutôt de façon indépendante, mais sous la protection de la Chambre des communes.

On a vu précédemment que, par convention constitutionnelle, les avis des fonctionnaires à un ministre se trouvent frappés du secret absolu. En 1989, la Cour suprême refusa au BVG l'accès à des documents du Cabinet, parce que le pouvoir d'accès à ces documents n'était pas inscrit de façon précise dans sa loi constitutive. Le Parlement avait précédemment précisé les conditions d'accès à de tels avis dans la Loi d'accès à l'information. Sous la Loi d'accès à l'information, laquelle remplace les anciennes conventions constitutionnelles dont elle se démarque, les avis des fonctionnaires relèvent essentiellement de deux catégories : ceux qui sont protégés de la divulgation, parce qu'ils portent sur des sujets qui seront discutés au Cabinet et ceux qui, en principe, peuvent être divulgués. La Loi fait dépendre l'accessibilité à l'information du moment où un document a été écrit plutôt que sur la question de savoir si un document particulier constitue réellement un avis au ministre frappé de confidentialité absolue. Sur cette base, beaucoup d'information et de conseils au ministre ont été donnés à la presse et au public, ce qui a embarrassé à l'occasion les ministres et leurs fonctionnaires. Le résultat de l'opération a été une diminution sensible du volume et de la nature des avis écrits, aux dépens de la possibilité de constituer des archives, de bonnes pratiques d'élaboration de politique publique et de la bonne gestion. Le cœur du gouvernement est donc ainsi revenu à la tradition orale.

---

17. Un ancien secrétaire du Conseil du Trésor, Douglas Hartle, a décrit l'orientation du rapport Lambert comme étant un système intégré de planification et de budgétisation conçu en phase avec le système de gestion par objectifs – pour toutes les politiques gouvernementales fédérales.

2.4.3 La culture politique : la responsabilité administrative directe

Plusieurs facteurs poussent à la création d'un système où les hauts fonctionnaires seront soumis à des mesures de reddition directe de comptes aux membres de la législature, les amenant même plus fréquemment à démissionner : il s'agit de la réforme du système des comités permanents – pas aussi bien faite qu'au Royaume-Uni – et de l'exigence de normes de service.

En 1984, dans un raz-de-marée électoral, le Parti conservateur dirigé par Brian Mulroney a défait le Parti libéral. Il a aussitôt créé un groupe de travail pour refaire le règlement de la Chambre des communes. Le règlement fut amendé en 1986 afin, apparemment, d'apporter des modifications longtemps attendues, mais ces modifications ont eu des conséquences néfastes. Les comités permanents ou spécialisés qui surveillent les ministères ont été maintenus à un nombre autour de 30, pour garder occupés les nombreux députés de la majorité (presque le double des quatorze comités de la Chambre britannique). Les traditionnels secrétaires parlementaires, les yeux et les oreilles des ministres, ont été exclus des comités, soi-disant pour accroître les pouvoirs de la législature. Le plus important changement, cependant, a été de donner aux comités la possibilité d'organiser leur propre programme de travail, de sorte qu'ils puissent entreprendre des enquêtes sans attendre une demande précise du gouvernement. Le deuxième changement important a été de leur accorder le mandat permanent d'étudier tous les aspects de la performance administrative des ministères. (Le règlement de la Chambre n'a toutefois pas été modifié pour le Comité des comptes publics). Avec la réélection des conservateurs en 1989, le nombre de comités a été ramené à 22, nombre à peu près maintenu après l'élection des libéraux en 1993.

Les réformes ont conduit à d'intéressants et parfois importants rapports qui autrement n'auraient pas existé, particulièrement des Comités des finances et de la justice. Cependant, elles ont aussi créé un environnement qui accroît les frictions entre les membres de la Chambre des communes et les administrateurs publics. Au départ, les nouveaux députés tentaient de mettre en boîte les hauts fonctionnaires, n'hésitant pas à tenter de découvrir leurs préférences et ainsi à leur faire dévoiler les avis qu'ils avaient donnés auparavant sur les réformes étudiées par le Comité[18]. Éventuellement, la main de fer du pouvoir exécutif sortit du gant de velours du nouveau règlement de la Chambre et se porta au cou du caucus, de sorte que les comités furent forcés de se faire plus discrets. De nos jours, les députés se sentent forcés de participer au travail des comités[19] et ont souvent le sentiment que leur temps y est mal employé.

---

18. Voir, pour des exemples et des références, S.L. Sutherland, Responsible Government and Ministerial Responsability : « Every Reform is its Own Problem », *CJPS* 24, 1, mars 1991, p. 91-120, et « The Problem of Dirty Hands in Politics : Peace into the Vegetable Trade », *CJPS* 28, 3, septembre 1995, p. 479-507.

19. Pour citer un député, « lorsque j'ai été élu en même temps que 211 députés conservateurs, il est devenu absolument nécessaire tout à coup d'avoir 32 comités. Toutefois, lorsque j'ai été réélu avec 167 collègues conservateurs, 22 comités permanents seulement étaient nécessaires. Nous avons alors demandé au chef du personnel du Premier ministre pourquoi le nombre de comités était ainsi diminué. Il a répondu, devant les caméras de télévision : « Vous savez, les comités servent à occuper les députés, à les amuser » « Documents occasionnels sur le gouvernement parlementaire : New MPs » 1, 1, septembre 1996, p. 11.

Au Canada, jusqu'en 1980, les hauts fonctionnaires étaient ramenés à l'ordre en circuit fermé. De 1980 à 1983, les choses ont commencé à changer et au moins trois hauts fonctionnaires ont démissionné, se chargeant de la responsabilité ministérielle. Depuis 1984, les cas de très hauts fonctionnaires méritent d'être mentionnés comme celui du sous-ministre à Emploi et Immigration Canada, du sous-ministre adjoint à Transport Canada, du directeur de l'Agence canadienne de sécurité et du sous-ministre associé aux Affaires étrangères. Plus récemment, le commissaire aux Affaires correctionnelles a dû démissionner à cause de bavures dans la répression d'une émeute dans une prison pour femmes. De telles démissions furent complètement inutiles; elles ont épargné aux ministres de s'engager dans la gestion de leur portefeuille et d'entendre les plaintes transmises par la population à travers ses députés.

De façon plus dramatique, on peut observer, dans l'enquête sur la mission de paix en Somalie, l'effacement du rôle du ministre comme responsable de la gestion de son ministère : à la place, il y a reddition de comptes de la part de ceux qui sont immédiatement engagés dans l'action en 1996-1997. Dans cette triste affaire, on a pu voir la direction du ministère regarder en bas plutôt qu'en haut pour trouver un certain leadership responsable. Tous doivent en tirer la leçon qu'un ministère, qui ne peut pas ou ne veut pas fournir aux dirigeants politiques une explication franche, cohérente et en temps opportun de ses agissements dans un dossier difficile, s'engage alors dans une aventure à hauts risques. L'enquête sur les événements en Somalie montre que la responsabilité peut être attribuée à n'importe qui une fois qu'on l'a fragmentée.

Examinons maintenant l'idée passe-partout de l'École de la nouvelle gestion publique suivant laquelle des bureaucrates de l'industrie du contrôle et de la vérification imposeraient des « normes de service » à d'autres bureaucrates. L'idée des normes de service est un sous-produit de l'idée britannique d'établir une « charte du citoyen », garantissant la qualité et la pertinence de services dans les domaines importants dont la plupart relèvent, au Canada, des provinces. L'idée selon laquelle chaque ministère devrait se fixer des normes de service convient à la loi du BVG, qui fournit comme angle d'approche au travail des comités parlementaires une programmation budgétaire centrée sur des buts. Dans une séance du Comité des comptes publics de novembre 1996, par exemple, on a mis la fonction publique – précisément dans ce cas, le secrétaire du Conseil du trésor – au défi de montrer que le gouvernement améliorait les normes de service. Mais le Secrétaire n'est pas personnellement responsable des revenus budgétaires ou de l'accès aux services – il ne peut non plus dire à la place des ministres qui est responsable devant le public pour les impôts et pour l'usage qu'on en fait. En bref, les normes de service, les coupures budgétaires et l'absence de réelle responsabilité politique produisent un gouvernement bureaucratique faible, hargneux, plein d'amertume où l'appareil de contrôle travaille contre l'appareil des ministères. Les ministres, comme lorsqu'ils furent mystifiés par l'illusion qu'ils pouvaient considérer les normes de service au public commme des questions « techniques », ne comprirent pas qu'ils avaient ainsi délégué un immense champ de responsabilités politiques. Le Comité des comptes publics qui interroge les hauts fonctionnaires aurait dû cette fois-là demander aux ministres de rapprocher la gestion de leur portefeuille de la réalité.

2.5 Conclusion

Dans ce chapitre, on a voulu montrer que le gouvernement responsable (la démocratie à la Westminster) est aux prises avec de nombreux acteurs qui ont entrepris de « moderniser » la phase de rétroaction du processus d'élaboration de la politique. « L'amélioration », quoique bien intentionnée, semble plutôt nuisible.

La logique du gouvernement de Westminster, loin d'être vieillotte, prévient et réalise mieux que les théories cybernétiques des organisations « s'autoapprenant » et « s'autocorrigeant » à cause de la structuration particulière du pouvoir au cours de ses trois phases d'opération : la recherche d'information et d'idées nouvelles ; la centralisation de la législation ou du pilotage pour établir la direction à suivre et les responsabilités à porter ; enfin une phase (dont la durée dépend beaucoup de l'opposition) de discussion et d'apprentissage, à la lumière cruelle permise par le recul. La dernière étape rétroactive crée l'obligation au pouvoir politique de rendre des comptes et d'améliorer son action. Même dans un monde « globalitaire » où la compétitivité déterminera apparemment quelles cultures vont vivre ou mourir, et où seules les choses matérielles importeront, le style Westminster peut encore fonctionner. Ses seules exigences sont la responsabilité ministérielle, normalement l'obligation de répondre aux questions, mais rarement celle de démissionner, et la cohésion des factions qui se disputent le droit de gouverner ; il peut confier de petites comme de grandes tâches à ses dirigeants[20].

La troisième colonne de l'illustration montre que le système de responsabilité dans la version classique est à la fois clair et politique. Le changement le plus important des vingt dernières années à la reddition de comptes politiques au Canada apparaît à la quatrième colonne (sauf pour les effets de la Loi d'accès à l'information) : la professionnalisation, et donc la bureaucratisation de la phase de rétroaction de la vie politique a perturbé la responsabilité politique, et fait douter de la survivance du principe du gouvernement responsable.

Les prêtres de la nouvelle gestion publique préfèrent que des acteurs non politiciens (experts) portent la responsabilité, car il s'ensuit un affaiblissement des institutions politiques et des électeurs, tout en livrant au secteur privé le citoyen comme consommateur captif.

L'expert en management Henry Mintzberg a inventé l'expression « gouvernement virtuel » pour désigner le type de gouvernement qu'on préfère avoir

20. Être gouverné par les chefs d'une faction homogène de la Chambre des communes a l'avantage démocratique que tout le personnel politique associé à la performance de ce gouvernement peut être défait en bloc par l'électorat. Ce destin commun encourage la collaboration et la manifestation de préférences sur la façon de gouverner sans toutefois développer une idéologie commune. Plusieurs universitaires ont annoncé la mort du gouvernement responsable sur la base erronée qu'il exigerait une forme particulière, maintenant disparue, de conduite éthique par les partis, nommément que l'ensemble des promesses électorales constituent un mandat. Même si un tel engagement peut être désirable, il n'est pas nécessaire; tout ce qui est requis pour qu'un gouvernement responsable fonctionne est le maintien d'une faction bien identifiée de supporteurs. (Nous concédons qu'il y a quelque chose de bizarre à assurer que les gouvernements peuvent fonctionner sans programme et sans idées.)

aux États-Unis, en Grande-Bretagne et en Nouvelle-Zélande, de nos jours. Il établit une distinction entre les autorités de contrôle du gouvernement ou la superstructure et les programmes et les activités de ses ministères et agences qu'il appelle la microstructure. Dans ces pays – que bien des Canadiens admirent, aussi bien au gouvernement qu'à l'extérieur de celui-ci – l'idéal est « un État dont les microstructures n'existeraient plus au sein même du gouvernement. Tout le travail se ferait dans le secteur privé (avec ou sans but lucratif). Et la superstructure gouvernementale n'existerait que pour permettre au secteur privé de livrer les services publics[21]. »

Mintzberg présente aussi un modèle de gestion amélioré pour le gouvernement, qu'il appelle le « modèle de contrôle normatif ». Les principaux éléments de son modèle sont des principes bien compris d'intégration des ressources humaines sous un leadership fiable et expérimenté, auquel on peut demander des comptes. Le contrôle vertical exercé par la superstructure, remarque-t-il, est normatif, en ce qu'il est basé sur la volonté de ceux qui travaillent de le faire dans un cadre établi de responsabilités, d'attentes et de valeurs, plutôt que sous un « régime technocratique », une forme de contrôle qui se concentre sur ce qui est mesurable – même si la mesure n'est pas fiable – plutôt que sur ce qui a de l'importance. En dernier lieu, dit Mintzberg, dans ce modèle, la superstructure est dirigée par un groupe indépendant qui est « contraint d'écouter » ceux qui reçoivent des services. Si cela semble familier, c'est que la description de Mintzberg pourrait bien être celle du modèle de Westminster, dont nous avons décrit les contrôles normatifs au cours du présent exposé.

Afin de bénéficier des avantages de ce modèle, même dans un monde dont les frontières se rapprochent et auquel il nous faut constamment penser, nous nous permettons quelques suggestions[22] : amender la Loi du vérificateur général conformément aux principes retenus en Grande-Bretagne, de façon à le placer sous l'autorité du Comité des comptes publics et de la Chambre des communes ; élargir le Comité des comptes publics et permettre à ses membres de divulguer eux-mêmes au public et aux médias les résultats de l'examen professionnel de la performance gouvernementale par la bureaucratie ; modifier la Loi de l'accès à l'information pour y distinguer les avis aux ministres de l'information générale et de la tenue normale des dossiers. En d'autres mots, il faut tenir compte de l'autonomie de notre système constitutionnel pour lui permettre d'atteindre ses fins. Si nous considérons ce qu'il doit faire, il nous faut lui faire abandonner la mentalité revancharde de la reddition directe et personnelle de comptes, une forme superstitieuse de chasse au bouc émissaire pour développer un gouvernement ministériel politiquement responsable, qui cherche à améliorer les choses et pour lequel l'électorat a son mot à dire.

---

21. Mintzerg, *op. cit.*, p. 81.

22. Nous présentons un ensemble de ces changements dans le livre de l'IPAC publié par M. Charih et ses collègues.

CHAPITRE 3

Gouvernement, ministres, macro-organigramme et réseaux

Nicole Jauvin
Secrétaire adjointe du Cabinet
(appareil gouvernemental)
Bureau du Conseil privé

L'auteure tient à souligner le travail de David Laliberté, analyste à la recherche au Secrétariat de l'appareil gouvernemental, pour la rédaction de ce chapitre. Elle remercie les membres du comité de rédaction de leurs commentaires judicieux.

3.1 Introduction

En vertu du préambule de la Loi constitutionnelle de 1867[1], le Canada a adopté des institutions reposant sur les mêmes principes que celles du Royaume-Uni. Par conséquent, outre qu'il est une démocratie parlementaire, le système politique canadien se caractérise, tout comme le système politique britannique, par la prédominance de l'exécutif politique[2] dans l'appareil gouvernemental. L'usage fréquent des expressions « gouvernement ministériel » et « gouvernement de cabinet » pour décrire le système canadien reflète d'ailleurs ce rôle crucial de l'exécutif politique.

Afin de saisir l'importance de l'exécutif politique canadien, il est essentiel d'examiner le principe de la responsabilité ministérielle. Ce principe permet de comprendre non seulement le rôle du Cabinet et des ministres, mais aussi le fonctionnement du système politique dans son ensemble. C'est pourquoi ce chapitre, qui traite avant tout de l'exécutif politique canadien, débute en brossant un portrait historique et constitutionnel de la responsabilité ministérielle. Une description de la structure et du fonctionnement de l'exécutif politique est ensuite présentée à la lumière de ce principe. Pour ce faire, les rôles du premier ministre, du Cabinet, des ministres et de la fonction publique sont analysés séparément. Par la suite, une brève analyse de certains défis auxquels fait face l'exécutif politique contemporain est offerte en guise de conclusion.

3.2 Principe organisateur : la responsabilité ministérielle

La responsabilité ministérielle est un fondement important du système démocratique et constitutionnel canadien. Ce principe résulte de l'évolution historique du système politique britannique et de sa marche, depuis la conquête normande, vers une démocratie parlementaire de type Westminster. Pour bien saisir ce principe ainsi que son impact sur l'exécutif politique canadien, commençons par avec une brève description historique du système britannique, puisqu'il est à l'origine des structures et des pratiques canadiennes[3].

1. Le préambule de la Loi constitutionnelle de 1867 (auparavant nommée Acte de l'Amérique du Nord britannique) stipule que « les provinces du Canada, de la Nouvelle-Écosse et du Nouveau-Brunswick ont exprimé le désir de contracter une union fédérale pour ne former qu'une seule et même Puissance (Dominion) sous la couronne du Royaume-Uni de la Grande-Bretagne et d'Irlande, avec une constitution reposant sur les mêmes principes que celle du Royaume-Uni [...] ».

2. Pour les fins de ce chapitre, l'exécutif politique comprend le premier ministre, les ministres et le Cabinet (le Conseil des ministres).

3. L'analyse historique qui suit est tirée en grande partie du document soumis par le Bureau du Conseil privé devant la Commission royale sur la gestion financière et l'imputabilité (commission Lambert) mis à jour en 1993. Voir: Bureau du Conseil privé (1993), *La responsabilité constitutionnelle*, Ottawa, Ministre des Approvisionnements et Services, Canada, p. 11-27.

3.2.1 Historique

L'histoire constitutionnelle britannique se caractérise par une imposition progressive de limites à l'exercice des prérogatives royales et par leur soumission graduelle à la primauté du pouvoir législatif, exercé dans le Parlement par les représentants des nobles et, plus tard, par les représentants du peuple. Cette évolution a mené à la création d'une Couronne qui conserve son pouvoir législatif, mais ne peut l'exercer qu'avec l'approbation parlementaire.

Le système féodal établi en Angleterre à la suite de la conquête normande de 1066 était caractérisé par une concentration des pouvoirs étatiques dans les mains du roi en vertu de la prérogative royale. Celui-ci exerçait non seulement les pouvoirs exécutifs, mais aussi les pouvoirs qui sont devenus par la suite les pouvoirs législatifs (en particulier le pouvoir de dépenser et de prélever des impôts) et les pouvoirs judiciaires, par l'intermédiaire de ses tribunaux.

À cette époque, la Couronne finançait toutes ses activités grâce à un système de fiefs et de servitudes. Ce système était basé sur une structure d'obligations mutuelles. La Couronne accordait des fiefs ou des droits de propriété aux membres de la noblesse qui, à leur tour, les accordaient à leurs subordonnés. En retour, les subordonnés remettaient à leur seigneur (dont le roi) une servitude, c'est-à-dire un paiement sous forme de récoltes, services militaires ou services ecclésiastiques.

À cette époque, l'intervention de la sphère publique dans la société étant très limitée, le système de fiefs et de servitudes était suffisant pour financer les activités du royaume. Toutefois, avec l'augmentation des dépenses publiques engendrées par les guerres du XIIe siècle, le roi s'est vu obligé de percevoir des impôts extraordinaires en plus du système de servitudes féodales. Cette nouvelle forme de financement a créé un état de tension au sein de la noblesse, celle-ci réclamant que la levée d'impôt soit assujettie au consentement préalable de ceux devant être imposés. Ce principe, incorporé dans la Magna Carta, s'est éventuellement propagé aux échelons inférieurs de l'organisation sociale et a mené à la création d'une assemblée de représentants (l'ancêtre du Parlement), dont le mandat était précisément de confirmer ce consentement de la personne imposée.

Ce n'est que vers la fin du XVIIe siècle que l'obligation du souverain de consulter les représentants élus du peuple en matière de finances a finalement été consacrée par l'adoption du Bill of Rights, du Mutiny Act et de l'Act of Settlement. Ce développement a eu pour effet de forcer la Couronne à exercer son pouvoir d'imposition de façon responsable, c'est-à-dire en conformité avec le consentement des représentants du peuple. Cette période a aussi donné lieu à la conséquence ultime de l'irresponsabilité dans l'exercice du pouvoir royal : l'exécution du roi. Il est important de noter que, à cette époque, les ministres (les conseillers du roi) n'étaient pas encore membres du Parlement mais étaient obligés, en vertu de ces lois, de s'entendre avec la majorité des membres de la Chambre des communes en matière de finances. Toutefois, l'importance croissante de la Chambre des communes a engendré une nécessité de rendre les ministres directement responsables devant elle. En effet, la Chambre des communes ayant étendu son contrôle sur les impôts et les crédits, elle devint plus en mesure de tenir les ministres responsables des actes qu'ils posaient au nom du souverain. Ce contrôle a graduellement mené à la sélection de ministres au sein du caucus parlementaire, sans que ce soit une obligation statutaire.

Par ailleurs, l'apparition des partis au XVIIIe siècle a grandement circonscrit la prérogative royale de choisir les ministres. Étant donné le contrôle exercé par la Chambre des communes sur les ressources financières et les crédits, celle-ci était non seulement en mesure de tenir les ministres responsables de leurs actes, mais aussi d'influencer leur nomination. Par conséquent, à la suite de l'installation hanovrienne, George Ier a été contraint de choisir ses ministres parmi les membres d'un parti[4]. Par la suite, le pouvoir de nomination des ministres a commencé à être exercé sur les conseils du « premier » des ministres du roi (nommé à ce moment le principal lord du Trésor). C'est aussi à cette époque que le Cabinet est apparu comme le mécanisme permettant de concilier les vues des divers ministres de façon à favoriser un front unifié en Chambre. Cette recherche de consensus est aujourd'hui à la base du principe de la responsabilité ministérielle collective.

De façon générale, il faut noter que, tout au long du processus limitant l'exercice des prérogatives royales en les soumettant à la primauté du pouvoir législatif, l'*exercice* du pouvoir fut conservé par la Couronne. En effet, la Couronne exerce son pouvoir sur les conseils de ministres responsables[5].

3.2.2 Statut constitutionnel

Le principe de la responsabilité ministérielle est la caractéristique la plus importante des systèmes politiques d'origine britannique. C'est de ce principe que découle l'ensemble du système démocratique et constitutionnel canadien.

La responsabilité ministérielle se présente sous deux formes. En premier lieu, selon la doctrine de responsabilité *collective* des ministres, ceux-ci sont responsables en tant que collectivité pour l'ensemble de l'action gouvernementale. De façon générale, l'existence même du Cabinet est liée à ce principe[6]. En pratique, cela signifie que, d'une part, l'ensemble du Conseil des ministres doit démissionner ou demander la tenue d'élections générales si la Chambre des communes lui retire son appui. D'autre part, la responsabilité collective des ministres implique que les ministres doivent appuyer publiquement les décisions prises par la collectivité des ministres (le Conseil des ministres et le Cabinet). Cette caractéristique du gouvernement canadien, dont l'avantage principal est de favoriser le consensus, et donc la stabilité politique, est intimement

---

4. Il a été contraint de choisir ses ministres au sein du parti Whig, car c'est grâce à ce parti qu'il a pu accéder au trône.

5. Toutefois, il faut noter que la Couronne possède toujours certaines prérogatives sujettes à l'interprétation judiciaire (p. ex. : le pouvoir d'émettre des brefs spéciaux).

6. Le Cabinet, comme plusieurs autres institutions politiques canadiennes, n'a pas d'existence statutaire (sauf le Conseil du Trésor : voir note 18). Son existence s'explique uniquement en termes de conventions constitutionnelles non écrites. Voir section 3.3.2 pour une discussion de la distinction entre le Cabinet, le Conseil des ministres et le Conseil privé.

liée à la notion de confidentialité des délibérations du Cabinet. La confidentialité est en effet une condition préalable essentielle au maintien du consensus, puisqu'elle favorise la tenue de débats ouverts et une évaluation franche de toutes les possibilités.

En deuxième lieu, selon le principe de la responsabilité ministérielle *individuelle*, un ministre est responsable en termes constitutionnels de ses propres actes ainsi que de ceux de ses subordonnés au sein de l'Administration publique. Cette responsabilité n'implique pas la démission du ministre pour chaque erreur commise par ses subordonnés[7]. Un ministre n'est tenu de démissionner que si l'erreur en question lui est personnellement attribuable. Si, par ailleurs, l'erreur a été commise par un subordonné du ministre, la responsabilité de ce dernier est satisfaite s'il répond en Chambre de l'erreur de son subordonné et met en œuvre les mesures correctives requises.

De façon générale, la responsabilité ministérielle, tant collective qu'individuelle, est une « garantie » que le pouvoir décisionnel de l'exécutif politique sera exercé de façon responsable, c'est-à-dire en conformité avec la volonté populaire. La responsabilité collective permet à la Chambre des communes, et donc au peuple canadien, de responsabiliser les membres du Cabinet de leurs décisions collectives. La responsabilité individuelle, de son côté, permet à la Chambre des communes d'exercer un contrôle sur l'action gouvernementale par l'intermédiaire du ministre responsable.

3.3 Fonctionnement de l'exécutif politique contemporain

3.3.1 Le premier ministre

Il serait difficile de surestimer l'influence qu'un premier ministre peut exercer sur son Cabinet dans un système de type Westminster, comme celui au Canada. En effet, selon sir Ivor Jennings, la relation entre le premier ministre et ses ministres se compare plus à celle d'un « soleil autour duquel tournent les planètes » qu'à celle d'un *primus inter pares* (« premier entre égaux »)[8]. Néanmoins, une distinction importante s'impose entre les pouvoirs constitutionnels du premier ministre et ceux qu'il ou elle exerce, compte tenu de la réalité politique.

D'un point de vue constitutionnel, il est indéniable que le rôle du premier ministre dans le système politique canadien lui permet de dominer son Cabinet. Cette influence émane principalement de son rôle dans la nomination et la des-

7. Il n'y a pas de précédent canadien de démission ministérielle à la suite d'une erreur commise uniquement par un subordonné (sans responsabilité *personnelle* du ministre). Voir : Sharon L. Sutherland (1991), « The Al-Mashat Affair : Administrative Accountability in Parliamentary Institutions », *Canadian Public Administration/Administration publique du Canada*, vol. 34, p. 579.

8. Traduction libre. Sir Ivor Jennings (1965), *Cabinet Government*, 3e édition, Cambridge, Cambridge University Press, p. 200.

titution des ministres. Non seulement choisit-il personnellement les membres du Conseil des ministres, mais il peut également demander leur démission et, en cas de refus, recommander au gouverneur général de les démettre de leurs fonctions. C'est en effet le premier ministre qui possède la prérogative exclusive de conseiller le gouverneur général à cet égard. La capacité légale d'un premier ministre de renverser une décision majoritaire du Cabinet témoigne également de cette influence. Un premier ministre influent peut imposer son point de vue et ce, même si tous ou la plupart des autres ministres s'y opposent. Dans un tel cas, le point de vue du premier ministre devient la politique officielle du gouvernement, et les ministres doivent s'y plier ou remettre leur démission.

Tel que l'indique Jennings, l'influence et le rôle du premier ministre comporte aussi plusieurs autres volets non négligeables[9]. Premièrement, le premier ministre est un chef de parti (habituellement, le parti ayant le plus grand nombre de sièges à la Chambre des communes). Cela implique que le premier ministre joue un rôle de premier plan dans l'élaboration des stratégies politiques et électorales. Deuxièmement, le premier ministre est le leader véritable de la Chambre des communes. Même si ces fonctions sont fréquemment déléguées à un ministre, le leader du gouvernement à la Chambre des communes, le premier ministre, conserve la responsabilité ultime pour tout ce qui a trait à la gestion de la majorité en Chambre ainsi que pour les contacts avec l'opposition. Troisièmement, le premier ministre préside les réunions du Cabinet et facilite l'atteinte d'un consensus. À cet égard, le rôle du premier ministre est d'être le « gardien » de la procédure au Cabinet, de déterminer la nature du consensus atteint par les ministres et d'être le lien entre les ministres du Cabinet et le représentant du souverain, le gouverneur général[10].

Il est évident que le premier ministre possède plusieurs autres pouvoirs. Néanmoins, étant donné que le poste de premier ministre relève du domaine des conventions constitutionnelles, ces pouvoirs sont difficiles à définir de façon précise et exhaustive[11]. Entre 1896 et 1935, plusieurs gouvernements ont toutefois tenté de codifier ces prérogatives par décret. Le décret P.C. 3374 de 1935, par exemple, indique que « certaines des fonctions du premier ministre » sont de : 1) convoquer les réunions du Cabinet ; 2) conseiller le gouverneur général quant à la convocation et la dissolution du Parlement ; 3) conseiller le gouverneur général sur les nominations de titulaires de charges publiques (énumérées dans le décret) tels que les ministres, les lieutenants-gouverneurs, les juges en chef et les sénateurs ; 4) si nécessaire, recommander au gouverneur général d'imposer certaines directives à un ministère particulier[12].

---

9. *Ibid.*, p. 173-177.

10. J.R. Mallory (1984), *The Structure of Canadian Government*, Toronto, Gage Publishing Limited, p. 77.

11. Non seulement les pouvoirs du premier ministre ne sont pas codifiés par législation, mais son existence même y est à peine reconnue, sauf dans certaines lois telles que la Loi sur les traitements, la Loi sur les résidences officielles et, chose intéressante, au paragraphe 37 (1) de la Loi constitutionnelle de 1982. (L'accord de Charlottetown mentionnait aussi le premier ministre à quelques reprises.) Par contre, les pouvoirs des ministres sont typiquement énumérés de façon relativement précise par diverses lois habilitantes (voir, par exemple, la Loi sur le ministère de l'Environnement).

12. En 1916, par exemple, Borden avait imposé plusieurs directives (et prit le contrôle) du ministère de la Milice.

Il faut noter que ces décrets ont un effet déclaratoire plutôt que législatif. En effet, non seulement ne décrivent-ils pas les pouvoirs du premier ministre de façon exhaustive, mais leur application moderne peut être remise en question étant donné leur désuétude. Selon Mallory, « [t]out au plus, ces documents peuvent être perçus comme confirmant l'existence de pouvoirs conventionnels »[13]. Ce manque de codification comporte également certains avantages, puisque cela confère au premier ministre une certaine flexibilité.

Malgré l'ampleur considérable des pouvoirs constitutionnels du premier ministre, certaines considérations politiques ont un impact non négligeable sur leur exercice. La nécessité de maintenir un consensus au sein du Cabinet, par exemple, peut l'obliger à consulter ses collègues et à faire certains compromis avant de prendre certaines décisions. Les pressions exercées par le caucus parlementaire peuvent également limiter la marge de manœuvre d'un premier ministre et ce, surtout dans le cas d'un gouvernement minoritaire. Enfin, une opposition efficace peut limiter le pouvoir du premier ministre et ce, surtout si elle réussit à mobiliser l'opinion publique.

Par ailleurs, certains facteurs personnels ont un impact important sur l'étendue du rôle de chaque premier ministre. Notamment, la personnalité et la façon de gouverner de chaque premier ministre peuvent restreindre ou renforcer l'influence que celui-ci exerce au sein de son gouvernement[14]. John Diefenbaker, par exemple, a occupé pendant plusieurs mois le poste de secrétaire d'État aux Affaires extérieures en plus de celui de premier ministre[15]. Lester B. Pearson, pour sa part, s'est limité au rôle traditionnel de premier ministre et ce, malgré son expérience en affaires internationales[16].

3.3.2 Le Conseil des ministres, le Cabinet et le Conseil privé

Depuis l'apparition du Cabinet au XVIIIe siècle, il existe une distinction importante entre le Conseil des ministres, le Cabinet et le Conseil privé[17]. Le terme « Conseil des ministres » s'applique au groupe de ministres nommés à des portefeuilles à titre amovible par la Couronne, qui est conseillée par le premier ministre. Il reflète la responsabilité individuelle des ministres envers la Couronne selon le droit et envers la Chambre des communes selon la tradition.

13. Mallory, *supra* note 10, p. 77.

14. Il existe une documentation abondante sur ce sujet. Pour une discussion de cette question dans le contexte canadien, voir : R. MacGregor Dawson (1975), *The Government of Canada*, Toronto, University of Toronto Press, p. 187-192. Pour une description des premiers ministres britanniques voir: Jennings, *supra* note 8, p. 173-207.

15. Bureau du Conseil privé et Archives publiques du Canada (1982) : *Répertoire des ministres canadiens depuis la Confédération: 1er juillet 1867 – 1er février 1982*, Ottawa, Ministre des Approvisionnements et Services, p. 249. Il est à noter, toutefois, que le poste de secrétaire d'État aux Affaires extérieures était traditionnellement occupé par le premier ministre jusqu'en 1953, date à laquelle Louis St-Laurent a nommé Lester B. Pearson.

16. *Ibid.*, p. 298.

17. Bureau du Conseil privé, *supra* note 3, p. 26.

Le « Cabinet », pour sa part, est l'instance où les ministres élaborent un consensus, sous l'égide du premier ministre, à l'égard des politiques gouvernementales que chacun d'eux s'engage à défendre en public. Il s'agit donc d'un mécanisme officieux[18] émanant directement du premier ministre, et qui constitue l'expression matérielle de la responsabilité collective des ministres. Enfin, l'appartenance au « Conseil privé » est le mécanisme en vertu duquel tous les membres du Conseil des ministres sont assujettis à la responsabilité collective dont le Cabinet est l'expression matérielle[19]. En effet, l'appartenance au Conseil privé impose à la fois un devoir de confidentialité (en vertu de son serment) et de solidarité (en raison de la nécessité politique et juridique d'adopter un front commun devant la Chambre et le gouverneur général). En d'autres termes, le Cabinet *exprime* la responsabilité collective du Conseil des ministres, mais l'appartenance au Conseil privé en est la *source*.

Même s'ils sont membres du Conseil privé, les ministres doivent détenir un siège à la Chambre des communes ou au Sénat, ou en obtenir un dans un délai raisonnable (selon une convention constitutionnelle)[20]. La plupart des ministres sont chargés de « portefeuilles », c'est-à-dire qu'ils sont responsables d'un ministère (p. ex. celui de l'Environnement) et qu'ils doivent en répondre devant la Chambre des communes. Le Cabinet compte aussi parfois des ministres sans portefeuille et des ministres d'État, ces derniers étant responsables d'un élément précis d'un ministère ou d'un organisme particulier.

Tel que mentionné ci-dessus, le fonctionnement du Cabinet dépend de la création d'un consensus, ce qui implique un élément de confidentialité[21]. Cette confidentialité est un élément essentiel de la responsabilité collective du Conseil des ministres. Collectivement, les ministres sont responsables devant la Chambre des communes des politiques et des activités de l'ensemble du Cabinet. Un ministre en désaccord avec une politique ou une initiative gouvernementale est tenu d'accepter l'opinion de la collectivité de ministres, sans quoi il doit démissionner.

---

18. Le Conseil du trésor est le seul comité du Cabinet ayant une existence statutaire. Il est créé à l'art. 5 (1) de la Loi sur la gestion des finances publiques.

19. Les ministres doivent être membres ou devenir membres du Conseil privé de la reine pour le Canada. Les membres du Conseil privé sont nommés à vie par le gouverneur général sur la recommandation du premier ministre et comprennent aussi les premiers ministres provinciaux, le juge en chef de la Cour suprême du Canada, les anciens présidents du Sénat et de la Chambre des communes. D'autres citoyens éminents sont aussi nommés en reconnaissance de leurs mérites. Le Cabinet, aussi appelé « Comité du Conseil privé » est l'organe actif du Conseil privé. Kathryn O'Handley, dir. (1995), *Guide parlementaire canadien*, Scarborough, Gale Canada, p. 27. Pour plus d'information sur la relation entre le Conseil privé et le Cabinet, voir : Dawson, *supra* note 14, p. 169-172 et Sir William R. Anson (édition de 1970), *The Law and Custom of the Constitution : Part II – The Crown*, New York, Clarendon Press, p. 100-116.

20. Peter W. Hogg (1992), *Constitutional Law of Canada*, 3e éd., Carswell, Scarborough, p. 233. De façon générale, la même règle s'applique au premier ministre. Néanmoins, en 1891-1892 et 1894-1896, le premier ministre du Canada siégeait au Sénat.

21. La fonction publique, notamment le Bureau du Conseil privé, joue un rôle important pour appuyer la création et le maintien de ce consensus.

Le rôle joué par tout système de Cabinet comprend notamment[22] : 1) la création d'un consensus parmi les ministres sur les priorités gouvernementales et les questions relevant de plusieurs ministres ; 2) l'élaboration d'une stratégie parlementaire commune permettant l'adoption de l'agenda législatif tout en conservant la confiance de la Chambre ; 3) l'échange d'idées entre les ministres sur des questions d'intérêt collectif ; 4) la diffusion d'information sur les questions engageant la responsabilité collective des ministres et ayant un impact sur leur responsabilité individuelle ; 5) l'acquisition d'information requise par le premier ministre dans l'exercice de ses responsabilités et de son leadership.

Le Cabinet est aussi à l'origine de la majeure partie de la législation. De plus, il a le pouvoir exclusif d'élaborer et de déposer des projets de lois reliés aux dépenses publiques et aux impôts. La Chambre et le Sénat ne peuvent déposer de tels projets de lois, à moins d'obtenir une recommandation royale sous la forme d'un message du gouverneur général.

3.3.2.1 *Structure*

Les fonctions énumérées ci-dessus varient très peu d'un gouvernement à l'autre. Toutefois, étant donné l'influence du premier ministre sur « son » Cabinet, les *structures* mises en place pour remplir ces fonctions varient selon la façon dont chaque premier ministre exerce le pouvoir[23]. Il est donc peu surprenant que plusieurs d'entre eux choisissent de les modifier dès leur arrivée au pouvoir. Par exemple, en juin 1993, la première ministre Campbell a procédé à des modifications importantes dans le cadre d'une réorganisation globale de l'appareil gouvernemental impliquant la réduction du nombre de ministres de 32 à 23, la création (ou modification radicale) de huit ministères, l'attribution de nouveaux mandats à trois ministères et l'élimination de quinze ministères[24]. Les modifications au système de Cabinet comprenaient la réinstauration du Cabinet plénier comme organe décisionnel central[25], l'abolition de six comités et la création de trois nouveaux comités[26].

À son arrivée au pouvoir, le premier ministre Chrétien a également modifié le système de Cabinet en créant huit postes de secrétaires d'État dont le rôle

---

22. Voir: Ian D. Clark (1985), « Recent Changes in the Cabinet Decision-Making System », *Canadian Public Administration/Administration publique du Canada*, vol. 28, n° 2, p. 185-201, p. 186.

23. Ceci étant dit, d'autres facteurs peuvent se refléter dans l'organisation du Cabinet. Par exemple, entre 1935 et 1984, l'implication croissante du secteur public dans la société moderne a probablement eu pour effet d'augmenter le nombre de ministres de 16 à 40 et le nombre de comités permanents du Cabinet de 3 à 10. *Ibid.*, p. 188-192.

24. Cabinet du premier ministre (25 juin 1993), *Communiqué de presse*, Ottawa.

25. C'est-à-dire en attribuant au Cabinet plénier les responsabilités des comités de priorités et planification, défense et politique étrangère, et sécurité et renseignements (que l'on abolissait) ainsi que les responsabilités pour les questions fédérales-provinciales. *Ibid.*

26. *Ibid.*

est d'assister un ministre à l'égard de certains aspects de son portefeuille[27]. Étant assermentés comme membres du Conseil privé et membres du Conseil des ministres, ces derniers sont assujettis à la responsabilité collective, mais ne sont pas membres du Cabinet. (Ils assistent toutefois à certaines réunions du Cabinet traitant directement de leurs responsabilités.) Le premier ministre a aussi réduit le nombre de comités permanents du Cabinet de onze à quatre (en plus du Cabinet plénier), c'est-à-dire : Politique du développement économique, Politique du développement social, Conseil du Trésor et Comité spécial du Conseil[28].

3.3.2.2 *Processus décisionnel*

De façon générale, le processus décisionnel du Cabinet est basé sur deux principes[29]. D'une part, on reconnaît à chaque ministre le droit de soumettre à ses collègues des propositions reliées à ses champs de responsabilités. Ce droit s'explique par la responsabilité ministérielle individuelle qui oblige chaque ministre à répondre individuellement des décisions relatives à son portefeuille. D'autre part, les ministres doivent avoir l'occasion de s'exprimer sur chaque proposition présentée au Cabinet. En vertu de la responsabilité collective, tous les ministres doivent défendre en public les décisions prises par la collectivité de ministres. Par conséquent, il est nécessaire que chaque ministre puisse exprimer son opinion sur ces questions, puisque chacun devra l'appuyer publiquement.

De façon plus précise, le processus décisionnel du Cabinet comprend quatre étapes[30]. En premier lieu, un ministère détermine une décision requise du Cabinet et prépare un mémoire au Cabinet (MC) pour son ministre. En plus du fait qu'il soit le mécanisme par lequel un ministre soumet une proposition au Cabinet, ce document est un outil mis à la disposition du sous-ministre pour qu'il puisse conseiller confidentiellement le ministre sur des questions de politiques. Habituellement le fruit de maintes recherches et consultations interministérielles, ces documents mettent de l'avant tous les éléments pertinents liés à une question précise, notamment : les problèmes soulevés par une situation donnée; les solutions pour régler ces problèmes ; l'impact de ces solutions sur les finances publiques, les relations publiques, les relations interministérielles, les relations fédérales-provinciales, les relations avec le caucus parlementaire du parti au pouvoir ; et, enfin, des recommandations. Chacun de ces éléments est catégorisé comme « recommandations ministérielles » (exposé succinct de l'information clé) ou « analyse » (exposé détaillé des solutions).

La deuxième étape du processus décisionnel est l'examen de la proposition par un comité du Cabinet. C'est à cette étape que les membres de l'un des qua-

---

27. Cabinet du premier ministre (4 novembre 1993), *Communiqué de presse*, Ottawa.

28. *Ibid.* Certains comités temporaires et ponctuels peuvent s'ajouter à cette liste.

29. Clark, *supra* note 22, p. 198.

30. Kenneth Kernaghan et David Siegel (1995), *Public Administration in Canada*, 3e édition, Scarborough, p. 388-390.

tre comités du Cabinet discutent de façon approfondie le bien-fondé de la proposition et élaborent des recommandations à l'intention du Cabinet plénier. Ces recommandations sont présentées sous forme de rapport de comité. Le Bureau du Conseil privé joue un rôle important à cette étape, puisqu'il conseille les présidents de chaque comité et rédige les rapports des comités[31].

La troisième étape est l'examen du rapport de comité par le Cabinet plénier. C'est à ce moment que les ministres peuvent s'exprimer sur la proposition et prendre une décision finale. Il est important de noter que, avant 1993, la plupart des décisions étaient prises en comité et que le rôle du Cabinet plénier se limitait fréquemment à l'approbation des rapports des comités. Ce rôle relativement passif du Cabinet plénier s'expliquait par le nombre important de comités et par leur participation active dans l'élaboration des politiques. Cependant, avec la réduction du nombre de comités, en 1993, le Cabinet plénier est redevenu « le principal organe de prise de décisions collectives »[32].

Les décisions du Cabinet plénier prennent la forme de rapports de décision finale (RD). Ces documents n'ont pas de force juridique, puisqu'ils ne font qu'exprimer l'intention collective des ministres d'adopter ou de refuser une proposition[33]. Si la mesure en question requiert un instrument statutaire, un projet de loi est alors déposé en Chambre des communes en utilisant la procédure parlementaire habituelle. Si un instrument réglementaire est requis en vertu d'une loi habilitante ou prérogative, un décret est émis, mais n'a de force juridique qu'après l'approbation du gouverneur général.

Enfin, la dernière étape du processus décisionnel consiste à demander au Conseil du Trésor l'approbation du financement et des ressources humaines requises pour les fins de la proposition[34]. Cette demande, faite par le ministre qui parraine la proposition, est basée sur le rapport de décision du Cabinet plénier et prend la forme d'une soumission au Conseil du Trésor. Avant d'être étudiées par le Conseil, ces soumissions sont présentées au Secrétariat du Conseil du Trésor pour évaluation, et ce dernier peut recommander au Conseil de les approuver, les rejeter ou les modifier. La décision prise par le Conseil prend la forme d'une lettre de décision utilisée par la fonction publique pour mettre en œuvre la décision du Cabinet.

---

31. Le Secrétariat du Conseil du trésor et le ministère des Finances jouent également un rôle non négligeable en soumettant aux comités (par l'entremise du Bureau du Conseil privé) des analyses du coût et des impacts économiques des propositions à l'étude.

32. Cabinet du premier ministre, *supra* note 27.

33. Clark, *supra* note 22, p. 199-200.

34. Kernaghan et Siegel, *supra* note 30, p. 390.

3.3.3 Les ministres et la fonction publique

3.3.3.1 *Principes fondamentaux*

Toute analyse de l'exécutif politique canadien est incomplète si elle ne comprend pas une description des structures pour lesquelles les ministres sont juridiquement responsables[35]. Toutefois, avant de procéder à cette description, il est nécessaire de mentionner brièvement certains principes fondamentaux sous-jacents aux relations entre les ministres et la fonction publique.

Ces principes, dérivés directement de la doctrine de la responsabilité ministérielle, soulignent l'importance d'une fonction publique professionnelle, contrôlée par des ministres partisans et élus, et faisant preuve de neutralité politique. Ce contrôle est d'ailleurs à la base du système démocratique canadien. De façon globale, la neutralité politique de la fonction publique implique que, d'une part, les « ministres » sont constitutionnellement responsables de prendre des décisions de nature politique (ou de s'assurer que ces décisions sont prises par le Cabinet) ainsi que de répondre de ces décisions et de celles de leur ministère devant le Parlement. D'autre part, la « fonction publique » doit mettre en œuvre ces décisions avec neutralité et professionnalisme. Ces principes, reconnus comme une convention constitutionnelle, peuvent donc être perçus comme créant un système où la fonction publique est un « instrument » à la disposition des élus pour mettre en œuvre la volonté populaire démocratiquement exprimée.

3.3.3.2 *Macro-organigramme*

Étant donné l'étendue et la diversité du secteur public contemporain, il est toutefois évident que le contrôle ministériel s'applique de façon fort différente aux diverses organisations publiques. En effet, en février 1997, le gouvernement fédéral comptait plus de 135 organisations de toutes sortes relevant de ministres et, par l'intermédiaire de ces ministres, redevables au Parlement. Ces organisations comprennent 24 ministères, 37 sociétés d'État, 26 tribunaux administratifs et organismes quasi judiciaires et au moins 48 agences de service de types divers. Ensemble, elles emploient 370 000 Canadiens à temps plein, dont 170 000 au sein des divers ministères.

Chaque ministre est individuellement responsable d'un « portefeuille » comprenant fréquemment plusieurs types d'organisations : 1) des ministères établis par législation pour répondre aux besoins du ministre et du gouvernement, dans un certain domaine, de façonner les lois et les politiques, et d'offrir les services qui nécessitent une surveillance ministérielle périodique ou un degré élevé d'uniformité de traitement ; 2) des agences de service établies par législation pour assurer la prestation des services dans un cadre politique et législatif déterminé ; 3) des sociétés d'État dont le mandat est d'assurer la prestation des

35. Une part importante des donnés fournies dans cette section proviennent d'un discours prononcé par Jocelyne Bourgon, greffier du Conseil privé et secrétaire du Cabinet, dans le cadre du forum de l'APEX tenu à Ottawa le 4 juin 1996.

services dans un cadre politique et législatif déterminé, et dans une optique commerciale ; 4) des tribunaux administratifs et organismes quasi judiciaires établis par législation, et dont le mandat est de prendre des décisions ou d'entendre des appels permettant l'entrée en vigueur des politiques gouvernementales, de façon autonome et indépendante.

Le degré de surveillance des ministres sur les organisations du gouvernement fédéral varie selon le type d'organisation dont il est question. Les ministères sont sans aucun doute sous contrôle direct des ministres, ce qui implique que, en vertu du principe de la responsabilité ministérielle et de la neutralité politique, ceux-ci ont l'autorité pour intervenir sur tous les aspects de leur gestion. Les agences de service sont aussi généralement assujetties à une surveillance ministérielle relativement directe, puisqu'elles doivent rendre compte de leurs résultats. Pour ce qui est des sociétés d'État, le degré de surveillance ministérielle est moindre et se limite à l'approbation des plans d'activités et la soumission de rapports au Parlement. Enfin, les tribunaux administratifs et les organismes quasi judiciaires ne sont sujets qu'à très peu de contrôle ministériel, puisque leur rôle nécessite indépendance et autonomie par rapport au gouvernement. Dans ces cas, le rôle des ministres se limite à certaines questions administratives telles que l'allocation de ressources financières. Certains agents parlementaires, tels que le Bureau du vérificateur général, maintiennent aussi une certaine indépendance face au gouvernement en relevant directement du Parlement afin d'assurer un caractère public et impartial à leurs activités[36].

Il est important de noter que la nécessité de maintenir l'autonomie de certains organismes est compatible avec l'utilisation de mécanismes de coordination à l'intérieur des divers portefeuilles ministériels. En effet, la cohésion est nécessaire au bon fonctionnement de l'appareil gouvernemental et ne peut être obtenue sans un partage de valeurs, une perception commune du but à atteindre et une culture favorisant la collaboration et le partenariat. C'est dans cette optique que certains ministres tiennent régulièrement des réunions avec leurs sous-ministres et les dirigeants d'organismes au sein de leur portefeuille afin de discuter et de fixer des priorités. Certains sous-ministres rencontrent aussi, sur une base périodique, des dirigeants d'organismes afin d'échanger de l'information, de mettre en commun des pratiques exemplaires, de s'assurer que chacun est au courant des priorités gouvernementales et de faire le point sur les progrès accomplis dans la mise en œuvre de ces priorités. Certains sous-ministres consultent également les dirigeants d'organismes à propos d'initiatives stratégiques et de réformes de la législation.

De façon globale, le rôle joué par le sous-ministre dans de telles circonstances peut être similaire à celui du secrétaire du Cabinet et du secrétaire du Conseil du Trésor à l'échelle de l'ensemble du secteur public. Plutôt que de

36. Le vérificateur général du Canada existe en vertu du paragraphe 3 (1) de la Loi sur le vérificateur général. Son rôle d'évaluation de l'administration publique implique une certaine indépendance face au gouvernement. À l'article 7, on mentionne que « [l]e vérificateur général établit à l'intention de la Chambre des communes un rapport annuel; il peut également établir à son intention [...] au plus trois rapports supplémentaires par année ». La Commission de la fonction publique a également un statut d'agent parlementaire.

diriger les organismes ou de s'ingérer dans leurs affaires internes, le sous-ministre situe leur action dans un certain contexte et leur fournit une certaine cohésion leur permettant de donner leur pleine mesure.

3.4 Défis actuels

Tel que l'indique le greffier du Conseil privé et secrétaire du Cabinet dans son troisième rapport annuel sur la fonction publique du Canada[37], les structures étatiques traditionnelles sont remises en question par plusieurs facteurs de changement, notamment la mondialisation, les nouvelles technologies de l'information, les contraintes financières et l'évolution sociale. Face à ces changements, les gouvernements de toute idéologie sont confrontés à plusieurs questions, mais ont peu de réponses. Quel rôle l'État doit-il jouer dans la société moderne ? Quels mécanismes doit-on adopter pour exercer ce rôle ?

En tentant de répondre à ces questions, les États ont mis à l'essai une panoplie de formules organisationnelles dont les taux de succès varient. Malgré la diversité de ces formules, la majorité des États semblent favoriser une plus grande décentralisation et une autonomie bureaucratique. Cet objectif semble avoir été à l'origine du concept d'« executive agencies » en Grande-Bretagne[38]. Selon cette formule, le ministre délègue certains pouvoirs à un directeur général d'organisme qui lui est imputable grâce à une entente contractuelle de rendement plutôt que par des relations hiérarchiques traditionnelles. Même si le ministre demeure responsable des politiques globales de l'agence, c'est au directeur général qu'il revient de répondre de ses aspects opérationnels. Le concept de « state-owned enterprises », en Nouvelle-Zélande, semble aussi avoir découlé de la recherche d'une plus grande autonomie organisationnelle[39]. Dans ce cas, l'indépendance de ces organismes face aux ministres est clairement établie par le State-Owned Enterprises Act de 1986 et le State Sector Act de 1988.

Au Canada, comme partout ailleurs, le gouvernement s'est penché sur le rôle de l'État et sur la nécessité de mieux servir les citoyens. C'est dans cet esprit que le gouvernement canadien a entrepris, en 1994-1995, un « Examen des programmes » pour redéfinir le rôle et les responsabilités de l'État dans une société canadienne moderne[40]. Cet exercice devrait contribuer à faire en sorte que les programmes et les services répondent à un intérêt public clairement défini, qu'ils

---

37. Jocelyne Bourgon (1995), *Troisième rapport annuel au Premier ministre sur la fonction publique du Canada*, Ottawa, Ministre des Approvisionnements et Services, p. 2-10.

38. Centre canadien de gestion (1996), *De solides assises: Rapport du Groupe d'étude sur les valeurs et l'éthique dans la fonction publique*, Ottawa, p. 19.

39. Pour plus d'information sur ce sujet, voir: Rob Laking, « Developing a culture of success : reflections from New Zealand experience », dans *Government in Transition: The Inaugural Conference of the Commonwealth Association for Public Administration and Management* (1995), Charlottetown, CAPAM, p. 104-115.

40. Gouvernement du Canada (1996), *Repenser le rôle de l'État : rapport d'étape*, Ministre des Approvisionnements et Services.

soient gérés avec efficacité et qu'ils ne supplantent pas les activités exercées par d'autres secteurs de la société. Il devrait aboutir à une administration fédérale plus ciblée et plus efficace, qui fournira aux Canadiens des programmes et des services hautement prioritaires.

L'Examen des programmes a également créé une situation propice à l'apparition de plusieurs nouvelles formules de prestation des services. Par exemple, le système de navigation aérienne, qui relevait auparavant directement du ministre des Transports, a été transformé en service exploité sur une base entièrement commerciale. De plus, le Bureau de la traduction, qui auparavant faisait partie du ministère des Travaux publics et des Services gouvernementaux, est devenu un organisme de service spécial (cousin éloigné des organismes exécutifs britanniques). Récemment, le discours du Trône proposait aussi la création de quatre nouveaux organismes reliés à la gestion des parcs, l'inspection des aliments, le revenu et les valeurs mobilières. Ceux-ci sont particulièrement intéressants du point de vue de la responsabilité ministérielle, puisqu'ils toucheraient à des domaines de compétences partagées entre le gouvernement fédéral et les gouvernements provinciaux. Si ces mesures sont mises en œuvre, ces organismes représenteront un précédent important d'intégration à la fois horizontale (entre ministères fédéraux) et verticale (entre les différents paliers de gouvernement).

Il est indéniable que ces transformations sont bénéfiques pour la société canadienne. Outre qu'elles réduisent les dépenses de façon importante, elles permettent d'atteindre une plus grande efficacité organisationnelle et d'offrir de meilleurs services pour la population canadienne. Il est à noter que, dans tous les cas d'établissement de nouvelles agences, la question de la responsabilité ministérielle se pose et les structures dans lesquelles les nouvelles agences de prestation de service devant relever du Parlement doivent être sérieusement examinées. L'omission de définir ces liens d'imputabilité mettrait en danger la doctrine de responsabilité ministérielle ce qui, par ricochet, pourrait miner une part importante du système démocratique canadien.

CHAPITRE 4

Le rôle des organismes centraux au sein du gouvernement du Canada

Donald Savoie

Chercheur principal privé
Centre canadien de gestion

Titulaire de la chaire Clément-Cormier
Université de Moncton

Les organismes centraux forment une partie importante de l'appareil gouvernemental. Ils constituent en effet le lien entre les politiciens et la bureaucratie, et exercent une influence directe sur d'importantes initiatives d'orientation et sur l'élaboration des politiques gouvernementales en matière de ressources humaines, d'administration et de finances. Malgré cette influence, il existe bien peu d'écrits, dans la documentation sur l'administration publique, qui traitent du travail de ces organismes. L'objectif du présent article est donc de combler cette lacune et d'examiner le rôle des organismes centraux au sein du gouvernement du Canada.

Il est important de remarquer, tout d'abord, qu'il existe plusieurs organismes centraux au sein du gouvernement du Canada et que chacun d'eux compte un effectif important. Les cinq principaux sont : le Cabinet du premier ministre (80 employés) ; le Bureau du Conseil privé (300 employés) ; le ministère des Finances (700 employés) ; le Secrétariat du Conseil du Trésor (800 employés) ; et la Commission de la fonction publique (environ 2000 employés). Comparativement aux démocraties anglo-américaines, on peut dire que l'infrastructure de l'administration publique canadienne est plutôt vaste.

4.1 Regard sur l'histoire

Bien que la croissance de l'État résolu ait modifié de façon importante la taille et le fonctionnement de l'administration publique fédérale, il n'en demeure pas moins que, depuis la Confédération, Ottawa est tributaire du travail des organismes centraux. Le Conseil du Trésor, créé le 2 juillet 1867, et déclaré comité statutaire en 1869, est le plus ancien comité du Cabinet. Contrairement à la plupart des autres comités du Cabinet, ses attributions sont décrites dans la Loi sur la gestion des finances publiques et consistent, entre autres choses, à agir au nom du gouvernement à l'égard des grandes orientations applicables à l'administration publique fédérale, de la gestion financière, de la gestion du personnel et des « autres questions que le gouverneur en conseil peut lui renvoyer »[1].

La plupart des décisions du Conseil du Trésor sont assujetties au pouvoir légal qui lui est conféré au titre de la Loi sur la gestion des finances publiques. Lorsque ces décisions ne portent pas sur des directives générales, elles ne sont pas présentées au Cabinet, mais adressées directement au sous-ministre concerné dans une « lettre de décision » émise par le Secrétariat du Conseil du Trésor. S'il s'agit de questions plus générales concernant des ministères, telles que les prévisions budgétaires annuelles et les grandes orientations applicables à l'administration publique, le Conseil du Trésor soumet ses rapports de comités à l'approbation du Cabinet ou du Comité du Cabinet chargé des priorités et de la planification.

Les procédures du Conseil du Trésor diffèrent de celles des autres comités du Cabinet. En effet, le président et ses collègues ministres s'assoient d'un côté

1. Voir : Loi sur l'administration des finances publiques, Canada, 1996, art. 7(1)f).

de la table et les responsables du Secrétariat du Conseil du Trésor prennent place de l'autre côté pour présenter les dossiers à l'étude. Dans certaines situations exceptionnelles seulement, le ministre et les responsables du ministère concerné sont invités à présenter les détails du dossier mais, le cas échéant, ils quittent habituellement la salle avant que les ministres du Conseil du Trésor rendent leur décision. Pour ce qui est des autres comités du Cabinet, les ministres présentent eux-mêmes leurs dossiers. Il est important de faire la distinction entre le rôle du Conseil du Trésor lui-même, celui de son président et celui de son secrétariat. Le Conseil du Trésor est formé d'un président, qui anime les réunions du conseil, du ministre des Finances et de quatre autres ministres. Le Conseil statue sur les demandes présentées par les ministres ; le président dirige le travail du Secrétariat, qui consiste à élaborer les politiques et les programmes. Le Secrétariat est aussi chargé de conseiller le président sur les politiques, directives, règlements et dépenses de programmes relatives aux ressources financières, humaines et matérielles de l'État.

Jusqu'en 1960, le Secrétariat du Conseil du Trésor fait partie du ministère des Finances. Le Secrétariat obtient son statut indépendant après la tenue de la commission Glassco, ce qui lui permet de se consacrer essentiellement aux questions de gestion et de dépenses relatives au budget. Le ministère des Finances, lui, continue de jouer son rôle de principal conseiller économique du gouvernement.

Bien que, selon certains, le ministère des Finances ne jouisse pas du statut d'organisme central, il faut admettre que ce ministère et son ministre occupent tout de même une place prééminente et influente à Ottawa[2]. C'est du moins le message transmis de manière plus ou moins subtile à tous les fonctionnaires fédéraux.

Ce ministère a une longue histoire et détient le plus important portefeuille de l'ensemble des ministères et organismes. De l'avis d'un haut fonctionnaire des Finances : « Notre ministère est directement issu de la Confédération. Nous sommes aussi âgés que le pays lui-même. Nous avons derrière nous une longue histoire et une forte culture d'entreprise. Nous ne doutons jamais de notre identité ni de notre mandat. En définitive, nous sommes les gardiens du Trésor public[3]. » De l'avis d'un observateur indépendant, « les droits exclusifs de ce ministère, seul responsable de l'élaboration de certaines des politiques les plus importantes du gouvernement (politiques fiscales et politiques de stabilisation), et son droit de conseiller et d'influencer l'issue des politiques de presque tous les organismes gouvernementaux lui confèrent, ainsi qu'à son ministre, une influence qui n'a rien de comparable dans toute la structure du gouvernement[4] ». Le travail des responsables des finances touche toutes les activités de l'État. Ceux-

2. Voir : W. Irwin Gillespie, « The Department of Finance and PEMS : Increased Influence or Reduced Monopoly Power ? », dans *How Ottawa Spends 1984 : The New Agenda*, Allan M. Maslove (éd.), Toronto, Methuen, 1984, p. 189-214.

3. Citation de Donald J. Savoie, *The Politics of Public Spending in Canada*, Toronto, University of Toronto Press, 1990, p. 73.

4. Voir Gillespie, *op. cit.*, p. 190.

ci s'occupent de politique budgétaire, de relations fédérales-provinciales, de dépenses gouvernementales, de politique fiscale, de finance et de commerce international ainsi que de politiques et de programmes sociaux. C'est pour eux un honneur d'appartenir au plus grand ministère et à la meilleure équipe d'études économiques du pays.

Au Canada, la bataille pour se débarrasser du favoritisme politique s'est tenue à peu près en même temps que celles des États-Unis et de l'Angleterre. Ici, toutefois, les premiers efforts ont connu moins de succès qu'ailleurs. Au début des années 1900, l'idée de mettre fin au favoritisme commence à faire des adeptes dans le public en général, qui commence d'ailleurs à comprendre la valeur inestimable d'une saine administration et à se rendre compte du gaspillage qui résulte du népotisme[5].

En 1908, la pression du public et la nécessité de déclarer des élections générales forcent le gouvernement Laurier à adopter une nouvelle loi sur la fonction publique. Cette loi vise à créer une Commission de la fonction publique et à révoquer l'autonomie des ministères en matière de gestion du personnel. Mais cette loi est destinée par-dessus tout à garantir qu'aucun ministre ne puisse désormais nommer des fonctionnaires après avoir consulté ses collègues du Cabinet, les députés, les candidats défaits et le groupe local favorisant certains candidats[6].

La Commission canadienne de la fonction publique se veut non partisane, c'est pourquoi les commissaires exercent leurs fonctions à titre inamovible, sous réserve de révocation par le gouverneur général sur proposition du Sénat et de la Chambre des communes. La Commission est responsable de la tenue des examens relatifs à l'admission à un grand nombre de postes au gouvernement. Ces examens doivent se tenir dans le cadre d'un concours public et les candidats retenus obtiennent les postes. Cependant, l'abandon des vieilles façons de faire se révèle difficile. Bien que les changements de 1908 soient importants, les réformateurs ne sont pas encore satisfaits. En effet, les politiques de la Commission de la fonction publique ne s'appliquent qu'à une partie des fonctionnaires, soit ceux qui travaillent à l'« intérieur de la fonction publique ». Pour les postes « à l'extérieur de la fonction publique », dont le nombre augmente grandement à partir de 1908, les vieilles règles politiques s'appliquent toujours. Ces postes sont si nombreux qu'après la défaite de l'administration Laurier, en 1911, quelque 11 000 fonctionnaires démissionnent ou sont congédiés pour avoir été reconnus coupables, dans la plupart des cas, d'activité politique partisane.

Les réformateurs ont finalement gain de cause en 1918, année où la quasi-totalité de la fonction publique et des nominations sont placées sous la responsabilité de la Commission de la fonction publique. Le mandat de cette commission est alors élargi et un nouveau système de classification est mis sur pied. Sur ce plan, le Canada s'inspire encore une fois du modèle américain. Par exemple,

5. J. E. Hodgetts, *The Canadian Public Service: A Physiology of Government 1867-1970*, Toronto: University of Toronto Press, 1973, p. 265.

6. *Ibid.*

il ne crée pas, à l'instar des Britanniques, une catégorie de postes réservés aux jeunes diplômés universitaires. Il tente plutôt de classer « méticuleusement » les postes selon les fonctions et les tâches qui s'y rattachent[7]. Cette nouvelle façon de faire augmente considérablement la mainmise de la commission et en fait un puissant organisme central.

Encore une fois, l'application de ces réformes se révèle difficile ; les ministères commencent à mettre en doute la nécessité d'un système de gestion du personnel fortement centralisé. Lors des audiences des comités parlementaires, certains responsables de ministères hiérarchiques expriment leur nostalgie des vieux jours. Deux sous-ministres vont même jusqu'à réclamer la « restauration de l'époque pré-mille neuf cent huit, alléguant que le système de favoritisme est en réalité la seule manière démocratique de gérer la fonction publique »[8]. Selon certains hauts fonctionnaires, il est plus facile de se débrouiller avec l'ancien système de favoritisme politique qu'avec toutes les exigences d'un organisme central et indépendant qui exige la définition de tous les postes. Mais, cette fois, la marche arrière est impossible.

4.2 Regard vers le centre

Les étudiants de l'Institut d'administration publique du Canada découvrent rapidement que c'est le premier ministre qui occupe le rôle le plus important au sein du Cabinet et de l'État. Le Cabinet constitue sous bien des aspects le comité personnel du premier ministre, et ce dernier peut se tourner vers les organismes centraux pour obtenir l'aide nécessaire, qu'il s'agisse du Bureau du Conseil privé, du Bureau des relations fédérales-provinciales ou du Cabinet du premier ministre. Le Cabinet du premier ministre est formé d'assistants nommés par celui-ci pour toute la période durant laquelle il reste au pouvoir. Ces assistants ne font pas partie de la fonction publique et le Cabinet lui-même n'a pas de pouvoirs légaux. Son influence et son pouvoir ne lui sont conférés que parce qu'il est dirigé par le premier ministre.

Le Bureau du Conseil privé, en tant que secrétariat prêtant son appui au Cabinet, voit le jour au début de la Deuxième Guerre mondiale. Sur ce plan, le Canada hésite plus longtemps que la Grande-Bretagne à instaurer un secrétariat central pour venir en aide au Cabinet. En effet, ce n'est qu'en 1940 que le gouvernement du Canada en arrive à la conclusion qu'il est nécessaire de consigner les décisions du Cabinet de façon compréhensible. Avant cette date, le premier ministre Mackenzie King se contentait de donner des instructions à son personnel immédiat à la suite des prises de décision. Ces instructions, ainsi que les arrêtés en conseil, étaient suffisantes pour permettre le fonctionnement de l'État, en raison du peu de questions importantes que ce dernier devait traiter. Comme l'explique J.R. Mallory, « jusqu'en 1939, les ministres et le Cabinet n'avaient

7. O. D. Skelton, *Life and Letters of Sir Wilfrid Laurier*, Toronto, University of Toronto Press, 1921, p. 268.

8. Hodgetts, *op. cit.*, p. 268.

aucune peine à comprendre et à tenir compte des détails, importants ou non, des politiques gouvernementales »[9]. La Deuxième Guerre mondiale vient toutefois transformer cette réalité. Le gouvernement se voit engagé dans presque tous les secteurs de l'économie, ce qui favorise un transfert des pouvoirs du Parlement au profit du premier ministre et du Cabinet. En outre, King se plaint depuis longtemps du fait qu'il n'obtient pas assez d'aide de la part de son propre Cabinet et souligne même que son personnel n'est pas aussi bien structuré que celui du Cabinet du secrétaire aux Affaires extérieures[10]. Il est alors ouvert à toutes les suggestions.

King a toutefois du fil à retordre quand, en 1938, il demande à Arnold Heeney de devenir son premier secrétaire, « poste qui correspond d'une certaine manière à celui d'administrateur général d'un ministère »[11]. À l'époque où il fréquentait Oxford, Heeney avait assisté à une conférence sur les « procédures du cabinet » donnée par sir Maurice Hankey, alors secrétaire du Cabinet britannique. Cette conférence l'avait grandement marqué. Comme le souligne J.L. Granatstein, « la destinée de Heeney doit s'être jouée ce soir-là, puisque quinze ans plus tard, il devenait le Hankey canadien[12] ».

Heeney accepte l'offre de King, à condition qu'il puisse un jour être nommé à un poste où il aurait le loisir d'« instaurer au Canada le type de fonction anciennement occupée au Royaume-Uni par sir Maurice Hankey, en l'occurrence celui de secrétaire du Cabinet... ce poste sera créé et j'y serai nommé »[13]. Les années de guerre se chargent de justifier la nomination de Heeney au poste de secrétaire du Cabinet et greffier du Conseil privé. Il semble alors que le Cabinet soit constamment en délibération. En effet, le Comité de guerre du Cabinet, qui réunit les ministres les plus puissants et assume le contrôle effectif de l'effort de guerre du Canada, en même temps que le fonctionnement de l'État, se réunit 343 fois durant cette période. Heeney, qui participe aux conseils des ministres, pousse King à y imposer une certaine discipline. Avec l'accord de King, il veut que les ministres présentent, dans un avis, les questions dont ils veulent discuter aux réunions du Comité de guerre et du Cabinet. Il veut aussi que le Bureau du Conseil des ministres prépare un ordre du jour officiel et un compte rendu des décisions.

Ces réformes imposées par King pendant les années de guerre persistent encore aujourd'hui et ont une influence profonde sur le modèle actuel de l'appareil gouvernemental. La réforme la plus importante a certes été la création, en 1940, du poste de secrétaire du Cabinet, dont voici les fonctions : préparer l'ordre du jour du Conseil des ministres et le soumettre à l'approbation du premier ministre ; rédiger les procès-verbaux des réunions et le compte rendu des déci-

---

9. J. R. Mallory, *The Structure of Canadian Government*, Toronto, The Macmillan Co., 1971, p. 98-99.

10. Voir : J. L. Granatstein, *The Ottawa Men : The Civil Service Mandarins, 1935-1957*, Toronto, Oxford University Press, 1982, p. 189.

11. *Ibid.*, p. 195.

12. *Ibid.*, p. 193.

13. *Ibid.*, p. 197.

sions ; préparer l'information nécessaire à la tenue des délibérations et la présenter aux ministres ; communiquer les décisions du Cabinet aux ministres, aux ministères et aux autres parties concernées ; assurer la liaison entre le Cabinet et ses comités ; et toute autre fonction attribuée par le gouverneur en conseil[14].

Le Bureau du Conseil privé, pour diverses raisons, jouit d'un grand prestige et d'une grande influence au gouvernement. C'est de lui qu'émanent les conseils sur les politiques présentés directement au premier ministre, et son chef administratif (le greffier du Conseil privé et secrétaire du Cabinet) est considéré comme le plus important fonctionnaire fédéral. En outre, le premier ministre nomme les sous-ministres (chefs permanents des ministères) sur l'avis du Bureau du Conseil privé, ce qui confère à ce dernier une certaine influence sur le fonctionnement gouvernemental, ne serait-ce que parce que les fonctionnaires ambitieux connaissent très bien son emprise sur leurs futures possibilités de carrière au sein du gouvernement. Les activités courantes du Bureau du Conseil privé se classent en trois catégories : conseiller le premier ministre sur les questions relatives à l'appareil gouvernemental, appuyer le Cabinet et ses comités et prodiguer des conseils sur la nomination des cadres supérieurs.

Le groupe formant l'appareil étatique conseille le premier ministre sur la structure ou la restructuration des ministères et des organismes. Ce groupe examine les problèmes de compétence qui se présentent entre ministres et ministères, et il procède à l'examen continu du fonctionnement du système de comités du Cabinet.

Pour appuyer le Cabinet et ses comités, le Bureau du Conseil privé a formé deux groupes : l'un, responsable de la planification, et l'autre, des opérations. Le groupe de la planification prépare les documents d'information et le matériel destiné à aider les membres du Comité du Cabinet chargé des priorités et de la planification. Il appuie également le Comité du Cabinet chargé de la législation et de la planification parlementaire.

Le Groupe des opérations accueille les secrétariats des comités ministériels du Cabinet, qui sont chargés de préparer les ordres du jour et les exposés, pour le compte des présidents de comités et du premier ministre, de même que les procès-verbaux des réunions. Les responsables des secrétariats sont constamment en contact avec les ministères concernés pour s'assurer que les propositions sont présentées aux comités du Cabinet en bonne et due forme et que les politiques générales sont bien comprises[15]. Ils sont aussi responsables de la gestion des dossiers du Cabinet.

Le Secrétariat du personnel supérieur s'occupe, d'une part, des nominations de cadres supérieurs, sous la direction du gouverneur en conseil et, d'autre part, de l'élaboration des politiques de gestion du personnel[16]. Les nominations

14. Ottawa, PC 1121 du 20 mars 1940.

15. Voir, entre autres ouvrages : Kenneth Kernaghan et David Siegel, *Public Administration in Canada : A Text*, Toronto, Methuen, 1987, p. 149.

16. Voir, entre autres ouvrages : Audry D. Doerr, *The Machinery of Government in Canada*, Toronto, Methuen, 1981.

de cadres supérieurs sont bien sûr un important moyen de promouvoir la coordination et l'influence centrales. Aucun effort n'est ménagé pour ce qui est de repérer des fonctionnaires hautement compétents et de les muter à des postes supérieurs afin qu'ils puissent utiliser leurs talents à bon escient et acquérir l'expérience nécessaire en vue de nouvelles nominations.

Le Bureau du Conseil privé joue aussi un rôle en matière de sécurité et de renseignements, généralement dans les sphères des affaires internationales et de la défense. L'appuie que la Direction de la sécurité et des renseignements offre au premier ministre consiste à lui « présenter l'information voulue, de même que les conseils et recommandations nécessaires, en matière de politique sur la sécurité et les renseignements, ainsi qu'à contrôler et orienter l'efficacité générale de la politique et des programmes mis en œuvre par la division de la sécurité et des renseignements[17] ».

Le Bureau du Conseil privé compte aussi un groupe chargé des affaires intergouvernementales. En effet, en juin 1993, le Bureau des relations fédérales-provinciales a été réintégré au sein du Bureau du Conseil privé. Ce groupe agit comme conseiller en matière de programme d'action concernant les questions constitutionnelles et les affaires autochtones, et prépare le matériel en vue des réunions bilatérales et multilatérales avec les provinces et les territoires. Il travaille aussi directement avec le ministre des Affaires intergouvernementales à la coordination du travail entrepris par les ministères hiérarchiques et à la définition des rôles et des responsabilités des autres ordres de gouvernement. En outre, il est chargé de promouvoir l'orientation et la planification stratégique à l'échelle de l'administration fédérale en fonction de la nature changeante de la fédération canadienne. Il dirige également les relations fédérales-provinciales[18].

La Commission de la fonction publique du Canada est aujourd'hui encore un organisme indépendant sur le plan politique. Elle relève du Parlement pour ce qui est de l'application de la Loi sur l'emploi dans la fonction publique (LEFP). Selon cette loi : « la Commission doit, conformément aux dispositions et aux principes énoncés dans la LEFP, nommer ou faire nommer à un poste de la fonction publique des personnes qualifiées, appartenant ou non à celle-ci. »

La LEFP régit la dotation en personnel et accorde à la Commission la compétence exclusive pour nommer à des postes de la fonction publique, dans les ministères et les organismes, des personnes dont la nomination n'est régie par aucune autre loi fédérale. La Commission n'a pas la compétence voulue, sauf dans quelques rares cas, pour nommer des fonctionnaires dans les organismes ayant un statut d'« employeur distinct ». La LEFP accorde également à la Commission le pouvoir discrétionnaire d'adopter des programmes d'équité en matière d'emploi, à la demande du Conseil du Trésor ou d'un administrateur général. Ce pouvoir discrétionnaire donne à la Commission le rôle et la responsabilité de voir à l'application équitable de deux principes qui peuvent parfois sembler contradictoires : l'équité et le mérite.

---

17. Canada, Bureau du Conseil privé, *Prévisions budgétaires 1996-1997*, Partie III, p. 14.

18. *Ibid.*, p. 15.

La Loi permet également à la Commission de déléguer, aux ministères et aux organismes, son pouvoir exclusif en matière de nomination. Par cette délégation de pouvoir, la Commission a confié à certains ministères l'importante responsabilité du processus de sélection et de nomination.

Au cours de l'exercice financier de 1993-1994, 84% des nominations ont été faites par les ministères investis de pleins pouvoirs en matière de dotation en personnel, et 13% d'entre elles ont été le fruit d'attributions partagées entre la Commission et les ministères à qui celle-ci avait délégué des pouvoirs. La présentation de candidats permet toutefois à la Commission de conserver une influence importante sur le processus de dotation en personnel. En fait, puisqu'elle est au centre du processus de dotation en personnel, la Commission est toujours en bonne position pour repérer les candidats mûrs pour l'avancement et les présenter aux ministères. La Commission a conservé ses pleins pouvoirs sur le reste (3%) des nominations dans les domaines mieux servis de façon centralisée par le recrutement et la présentation de candidats et dans le placement des personnes ayant un droit de priorité[19].

4.3 Regard vers l'avenir

Dans la plupart des pays occidentaux, les opérations gouvernementales ont été soumises à une véritable pléthore de réformes depuis le début des années 80. On a entrepris une multitude d'efforts pour moderniser les opérations des gouvernements et pour adopter des pratiques de gestion « appropriées » à l'administration publique. La privatisation, les marchés à contrat, la liberté d'action, les nouveaux organismes de direction et de service, la réduction de l'effectif, la déstratification de la pyramide hiérarchique et la prépondérance du client par rapport à la procédure sont des mesures mises de l'avant dans l'espoir de rendre les opérations et les programmes gouvernementaux plus efficaces et plus souples. Le Canada ne fait pas exception à la règle. Le gouvernement du Canada a en effet instauré une panoplie de mesures de réforme depuis le milieu des années 80 : Accroissement des pouvoirs et des responsabilités ministériels (APRM) ; organismes de service spécial, politiques du « produire ou acheter », Fonction publique 2000 (principale initiative de revitalisation de la fonction publique) et ainsi de suite[20]. En juin 1993, l'administration publique a amorcé une grande restructuration des ministères et des organismes. Le gouvernement progressiste-conservateur de l'époque affirmait que cette initiative allait entreprendre « la plus importante diminution d'effectif et restructuration de l'État jamais réalisée au Canada[21] ». Le gouvernement libéral, porté au pouvoir quelques mois après l'annonce de cette restructuration, n'y a apporté que quelques changements mineurs. La taille et le nombre de ministères ont considérablement diminué – le nombre de ministres est passé de 35 à 24 et les ministères, de 32 à 23. Ce plan

19. *Ibid.*, p. 13.

20. Voir : Savoie, *op. cit.*

21. Canada, Cabinet du premier ministre, *Communiqué*, 25 juin 1993.

de restructuration a constitué un exercice intensif de gestion au sein de l'administration ; seuls 12 ministères n'ont pas été remaniés. Les organismes centraux, pour leur part, n'ont pas été touchés.

Ces réformes montrent que la restructuration au sein de l'administration publique fédérale a surtout porté sur les ministères hiérarchiques. Bien sûr, il ne faut guère plus que quelques secondes de réflexion pour saisir l'importance des organismes centraux dans le fonctionnement du gouvernement. Ces organismes exercent généralement une influence directe sur toutes les décisions d'orientation et jouent un rôle important dans la préparation du budget. C'est aussi vers eux que les responsables de l'État se tournent, en quête de collaborateurs, pour doter le gouvernement ou l'administration d'une orientation générale ou d'une stratégie obligatoire. Les organismes centraux ont aussi une influence directe sur un grand nombre de questions administratives. Ils participent à l'élaboration des politiques de gestion du personnel, à l'adoption des nouvelles politiques d'approvisionnement et à la mise en œuvre des plus importantes pratiques en matière de gestion financière.

Au cours des années à venir, il se peut que le gouvernement du Canada, qui compte des organismes centraux de taille importante, soit quelque peu ambivalent au sujet du rôle de ceux-ci. En effet, si on se tourne vers l'avenir, on peut facilement présumer que les organismes centraux seront coincés entre l'arbre et l'écorce. Les gouvernements, dont celui du Canada, exigent plus de souplesse et de productivité de la part des ministères. L'exigence d'une plus grande souplesse forcera les organismes centraux à intervenir dans les affaires des ministères et celle d'une plus grande productivité les forcera à s'éloigner des règles et règlements centraux, et à laisser plus de liberté aux ministères et à leurs dirigeants.

Il existe toutefois bien d'autres pressions s'exerçant dans des directions opposées quant à la question d'accorder plus ou moins d'importance à la centralisation. La mondialisation de l'économie pousse les gouvernements nationaux à améliorer la coordination de leur politique et de leurs programmes. Les ententes de commerce régionales obligent les gouvernements nationaux à harmoniser une multitude de lois et leur politique avec celles des autres États, ce qui exige une forte capacité d'examen des règlements et des programmes à l'échelle de l'administration tout entière. De plus, les gouvernements ont fini par admettre que la compétitivité d'un pays sur le marché international est tributaire du dynamisme de l'État en matière de coordination des politiques sociales et économiques, en particulier quant au marché de l'emploi et aux programmes sociaux. Bref, la politique gouvernementale et les ministères ne peuvent plus fonctionner de façon isolée.

Les pressions fiscales forcent aussi les gouvernements à opter pour un mode de gestion horizontale. Les principaux décisionnaires doivent non seulement faire face aux problèmes réels ou apparents de chevauchement et de double emploi des programmes gouvernementaux, mais doivent aussi posséder une connaissance approfondie des programmes et des politiques qui rejoignent différents ministères. Ils doivent avoir accès à une information toujours cohérente et comparable quant à la qualité et au contenu afin d'élaborer un budget des dépenses qui reflète les priorités de l'administration publique.

Pourtant, au même moment, bon nombre des idées en vogue dans le secteur public vont à l'encontre de cette tendance, puisqu'elles voudraient voir les organismes centraux abandonner leur direction centralisée. Ainsi, il semble, du moins en apparence, que la gestion publique batte en brèche les activités traditionnelles des organismes centraux. Le nouveau vocabulaire de la gestion publique, grandement inspiré du secteur public, comporte d'ailleurs son propre bagage de termes éloquents : « liberté d'action », service aux « clients », « flexibilité », « déréglementation », « souplesse », abandon de la « technocratie » pour l'adoption de « mandats » et d'« énoncés de mission », etc. Si les employés des points de service, leurs gestionnaires et leur ministère acquièrent une véritable liberté d'action, alors les organismes centraux devront s'adapter. Il faudra réfléchir sérieusement à leur rôle et à leur raison d'agir.

Les organismes centraux ont occupé jusqu'ici une place privilégiée dans la structure administrative traditionnelle, place qui est surtout tributaire de la volonté hiérarchique, légale et politique. Cette place sera remise en question dans l'avenir. Comme les organismes centraux tentent de leur mieux de réagir aux forces qui les poussent dans toutes les directions, ils devront se demander quels sont les rôles et les activités qui devront être maintenus, abolis, décentralisés ou délégués. Ils devront examiner le type de relations établies entre eux et avec les ministères hiérarchiques ; trouver un juste équilibre entre la nécessité de décentraliser le processus décisionnel et d'assurer la cohérence des normes en vigueur à l'échelle de l'administration publique. Ils devront aussi définir de nouveaux moyens de contrôle systématique du rendement des ministères hiérarchiques.

Les difficultés que devront surmonter les organismes centraux de l'administration publique canadienne sont aussi importantes à l'heure actuelle qu'elles l'étaient à l'époque où Arnold Heeney a décidé de doter le centre du gouvernement d'un plus grand pouvoir pour mieux gérer les affaires de l'État et assurer une plus grande coordination des politiques. Par contre, ces difficultés sont d'un tout autre ordre. Il s'agit en effet de repenser le rôle et les fonctions des organismes centraux pour permettre aux dirigeants politiques de mettre en œuvre leur vision et leurs orientations. Au cours des années à venir, il faudra également rendre la politique gouvernementale plus cohérente, tout en décentralisant le plus possible la réglementation des opérations de l'État. Or, cet objectif ne peut être atteint que si le centre acquiert la capacité de « déléguer », tout en étant capable de responsabiliser les fonctionnaires et d'évaluer leur rendement.

CHAPITRE 5

Gestion et déclaration des dépenses au gouvernement du Canada : évolution récente et contexte

Peter Harder
Secrétaire et contrôleur général
Conseil du Trésor du Canada
Gouvernement du Canada

Evert Lindquist
Professeur agrégé
Département de science politique
Université de Toronto

Nous tenons à remercier M. Jim Quinn d'avoir bien voulu prêter son aide à la rédaction de ce chapitre.

5.1 Introduction

Au beau milieu d'une période où les gouvernements du Canada déploient de grands efforts de compression de leur effectif et de réduction concertée du déficit, l'importance des contrôles financiers, des systèmes de budgétisation et des mécanismes de rapport gouvernementaux saute aux yeux. Pourtant, la question de savoir comment arriver, dans ces trois cas, aux solutions optimales est depuis longtemps une caractéristique intrinsèque de la façon des gouvernements du Canada de mener leurs affaires. En effet, les pouvoirs qui leur sont dévolus par les législatures et qui les autorisent à collecter et à dépenser les deniers publics, en leur imposant l'obligation de faire rapport de leur utilisation, sont des éléments absolument fondamentaux des régimes et de la démocratie parlementaires.

Pour les gouvernements, la budgétisation et les contrôles financiers englobent de nombreuses questions et activités reliées ; dans le cas du gouvernement du Canada, y participent non seulement le Parlement, mais aussi les ministères, les organismes centraux et le vérificateur général. D'ailleurs, pour donner une idée exhaustive des systèmes de budgétisation et de contrôle financier, il ne suffirait pas de décrire le processus de budgétisation et la nature des rapports ministériels aux organismes centraux ; il faudrait aussi expliquer le fonctionnement des systèmes décisionnels du Cabinet ainsi que la répartition des responsabilités entre les organismes centraux, les cadres de gestion et de préparation des rapports financiers conçus à l'intention des fonctionnaires et les moyens que les gouvernements emploient pour obtenir des crédits du Parlement, puis pour lui rendre compte de leur utilisation.

La complexité même des systèmes de budgétisation et de contrôle financier, et le fait que tant d'éléments y soient inextricablement liés, signifie que proposer des réformes d'envergure dans un domaine implique qu'il faut aussi en modifier d'autres. Divers éléments du système ont subi de nombreux changements au cours des trois ères de réforme qui se sont succédé dans les années 60, à la fin des années 70 et au début des années 80. Aujourd'hui, les principales parties sont encore à une croisée des chemins et nous vivons plusieurs réformes intéressantes, simultanément.

Les initiatives récentes comme le Système de gestion des dépenses, les plans d'activités ministériels et l'amélioration des rapports au Parlement sont fondées sur des thèmes déjà bien connus. Le Parlement, qui autorise l'utilisation des deniers publics par les gouvernements, cherche depuis longtemps à obtenir d'eux des renseignements utiles qui l'aident à contrôler la façon des ministères de gérer les crédits affectés aux programmes, ainsi qu'à veiller à ce que les ministres et les ministères qu'ils gèrent lui rendent compte de leurs activités. Le gouvernement et les organismes centraux tiennent depuis toujours, quant à eux, à s'assurer que les ressources sont gérées de façon efficace par les ministères et les organismes, pour les fins prévues par le Parlement afin d'atteindre les objectifs financiers. Le Parlement, les gouvernements et les organismes centraux partagent le même intérêt pour les rapports sur le rendement, puisque le premier pourrait approuver les crédits avec plus d'assurance si les résultats pouvaient être déterminés de façon plus précise.

Pour souligner la portée des initiatives les plus récentes, nous allons commencer par un examen des assises législatives du financement du gouvernement et de la gestion de ses affaires financières, de même que des éléments constitutifs des systèmes modernes de budgétisation et de gestion financière. Les réformes actuelles s'inspirent d'idées conçues au cours des années 60 et à la fin des années 70. Nous analyserons brièvement la dérive du système de gestion des dépenses dans les années 80, qui a mené à une véritable débâcle financière, en dépit de nombreuses innovations. Ensuite, nous verrons comment la restructuration de l'appareil gouvernemental et l'arrivée au pouvoir d'un nouveau gouvernement, en 1993, a mené à un nouveau régime de gestion des dépenses et à la recherche d'autres modes de présentation des rapports des ministères aux organismes centraux et au Parlement. Selon nous, le lien entre la démocratie et le contrôle financier déborde des pouvoirs prévus par les lois, car l'intérêt politique et public accru pour la responsabilisation à l'égard des résultats des programmes et des objectifs financiers à atteindre est plus vif que jamais ; et c'est un des principaux atouts des initiatives prises ces dernières années.

5.2 Évolution historique des assises législatives des pouvoirs de gestion des finances publiques et de l'obligation d'en faire rapport

À l'avènement de la Confédération, en 1867, les principes d'administration financière du régime parlementaire britannique étaient bien établis : un seul et même fonds du revenu consolidé, la méthode de comptabilité de caisse, la limitation annuelle des pouvoirs financiers consentis par le Parlement et l'obligation, pour le gouvernement, de préciser les fins des fonds alloués.

Le droit du Parlement de contrôler les deniers publics est établi dans la Constitution du Canada, c'est-à-dire dans la Loi constitutionnelle[1]. Premièrement, tous les deniers appartenants au Canada, tous les droits et revenus perçus ainsi que l'emprunt « de deniers sur le crédit public[2] », sauf les droits et revenus réservés aux législatures des provinces, « forment un fonds consolidé de revenu[3] ». Deuxièmement, les fonds sont effectués « au service public par le Parlement du Canada[4] ». Bref, c'est le Parlement qui contrôle les crédits du gouvernement, en autorisant les sommes et les fins pour lesquelles les deniers publics peuvent être légalement engagés. Sauf sur indication contraire du libellé du crédit budgétaire, des lois portant affectation de crédits ou d'autres lois, les

1. Voir l'article de la Loi constitutionnelle.

2. Voir l'article 91 de la Loi constitutionnelle.

3. Le Trésor, appelé « Fonds du revenu consolidé » jusqu'à la refonte de 1985, par suite de laquelle la Loi sur l'administration financière est devenue la Loi sur la gestion des finances publiques, est défini dans cette loi comme le total de tous les deniers publics déposés au crédit du receveur général. Dans la pratique, le total du fonds est toujours celui des comptes bancaires crédités au receveur général du Canada.

4. Voir l'article 106 de la Loi constitutionnelle. Aux termes de la Loi sur la gestion des finances publiques, les crédits s'entendent comme étant toutes les autorisations données par le Parlement d'effectuer des paiements sur le Trésor.

crédits votés viennent à échéance à la fin de l'exercice désigné. Toutefois, dans le cas des crédits législatifs, le gouvernement est autorisé à engager des dépenses lors de l'exercice en cours et des exercices ultérieurs sans devoir demander d'autres autorisations au Parlement. Les deux types de crédits constituent la pierre angulaire des politiques et des pratiques gouvernementales de comptabilité et de rapports financiers, et ils leur imposent d'importantes restrictions.

Le receveur général du Canada tient les comptes publics du Canada, c'est-à-dire le registre financier des opérations financières du gouvernement. Chaque année, le gouvernement publie quatre importants rapports financiers :

- Le budget du ministre des Finances comprend un exposé financier exhaustif, avec les prévisions des besoins financiers des opérations gouvernementales pour l'année à venir, ainsi que les moyens proposés par le gouvernement pour atteindre ses multiples objectifs.
- Le budget des dépenses annuel que le gouvernement dépose informe le Parlement de l'ampleur et de la nature des dépenses qu'il entend engager pour l'exercice à venir ; c'est la base du projet de loi de crédits que le gouvernement présente au Parlement pour que celui-ci lui accorde les pouvoirs de dépenser dont il a besoin.
- L'état des opérations financières publié chaque mois dans la *Gazette du Canada* contient des renseignements complets sur les opérations financières du mois écoulé, avec le total cumulatif pour l'exercice en cours.
- Les comptes publics du Canada renferment les états financiers vérifiés et annuels du gouvernement. Ils sont préparés conformément à la Loi sur la gestion des finances publiques (appelée « Loi sur l'administration financière » jusqu'en 1985) et déposés au Parlement au nom du gouvernement par le président du Conseil du Trésor, à qui cette responsabilité législative est confiée[5].

En fait, les états financiers du gouvernement sont préparés sous la direction conjointe du président du Conseil du Trésor et du ministre des Finances par le receveur général du Canada[6]. Ils ont pour but d'informer le Parlement et le public, tout en facilitant la compréhension et l'évaluation des affaires et des

5. Les comptes publics du Canada pour l'exercice clos le 31 mars doivent être légalement déposés au plus tard le 31 décembre de la même année ou, si la Chambre ne siège pas, alors au cours des quinze premiers jours où elle recommence à siéger. Néanmoins, dans la pratique, les comptes publics sont généralement déposés en octobre.

6. Dans ses états financiers, l'entité qui présente un rapport inclut tous les ministères et organismes, ainsi que toutes les sociétés d'État et tous les fonds qui appartiennent au gouvernement ou qui sont contrôlés par lui, et dont il est imputable au Parlement, à quelques importantes exceptions près. Font exception : le Régime de pensions du Canada, qui est contrôlé conjointement par le gouvernement fédéral et par les provinces participantes, et les sociétés d'État-entreprises, dont les activités ne sont pas financées à même les deniers publics. Dans le cas de ces sociétés, le gouvernement ne mentionne dans ses états financiers que le coût de ses immobilisations, actualisé pour refléter les profits ou les pertes de la société pour l'année, de même que ses comptes créditeurs ou débiteurs. Les états financiers sont généralement préparés selon la méthode de comptabilité d'exercice, sauf que le coût des biens immeubles est débité au moment de leur acquisition ou de leur construction et que les recettes fiscales sont généralement déclarées selon la méthode de comptabilité de caisse. Les renseignements figurant dans les états financiers sont fondés sur les meilleures estimations possibles, selon le jugement du gouvernement, compte tenu de leur importance relative.

ressources financières dont le gouvernement est responsable[7]. C'est le gouvernement qui les présente au vérificateur général du Canada, lequel les vérifie, puis soumet son avis à la Chambre des communes[8]. Ils sont déposés au Parlement, en tant que partie intégrante des comptes publics du Canada, et renvoyés dans ce contexte au Comité permanent des comptes publics, qui présente au Parlement ses évaluations et ses recommandations sur les états financiers eux-mêmes, ainsi que sur l'avis du vérificateur général.

5.3 Grandes étapes de l'évolution contemporaine de la budgétisation, de la gestion des finances publiques et des rapports pertinents

Pour bien comprendre le caractère unique des initiatives les plus récentes en matière de contrôle budgétaire et de gestion des finances publiques, il faut avoir une bonne idée des grandes réformes qui ont marqué les quatre dernières décennies, sous l'impulsion de la Commission royale d'enquête sur l'organisation du gouvernement ainsi qu'avec l'introduction de la Rationalisation des choix budgétaires, les travaux de la Commission royale sur la gestion financière et l'imputabilité, et enfin l'instauration du Système de gestion des secteurs de dépenses[9]. Chacune de ces initiatives a été soit le déclencheur, soit le fruit de discussions sur le genre de systèmes qui devraient régir la répartition des deniers publics dans l'administration gouvernementale ou les moyens employés par le gouvernement pour rendre compte de leur utilisation au Parlement et au public. Les propositions avancées dans leur contexte n'ont pas toutes été adoptées et les réformes correspondantes n'ont pas toutes été couronnées de succès, mais elles n'en continuent pas moins à alimenter le débat qui entoure toujours les pratiques actuelles et les pratiques éventuelles de demain.

5.3.1 La commission Glassco : avènement de la gestion à Ottawa

Dans son rapport, rendu public en 1963, la Commission royale d'enquête sur l'organisation du gouvernement (commission Glassco) a introduit des changements dans les méthodes de gestion des finances et de présentation des rapports au Parlement qui influent encore de nos jours sur la budgétisation et sur les mesures de contrôle financier.

---

7. Deux états supplémentaires contiennent un relevé des opérations assujetties à la Loi limitant les dépenses publiques et à la Loi sur le compte de service et de réduction de la dette.

8. À cet égard, les fonctions du vérificateur général sont précisées à l'article 6 de la Loi sur le vérificateur général, à l'article 8 de la Loi limitant les dépenses publiques et à l'article 9 de la Loi sur le compte de service et de réduction de la dette.

9. On trouve un exposé aussi lucide qu'utile de ces questions, ainsi qu'une importante bibliographie dans l'ouvrage de Donald J. Savoie, *The Politics of Public Spending in Canada*, Toronto, University of Toronto Press, 1989.

La commission Glassco avait conclu que le système financier de l'époque, qui consistait largement à approuver des opérations à l'avance, était trop lourd, pétri de doubles emplois et improductif. Elle avait résolument clamé qu'il fallait laisser les gestionnaires gérer. Elle avait durement critiqué le processus de budgétisation – axé presque exclusivement sur l'exercice à venir et sur la nature des dépenses –, en réclamant un régime de gestion des finances qui accroîtrait non seulement les pouvoirs dévolus aux gestionnaires, mais aussi leur imputabilité, grâce à des mesures de leur capacité d'utilisation des ressources et des résultats obtenus. En outre, elle avait proposé le passage à un cycle de planification quinquennal ainsi qu'à des rapports au Parlement dans lesquels on insisterait davantage sur la raison d'être des dépenses.

En 1964, on a ordonné aux sous-chefs des ministères et aux chefs d'organismes (c'est ainsi qu'on appelait à l'époque les administrateurs principaux) de désigner un agent financier supérieur AFS qui relèverait directement d'eux[10]. L'AFS devait concevoir et mettre en œuvre une organisation et des procédés de gestion des finances grâce auxquels le ministère ou l'organisme auraient pu assurer le contrôle voulu, et il était censé collaborer avec les gestionnaires de tous les niveaux pour faire en sorte qu'ils s'acquittent bien de leurs fonctions de contrôle.

En 1966, le Conseil du Trésor – qui est un comité législatif du Cabinet – a obtenu son propre ministre et son propre ministère, respectivement connus sous le nom de « président du Conseil du Trésor » et de « Secrétariat du Conseil du Trésor ». À toutes fins utiles, ce changement retirait au ministre des Finances et à son ministère la responsabilité de la surveillance directe du budget des dépenses et des programmes ainsi que de la politique du personnel et de la politique administrative.

En 1969, de nombreuses contraintes juridiques et organisationnelles du système traditionnel ont été éliminées. La responsabilité première en matière de comptabilité, de budgétisation et de contrôle financier, et de suivi du bilan financier a été déléguée aux sous-chefs des ministères et aux chefs d'organismes. Le Conseil du Trésor retenait, quant à lui, la responsabilité globale de la gestion du gouvernement, en sa double qualité d'employeur et de « bureau du budget ».

5.3.2 Rationalisation des choix budgétaires

La commission Glassco avait créé un climat favorable à l'adoption de la budgétisation fondée sur les programmes selon le modèle américain. En 1969, le Conseil du Trésor annonçait sa propre approche, la Rationalisation des choix budgétaires (RCB)[11]. Il cherchait ainsi à aller au-delà du simple groupement des données comptables correspondant aux postes budgétaires pour divers programmes, à préciser « pourquoi » les programmes existaient, ainsi qu'à créer un cadre pour analyser les nouvelles initiatives et tirer des plans fondés sur la

10. Selon la taille de l'organisation, l'AFS peut déléguer ses pouvoirs pour les responsabilités financières cruciales à un agent financier supérieur à temps plein (AFST).

11. Voir le *Guide de planification, programmation et budgétisation* du Conseil du Trésor du Canada.

mesure dans laquelle elles favorisaient l'atteinte des buts et des objectifs. Dans ce contexte, il allait aussi falloir déterminer si les programmes obtenaient des résultats et atteignaient les buts escomptés et ce, de la façon la plus efficace possible. Bref, la RCB devait être un cadre de gestion des ressources et d'imputabilité pour les ministères ainsi qu'un cadre de présentation des rapports nécessaires au Parlement.

À cet égard, l'un des objectifs importants du nouveau système consistait à améliorer l'analyse stratégique, l'évaluation des programmes et la mesure du rendement dans l'ensemble de la fonction publique, afin d'assurer une imputabilité accrue des gestionnaires des ministères et des organismes, et de fournir de meilleurs renseignements pour la prise de décisions et la répartition des ressources. Le personnel nécessaire à cette activité d'analyse a alors été affecté au Secrétariat du Conseil du Trésor ainsi qu'aux ministères opérationnels ; c'est à cette époque que la Direction générale de la planification a été créée au sein du SCT, pour faire progresser l'évaluation des programmes et la mesure du rendement[12].

La RCB a aussi mené à l'introduction d'un cadre financier bien structuré, au début des années 70. Un plan triennal de recettes et de dépenses assorti de prévisions de l'activité économique et des recettes, fondées sur les politiques fiscales alors en vigueur, a été formulé. Le plan de dépenses comprenait un budget A, correspondant aux coûts de maintien des programmes permanents ; un budget B, pour ceux des programmes nouveaux ou élargis ; et un budget X, pour les programmes non prioritaires, susceptibles d'être éliminés ou amputés. Les comités des politiques du Cabinet devaient approuver les nouvelles initiatives stratégiques et les nouveaux programmes, tandis que le Conseil du Trésor devait s'assurer de l'intégrité du cadre des dépenses et de la gestion des programmes.

5.3.3 Commission Glassco et RCB : répercussions sur l'attribution des crédits et la présentation des rapports au Parlement

Les procédures de budgétisation et d'octroi de crédits ont été réformées à la fin des années 60 dans le but d'accroître l'imputabilité des ministres et des ministères à l'égard des crédits votés par le Parlement.

La présentation du budget des dépenses a été largement modifiée, les renseignements financiers étant groupés par programmes avec les objectifs correspondants. Les programmes eux-mêmes ont été répartis en diverses activités correspondant à des sous-objectifs ou à des éléments précis. Le budget contenait aussi d'autres renseignements sur les crédits dépensés ainsi que sur le nombre d'années-personnes dont on avait eu besoin au cours de l'exercice antérieur, de même que des prévisions pour l'exercice en cours.

---

12. Pour un exposé détaillé sur l'ascension et la chute de la Direction générale de la planification, voir l'ouvrage de Richard French, *How Ottawa Decides : Planning and Industrial Policy Making*, Toronto, Lorimer, 1980, et celui de Douglas G. Hartle, *The Expenditure Budget Process in the Government of Canada*, Toronto, Canadian Tax Foundation, 1978.

Le Conseil du Trésor a immédiatement réduit considérablement le nombre de crédits présentés au Parlement (en le ramenant de plus de 500 à juste un peu plus de 200). En outre, le budget des dépenses a été réorganisé afin que les renseignements sur les postes figurent dans des catégories précises de programmes. (Cette nouvelle présentation, qui avait fait l'objet d'un projet pilote limité à quatre ministères pour le budget des dépenses de 1966-1967, a été imposée l'année suivante à l'échelle de toute l'administration gouvernementale.)

La procédure actuelle d'attribution des crédits (c'est-à-dire la façon de faire adopter les projets de loi de crédits) a été rendue possible grâce aux changements des procédures de la Chambre des communes instaurés en 1968. C'est alors que la session parlementaire a été divisée en trois périodes d'attribution de crédits[13] et que 25 jours ont été désignés comme « jours réservés à l'opposition » dans chacune de ces périodes pour que les députés de l'opposition puissent critiquer les demandes de crédits ; en outre, deux votes de confiance étaient prévus (si le gouvernement ne les remportait pas, il fallait soit qu'un nouveau gouvernement soit formé, soit que des élections soient déclenchées). En contrepartie, le gouvernement obtenait la garantie que les questions d'attribution de crédits seraient tranchées à la fin de chacune des trois périodes.

Dans la pratique, les députés de l'opposition se sont servis de leurs jours réservés pour s'exprimer sur toutes sortes de questions qui leur tenaient à cœur et qui n'étaient souvent pas directement liées à des questions de crédits ou au budget. Ils ont donc raté une excellente occasion, si l'on considère qu'ils auraient dû s'en servir pour tenir les gouvernements et les ministères responsables de la gestion des finances publiques. Néanmoins, l'opacité des documents budgétaires et la probabilité limitée pour les députés de l'opposition d'obtenir des modifications des crédits réclamés les ont incités à se servir des journées qui leur étaient réservées à d'autres fins politiquement plus avantageuses.

5.3.4 Perte de contrôle : commission Lambert et Bureau du contrôleur général

Avec le temps, la RCB s'est enlisée dans la paperasse, et l'évaluation des programmes ainsi que les techniques de mesure du rendement n'ont pas répondu aux attentes. Le processus des décisions du Cabinet était considéré comme inefficace, et l'on estimait que le Conseil du Trésor disposait d'une trop grande latitude. Les programmes en cours continuaient à alimenter l'expansion du cadre des dépenses, alors même que la situation financière du pays se dégradait sans cesse. Une augmentation massive des dépenses, combinée avec plusieurs incidents embarrassants, a fini par inciter le vérificateur général à déclarer, en 1976, que le gouvernement avait perdu ou était sur le point de perdre le contrôle effectif du trésor public, en ajoutant que les systèmes de gestion et de contrôle des

13. Les périodes d'attribution de crédits se terminaient respectivement le 10 décembre, le 30 mars et le 30 juin. Il était convenu que le budget des dépenses serait renvoyé aux comités permanents de la Chambre au plus tard le 1er mars et que ceux-ci en feraient rapport à la Chambre des communes entre cette date et le 31 mai.

finances en vigueur étaient insatisfaisants. Il réclamait notamment la nomination d'un contrôleur général, chargé de concevoir et de contrôler l'application d'un nouveau système de gestion et de contrôle des finances pour tous les ministères et organismes de l'État.

Le gouvernement d'alors a créé, la même année, la Commission royale sur la gestion financière et l'imputabilité (commission Lambert) et il n'a pas attendu qu'elle produise un rapport pour nommer un contrôleur général – ayant rang de sous-ministre – qui, avec l'aide de nouveaux bureaux[14], devait fixer des principes et des normes de gestion financière et d'imputabilité, ainsi qu'accroître la compétence de la collectivité des agents financiers grâce à une formation et à une diffusion de l'information plus efficaces. Le contrôleur général s'était aussi vu confier le mandat d'entreprendre des initiatives analogues en matière d'évaluation et de vérification, ainsi que de proposer des moyens de réformer le processus de budgétisation. Il devait relever directement du Conseil du Trésor.

La commission Lambert estimait que les ministères et les organismes centraux ne privilégiaient pas suffisamment une saine gestion. Elle a donc proposé que les sous-ministres soient nommés pour des mandats plus longs (de trois à cinq ans) et que les organismes centraux soient restructurés (à son avis, le Conseil du Trésor aurait dû être transformé en un Conseil de gestion[15]). Elle aurait voulu que les ministères produisent des plans stratégiques, sorte de documents de planification à moyen terme qui auraient été joints au budget des dépenses et qui auraient contenu les plans opérationnels, avec les buts, les tâches et les responsabilités clés ainsi que les indicateurs du rendement. Les ministères auraient pu produire des plans correspondant à leurs besoins, à condition qu'ils aient été compatibles avec les plans et les priorités financières du gouvernement. Enfin, la commission avait réclamé des contacts plus réguliers entre le Conseil de gestion et les ministres responsables des différents ministères, dans le cadre de l'examen de leurs plans et de leur budget ; le Conseil aurait évalué le rendement compte tenu de leurs objectifs déclarés et de leurs plans[16].

Le gouvernement a décidé de faire fi d'une grande partie des recommandations de la Commission, mais la nécessité d'une amélioration de la gestion financière et de l'imputabilité a été largement reconnue à l'époque. Néanmoins, plusieurs initiatives récentes du gouvernement du Canada, dont l'adoption des plans d'activités ministériels et le rôle évolutif du Conseil du Trésor, rappellent étrangement des idées que le commission Lambert avait avancées.

---

14. Le Bureau du contrôleur général comprenait des services de l'ancienne Direction générale de la planification et d'autres services du Secrétariat du Conseil du Trésor.

15. La commission Lambert avait recommandé que les fonctions du bureau du budget soient subsumées dans un Secrétariat à la gestion financière ainsi que dans le Bureau récemment créé du contrôleur général, que le ministère des Finances assume de plus grandes responsabilités pour le volet des dépenses du budget et que de nombreuses fonctions de la Commission de la fonction publique soient transférées au Conseil du Trésor, dans un service globalement responsable de la gestion du personnel.

16. Voir la rubrique des plans stratégiques ministériels dans le *Rapport final de la Commission royale sur la gestion financière et l'imputabilité*, Ottawa, Ministre des Approvisionnements et Services Canada, 1979, p. 241 à 244.

5.3.5 Système de gestion des secteurs de dépenses

Le Système de gestion des secteurs de dépenses (SGSD) est peut-être la plus importante innovation que nous devons aux discussions entre le vérificateur général, la commission Lambert et le gouvernement libéral qui était au pouvoir pendant presque toutes les années 70. Ce système, introduit en 1979 par l'éphémère gouvernement conservateur de Joe Clark, a été maintenu par les libéraux, quand ils ont repris le pouvoir l'année suivante.

Les objectifs du SGSD consistaient à accroître le contrôle exercé par les ministres sur l'établissement des priorités et sur la répartition des ressources, à informer les ministres des dépenses que leurs décisions entraîneraient à moyen terme et à favoriser une approche collégiale pour la répartition des ressources dans des limites de dépenses globales ainsi que pour chaque secteur (les enveloppes) compatibles avec le plan financier du gouvernement. Le SGSD était fondé sur un horizon de planification financière de cinq ans, comme la commission Glassco et la commission Lambert l'avaient recommandé. La responsabilité de gérer les enveloppes était confiée aux comités des politiques du Cabinet. Les enveloppes ne se limitaient pas aux dépenses classiques, car elles englobaient les dépenses fiscales et les autres dépenses non budgétaires (p. ex. les prêts).

L'infrastructure centrale était plus complexe qu'avant. Deux nouveaux comités du Cabinet, l'un chargé de la politique économique et l'autre de la politique sociale, ont été créés et appuyés par deux nouveaux organismes centraux, ainsi que par des comités correspondants de sous-ministres et de hauts fonctionnaires des organismes centraux et des ministères. Pour leur part, les ministères étaient tenus de soumettre des aperçus de leurs stratégies de même que des plans opérationnels pluriannuels pour aider les ministères à réévaluer les priorités, à affecter les réserves stratégiques et à redistribuer les ressources. Dans un contexte comme celui-là, où les intervenants se multipliaient, le Conseil du Trésor devait déterminer les niveaux de ressources financières et humaines nécessaires pour appliquer les politiques et mettre en œuvre les programmes approuvés.

Le SGSD avait aussi des répercussions sur la budgétisation. Premièrement, les ministères devaient faire approuver par le Conseil du Trésor un « cadre de planification opérationnel », où les programmes étaient répartis en éléments de planification et où les principaux résultats attendus étaient précisés de façon à établir clairement la relation entre l'objectif du programme et les ressources allouées. Le cadre de planification opérationnelle était lui-même relié à la structure des activités des programmes, qui déterminait l'organisation de la présentation du budget des dépenses, de sorte que le rapport essentiel entre les structures de gestion et de contrôle parlementaire était établi.

Ensuite, la Chambre des communes avait accepté une nouvelle présentation du budget. La première partie était un exposé détaillé du plan de dépenses pluriannuel résumé dans le discours du budget du ministre des Finances, avec un aperçu du budget, tandis que la deuxième partie renfermait le budget des dépenses lui-même, sous sa forme traditionnelle, pour étayer le projet de loi de crédits. L'élément nouveau correspondait à la troisième partie, composée des budgets de chaque ministère, dans lesquels les programmes ministériels étaient exposés de façon détaillée en fonction des objectifs fixés et de la contribution des diverses activités à leur atteinte, avec les résultats attendus pour l'année de l'exercice budgétaire. Dans ces documents, les ministères continuaient à fournir de l'information financière et sur le rendement sur l'exercice antérieur ainsi qu'une mise à jour de la situation pour l'année en cours.

5.4 Recherche de nouveaux cadres de budgétisation et de gestion financière (1984-1994)[17]

Au milieu des années 80, le SGSD était tombé en défaveur : la machinerie bureaucratique était démesurée et sa myriade de règles étaient faciles à manipuler ; le déficit important et le fardeau de la dette continuaient à s'enfler, alors que le système n'avait pas réussi à contraindre les ministres à respecter les limites budgétaires et à redistribuer les ressources dont ils disposaient. Dans son rapport annuel de 1983, le vérificateur général avait cité plusieurs obstacles à la gestion productive dans la fonction publique, dont la prolifération des procédures et des contrôles administratifs. Qui plus est, le Conseil du Trésor et les ministères arrivaient rarement au consensus sur les résultats escomptés. Au début, le Conseil du Trésor approuvait les cadres de planification opérationnelle à titre provisoire, étant entendu que les ministères allaient améliorer leurs rapports sur les résultats mais, au milieu des années 80, le processus privilégiait nettement l'information sur la planification et les prévisions financières contenues dans le budget des dépenses. Autrement dit, les organismes centraux n'étaient toujours pas arrivés à établir un rapport valable entre les résultats et les ressources.

Entre 1984 et 1986, les deux organismes centraux qui appuyaient les comités des politiques susmentionnées ont été éliminés ; les règles applicables à l'approbation des plans et des programmes des ministères ont été simplifiées, et les réserves stratégiques dont les ministres disposaient ont été nettement réduites.

C'est au cours de cette décennie que les gouvernements en sont venus à se préoccuper toujours davantage du déficit et de la dette, sans pour autant réussir à s'y attaquer. Cette période était caractérisée par des objectifs inatteignables de réduction du déficit et des compressions générales visant essentiellement les opérations[18].

---

17. Pour un exposé plus détaillé sur les initiatives décrites sous cette rubrique et pour une série complète de renvois, voir l'article d'Ian D. Clark intitulé « Restraint, Renewal, and the Treasury Board Secretariat », dans *Canadian Public Administration*, Vol. 37, n° 2 (été 1994), p. 241 à 244.

18. Les budgets de fonctionnement des ministères ont subi une quinzaine de compressions au cours de cette période, tandis que les augmentations salariales ont d'abord été limitées à 0 %, 3 % et 3 % dans le budget de 1991, puis gelées pour deux ans dans le budget de 1992. (Ce gel a été prolongé pour deux années de plus dans le budget de 1994.)

Les gouvernements ont donc déployé bien des efforts pour accroître l'efficience des opérations gouvernementales et pour améliorer à la fois la présentation des rapports et l'imputabilité entre les ministères et les organismes centraux, mais aucune de leurs initiatives n'a été vraiment considérée comme une réussite, bien qu'elles vaillent la peine d'être mentionnées ici, puisque les initiatives plus récentes se sont inspirées d'elles. Nous allons en citer cinq :

- Le Groupe de travail ministériel chargé de l'examen des programmes a été créé en septembre 1984 par un gouvernement progressiste-conservateur qui venait de prendre le pouvoir. Il a consacré 30 mois à l'examen de plus de 1 000 programmes totalisant des dépenses de plus de 90 milliards de dollars. Ses équipes, composées de représentants du secteur public et du secteur privé, ont étudié des groupes de programmes et produit des recommandations. De nombreux rapports se sont fait attendre et la plupart des propositions n'ont pas été immédiatement mises en œuvre[19], mais la base A a été analysée et l'on a défini diverses possibilités de changements. Dans la décennie qui a suivi, de nombreuses propositions du Groupe de travail ont été appliquées.
- L'Accroissement des pouvoirs et des responsabilités ministériels (APRM) était une initiative conçue pour éliminer les règles désuètes et inefficaces que le Conseil du Trésor imposait aux ministères, ainsi que pour encourager ces derniers à conclure des accords bilatéraux avec le Conseil du Trésor afin de bénéficier d'une marge de manœuvre accrue, en contrepartie d'engagements précis de respecter des obligations ou d'obtenir des résultats compatibles avec les cadres stratégiques. Dix accords de ce genre ont été négociés – et ont souvent mené à l'obtention d'une marge de manœuvre analogue aux autres ministères ; le nombre des présentations des ministères au Conseil du Trésor a baissé de 50 % par suite de cette rationalisation des mécanismes de contrôle.
- Le Projet de gestion concertée (PGC) s'est développé parallèlement à Fonction publique 2000 (q.v.). Ces projets étaient des ententes négociées par le secrétaire du Conseil du Trésor et les sous-ministres sur des priorités de gestion précises auxquelles il fallait s'attaquer pendant l'année en cours. C'étaient des accords bilatéraux qui permettaient d'arriver à un consensus sur les priorités avec une approche commune pour le ministère et pour le SCT ; ils servaient, en outre, de cadre d'évaluation du rendement des équipes de gestion ministérielles.
- Fonction publique 2000, dirigée par le greffier du Conseil privé, le plus haut fonctionnaire de l'État, a été lancée en 1989 par le premier ministre, qui lui a confié le mandat d'établir le programme du renouvellement de la fonction publique pour la préparer à relever les défis du XXIe siècle. Dans ce contexte, dix groupes de travail dirigés par des sous-ministres et com-

---

19. Voir Seymour V. Wilson, « What Legacy ? The Nielsen Task Force on Program Review », dans l'ouvrage compilé par Katherine A. Graham, *How Ottawa Spends 1988-89 : The Conservatives Heading into the Stretch*, Ottawa, Carleton University Press, 1988, p. 23 à 47 ; Savoie, *The Politics of Public Spending, op. cit.*, p. 132 à 142 ; et Ekos Resarch Associates, *Toward a New Consultative Process : Lessons from the Nielsen Task Force*, Ottawa, Public Policy Forum, 1993.

posés des plus hauts fonctionnaires se sont penchés sur presque tous les aspects de la vie dans la fonction publique, en cherchant à déterminer comment y attirer les candidats les meilleurs et les plus prometteurs, en déterminant comment assurer la dotation, la classification et le déploiement des fonctionnaires avec une responsabilité redditionnelle appropriée, ainsi qu'en modernisant les régimes de gestion des finances et du personnel. L'exercice s'est conclu en 1990 par la publication d'un livre blanc du gouvernement sur le renouvellement de la fonction publique.

- L'introduction du concept de « budget de fonctionnement » unique, qui donnait aux gestionnaires une plus grande marge de manœuvre pour redistribuer les ressources financières et humaines, les biens et les services ainsi que les ressources en capital mineures. Les mesures de contrôle des années-personnes consacrées aux programmes que le Conseil du Trésor imposait, et qui étaient en vigueur depuis plus de vingt ans, ont été éliminées. En outre, les gestionnaires ont été autorisés à reporter une partie de leur budget de fonctionnement de l'année en cours sur l'exercice suivant (jusqu'à concurrence de 5 % de leur budget de fonctionnement, à l'heure actuelle)[20].

Pourtant, en dépit de toutes ces initiatives, les finances du gouvernement fédéral se sont terriblement détériorées. La dette publique nette, qui était de 168 milliards de dollars en 1984, était passée à 508 milliards de dollars dix ans plus tard, tandis que le coût du service de la dette avait grimpé de 18 à 38 milliards de dollars sur la même période. Il était impossible pour le gouvernement de continuer à assumer des dépenses qui faisaient grossir sa dette, puisque les Canadiens étaient de plus en plus mécontents d'être lourdement imposés.

Le premier ministre Mulroney a alors confié à un groupe de travail dirigé par un de ses ministres, Robert de Cotret, la tâche de trouver diverses solutions de réforme fondamentale de la fonction publique afin d'en réduire énormément l'effectif et le coût, ainsi que de repenser les programmes dans de vastes domaines stratégiques. En février 1993, le ministre des Finances déposait un budget dans lequel il annonçait une réduction de 2,4 milliards de dollars des dépenses opérationnelles prévues, sur une période de quatre ans ; à la fin de juin 1993, la première ministre Campbell, à peine entrée en fonctions, faisait une déclaration fracassante : le Cabinet passait de 35 ministres à 23, plusieurs ministères étaient fusionnés et les dépenses seraient réduites de 600 millions de dollars de plus sur quatre ans. C'était un choc de taille pour un système déjà chancelant, après une décennie de compressions et d'initiatives de réforme de la gestion.

20. Les ministères remboursent au Conseil du Trésor le coût des avantages sociaux versés à leurs fonctionnaires s'ils accroissent leur liste de paye (correspondant actuellement à 20 % des traitements et salaires), mais ils ont droit aux économies réalisées par lui lorsqu'ils réduisent cette liste.

5.5 Budgétisation et mesures de contrôle financier dans les années 90

Quand le nouveau gouvernement libéral a pris le pouvoir, en octobre 1993, il était bien décidé à tenir les promesses électorales de son livre rouge. Or, comme beaucoup d'entre elles sont fondées sur une politique financière et sur un système de gestion des dépenses prudents, de même que sur une régie interne plus transparente, il n'est pas étonnant que le nouveau gouvernement ait cherché à mener son propre examen des programmes, à refondre le système de budgétisation et à adopter de nouvelles formes de présentation des rapports nécessaires au Conseil du Trésor et au Parlement. Toutes ces initiatives sont liées ; nous allons donc commencer par l'examen des programmes, puis passer au système de gestion des dépenses, avant d'aborder des points plus précis.

5.5.1 Repenser le rôle de l'État : l'Examen des programmes

L'Examen des programmes a été annoncé dans le budget de février 1994 – presque en passant, mais c'est cet exercice, combiné avec plusieurs autres examens stratégiques, qui a défini la position émergente du nouveau gouvernement libéral. Il ne rompait pas carrément avec le passé, car lorsque le gouvernement précédent avait annoncé sa restructuration, en juin 1993, il avait tiré des plans pour un examen exhaustif des politiques et des programmes de tous les ministères.

Le processus a commencé sans formalités : le ministre des Finances et son sous-ministre ont rencontré leurs homologues des autres ministères, au printemps 1994. Chacun des ministres s'est vu donner des objectifs « théoriques » de compression des dépenses compatibles avec le cadre financier que le ministre des Finances avait annoncé, ainsi qu'avec ses indications que des mesures plus énergiques allaient suivre dans le budget de l'année suivante. Les ministres et leurs fonctionnaires devaient avoir ces objectifs en tête quand ils ont entrepris leur examen des programmes au cours de l'été 1994, en se fondant sur une liste de six questions (ou critères) conçues par un petit Secrétariat de l'examen des programmes relevant du Bureau du Conseil privé.

Le tout a culminé avec des présentations à un comité du cabinet sur l'Examen des programmes, à l'automne 1994. Les examens ont d'abord été filtrés par un comité de sous-ministres, à la suite de quoi de nombreux ministres ont dû s'efforcer, avec leurs ministères, de modifier leurs présentations en profondeur, compte tenu des observations des organismes centraux. Les décisions sur des programmes particuliers du Comité de l'examen des programmes ont été annoncées dans le discours du budget de février 1995 par le ministre des Finances, qui s'est engagé en même temps à réduire les dépenses gouvernementales, lesquelles devaient être ramenées à 3 % du PIB en 1996-1997.

L'Examen des programmes marque néanmoins un changement radical par rapport au passé, puisque le Cabinet s'est collectivement engagé à faire preuve de prudence dans sa gestion des finances en sachant bien que, si de nouveaux programmes devaient être annoncés, les crédits nécessaires proviendraient d'une redistribution des crédits approuvés à la suite d'un examen rigoureux des programmes existants plutôt que d'une réduction générale des dépenses des programmes. Cela dit, le processus n'a pas généré toutes les solutions avancées, car certaines décisions s'inspirent des idées du Groupe de travail Nielsen sur l'Examen des programmes, alors que d'autres devront encore être précisées dans l'année à venir pour que les objectifs de compression des dépenses soient atteints.

5.5.2 Du plus vague au plus précis : le Système de gestion des dépenses

Les gouvernements qui se sont succédé depuis l'avènement du SGSD, en 1979-1980, n'ont pas jugé bon d'introduire un nouveau concept avant le dépôt du deuxième budget du gouvernement libéral actuel et ce, en dépit d'importants changements des règles et des institutions. Le nouveau Système de gestion des dépenses (SGD) annoncé par le président du Conseil du Trésor en février 1995[21] est fondé sur les cinq principes interreliés suivants :

- des plans de gestion financière et des dépenses plus stables, pour étayer la planification stratégique ;
- l'obligation de financer les nouvelles initiatives stratégiques grâce à une redistribution des crédits approuvés ;
- la détermination d'adopter un processus de budgétisation plus ouvert et plus régulier davantage axé sur la consultation ;
- une marge de manœuvre accrue, permettant aux ministres et aux ministères de mieux gérer leurs ressources ; et
- une imputabilité accrue et de meilleurs rapports au Parlement et aux Canadiens.

Il faut toutefois reconnaître qu'on a réalisé des progrès à plusieurs de ces égards sous les deux gouvernements conservateurs précédents ainsi qu'au cours des dix-huit premiers mois du mandat du gouvernement libéral actuel[22].

Le SGD est axé sur l'objectif à long terme de réduction constante du déficit et de la dette, et sur la présomption qu'accroître les taux d'imposition n'est pas une solution politiquement viable. La stratégie financière du gouvernement a consisté à fixer des objectifs de réduction graduelle du déficit sur deux ans, en mettant tout en œuvre pour les atteindre – 3 % du PIB en 1996-1997, dans le discours du budget de 1995, puis 2 % du PIB pour 1997-1998, dans celui de l'année suivante. L'élément fondamental pour atteindre ces objectifs revient à baser les prévisions budgétaires sur des hypothèses économiques prudentes ainsi qu'à prévoir une réserve pour éventualités destinée uniquement à amortir les écarts par rapport à ces hypothèses pour les principaux programmes législatifs (autrement, la réserve prend fin).

---

21. Canada, *Le système de gestion des dépenses du gouvernement du Canada*, Ottawa, ministre des Approvisionnements et Services, 1995.

22. Pour plus de détails, voir Evert A. Lindquist, « Citizens, Experts and Budgets: Evaluating Ottawa's Emerging Budget Process », dans l'ouvrage compilé par Susan D. Phillips, *How Ottawa Spends 1994-95: Making Change*, Ottawa, Carleton University Press, 1994, p. 91 à 128.

Contrairement au SGSD, qui était fondé sur les procédures grâce auxquelles les ministres et les ministères pouvaient avoir accès aux réserves stratégiques non engagées, le SGD part du principe qu'il n'existe pas de telles réserves. Il a été annoncé à peu près au moment du discours du budget de février 1995, dans lequel le ministre des Finances avait fixé des objectifs de réduction des dépenses pour tous les ministères à partir des résultats de l'examen des programmes de 1994 et d'autres exercices analogues. Les nouvelles initiatives stratégiques devaient désormais être financées grâce à une redistribution des ressources approuvées pour les programmes existants.

Le SGD est bien compatible avec le style de leadership du premier ministre Chrétien, qui préfère un petit Cabinet fonctionnant avec une approche « ministérielle » classique, bref dont les ministres ont considérablement plus d'autonomie pour leurs initiatives et pour la restructuration de leur portefeuille[23]. Si les ministres présentent des propositions qui nécessitent d'importants capitaux frais et qui sont considérés comme une priorité collective du Cabinet ou d'un de ses comités, les ministres promoteurs et les hauts fonctionnaires des organismes centraux doivent présenter des propositions de redistribution des ressources.

L'adoption d'un processus de budgétisation plus ouvert et plus régulier pour lequel on sollicite les opinions du Parlement et du public sur les grandes questions budgétaires est un élément important du SGD. Chaque année, en octobre, le ministre des Finances lance la consultation en déposant plusieurs documents publics devant le Comité permanent des finances de la Chambre des communes. Ces documents précisent les objectifs financiers du gouvernement et sont assortis d'une mise à jour des hypothèses économiques présentées dans le budget précédent ; c'est à partir d'eux que le gouvernement cherche à obtenir les opinions du Comité sur la validité de ses objectifs financiers, sur l'équilibre à maintenir entre les recettes générées et les initiatives entraînant des dépenses ainsi que sur les propositions de compression et de modifications des programmes. Le Comité tient des audiences sur ces questions jusqu'en décembre, puis il produit un rapport à l'intention du ministre des Finances.

Même si le budget des dépenses est préparé sous la direction générale du Cabinet, les travaux intensifs de rédaction, qui se déroulent en janvier et en février, relèvent essentiellement de la responsabilité du ministre et des fonctionnaires des Finances, avec l'aide de ceux du Conseil du Trésor, en ce qui concerne les dépenses de programmes[24]. Le budget tend à être déposé par le ministre des

---

23. Voir Evert A. Lindquist, « Has Federal Cabinet Decision-Making Come Full Circle ? » dans l'ouvrage compilé par Paul W. Fox et Graham White, *Politics: Canada*, 8e édition, McGraw-Hill, 1995 ; J. Stefan Dupre, « The Workability of Executive Federalism », 1986 ; Peter Aucoin, « Prime Minister and Cabinet », dans l'ouvrage compilé par James P. Bickerter et Alain-P. Gagnon, *Canadian Politics*, 2e édition, Peterborough, Broadview Press, 1994, ch. 14 ; Christopher Dunn, *The Institutionalized Cabinet*, Montréal, McGill-Queen's University Press, 1995.

24. Voir, par exemple, David Good, *The Politics of Anticipation : Making Canadian Federal Tax Policy*, Ottawa, School of Public Administration, Université Carleton, 1980 ; G.B. Doern, A.M. Maslove et M.J. Prince, *Public Budgeting in Canada : Politics, Economics, Management*, Ottawa, Carleton University Press, 1988 ; Donald Savoie, *The Politics of Public Spending*, Toronto, University of Toronto Press, 1990 ; et Evert A. Lindquist, « Citizens, Experts and Budgets », *op. cit.*

Finances vers la fin de février ; il contient un exposé succinct du plan de dépenses du gouvernement, y compris :

- les objectifs de financement pluriannuels de tous les ministères et organismes, pour les politiques et les programmes aussi bien approuvés que nouveaux ;
- les ressources réservées pour les activités non discrétionnaires connues, par exemple un recensement ;
- une réserve de prévoyance, pour couvrir les augmentations éventuelles des coûts des principaux programmes législatifs résultant d'un changement des hypothèses économiques sous-jacentes au plan budgétaire, ainsi que pour éponger les besoins urgents importants, en l'absence desquels elle vient à échéance ;
- une réserve de fonctionnement gérée par le Conseil du Trésor et utilisée en guise de soupape dans l'éventualité, peu probable, qu'un programme d'importance critique soit menacé et qu'un ministère puisse démontrer qu'il a épuisé toutes ses possibilités de redistribution des ressources[25].

Le président du Conseil du Trésor dépose normalement le budget des dépenses principales à la Chambre des communes quelques jours après le discours du budget ; ce document contient un complément d'information sur les plans de dépenses, y compris les nouvelles initiatives de programmes, les réductions ou les annulations. Pendant que le Parlement entreprend l'étude du budget et du projet de loi de crédits, les ministères préparent leurs plans d'activités, en tenant compte du cadre budgétaire et des décisions pertinentes, tant stratégiques qu'en matière de programmes, reflétées dans le budget.

5.5.3 Simplification des mécanismes de rapport : les plans d'activités ministériels

En 1995, le SGD a innové aussi en faisant des plans d'activités ministériels l'instrument premier de communications stratégiques entre les ministères et le Conseil du Trésor. Ces plans précisent en effet les stratégies fondamentales des ministères pour l'exécution et la modernisation des programmes. Ils doivent être compatibles avec les niveaux de ressources annoncés dans le budget précédent et définir un régime d'imputabilité, ainsi que des indicateurs de rendement crédibles pour l'évaluation de ces stratégies. Plusieurs des ministres responsables des ministères les plus durement touchés par l'examen des programmes ont dû soumettre des plans ministériels au Conseil du Trésor, ce qui est nettement différent de la pratique antérieure[26]. Cela dit, tout comme les présentations au

---

25. Cette réserve sert aussi à financer les possibilités d'investissement des ministères, lesquelles sont souvent une combinaison d'améliorations du service et d'économies. Les sommes consenties à cette fin sont remboursables avec intérêts.

26. Les plans des ministères qui n'avaient pas fait de présentation spéciale au Conseil du Trésor ont été analysés par les fonctionnaires du SCT, qui ont regroupé leurs constatations pour ensuite les présenter aux ministres du Conseil du Trésor. Auparavant, seuls les fonctionnaires du SCT étudiaient les plans opérationnels pluriannuels ; ils les soumettaient pour approbation aux ministres du Conseil du Trésor sous forme de résumé global faisant l'objet d'un examen très succinct.

Conseil du Trésor, les plans d'activités ministériels sont considérés comme secrets, pour préserver la confidentialité des documents du Cabinet ; bien que des résumés soient communiqués au Parlement (voir la rubrique « Amélioration des rapports au Parlement », plus loin), des versions modifiées peuvent être mises à la disposition du public.

Les plans d'activités sont axés sur le travail en cours. Deux cycles de planification ont été menés à bien au moment d'aller sous presse[27]. Le Conseil du Trésor a évité de dicter aux ministères la présentation et le contenu des plans, puisqu'il s'était donné pour objectif de faire en sorte que ce soient bel et bien ceux des ministères. Les plans du premier cycle étaient axés sur les stratégies fondamentales et sur les étapes critiques à respecter pour atteindre les objectifs de compression des ressources sur trois ans, ainsi que les objectifs de restructuration fixés dans le budget de 1995 et dans l'Examen des programmes, de même que sur les propositions des ministères recherchant une marge de manœuvre de gestion et la délégation des pouvoirs nécessaires pour contribuer à l'atteinte des objectifs et des buts[28]. Cela dit, les plans ont été produits dans des délais serrés ; de sorte que, pour des raisons d'ordre pratique, ils privilégient la qualité et la concision plutôt que les détails. Bien des ministères devaient relever de grands défis de restructuration, et c'est pourquoi le Conseil du Trésor a chargé des équipes de fournir aux intéressés une « fenêtre unique », avec toute la gamme des compétences pertinentes en matière de programmes, de ressources humaines, de gestion des finances, de technologies de l'information, de vérification et d'évaluation, etc., pour surmonter les difficultés soulevées dans les plans ministériels.

Les instructions destinées à la préparation des plans d'activités du second cycle ont tiré parti de l'expérience acquise grâce à une évaluation rigoureuse de ceux du premier cycle. Tous les ministères ont dû soumettre des plans, mais ils ont été autorisés à mettre à jour des plans déjà approuvés. Les nouveaux plans (et les mises à jour) devaient respecter les limites des ressources précisées dans le discours du budget de 1996, qui prolongeait l'horizon de l'Examen des programmes jusqu'à l'exercice 1998-1999. En outre, comme le Conseil du Trésor n'avait pas accepté beaucoup de demandes de marge de manœuvre et de déléga-

---

27. Pour la description originale des plans d'activités, voir la publication du SCT intitulée *Nouvelles orientations : plans d'activités et perspectives ministériels* (mars 1995). Pour un exposé sur la première ronde des plans d'activités, voir « Business Planning and Horizontal Integration : The Acid Test », dans le texte d'Evert A. Lindquist, « On the Cutting Edge : Program Review, Government Restructuring, and the Treasury Board of Canada », publié dans l'ouvrage compilé par Gene Swimmer, *How Ottawa Spends 1996-97 : Under the Knife*, Ottawa, Carleton University Press, 1996, p. 232 à 235.

28. Le gouvernement avait annoncé dans le budget de 1994 un examen de programmes totalisant 52 milliards de dollars de dépenses fédérales (n'en étaient exclus que les grands paiements de transfert aux autres paliers de gouvernement et à des personnes). L'Examen des programmes consistait à toutes fins utiles à évaluer les programmes ministériels en fonction de six critères dans le cadre de la stratégie permanente du gouvernement pour « repenser le rôle de l'État ». Ces critères consistaient à déterminer si l'intérêt public continuait à être servi, si la participation du gouvernement était nécessaire, si le rôle du gouvernement fédéral était approprié, quelles étaient les possibilités de partenariats entre le secteur public et le secteur privé ainsi que celles d'accroître la capacité de rendement, et enfin la rentabilité des programmes. Les examens avaient été menés individuellement par les ministres, quoique dans le contexte de la discipline des objectifs financiers ; les décisions finales ont été prises dans le cadre des délibérations sur le budget.

tions de pouvoirs accrus dans les plans du premier cycle[29], il a insisté davantage dans les instructions sur les stratégies d'amélioration de l'exécution des programmes et sur la mise au point d'indicateurs du rendement, ainsi que de normes de service. Enfin, les ministères ont été informés longtemps à l'avance que les ministres seraient tenus de présenter des plans au Conseil du Trésor.

Les ministres du Conseil du Trésor se demandent maintenant comment procéder pour le troisième cycle des plans d'activités. Ils s'intéressent de moins en moins à examiner les détails des opérations ministérielles et de plus en plus à s'attaquer à d'importantes questions de diversification des modes d'exécution et à d'autres initiatives connexes, particulièrement lorsque plusieurs ministères sont de la partie ou que ces initiatives ont des ramifications dans l'ensemble de la fonction publique. Ce changement d'approche amène le Conseil du Trésor à se comporter davantage comme un « conseil de gestion ».

5.5.4 Amélioration des rapports au Parlement : mise à l'essai de nouvelles présentations

Les Perspectives ministérielles sont un sous-produit du SGD et de la préparation des plans d'activités servant à présenter des rapports au Parlement. Leur forme et leur contenu ont été laissés largement à la discrétion des ministères, car il n'aurait pas été correct pour le gouvernement de modifier unilatéralement sa façon de présenter les rapports au Parlement. Malgré le caractère délicat de ces questions, les deux parties ont manifesté de plus en plus d'intérêt pour la réforme de la présentation du budget et des procédures d'attribution des crédits.

En juin 1993, la Chambre des communes a rendu public un rapport sur l'efficacité des comités dont les auteurs soulignaient que, avec un gouvernement majoritaire, les députés avaient « à toutes fins utiles perdu le pouvoir de réduire les dépenses du gouvernement, de sorte qu'ils avaient très logiquement calculé qu'il ne servait à rien de consacrer du temps et des efforts à une démarche sur laquelle ils n'avaient aucune influence[30] ». La Chambre des communes a donc décidé de demander à son Comité permanent de la procédure et de la régie interne de se pencher sur la question de l'attribution des crédits, en accordant une attention particulière à la présentation et à l'examen du budget. (Cette initiative était opportune, puisque le SCT avait déjà lancé sa propre étude à ce sujet, en partie inspiré par la frustration croissante avec laquelle les ministères réagissaient au budget des dépenses.)

Peu de temps après avoir pris le pouvoir, les libéraux ont modifié le Règlement permanent de la Chambre des communes pour autoriser les comités

---

29. Certaines décisions utiles ont été prises à la suite des demandes de délégations ; c'est le cas, par exemple, de l'introduction d'un régime d'aide pour la vente de maisons qui devait faciliter la réinstallation des fonctionnaires dans une autre localité, quand les ministères éliminaient certains services ou les déménageaient dans d'autres villes. On a relevé aussi un certain nombre d'approbations ponctuelles pour certains ministères, comme des pouvoirs accrus pour les ministres d'autoriser des ententes ou des contrats de paiements de transfert ainsi que des prorogations de pouvoirs sur le point d'expirer dans le cadre des ententes d'APRN.

30. *Rapport du Comité de liaison sur l'efficacité des comités*, 9 mars 1993, p. 2.

permanents à examiner les plans de dépenses ministériels pour les années à venir. (Les documents de la troisième partie du budget des dépenses ne contenaient toutefois des renseignements que sur l'exercice à venir et pas sur les suivants.) Le Conseil du Trésor a donc demandé aux ministres de soumettre aux présidents des comités permanents intéressés des Perspectives ministérielles comprenant un aperçu des plans ministériels triennaux et des étapes clés ou des résultats escomptés. Ces Perspectives contiennent typiquement un résumé des plans d'activités confidentiels, bien que certains en reproduisent à peu près exactement le contenu.

Il y a bien peu d'indications que les Perspectives aient mené à des travaux plus constructifs des comités, mais elles ont été raisonnablement bien accueillies. Le gouvernement et le Parlement ont convenu de réaliser un projet d'amélioration des rapports au Parlement pour lequel les hauts fonctionnaires du Conseil du Trésor devaient collaborer étroitement avec le Parlement, ainsi qu'avec le Bureau du vérificateur général, en bénéficiant des conseils d'un groupe de parlementaires présidé par le secrétaire parlementaire du président du Conseil du Trésor.

Ce projet est la pierre angulaire de la deuxième ronde des réformes du SGD et la première modification en profondeur du mécanisme de présentation des rapports depuis le début des années 80. Le but visé consiste à concentrer davantage l'attention sur l'accroissement de l'imputabilité des ministres et des ministères devant le Parlement, tout en poursuivant la réforme du cadre administratif permettant d'assurer le contrôle parlementaire. C'est une initiative englobant des mesures telles que donner au Parlement une perspective de planification à plus long terme, avec la possibilité d'influer sur les plans stratégiques des ministères et de tirer parti des avantages de la technologie de l'information. Le Parlement renoncerait dans ce contexte à certaines des mesures de contrôle parlementaire dont il pouvait se prévaloir jusque-là, en échange d'un engagement du gouvernement d'améliorer l'imputabilité de l'utilisation des fonds approuvés devant le Parlement et d'autoriser les comités permanents à présenter des observations sur les plans de dépenses pour les années à venir.

La première étape franchie dans ce contexte l'a été en février 1996, quand le comité intéressé a recommandé la réalisation de six projets pilotes dès le dépôt du budget des dépenses principal de 1996-1997. Dans ces projets, les renseignements produits pour les rapports et la planification qui figuraient jusque-là dans la troisième partie du budget des dépenses du ministère sont séparés, et les responsables s'efforcent d'améliorer l'opportunité et la qualité des rapports sur le rendement tout en prolongeant l'horizon de planification pour qu'il englobe l'exercice en cours et les deux suivants, conformément à ce qu'avait dit le ministre des Finances dans le discours du budget. Les renseignements sur le rendement pour l'exercice précédent avaient été déposés au Parlement à l'automne, cinq mois avant le document de planification. (Le gouvernement dépose aussi un rapport sur l'année en cours à l'automne, pour tenir le Parlement au courant des changements apportés au plan pour cet exercice.) Le projet pilote portait sur six paires de ministères et de comités permanents.

La deuxième étape est venue après l'évaluation des six projets pilotes. Le Parlement a consenti à porter à seize le nombre des ministères pilotes. Les ministères ont déposé leurs premiers rapports sur le rendement et leurs mises à jour sur l'année en cours, à l'automne de 1996 ; tous les ministères faisant l'objet d'un projet pilote soumettront des documents de planification distincts au printemps de 1997.

5.5.5 Passage à une fonction de contrôleur moderne et à la budgétisation selon la méthode de comptabilité d'exercice

En juin 1993, le Bureau du contrôleur général a fusionné avec le Secrétariat du Conseil du Trésor, dans le cadre de la restructuration générale du gouvernement ; le secrétaire du Conseil du Trésor occupe également désormais la fonction de contrôleur général du Canada. C'était une occasion d'intégrer les compétences financières et les principes de la fonction de contrôleur moderne aux initiatives de budgétisation, de gestion des finances et de réforme du Secrétariat du Conseil du Trésor.

La fonction de contrôleur qui se dessine porte sur les procédés intégrés essentiels auxquels toutes les organisations doivent avoir recours pour comprendre les risques financiers de leurs choix, gérer les risques associés aux décisions, présenter des rapports sur leurs résultats financiers et prévenir l'utilisation injustifiée des deniers publics. Le contrôleur général établit le cadre stratégique de la gestion financière dans les ministères et joue un rôle de contrôle et d'examen à cet égard, pour assurer le Conseil du Trésor que les ministères comprennent les exigences de la fonction de contrôleur et qu'ils les appliquent comme il se doit non seulement dans leurs activités propres, mais aussi dans celles de tous les organismes relevant d'un portefeuille ministériel.

L'une des initiatives qu'on étudie activement dans ce contexte porte sur le passage à la comptabilité d'exercice. Dans le budget de février 1995, le gouvernement annonçait qu'il comptait passer à la comptabilité d'exercice intégrale dans sa budgétisation et dans ses rapports financiers. (À l'heure actuelle, il pratique une comptabilité de caisse pour les dépenses, souvent appelée « comptabilité » d'exercice modifiée.) Le Parlement autorise ordinairement les coûts maximums pouvant être supportés pour un programme ; les actifs non financiers, comme les biens immeubles, les inventaires et les dépenses prépayées, sont comptabilisés dans la période au cours de laquelle ils sont acquis, plutôt qu'amortis sur la période au cours de laquelle ils sont consommés[31]. Le but visé consiste bien sûr à améliorer la répartition des immobilisations et à permettre

31. À quelques importantes exceptions près, tous les autres actifs, toutes les recettes non fiscales et tous les coûts et passifs sont comptabilisés selon la méthode de comptabilité d'exercice. Les exceptions sont des éléments de passif éventuels, les éléments de passif environnemental et les recettes fiscales, qui sont comptabilisés selon la méthode de comptabilité de caisse. Si la comptabilité se fait selon la méthode du calcul des dépenses, c'est pour focaliser les rapports financiers sur l'excédent ou sur le déficit, en se basant sur les recettes moins le coût des biens et des services acquis et les paiements de transfert effectués durant l'exercice.

au gouvernement de présenter des rapports plus précis sur le coût de ses programmes.

Les aspects techniques de la comptabilité d'exercice intégrale ne sont guère controversés, mais il y a des opinions contradictoires quant à l'opportunité de fonder intégralement les crédits budgétaires approuvés par le Parlement sur ses principes. C'est afin d'étudier cette question, ainsi que d'autres thèmes intéressant la fonction de contrôleur, que le président du Conseil du Trésor a récemment formé un comité d'examen indépendant chargé d'étudier la modernisation de la fonction de contrôleur au gouvernement du Canada. Ce comité est dirigé par le président de la Fondation canadienne pour la vérification intégrée, la table ronde est composée de représentants des associations de comptables et d'avocats, ainsi que de cadres du secteur public et du secteur privé, rompus ou pas aux fonctions des contrôleurs. Le comité doit publier son rapport à l'automne de 1997. En annonçant sa création, le président du Conseil du Trésor a aussi annoncé la nomination, pour une période de trois ans, d'un nouveau sous-contrôleur général ayant une longue expérience du secteur privé, dans le cadre du programme Échanges Canada.

5.6 Conclusion

Le gouvernement du Canada est au beau milieu d'une réforme de nombreux aspects de ses systèmes de budgétisation et de gestion financière, ainsi que de ses mécanismes de rapport au Parlement. Ces réformes rivalisent en ampleur avec celles qui avaient suivi la commission Glassco, dans les années 60, puis la commission Lambert, à la fin des années 70 et au début des années 80.

Pour sa part, le Conseil du Trésor se consacre de plus en plus aux priorités stratégiques et horizontales du gouvernement, ainsi qu'au contrôle du rendement des ministères et organismes, en ce qui concerne les extrants et les résultats. Le Secrétariat du Conseil du Trésor a été restructuré pour favoriser les rapports sur les plans d'activités, appliquer les décisions résultant de l'examen des programmes et offrir aux ministères et organismes des services complets, avec un guichet unique.

Une grande partie des thèmes qui motivent ces réformes, dont l'examen des programmes existants, la possibilité pour le gouvernement et les gestionnaires de disposer d'une plus grande marge de manœuvre en échange d'une amélioration de leurs rapports au Parlement et la mesure du rendement – n'ont rien de nouveau. L'adoption du principe des plans d'activités ministériels et l'intérêt que le Conseil du Trésor manifeste pour adopter un rôle plus stratégique de « conseil de gestion » rappelle en effet les idées de la commission Lambert.

Si ces idées ont été rejetées à la fin des années 70, pourquoi seraient-elles plus séduisantes aujourd'hui ? Selon nous, en raison de leur lassitude fiscale et de l'inquiétude qui les pousse à réclamer un rendement accru de l'argent de leurs impôts, les députés et les citoyens s'intéressent davantage que jamais à l'efficacité avec laquelle les gouvernements s'acquittent de leurs tâches. Les ministres sont donc d'autant plus motivés, puisqu'ils doivent répondre aux questions de leurs collègues du caucus, des députés de l'opposition et de leurs commettants. Néanmoins, l'inquiétude provoquée par des déficits et une dette qui s'alourdissent sans cesse et la détermination du gouvernement de réduire les dépenses confèrent un caractère bien différent aux réformes d'aujourd'hui et font qu'elles seront mises en œuvre dans un environnement plus réceptif.

Il reste encore bien des défis à relever. L'histoire nous a montré qu'il est difficile de concevoir des indicateurs du rendement et d'expliquer succinctement la nature complexe des opérations gouvernementales. Bien que l'intérêt pour l'examen des programmes et les rapports sur les résultats ne se soit jamais démenti, on a somme toute moins confiance aujourd'hui en la capacité des systèmes et des techniques de mesures complexes de produire des résultats, et l'on sait beaucoup mieux que l'intérêt du public et des politiciens sont d'une importance critique pour faire avancer les réformes.

CHAPITRE 6

La haute fonction publique canadienne : derniers vestiges du modèle de Whitehall ?

Jacques Bourgault

Professeur
Département de science politique
Université du Québec à Montréal

Professeur associé
École nationale d'administration publique

Barbara Carroll

Professeure
Département de science politique
Université McMaster

La haute fonction publique canadienne a pris modèle sur le système de Whitehall dans la mesure où *de jure*, *de facto* ou par convention constitutionnelle, on y valorise la neutralité politique, la carrière, la permanence, le professionnalisme (prégnance de la règle du mérite), la sécurité salariale, l'anonymat, le devoir de réserve, la discrétion ainsi que l'obéissance coopérative au ministre et au gouvernement du jour qui représentent l'autorité constituée et portent devant le Parlement et la population la responsabilité des actes et décisions de l'administration (Campbell et Wilson, 1995 ; Kernaghan et Siegel, 1995).

À la tête des ministères canadiens, immédiatement sous l'autorité du ministre, les « sous-ministres » occupent le plus haut poste non politique ; ils dirigent le ministère et font appliquer les lois qui relèvent de leur ministre sectoriel. Certains sous-ministres portent un titre particulier : c'est le cas, par exemple, du « secrétaire du Bureau du Conseil Privé et greffier du comité du Conseil Privé », du « secrétaire du Conseil du trésor », du directeur du Centre canadien de gestion et du secrétaire d'État aux Affaires extérieures.

6.1 Les fonctions

La Loi concernant l'emploi dans la fonction publique fait du sous-ministre l'administrateur général du ministère, sans définir les fonctions d'un tel « administrateur », sauf pour prévoir certaines délégations de ses pouvoirs et fonctions, selon les modalités qu'elle fixe. Les lois constitutives de chaque ministère définissent plutôt les fonctions du ministre que celles du sous-ministre, tout en spécifiant que le sous-ministre est l'administrateur général du ministère. En effet, la Loi d'interprétation des lois prévoit que la mention, dans les lois, d'un ministre par son titre ou dans le cadre de ses attributions, vaut mention de son délégué, c'est-à-dire de manière générale du sous-ministre (art. 24 [2]).

Enfin, certaines lois définissant des fonctions horizontales au sein de l'appareil gouvernemental attribuent certaines responsabilités spécifiques au sous-ministre, comme le font certaines lois sectorielles qui leur attribuent quelquefois des pouvoirs, des responsabilités ou des obligations particulières. Par exemple, le sous-ministre de la Justice est statutairement sous-procureur général du Canada.

La règle générale est que le ministre est dépositaire de l'essentiel des pouvoirs et responsabilités. Cependant le ministre canadien est en général un parlementaire élu, représentant de circonscription et membre en vue d'une formation politique ; le choix d'un ministre du Cabinet satisfait un grand nombre de contraintes sociopolitiques, de sorte qu'il n'est pas toujours choisi en fonction de sa connaissance du domaine d'affectation, qu'il quittera en moyenne deux ans plus tard, à l'occasion d'un remaniement ministériel. Pour ces motifs, les fonctions de « suppléant » et de « conseiller » qu'exerce le sous-ministre en font souvent l'éminence grise et le responsable de l'essentiel de la préparation des décisions ministérielles. Certains craignent même qu'un ministre qui connaît trop bien le domaine de son portefeuille n'entre en « compétition d'experts » avec les hauts fonctionnaires, alors que sa zone de performance résiderait plutôt dans la décision politique.

Dans les faits, le sous-ministre conseille le ministre sur l'élaboration des politiques et sur les décisions à prendre ; il prend et fait prendre les décisions opérationnelles touchant l'administration du ministère et l'application des lois confiées à son ministre ; il supervise l'élaboration des politiques dans son secteur et participe aux tables de concertation avec les provinces et les autres partenaires ; il fait appliquer dans son ministère les politiques macro-gouvernementales et participe aux comités et groupes de travail sous-ministériels.

Le sous-ministre jouira d'une influence plus marquante et jouera un rôle plus important, lorsque qu'on nomme à son ministère un ministre sans trop d'expérience ou d'intérêt pour les grandes questions sur lesquelles le ministère doit élaborer ou modifier des politiques et des programmes.

Depuis 1988, les comités parlementaires peuvent convoquer les sous-ministres pour qu'ils répondent à des questions touchant l'administration des politiques gouvernementales. Cette plus grande imputabilité des hauts fonctionnaires se paie, en raison de la difficile séparation entre politique et administration, du prix de l'affaiblissement de la responsabilité ministérielle et, surtout, de la diminution de la relation de confiance entre ministres et sous-ministres, comme l'a douloureusement montré l'affaire Al Mashat (Sutherland, 1991). Ces témoignages publics remettent aussi en cause le principe de l'anonymat des fonctionnaires et, partant, l'audace dont ils pouvaient faire preuve dans leurs analyses et recommandations, en offrant le meilleur conseil possible aux gouvernements.

6.2 Le statut

La Loi prévoit que le Conseil des ministres (gouverneur général en conseil) nomme le sous-ministre ; par convention, c'est le privilège du premier ministre de proposer une nomination de sous-ministre au Conseil des ministres ; dans les faits, le sous-ministre canadien est rarement recruté par le premier ministre, puisque ses pairs et, notamment, le greffier du Comité du Conseil privé et secrétaire du Cabinet jouent un rôle de premier plan à cet égard.

Pendant les 50 dernières années, les nouveaux sous-ministres sont venus à 94 % des rangs des sous-ministres adjoints ou associés, lorsqu'ils ne furent l'objet d'une mutation (Bourgault et Dion, 1991 ; Carroll et Garkut, 1996) ; ainsi, la haute fonction publique canadienne a développé une image de recrutement interne, de professionnalisme et de neutralité politique, bien que quelques anciens sous-ministres soient devenus après leur carrière d'éminents ministres ou sénateurs ; la proportion du recrutement interne diminuera peut-être en raison des changements démographiques au Canada et de la diminution du bassin de recrutement à la suite des récentes vagues de compressions de l'effectif (Bourgon, 1996).

Le sous-ministre canadien relève de la Loi concernant l'emploi dans la fonction publique qui lui a aménagé un statut particulier : ainsi, il n'est pas nommé sur concours, non plus que par la Commission de la fonction publique ou sur sa recommandation ; qui plus est, il est nommé à titre amovible, c'est-à-dire que le premier ministre peut déplacer ou mettre fin à son engagement sans motifs particuliers, comme la faute disciplinaire, l'incapacité, l'abandon de poste ou l'absence de travail, que l'on peut utiliser dans le cas des autres fonctionnaires.

Le sous-ministre canadien ne jouit pas de la permanence statutaire de lien d'emploi, mais il table sur une expectative raisonnable que ce lien d'emploi serait maintenu après une affectation, si son comportement et sa performance son irréprochables.

Une catégorie particulière de classement (DM pour *deputy minister*) encadre les sous-ministres ; ce corps d'emploi, qui n'a rien du « corps de fonctionnaire » que l'on trouve, par exemple, en France, comporte trois classes et chaque sous-ministre s'y trouve classé selon son ancienneté et le coefficient de difficulté de son ministère d'affectation ; on les nomme d'abord dans des ministères plus petits et moins au cœur du débat politique, puis leurs affectations successives les confrontent à des défis plus grands jusqu'aux plus hauts postes. À chaque classe correspond un niveau salarial particulier et c'est le gouverneur du Conseil qui fixe le traitement de chacun, exerçant son pouvoir discrétionnaire à l'intérieur de règles de cheminement qu'il s'est données.

6.3 Le rôle : les attentes du ministre

Dans un contexte où le ministre n'est pas toujours un spécialiste sectoriel ni un administrateur de carrière, où il ne consacre pas tout son temps à gérer le ministère et où la fréquence des remaniements ministériels empêche souvent le ministre de devenir un spécialiste, le sous-ministre peut contribuer de manière fondamentale à la performance du ministre.

Ceux-ci, d'après des entrevues que nous avons menées auprès des ministres (Bourgault et Dion, 1990), attendent des sous-ministres sur le *plan professionnel* : qu'ils jouissent d'une bonne connaissance technique dans leur secteur, qu'ils soient d'excellents gestionnaires, capables de travailler de longues heures, de prendre rapidement des décisions, de se comporter calmement sous pression et en période de crise et qu'ils disposent d'un excellent jugement politique (capacité de prévoir les crises, de protéger le ministre, d'aider celui-ci à bien performer devant les comités parlementaires, les médias et la clientèle du ministère) ; sur le plan du *contenu*, les ministres veulent que leurs sous-ministres soient créatifs en matière d'élaboration des politiques et rigoureux dans l'évaluation des politiques et des programmes ; en matière d'« éthique », le modèle de Whitehall, dont le Canada est le gardien le plus orthodoxe, exige que les sous-ministres soient loyaux envers leurs ministres, discrets, politiquement neutres, capables de montrer au ministre les difficultés que présentent ses projets et ses positions ; quant aux *relations* avec le ministre, celui-ci s'attend à ce que le sous-ministre respecte son autorité, ait un minimum de compatibilité d'orientations avec lui, certaines affinités permettant des relations de travail harmonieuses et, enfin, qu'il complémente ses forces et ses faiblesses ; le sous-ministre idéal sait bien se comporter devant les comités parlementaires, il répond aux questions sans tomber dans les pièges des parlementaires qui cherchent à embarrasser le ministre ; il jouit d'une grande influence parmi ses pairs et auprès des clients du ministère et du Cabinet du premier ministre, ce qui facilite la passation des projets et la résolution des difficultés inévitables de la vie administrative. Dans les années 60, un ancien sous-ministre décrivait les qualités nécessaires à la réussite dans son poste comme étant « a first class brain, the constitution of an ox, and some illusions... but not too many ».

6.4 La politisation

Le modèle de Whitehall est à son mieux au Canada, car la haute fonction publique canadienne apparaît comme une des moins touchées par la politisation partisane : les études (Bourgault et Dion, 1991 ; Bourgault, 1996b et Olsen, 1980) montrent qu'ils n'ont presque jamais eu d'engagement politique avant leur nomination, qu'ils sont recrutés depuis l'intérieur de la fonction publique fédérale où ils ont fait carrière et qu'ils ne sont pas plus souvent mutés ou renvoyés lors des transitions gouvernementales que pendant les mandats d'un même gouvernement (Bourgault et Dion, 1990).

Trois légers tempéraments méritent de nuancer ce jugement : quelques hauts fonctionnaires ont participé à la vie politique après avoir laissé leur fonction (par exemple, MacKenzie King, Saint-Laurent, Drury, Pearson, Favreau, Pittfield et Massé) et ce, en toute conformité avec la tradition de Whitehall ; il s'agit d'exceptions dont certains ont servi un parti différent de celui qui les avait titularisés. Ensuite, comme les libéraux ont formé le gouvernement pendant de très longues périodes au cours du XXe siècle, il s'est trouvé plusieurs commentateurs (Campbell et Szlablowski, 1979) et politiciens conservateurs pour écrire que la nécessaire bonne collaboration entre ministres et sous-ministres avait dégénéré en confusion idéologique et en collaboration politique ; la participation de certains ex-hauts fonctionnaires aux campagnes libérales a d'ailleurs pu donner une image de généralité à ces exceptions. Enfin, si plusieurs sous-ministres ont, au fil de leur carrière, occupé un poste dans un Cabinet ministériel, il faut se souvenir que, à l'instar du modèle britannique, le Cabinet ministériel canadien, sauf pendant la parenthèse conservatrice de 1984 à 1993 (Plasse, 1994), est de petite taille, n'exerce que peu d'influence et remplit des fonctions d'aide personnelle au ministre; l'expérience du Cabinet est bien vue dans la carrière préparatoire au poste de sous-ministre, car il est souhaitable d'avoir connu de près les contraintes des ministres que l'on devra servir.

6.5 Le profil

Une étude dressa, en 1991, le profil des sous-ministres canadiens de 1867 à 1988 (Bourgault et Dion 1991) ; un regroupement des résultats par décennie nous permet de résumer ici la période plus contemporaine de l'étude, celle de

1977 à 1988. Les compilations poursuivies depuis 1988 laissent croire que, mis à part l'allongement de la durée dans un même poste de sous-ministre, les tendances de la période 1977-1988 se maintiennent. Les études de Carroll (1990) et de Carroll et Garkut (1996) ont permis de compléter les données de cette section.

Si, en 1988, le sous-ministre canadien était un homme dans 88 % des cas, le pourcentage de femmes a grimpé à 31 % à la fin de 1996, certaines occupant les postes les plus importants ; une première femme devient sous-ministre en 1975. La représentativité linguistique des hauts fonctionnaires est très adéquate de nos jours : les 30 % de sous-ministres francophones entre 1977 et 1988 excédaient même la proportion canadienne ; ils occupent des fonctions clés telles que celles de greffier du Conseil privé, secrétaire du Conseil du Trésor, mais n'ont encore jamais pu s'asseoir dans le fauteuil du sous-ministre des Finances ; les femmes vivent d'ailleurs une situation assez identique, puisqu'elles se voient attribuer des ministères « sociaux » conformes aux archétypes d'occupations « naturellement féminines » ; pourtant, c'est une femme qui occupe depuis trois ans le poste de greffier du Conseil privé, le plus haut poste de la hiérarchie, et c'est encore une femme qui préside la Commission de la fonction publique ; leur percée dans le monde de l'économie et des finances se fait encore attendre. Les Canadiens de l'Atlantique et de l'ouest du Canada demeurent légèrement sous-représentés chez les sous-chefs, une communauté qui s'est ouverte, après les années 60, à la pluralité religieuse et ethnique. Entre 1867 et 1991 (dernière étude en date sur le sujet), le sous-ministre était issu de la classe moyenne à 45 %, favorisée à 34 % et ouvrière à 21 % ; les sous-ministres canadiens d'après 1980 détiennent une maîtrise dans 34 % des cas et un doctorat dans 31 %. Plus de la moitié ont étudié dans plus d'un pays, la plupart du temps aux États-Unis et en Europe. Les sous-ministres canadiens ont étudié dans des proportions comparables en lettres et sciences humaines, droit, économie et gestion. Tous s'expriment couramment dans les deux langues officielles (anglais et français).

La carrière, dans une immense majorité de cas (88 %), s'est déroulée presque exclusivement dans la fonction publique fédérale, d'où on fut nommé sous-ministre adjoint puis associé, avant de connaître la titularisation. Le sous-ministre contemporain aura connu en moyenne 5 ministères pendant 23 années de carrière avant sa première nomination de sous-ministre, ce qui confère une polyvalence certaine aux sous-chefs ; dans une forte proportion de cas (60 %), le *cursus honorum* comporte un ou des passages obligés dans des organismes centraux où on jouit de l'« effet vitrine », où on est proche des décideurs qui nous évaluent et où on développe un réseau de contacts auprès de « personnes qui comptent » sur la scène politico-administrative (Carroll, 1991).

Un sous-ministre qui se fierait sur la moyenne de ses prédécesseurs s'attendrait à une nomination à 47 ans, après 18 ans de carrière au gouvernement, suivie de 3 affectations de sous-ministre pendant les 8 années qu'il passerait à ce niveau ; vers 55 ans, il prendrait sa retraite pour occuper, dans 33 % des cas, un poste de professionnel, de juge, de consultant ou de membre du conseil d'administration de grandes entreprises.

•

6.6 L'entourage des sous-ministres : Cabinet, associés et adjoints

Conforme au modèle de Whitehall, le Cabinet ministériel canadien a toujours présenté une forme modeste et un rôle limité, sauf pendant la parenthèse des gouvernements conservateurs entre 1984 et 1993. La loi prévoit qu'un ministre « peut nommer le personnel de son cabinet, notamment son directeur de Cabinet » ; dans certains cas (ministres débutants, ministères sensibles), il est « aidé » dans son choix par le Cabinet du premier ministre. Sauf pendant la décennie 1984-1993, les quelques assistants du ministre l'aident à établir son emploi du temps, à effectuer ses déplacements, à rédiger ses discours et à communiquer avec les autres acteurs politiques de son environnement (autres cabinets, bureau du premier ministre, députés, caucus, bureau de circonscription) ainsi qu'avec les médias et les clients des ministères.

Les conservateurs avaient renforcé grandement les cabinets en accroissant le nombre de leurs membres, en recrutant des personnes plus expérimentées comme chef de cabinet, en leur offrant un salaire équivalent à celui des sous-ministres adjoints et, surtout, en leur reconnaissant un rôle beaucoup plus important, notamment dans l'élaboration des politiques, dans les rapports avec le ministère et dans l'évaluation des recommandations et des analyses des fonctionnaires (Simpson, 1988 ; Bercuson *et al.*, 1986).

Plusieurs conflits importants ont éclaté entre 1984 et 1986, avant qu'un rétablissement du partage des rôles ne soit effectué (Bourgault et Nugent, 1995). Pendant la campagne électorale de 1993, les libéraux ont tenu à rassurer les fonctionnaires au sujet de leur rôle : prenant comme candidats plusieurs anciens hauts fonctionnaires (Massé et Dupuy), ils ont multiplié les déclarations apaisantes à cet effet (Chrétien et Dupuy), vilipendant les conservateurs pour avoir engendré une telle méfiance entre fonctionnaires et politiciens.

L'entourage administratif des sous-ministres se compose essentiellement d'un ou deux assistants, dont le rôle se limite aux fonctions exécutives, de personnel de secrétariat et, surtout, de sous-ministres délégués, associés et adjoints ainsi que de quelques conseillers-cadres. Les sous-ministres délégués occupent des fonctions prévues par la loi constitutive de certains ministères (p. ex. Justice, Affaires extérieures), jouissent du statut d'administrateur général d'un segment de ministère, mais exercent leurs fonctions sous l'autorité du sous-ministre en titre. Les postes de sous-ministre délégué servent à préparer la relève des sous-ministres.

L'appellation de sous-ministres associés et adjoints est beaucoup plus ancienne et visait à créer un échelon de supervision entre le sous-ministre et les très nombreuses directions générales, ou à désigner, dans le cas des associés, un fonctionnaire capable d'exercer les pouvoirs du sous-ministre en son absence, ou encore à doter le ministère et le sous-ministre d'une ressource-conseil, comme le font d'ailleurs les conseillers-cadres postés au sein des bureaux de sous-ministres.

6.7 La communauté des sous-ministres : les communications horizontales

La haute fonction publique canadienne présente la particularité que ses membres ont développé un fort sens d'appartenance communautaire, lequel se traduit par un niveau important d'intégration horizontale au sommet des ministères.

Non seulement les comités ministériels de coordination reposent sur des comités miroirs sous-ministériels, mais les sous-ministres participent aussi à deux autres types de comités de pairs : ceux qui visent à régler des *questions interdépartementales* de développement de politiques et qui présentent un aspect plus technique, et les comités propres à la *communauté* des sous-ministres.

Ces comités de la communauté des sous-ministres comprennent le petit déjeuner de coordination du mercredi matin et les comités de coordination (CCDM) qui traitent, en alternance tous les deux mercredis, les questions de gestion et d'élaboration des politiques : s'y ajoutent quatre ou cinq réunions annuelles du Comité de la haute fonction publique (COSO) destinées à recommander des politiques de gestion de la haute fonction publique, désignant la relève et contribuant à l'évaluation des pairs ; s'y ajoutent aussi les comités aviseurs au secrétaire du Conseil du Trésor et au président de la Commission de la fonction publique, ainsi que certains comités thématiques sur des questions générales d'actualité (équité en emploi) et des comités spéciaux portant sur les affaires courantes.

Les grandes réformes (Fonction publique 2000, Examen des programmes) furent aussi l'occasion de créer d'importants comités de sous-ministres, dont les réunions cruciales permettaient de développer des positions communes. De plus, les sous-ministres se réunissent pour trois ou quatre séminaires annuels, de un à deux jours, afin de réfléchir sur l'évolution des grands dossiers de l'administration liés au cycle de planification stratégique des ministres ; à partir d'un programme annuel, 7 à 10 équipes de travail font avancer la réflexion sur les grands dossiers de gestion ; les sous-ministres voient leur rendement évalué à la fois sur la base de la réalisation d'objectifs départementaux et d'objectifs horizontaux.

Le sens communautaire est aussi nourri par une approche structurelle au centre de laquelle se trouve le greffier du Bureau du Conseil privé, sous-ministre du premier ministre, secrétaire général du gouvernement qu'on a fait, en 1992, « chef de la fonction publique » consacrant par là son rôle de meneur de la communauté des sous-ministres ; c'est aussi au Conseil privé que l'on trouve le Secrétariat du personnel supérieur qui gère les affectations, prépare les nominations, négocie les conditions d'emploi et étudie les politiques de gestion de la haute fonction publique ; enfin, on trouve au Conseil privé plusieurs fonctions horizontales qui mettent les sous-chefs en réseau (affaires fédérales-provinciales, secrétariats de comités, etc.).

Enfin, le sens communautaire s'établit aussi sur une base *culturelle*, c'est-à-dire de partage d'une certaine identité corporative, de valeurs organisationnelles, ainsi que d'une vision commune du service public et de ses principes fondamentaux. Ce partage de la culture se trouve favorisé par le recrutement de sous-ministres qui ont fait l'essentiel de leur carrière dans la fonction publique canadienne, par la sélection de ceux-ci dans une démarche largement caractérisée par la cooptation (rôle du COSO), par la reconnaissance du fait que les sous-ministres, associés et adjoints, constituent *d'abord* des ressources corporatives gouvernementales avant d'être des ressources départementales, ainsi que par les nombreux efforts déployés pour adopter dans la communauté des sous-ministres une vision commune (séminaires annuels, groupes de réflexions, groupes spéciaux, comités, participation aux grandes opérations de réformes etc.).

6.8 La nouvelle gestion publique (NGP) et ses effets sur le modèle de Whitehall à la canadienne

La nouvelle gestion publique (Aucoin, 1995 ; Thomas, 1996 ; Pollitt, 1995 ; Hood, 1995) prescrit une approche plus « managerialiste » à la gestion des affaires publiques, en séparant la conception de l'exécution des politiques (agences), en donnant plus de pouvoirs aux cadres opérationnels des ministères et aux agences (*empowerment*), en déréglementant les contrôles des agences centrales, en préparant des contrats corporatifs d'agences et de ministères, en gérant systématiquement le rendement des hauts fonctionnaires : objectifs clairs, évaluation rigoureuse, primes sur performance, impacts sur la carrière, établissement de la performance organisationnelle sur une base de comparabilité (*benchmarking*), préoccupation de la satisfaction du client (qualité totale, évaluation à 360 degrés, gestion centrée sur les résultats, etc.), redevabilité politique (comparution parlementaire des hauts fonctionnaires), importation de dirigeants et de modèles de gestion depuis le secteur privé (engagements contractuels, fin de la permanence, recrutements externes systématiques, hausse des barèmes de rémunération), enfin, la gestion selon le modèle de portefeuille (*société-holdings*) permettrait l'intégration optimale des agences d'exécution.

Le cas canadien comporte déjà de nombreuses propriétés chères à la NGP : les sous-ministres sont évalués depuis 1968, une partie de leur rémunération dépend de leur rendement, ils doivent témoigner devant les comités parlementaires (principes de transparence et de reddition de comptes), des organismes de services autonomes ont été créés dès 1989 – bien que l'expérience soit restreinte –, les ministères ont vécu un allègement constant des contraintes des organismes centraux depuis 1980, les sous-ministres délèguent de plus en plus de pouvoirs opérationnels aux gestionnaires de première ligne depuis 1989 (Carroll et Siegel, 1995).

Reste, cependant, à accroître la marge de la rémunération liée à la performance, à développer et raffiner les objectifs et critères d'évaluation de leur rendement, à généraliser l'expérience des organismes autonomes, tout en fixant un lien corporatif fonctionnel entre les sous-ministres et les chefs d'agence. Il sera plus difficile de raffiner le partage des responsabilités ministérielles et sous-ministérielles sans affaiblir la responsabilité, les fonctions et l'autorité ministérielles ;

enfin, la généralisation du recrutement externe, particulièrement du privé et de contractuels, ébranlerait les fondements mêmes de la communauté des sous-ministres. Elle aurait pour effet de réduire l'engagement à long terme des individus face à l'État et la légitimation de leur autorité fondée sur le désintéressement ; elle pourrait accroître la politisation des titulaires et l'image d'intéressement lorsqu'ils viennent du privé ; par-dessus tout, c'est la culture organisationnelle qui serait démolie : on recruterait des « non-acculturés », qui devraient travailler pour optimiser leur rémunération, sans perdre de vue qu'ils maltraitent peut-être aujourd'hui celui qui pourrait les employer demain.

Comme on le voit, la NGP a déjà sa place dans la haute fonction publique canadienne et peut l'accroître encore ; cependant, à moins de vouloir modifier de fond en comble la culture du groupe des sous-ministres et le fonctionnement des institutions, certaines zones institutionnelles, telles que la responsabilité ministérielle et le recrutement des sous-chefs, lui demeureront assez inaccessibles.

6.9 Conclusion

Le modèle de Whitehall paraît bien en vie au Canada, même s'il a beaucoup évolué ces dernières années : l'anonymat a cédé le pas à l'accès à l'information, la transparence et l'imputabilité ; la spécialisation sectorielle et la carrière verticale des grands commis ont cédé le pas aux connaissances de généraliste ; la responsabilité ministérielle semble se limiter à répondre aux questions des parlementaires ; la nature de l'imputabilité et de la responsabilité des sous-ministres semble à ce jour porter plutôt sur leur leadership organisationnel que sur des résultats concrets.

La neutralité politique et la culture de service public demeurent, avec le leadership, la capacité d'apprendre et la vision de la gouverne, la principale qualitée attendue des sous-ministres (Smith, 1996). Les ministres doivent demeurer convaincus qu'ils reçoivent les meilleurs avis possible. Si la haute fonction publique canadienne s'ouvre plus à son environnement changeant et au partenariat avec le milieu et si elle conçoit quelque peu différemment la gouverne politique, on voit clairement que l'essentiel du modèle de Whitehall demeure intact.

* * *

Références

AUCOIN, Peter (1995). *The New Public Management: Canada in Comparative Perspective*, Montréal, Institut de recherche en politiques publiques, 277 pages.

BERCUSON, D., J. GRANATSTEIN et W.R. YOUNG (1986). *Sacred trust: Brian Mulroney and the Conservative Party in Power*, Toronto, Doubleday.

BOURGAULT, Jacques (1996a). « Modernisation de l'administration fédérale canadienne 1980-1995 », in *La modernisation des administrations* (éd. Alain Claisse), Bruxelles, I.I.S.A.

BOURGAULT, Jacques (1996b). *L'intégration horizontale au sommet de l'appareil administratif fédéral et les dangers de la réunionite.*

BOURGAULT, Jacques, et Patrick NUGENT (1995). « Les transitions de gouvernement et la théorie des conflits : le cas de la transition de 1984 au gouvernement du Canada », *Revue Canadienne des Sciences Administratives*, vol. 12, n° 1, mars 1995, p. 15-26.

BOURGAULT, Jacques, et Stéphane DION (1991). *L'évolution du profil des sous-ministres fédéraux 1867-1988*, Ottawa, Centre canadien de gestion.

BOURGAULT, Jacques, et Stéphane DION (1990). Les hauts fonctionnaires canadiens et l'alternance politique : le modèle de Whitehall vu d'Ottawa, *Revue internationale des sciences administratives*, Bruxelles, vol. LVI, n° 1, printemps 1990, p. 173-196.

BOURGON, Jocelyne (1996). *Public Service Renewal*, Ottawa, Task Force on Public Service Renewal.

CAMPBELL, Colin, et G.-K. WILSON (1995). *The End of Whitehall : Death of a Paradigm*, London, Blackwell.

CAMPBELL, Colin, et George SZABLOWSKI (1979). *The Superbureaucrats : Structure and Behavior in Central Agencies*, Toronto, Macmillan.

CARROLL, Barbara Wake (1991). « The Structure of the Canadian Bureaucratic Elite : Some Evidence of Change », *Canadian Public Administration*, vol. 34, n° 2, p. 359-372.

CARROLL, Barbara Wake (1990). « Politics and Administration : A Trichotomy ? », *Governance : An International Journal of Policy and Administration* (4 : 3), p. 345-366.

CARROLL, Barbara Wake, et David E. GARKUT (1996). « Is There and Empirical Trend Toward Managerialism », *Canadian Public Administration*, vol. 39, n° 4.

CARROLL, Barbara Wake, et David SIEGEL (1995). « Two Solitudes or One Big Happy Family : Field Office – Head Office Relations », présenté à l'Annual Meeting of the Canadian Political Science Association, Montréal (Québec).

HOOD, Christopher (1995). « Emerging Issues in Public Administration », *Public Administration*, 73, p. 165-83.

KERNAGHAN, Kenneth, et David SIEGEL (1995). *Public Administration in Canada*, Toronto, Nelson.

OLSEN, Dennis (1980). *The State Elite*, Toronto, McClelland and Stewart, 153 p.

PLASSE, Micheline (1994). *Les chefs de cabinet des ministres du gouvernement fédéral en 1990 : profils, recrutement, fonctions et relations avec la haute fonction publique*, Ottawa, Centre canadien de gestion.

PLUMPTRE, Timothy (1987). « New Perspectives on the Role of the Deputy-Minister », *Canadian Public Administration*, vol. 30, n° 3, p. 376-398.

POLLITT, Christopher (1995). « Techniques de gestion pour le secteur public : de la doctrine à la pratique », in *Les nouveaux défis de la gouvernance* (sous la dir. de Peters et Savoie), p. 179-216.

SIMPSON, Jeffrey (1988). *Spoils of Power : the Politics of Patronage*, Toronto, Collins, 411 p.

SMITH, Janet (1996). « Leadership and Learning : A More Strategic Canadian Centre for Management Development », *Public Sector Management*, vol. 7, n° 2, p. 28-29.

SUTHERLAND, Sharan (1991). « The Al-Mashat Affair : Administrative Responsability in Parliamentary Institution », *Canadian Public Administration*, vol. 34, n° 4, hiver 1991, p. 573-603.

THOMAS, Paul (1996). « Au-delà des mots à la mode : faire face au changement dans le secteur public », *Revue internationale des sciences administratives*, p. 5-36.

CHAPITRE 7

Valeurs, éthique et fonction publique

Ken Kernaghan
Professeur
Département de science politique et de gestion
Université Brock

Le texte a été traduit de l'anglais par Carole Urbain, diplômée de l'ENAP et directrice des acquisitions à la Bibliothèque nationale du Québec.

Au Canada, comme dans plusieurs autres pays, aux valeurs traditionnelles de la fonction publique s'est récemment ajoutée l'émergence de ce qu'on appelle les « nouvelles valeurs » associées à de nouvelles approches, pour organiser et gérer les organisations publiques. Parmi les principales valeurs partagées par la majorité des organisations publiques au Canada, il y a les valeurs traditionnelles, telles que l'intégrité et la responsabilisation, et des valeurs nouvelles comme l'innovation et le travail d'équipe[1]. Au cours de la dernière décennie, de nombreux théoriciens et praticiens en administration publique ont soutenu que les valeurs sont l'essence de la culture organisationnelle et que cette culture organisationnelle est un facteur important de l'efficacité organisationnelle[2]. On semble moins reconnaître le caractère éthique de ces importantes valeurs, lesquelles sont sous-jacentes à la conduite de la fonction publique.

La première partie de ce chapitre[3] explique la signification et la portée du concept de valeurs de la fonction publique. La deuxième partie examine l'évolution des valeurs dans l'administration publique canadienne, en faisant référence particulièrement aux valeurs éthiques. La dernière met l'accent sur les sujets étroitement liés aux aspects problématiques de l'éthique.

7.1 Valeurs de la fonction publique

Les valeurs éthiques[4] telles que l'intégrité, le respect et la justice, sont généralement considérées comme étant les valeurs les plus fondamentales influant sur la conduite des humains. Toutefois, dans le domaine particulier de l'administration publique des États démocratiques, les valeurs éthiques doivent être complétées par des valeurs relatives aux contextes démocratique et bureaucratique dans lesquels les fonctionnaires prennent des décisions. Ainsi, comme fondement du comportement de la fonction publique, les valeurs éthique doivent

1. Kenneth Kernaghan, « The Emerging Public Service Culture : Values, Ethics and Reforms », *Administration publique du Canada*, vol. 37, hiver 1994, p. 614-630.

2. *Ibid.*, p. 616-619. Voir aussi David Zussman et Jak Jabes, *The Vertical Solitude : Managing in the Public Service*, Halifax, Institute for Research on Public Policy, 1989, et Canada, Vérificateur général du Canada, *Rapport 1990*, Ottawa, Ministre des Approvisionnements et des Services, chap. 7, « Valeurs, service et rendement ».

3. Pour l'élaboration des principaux aspects, voir Kenneth Kernaghan, « Managing Ethics : Complementary Approaches », *Administration publique du Canada*, vol. 34, printemps 1991, p. 132-145 ; « La pratique de la dénonciation au gouvernement canadien : considérations d'ordre éthique, politique et gestionnel », *Optimum : La revue de gestion du secteur public*, été 1991, p. 37-46 ; « Promoting Ethical Behaviour : The Codification Option », dans Richard Chapman (dir.), *Ethics in Public Service*, Edinburg, University of Edinburgh Press, 1993, p. 15-30 ; « Rules are Not Enough : Ethics, Politics and Public Service in Ontario », dans John Langford et Allan Tupper (dir.), *Corruption, Character and Conduct : Essays on Canadian Government Ethics*, Toronto, Oxford University Press, 1994, p. 174-196 ; *L'ère éthique dans l'administration publique canadienne*, Ottawa, Centre canadien de gestion, 1996 ; et *The Emerging Public Service Culture*, p. 614-630. Voir aussi Kenneth Kernaghan et John Langford, *The Responsible Public Servant*, Toronto, Institut d'administration publique du Canada, et Halifax, Institute for Research on Public Policy, 1990.

4. Les valeurs éthiques sont ici définies comme étant des croyances durables qui influencent nos attitudes et nos actions en fonction de ce qui est bien et de ce qui est mal.

être liées à des valeurs démocratiques telles que la responsabilisation et la neutralité, et à des valeurs professionnelles, comme l'excellence et le leadership.

L'omniprésence de la dimension de valeur dans l'administration publique est souvent sous-estimée, mais peut être facilement démontrée, en se référant aux questions courantes et émergentes dans le domaine. Par exemple, une recherche pour la prochaine décennie mise sur pied par la Conférence nationale sur la recherche en administration publique contenait, parmi de nombreux autres axes, les suivants : l'impact de la réforme administrative sur les principes constitutionnels, tels que la responsabilité ministérielle et la neutralité politique, et sur les valeurs de la fonction publique, telles que la responsabilisation, l'intégrité et l'équité ; le modèle et les questions de valeur impliqués dans la séparation du politique et des opérations, telle qu'elle est proposée par les principes de nouvelle gestion du secteur public ; l'impact de la réduction de la taille de la fonction publique sur l'équilibre de la représentation des sexes ; la menace, sur les valeurs traditionnelles de la fonction publique, des passages rapides entre les secteurs public et privé ; les perspectives d'une carrière professionnelle dans la fonction publique ; les implications des progrès rapides dans la technologie de l'information et des communications sur la confidentialité et la protection de la vie privée ; les enjeux de la gestion de la diversité dans et par le gouvernement[5]. Ces questions démontrent l'importance des trois types de valeurs : éthiques, démocratiques et professionnelles.

7.2 Valeurs traditionnelles et nouvelles valeurs

Les spécialistes s'entendent pour affirmer que les valeurs primordiales dans l'évolution de l'administration publique au Canada – celles qui sont appelées les « valeurs traditionnelles » – incluent la responsabilisation, la neutralité, la justice et l'équité, la représentativité, la responsabilité, la capacité de rendement, l'efficacité et l'intégrité. L'histoire des valeurs de la fonction publique témoigne largement de l'interaction de ces valeurs traditionnelles. Alors que chacune de ces valeurs a eu une influence durable sur les décisions et le comportement de la fonction publique, les valeurs dominantes, depuis les débuts de la Confédération jusqu'au début des années 60, étaient la capacité de rendement et la neutralité. Après cette époque, l'importance relative des autres valeurs traditionnelles a graduellement augmenté.

Puis, au milieu des années 80, les nouvelles formes organisationnelles et les nouvelles approches en gestion commencèrent à percer le secteur public, en grande partie sous l'effet de plusieurs tendances évidentes qui continuent à influencer la pensée et la pratique en administration publique, non seulement au Canada mais également autour du monde. Ces tendances comprennent la globalisation, les progrès technologiques dans les domaines de l'informatique et des communications, la dette publique et le déficit, et la demande du public pour des services plus nombreux et de meilleure qualité. Ces forces ont influencé

---

5. Kenneth Kernaghan et Mohamed Charih, *Research in Public Administration : An Agenda for the Year 2000*, Ottawa, 1996.

l'importance et l'interprétation des valeurs traditionnelles et ont poussé au premier plan les nouvelles valeurs. Parmi ces nouvelles valeurs, les plus prépondérantes sont les valeurs rattachées au service professionnel, l'innovation, le travail d'équipe et la qualité. Quelques critiques sont d'avis que plusieurs de ces valeurs, telles que la qualité et le service, ne sont pas si nouvelles après tout, mais sont tout simplement des termes différents pour nommer des valeurs de longue date, comme l'efficacité et la responsabilisation. La suite de cette section examine l'importance de chacune de ces valeurs traditionnelles, en plus de leurs liens entre elles ainsi qu'avec les nouvelles valeurs.

La « responsabilisation » est une valeur à la fois éthique et démocratique ; elle requiert que les représentants du secteur public, qu'ils soient élus ou nommés, répondent du pouvoir qu'ils exercent sur le grand public. La responsabilisation administrative est l'obligation des fonctionnaires de répondre de l'accomplissement de leur fonction à l'intérieur du mandat de service et des ressources qui leur sont attribués. Les critiques du modèle traditionnel de la bureaucratie dans le secteur public soutiennent que l'inquiétude exagérée des fonctionnaires au sujet de leur responsabilisation est la cause première de l'inefficacité et de la rigidité associées à la fonction publique. Ils soutiennent que l'accent mis sur la responsabilisation présentée dans cette perspective (responsabilisation d'un processus) devrait être affaibli, en mettant une plus grande importance sur ce qui est réellement accompli (responsabilisation de résultats). Cela permettrait l'abolition de nombreuses règles, procédures et contraintes et, de ce fait, libérerait les fonctionnaires qui deviendraient plus créatifs et innovateurs dans la façon d'atteindre leurs objectifs.

Ces critiques, qui appuient le modèle traditionnel, s'inquiètent de la menace à la responsabilisation démocratique par une bureaucratie du secteur public encouragée à utiliser son pouvoir à des fins créatrices et innovatrices, et particulièrement, à des fins « entrepreneuriales ». Ils constatent que de sérieux problèmes peuvent surgir quand les organisations publiques tentant de modeler leur comportement sur celui des organisations du secteur privé, lesquelles n'ont pas à agir dans un cadre politique de gouvernement. En particulier, ils notent le prix politique que les ministres ou que le gouvernement dans son ensemble auront peut-être à payer pour les erreurs découlant des risques pris par les fonctionnaires. Cette considération importe dans un système de cabinet responsable devant le Parlement comme celui du Canada, où la responsabilisation des ministres et des fonctionnaires, et les relations entre eux, est régie d'une façon étroite par une convention constitutionnelle (ou doctrine) de responsabilité ministérielle. Cette doctrine exige que les ministres répondent au Parlement et, par l'entremise du Parlement, au peuple, et ce, non seulement pour leurs propres décisions, mais également pour celles prises par leurs fonctionnaires. Alors que certains voient cette situation comme étant une façon de protéger les fonctionnaires des critiques publiques, d'autres interprètent cette même situation comme étant une façon de protéger l'autorité des ministres qui prennent les décisions gouvernementales.

La doctrine de la responsabilité ministérielle est étroitement liée aux valeurs démocratiques de « neutralité », de loyauté et d'anonymat. Les fonctionnaires, particulièrement aux niveaux supérieurs, doivent faire preuve de neutralité politique, c'est-à-dire éviter de prendre part à des activités qui risquent de porter atteinte ou de sembler affaiblir leur impartialité politique ou l'impartialité politique de la fonction publique dans son ensemble. En particulier, les fonctionnaires doivent éviter de faire publiquement l'éloge ou la critique de la politique, des programmes et des personnalités du gouvernement ; ils doivent fournir un service loyal au gouvernement en place, sans faire valoir leur opinion personnelle ou leurs sympathies partisanes ; il leur incombe de fournir aux ministres, en privé et en toute confiance, des avis impartiaux ainsi que de préserver leur anonymat. Les ministres doivent faire en sorte que les nominations au sein de la fonction publique soient faites sur la base du mérite plutôt que sur des considérations politiquement partisanes.

En pratique, il y a eu quelques de cas, au cours de la dernière décennie, où les ministres ont négligé de protéger les fonctionnaires des attaques publiques et partisanes. En outre, la fonction publique, particulièrement pour les niveaux situés sous les niveaux supérieurs, est devenue plus politisée, alors que les droits politiques des fonctionnaires de participer à des activités politiques partisanes et de s'exprimer publiquement ont été étendus, alors que dans certaines fonctions publiques, le nombre de nominations liées au patronage a augmenté. De plus, pour une multitude de raisons, on a connu une baisse notable de l'anonymat des fonctionnaires. Cette visibilité accrue des fonctionnaires vient en partie de l'importance récente accordée à l'amélioration du service à la clientèle, entraînant une consultation plus intense auprès des citoyens et des clients, de même que de la décentralisation du pouvoir de la prise de décision vers les employés de première instance.

Compte tenu du déclin apparent de l'importance attachée à la valeur de neutralité, un groupe d'étude[6] du gouvernement fédéral fut appelé à réaffirmer la place de la neutralité comme une des valeurs fondamentales de la fonction publique et à constater qu'une fonction publique non partisane est étroitement liée à d'importantes valeurs de la fonction publique, telles que la loyauté, l'impartialité, la justice et l'équité.

Dans le domaine des valeurs de la fonction publique, l'importance relative des valeurs éthiques de « justice » et d'« équité » a considérablement augmenté depuis les années 60. Bien que ces deux valeurs soient très étroitement liées et souvent utilisées comme des synonymes, la justice est une valeur plus large et plus fréquemment invoquée que l'équité. En pratique, chaque valeur est devenue liée à des aspects précis de l'administration publique au Canada. Par exemple, l'importance de la justice est en partie le résultat de l'insistance croissante, en droit administratif, de l'équité procédurale des décisions du gouvernement. Cette importance s'est accrue depuis l'adoption, en 1982, de la Charte canadienne des droits et des libertés qui stipule, entre autres, que les Canadiens ne peuvent pas être privés du droit de vivre en liberté et en sécurité « si ce n'est qu'en accord avec les principes de justice fondamentale ». Les fonctionnaires

6. Canada, Bureau du Conseil privé, groupe d'étude sur les valeurs de la fonction publique et l'éthique, *A Strong Foundation*, sous presse.

doivent maintenant se donner beaucoup plus de mal pour s'assurer qu'ils prennent équitablement leurs décisions. Cette considération d'équité tend à alourdir la prise de décision et, de ce fait, à heurter quelque peu la valeur administrative d'efficacité.

La justice est une valeur spécialement importante dans la gestion des ressources humaines. C'est une grande préoccupation dans le processus de dotation en personnel, c'est-à-dire dans le recrutement, la promotion et la mutation des fonctionnaires. Récemment, par exemple, certains fonctionnaires fédéraux se sont montrés préoccupés à propos de l'équité avec laquelle le pouvoir croissant des gestionnaires de muter[7] les fonctionnaires est susceptible d'être exercé. Et il y a eu beaucoup de débats au sujet du caractère « juste » du traitement des employés qui ont, à tous les niveaux du gouvernement, fait l'objet de la diminution dramatique de la taille de la fonction publique.

Au cours des dernières années, l'équité a pris de l'importance en raison de la menace perçue au principe de longue date selon lequel le gouvernement devrait, dans des circonstances comparables, traiter les citoyens de la même façon ou d'une façon très similaire, sans égard au lieu où ils vivent et à leur statut socio-économique. Lorsque le traitement égal, cohérent et uniforme par les gouvernements est souvent difficile à réaliser et, dans certains cas, est même peu souhaitable, les citoyens ont raisonnablement le droit de s'attendre à être traités de manière « équitable ». Ainsi, certains observateurs s'opposent aux initiatives permettant aux fonctionnaires d'être plus innovateurs, en élargissant leur pouvoir discrétionnaire ; ils craignent que les fonctionnaires, dans un effort d'être plus créatifs, minimisent l'importance de l'équité.

Tout comme la justice, l'équité est une valeur prédominante dans la gestion des ressources humaines, notamment dans le domaine de « l'équité en emploi » – un terme qui a été utilisé au Canada depuis le milieu des années 80, au dépens de l'expression « discrimination positive ». L'équité en emploi renvoie aux programmes et aux pratiques conçus pour supprimer les obstacles systémiques et d'attitude quant à l'accès à l'emploi afin que la composition de la fonction publique reflète le portrait d'ensemble de la main-d'œuvre et pour réparer les désavantages, quant à l'emploi dans la fonction publique, subis dans le passé par certains groupes précis. Un aspect particulièrement important de la vaste question de l'équité en emploi est celui de l'« équité salariale », c'est-à-dire un salaire égal pour un travail de valeur égale. De nombreux gouvernements au Canada ont pris des mesures pour favoriser un traitement plus équitable pour les femmes, en s'assurant qu'elles reçoivent un salaire égal pour un travail de valeur égale à celui fait par un homme.

La recherche de l'équité en emploi pourra être vue comme un moyen d'atteindre une autre valeur importante dans la fonction publique, celle de la « représentativité ». Une fonction publique représentative est celle qui reflète la composition de l'ensemble de la société pour ce qui est des facteurs tels que la

7. La mutation est le mouvement d'un employé à différents emplois du niveau qu'il a présentement, ou à un niveau plus élevé ou plus bas, à la condition qu'il n'y ait aucun changement dans la classification personnelle de l'employé.

langue, la religion, la race, le sexe, la classe sociale, l'éducation, la région d'origine. La plupart des gouvernements ont pris des initiatives pour rendre leur fonction publique plus représentative, particulièrement pour certains groupes « désignés », comme les femmes, les minorités visibles, les peuples autochtones et les personnes handicapées. Et les gouvernements desservant un nombre substantiel de citoyens de langue française, ont mis en branle des actions pour améliorer la représentation des francophones. Bien que, depuis la fin des années 60, des progrès considérables aient été enregistrés afin de rendre la fonction publique plus représentative, beaucoup d'efforts sont encore à faire. Par exemple, les femmes sont toujours sous-représentées dans les postes de niveaux supérieurs, alors que les autochtones et les personnes handicapées sont sous-représentées à tous les niveaux. Ces dernières années, la recherche de la représentativité est devenue plus difficile, parce que la diminution de la taille de la fonction publique a mené à beaucoup moins de création d'emplois pour tout le monde, incluant les membres des groupes indiqués.

Certaines mesures pour améliorer la représentativité de la fonction publique ont été critiquées comme étant un traitement de faveur et comme étant de la discrimination à l'envers, particulièrement contre les mâles anglo-saxons de race blanche. De plus, on a laissé supposer que les mesures spéciales étaient quelquefois en contradiction avec le principe du mérite selon lequel les candidats les mieux qualifiés devraient être nommés. De l'autre côté de cette question complexe, il y a l'argument suivant lequel le principe du mérite doit être en accord avec d'autres principes (ou valeurs) importants, tels que la représentativité, l'équité, la justice et la sensibilité à la société. La Commission de la fonction publique du Canada soutient que « lorsque l'équité en matière d'emploi fera partie intégrante du processus normal de dotation et lorsque les candidats qualifiés en provenance de tous les groupes auront des chances égales de se présenter à des concours dans la fonction publique, à ce moment-là, on pourra dire que le principe du mérite est réellement appliqué[8] ». Un des arguments les plus fréquemment avancées concernant la représentativité dans la fonction publique veut que l'on doive se montrer encore plus sensible aux besoins et aux attentes de la société qu'on dessert. Depuis que la composition raciale et ethnique de la société canadienne est devenue remarquablement diversifiée, on soutient que la fonction publique devrait refléter cette diversité et, ainsi, y être sensible.

L'importance de la « sensibilité à la société » est renforcée non seulement à cause de son lien étroit avec la représentativité, mais également à cause de l'intérêt des réformes récentes de la fonction publique sur le développement du service au public. Le « service » est généralement décrit comme étant une nouvelle valeur de la fonction publique, parce que les gouvernements antérieurs n'avaient pas vraiment mis l'accent sur celle-ci. Traditionnellement, la notion de service au public a été incluse dans le concept de sensibilité. Les fonctionnaires ont pensé être sensibles non seulement au public, décrit sous différentes façons comme les citoyens, les clients, les consommateurs ou les acteurs sociaux, mais également aux politiciens. Au même moment, comme l'accent était surtout mis sur la

8. Canada, Commission de la fonction publique du Canada, *Rapport annuel 1988*, Ottawa, Ministre des Approvisionnements et Services Canada, 1988, p. 45.

sensibilité dans le sens du service au public, l'on a insisté sur les réformes reconnues pour garantir que les fonctionnaires seront à l'écoute des politiciens élus, particulièrement à ceux rattachés au Cabinet des ministres. Il y a un lien étroit à établir entre la sensibilité définie dans ce dernier sens et la discussion précédemment tenue dans le présent chapitre sur les valeurs de responsabilisation et de neutralité.

Un grand nombre d'efforts actuellement en cours pour réformer la fonction publique sont conçus pour mettre en valeur non seulement la sensibilité, mais également « la capacité de rendement et l'efficacité ». Par exemple, les partenariats public-privé ont été utilisés pour permettre aux gouvernements non seulement de faire plus avec moins, mais également de faire des choses que, autrement, ils n'auraient aucunement été capables de faire. Et les fonctionnaires ont eu les pleins pouvoirs pour trouver des façons plus créatives, et par conséquent probablement plus efficaces, pour donner les services. Il y a donc des liens étroits entre les valeurs traditionnelles, telles que la capacité de rendement et l'efficacité, et les « nouvelles valeurs », comme le service, la qualité et l'innovation. Cependant, il y a également des tensions entre, d'une part, l'innovation, la créativité et l'entrepreneurship et, d'autre part, les valeurs éthiques fondamentales, telles que la responsabilisation et l'intégrité.

L'« intégrité » renvoie souvent, dans un sens large, à la cohérence dont fait preuve une personne entre ses valeurs et ses actions, à une disposition à faire la chose « juste et bonne » dans toutes les circonstances, et à une détermination à agir avec honnêteté et probité. Agir avec intégrité est souvent synonyme d'agir éthiquement. Mais, comme il a été mentionné au début de ce chapitre, l'intégrité est seulement une des nombreuses valeurs éthiques étayant la conduite de la fonction publique. D'autres valeurs éthiques importantes s'y ajoutent, comme la responsabilisation, la loyauté, l'excellence, le respect, la justice, l'équité et l'honnêteté. On se réfère à ces valeurs pour fonder les décisions journalières en matière d'éthique dans la fonction publique et pour résoudre de difficiles dilemmes d'éthique. Comme la dimension éthique de la fonction publique a été indûment négligée dans l'étude de l'administration publique, la dernière section de ce chapitre porte sur quelques questions d'éthique qui persistent et d'autres qui émergent.

7.3 Éthique de la fonction publique

Cette brève section ne peut pas rendre toute l'envergure et l'omniprésence de l'éthique au sein de la fonction publique ; ainsi, nous ne nous attarderons que sur un petit nombre de questions éthiques très débattues.

L'intérêt du public et l'action du gouvernement en matière d'éthique de la fonction publique se sont intensifiés depuis le début des années 70. Les principales questions débattues à cette époque portaient sur le conflit d'intérêts, l'engagement des fonctionnaires quant à la politique partisane et quant à la critique publique du gouvernement, et la confidentialité des informations gouvernementales. La nature et l'ampleur de ces questions ont changé depuis ce temps et de nouvelles questions, telles que le harcèlement dans le milieu de travail et la protection de la vie privée des personnes, se sont ajoutées aux préoccupations d'éthique. Les conséquences, en matière d'éthique, des réformes de la fonction publique ont aussi attiré grandement l'attention.

Le « conflit d'intérêts » constitue la plus importante dimension éthique de la fonction publique, du moins aux yeux du public. Il faut cependant souligner que ce questionnement est, en grande partie, le résultat de conflits d'intérêts dans lesquels les politiciens, plutôt que les fonctionnaires, ont été impliqués ; la réputation des fonctionnaires a souffert des pratiques des politiciens se conformant peu à l'éthique[9]. Il faut également noter que le sens du terme s'est considérablement élargi depuis le début des années 70. Il s'applique présentement à l'utilisation apparente et potentielle des fonctions officielles pour générer un gain personnel, de même qu'aux instances par lesquelles les fonctionnaires reçoivent des bénéfices. Ce terme touche aussi les situations où des parents ou amis reçoivent des bénéfices[10], ainsi qu'aux situations où les bénéfices reçus ne sont pas nécessairement de nature financière[11]. Il y a au moins huit principaux types de conflit d'intérêts, incluant des activités telles qu'accepter des cadeaux, occuper un double emploi (souvent appelé « marché noir ») et utiliser les biens du gouvernement à des fins personnelles[12].

Ainsi, le conflit d'intérêts demeure une préoccupation persistante dans l'administration publique, en dépit des efforts énergiques déployés pour l'éliminer. Il est donc important d'y réfléchir, en tenant compte de l'impact probable des réformes actuelles et proposées de la fonction publique sur la conduite éthique, en général, et sur le conflit d'intérêts, en particulier. Par exemple, on s'inquiète de l'accroissement du pouvoir décisionnel discrétionnaire des fonctionnaires en contact direct avec le public, principalement en matières réglementaires, qui peut accroître les occasions de conflits d'intérêts.

Comme nous l'avons vu, la valeur de la neutralité politique a perdu de son importance. Pourtant, cette valeur est au centre même de l'éthique des relations entre les politiciens, les fonctionnaires et le public. Des efforts continuels ont voulu préserver la neutralité et l'apparence de neutralité politique, en fixant des limites adéquates aux droits des fonctionnaires à participer à la vie politique partisane et à commenter publiquement les politiques, les programmes et les per-

---

9. Voir Ian Greene, « Conflict of Interest and the Canadian Constitution : An Analysis of Conflict of Interest Rules for Canadian Cabinet Ministers », *Revue canadienne de science politique*, vol. 23, juin 1990, p. 233-256. Le vérificateur général du Canada concluait, sur la base d'une étude sur le conflit d'intérêts et la fraude dans la fonction publique fédérale, que « la vaste majorité des fonctionnaires sont honnêtes et ont à cœur de s'acquitter de leurs fonctions dans l'intérêt public ». Canada, Vérificateur général du Canada, *Rapport mai 1995*, chap. 1, Ottawa, Ministère des Approvisionnements et Services Canada, 1995, p. 1-25.

10. Cela se produit, par exemple, quand un fonctionnaire fournit des informations gouvernementales confidentielles à des parents ou à des amis, qui les utilisent à des fins d'investissement.

11. Par exemple, les représentants du gouvernement peuvent recevoir des avantages non financiers de personnes à qui ils ont donné un traitement de faveur ou encore ils peuvent utiliser des informations confidentielles à des fins partisanes.

12. Kernaghan et Langford, *The Responsible Public Servant*, p. 141-153.

sonnalités du gouvernement. L'accroissement graduel de ces droits s'est accompagné de la précision de ce qui est particulièrement permis et interdit. Cependant, une marge d'incertitude importante demeure quant à l'endroit où la ligne doit être tracée entre les deux positions et, par conséquent, les fonctionnaires jouissent d'une marge considérable pour exercer leur jugement personnel. La difficulté de prescrire des règles précises dans ce domaine a, par exemple, mené le gouvernement fédéral à informer les fonctionnaires qu'ils peuvent participer à des activités politiques partisanes, mais à la condition qu'ils « demeurent loyaux envers leur employeur, le gouvernement du Canada » et que « leurs activités ne compromettent pas la tradition de la fonction publique en tant qu'institution politiquement neutre »[13]. Tracer cette ligne présente un réel défi en matière de commentaires publics ; il est quelquefois difficile, par exemple, de distinguer les déclarations destinées simplement à expliquer les politiques et les programmes, et celles qui visent à les critiquer ou à embarrasser le gouvernement.

La tendance à l'accroissement du pouvoir discrétionnaire des fonctionnaires, afin d'améliorer le service au public, implique que le fait et la perception de leur impartialité deviennent plus importants que par le passé ; or, au même moment, on observe ce fort mouvement permettant l'accroissement de leurs droits de s'engager dans des activités politiques partisanes. La plus grande mobilité entre les employés du gouvernement et ceux du secteur privé, surtout pour les employés qui occupent des fonctions à court terme, pourra conduire à un plus grand nombre de nominations liées au patronage au détriment de la règle du mérite.

La « confidentialité » pose aussi un problème persistant d'éthique. Alors que les lois sur la liberté d'information dans la plupart des gouvernements garantissent l'accès du public à beaucoup d'informations gouvernementales, les pressions politiques contre la divulgation d'informations qui peuvent s'avérer embarrassantes pour le gouvernement en place deviennent une source de tension éthique pour les fonctionnaires. Les obligations de loyauté et de reddition de comptes envers le gouvernement élu entrent alors en contradiction avec les préoccupations d'intégrité et d'honnêteté. On a beaucoup débattu des avantages des discussions sur les avantages d'une législation pour protéger de représailles les fonctionnaires qui s'engagent dans la « pratique de la dénonciation », c'est-à-dire dans la divulgation publique ou secrète d'informations confidentielles à propos des malversations, réelles ou possibles, commises par le gouvernement. Aucun gouvernement n'a de vaste législation en vigueur pour protéger les dénonciateurs, même si certaines administrations offrent des protections en matière environnementale. Le vérificateur général du Canada a, entre autres, recommandé aux ministères de mettre en place des mécanismes internes adéquats pour prévenir les malversations, de sorte que les fonctionnaires n'aient pas à recourir à la dénonciation[14].

---

13. Canada, Conseil du Trésor, *Employee Rights and Responsibilities With Respect to Political Activities During an Election (Principles and Guidelines)*, septembre 1993.

14. *Rapport mai 1995*, p. 1-24.

Cette question de la confidentialité est liée à celle de la « protection de la vie privée ». Le désir d'une plus grande transparence dans le gouvernement se heurte à l'obligation qu'ont les gouvernements de préserver le caractère privé de la quantité énorme de données nominatives qu'ils détiennent sur les individus et sur les corporations. En cette ère de l'information, les Canadiens sont manifestement de plus en plus préoccupés par la question de la protection de la vie privée des personnes, et les gouvernements fédéral et provinciaux ont ajouté à leur loi sur l'accès à l'information une législation protégeant la vie privée des personnes. Les fonctionnaires se trouvent obligés de prendre des décisions éthiques difficiles, recherchant un équilibre entre le droit du public de connaître et le droit des individus à la protection de leur vie privée. Cette tâche se complexifie par l'accent croissant mis sur l'ouverture et la transparence dans la culture politique du Canada et par les progrès technologiques remarquables dans la collecte, le « stockage » et la diffusion des données. Les valeurs telles que l'équité et le respect constituent la base éthique pour résoudre ces dilemmes.

Comme dans les autres dimensions de l'éthique, la gestion de la confidentialité et de la protection de la vie privée se trouve compliquée par les réformes de l'administration publique. La popularité accrue des partenariats, par exemple, a fait problème dans les cas où les partenaires commerciaux du gouvernement ont refusé de fournir certaines informations financières à la législature, et dans les cas où la protection de la vie privée d'une tierce partie fut menacée par le partage d'informations sur la santé dans le cadre de partenariats entre le public et le privé.

La gestion des questions éthiques abordées ci-dessus – et de plusieurs autres qui n'ont pu être examinées dans ce chapitre – nécessite une réflexion approfondie pour maintenir et garantir des normes élevées de comportement éthique. L'approche la plus commune fut d'adopter des règles sous forme de lois, de règlements et de lignes directrices qui prescrivent le comportement éthique à adopter dans diverses situations problématiques. Depuis le début des années 70, il y a eu une prolifération de telles règles, particulièrement en ce qui concerne les conflits d'intérêts. Pendant les années 80, un nombre considérable de règles ont visé à résoudre les problèmes de harcèlement sexuel en milieu de travail, de discrimination et d'équité en emploi. Dans de nombreux gouvernements, les règles d'éthique ont été enchâssées, au moins en partie, dans un code d'éthique ou de déontologie.

On admet que de nombreuses questions éthiques ne peuvent pas être traitées uniquement par des règles écrites, et certains gouvernements et certaines universités fournissent un perfectionnement et une formation dans le domaine de l'éthique pour les fonctionnaires et les candidats à la fonction publique afin de les sensibiliser à la dimension éthique de leurs décisions. Un consensus général s'est dégagé selon lequel l'élément qui influe le plus sur le comportement éthique est le caractère éthique du leadership, autant de la part des politiciens que des fonctionnaires. « Les ouvrages publiés sur l'éthique et sur la fraude font état de l'importance du "leadership" et de l'exemple que doivent donner les dirigeants pour établir un climat d'éthique dans une organisation[15]. » On s'entend pour reconnaître que l'ensemble de ces trois approches (règles, formation et leadership) sont importantes et devraient faire partie intégrante d'un régime de l'éthique au gouvernement, c'est-à-dire de mesures officiellement adoptées pour gérer et promouvoir un comportement éthique. Les éléments susceptibles d'être retenus à l'intérieur d'un tel régime sont les suivants[16] :

1. Évaluation du comportement éthique comme critère de nomination et de promotion de tous les membres de la fonction publique, mais principalement de ses dirigeants.
2. Un énoncé des valeurs, incluant les valeurs éthiques, soit comme une partie d'un plan stratégique soit comme un document particulier.
3. Un code d'éthique (ou de conduite), rattaché à un énoncé de valeurs (s'il en existe un), lequel indique le comportement éthique.
4. Élaboration dans le code, sous forme de commentaires accompagnant chaque principe pour l'expliquer, d'exemples de violations du principe.
5. Se référer à l'existence de règles d'éthique (lois, règlements, etc.) relatives aux aspects problématiques abordés dans le code ou aux aspects problématiques traités dans d'autres documents.
6. Formulation du code, soit après chaque principe ou dans une section séparée, telle qu'il inclut l'application des principes du code aux besoins particuliers des organisations.
7. Des dispositions d'application du code, notamment la publicité, les pénalités liées aux violations et les dispositions pour les appels.
8. Un conseiller en éthique pour s'acquitter des fonctions de conseil et de gestion auprès des hauts fonctionnaires du gouvernement.
9. Un conseiller en éthique, un « ombudsman » ou un comité pour fournir des avis sur les règles d'éthique et sur les questions d'éthique à la demande d'un ministère ou d'un organisme.
10. Formation et perfectionnement en éthique pour les fonctionnaires, en commençant par les employés des échelons les plus élevés et les nouveaux employés.

Des mesures additionnelles, moins courantes, pourraient aussi être adoptées, dont celles-ci :

11. Un « audit » de l'éthique pour évaluer les politiques et les procédures de l'organisation pour maintenir et faire progresser le comportement éthique.
12. La relance des débats d'ordre éthique, d'une manière délibérée et systématique dans les réunions, grâce aux autres moyens de communication, tels que les bulletins d'information.

---

15. Vérificateur général du Canada, *La sensibilisation à l'éthique et à la fraude au gouvernement*, p. 1-24.

16. C'est une version abrégée du régime exposé dans Kernaghan, *L'ère de l'éthique dans l'administration publique canadienne*, p.19-21.

13. La mise en place d'une ligne téléphonique confidentielle que les fonctionnaires peuvent utiliser pour discuter de problèmes concernant leur propre comportement éthique ou celui des autres.
14. Des entretiens faits à la sortie de l'organisation (c'est-à-dire entretiens avec des employés quittant l'organisation) pour saisir la perception des employés de la culture éthique de l'organisation.

La plupart des gouvernements ont adopté quelques-unes de ces mesures, mais peu ont adopté une approche énergique et systématique pour bâtir une structure cohérente et complète afin de maintenir et promouvoir l'éthique dans la fonction publique. L'envergure et la rapidité de la réforme de la fonction publique ont accru le besoin d'un cadre de mesures qui doit être développé en tenant compte des valeurs démocratiques et professionnelles, et particulièrement des valeurs éthiques étudiées dans le présent chapitre.

CHAPITRE 8

Le fédéralisme exécutif

James Ross Hurley

Conseiller particulier (affaires constitutionnelles)
Bureau du Conseil privé
Gouvernement du Canada

Le fédéralisme exécutif est l'une des plus importantes caractéristiques du système de gouvernement canadien. Pourtant, la Constitution en a longtemps passé sous silence l'existence et la nature. En fait, il déborde du cadre des instruments constitutionnels du Canada. Les acteurs politiques que l'on rencontre au sommet du processus décisionnel fédéral-provincial – le premier ministre du Canada et les premiers ministres provinciaux – n'avaient jamais été mentionnés dans la Constitution, avant 1982. La Loi constitutionnelle de 1982 fait par trois fois allusion au premier ministre et à ses homologues des provinces, mais elle ne donne aucune indication concernant la façon dont ils sont choisis, le rôle qu'ils jouent dans le processus politique, et leurs pouvoirs[1].

8.1 Définition

Selon le politicologue canadien Donald Smiley, qui a été le premier à cerner le concept, le fédéralisme exécutif désigne les relations qui existent entre les mandataires, élus aussi bien que nommés, des deux ordres de gouvernement dans le cadre des échanges fédéraux-provinciaux et entre les membres de l'exécutif des provinces dans le cadre des échanges interprovinciaux[2].

Au Canada, une caractéristique importante du fédéralisme exécutif est la capacité que possède l'exécutif de chaque palier de gouvernement non seulement de négocier des ententes nécessitant l'adoption de mesures législatives concertées ou réciproques, mais aussi de s'assurer – dans la plupart des cas – que leur législature respective adopte la législation découlant de ces ententes.

Le Canada a été le premier pays à combiner le fédéralisme – à savoir, la répartition des pouvoirs législatifs entre le gouvernement fédéral et les provinces – avec un système parlementaire s'inspirant du modèle de Westminster, que l'on désigne généralement sous le nom de « gouvernement responsable ». C'est l'interaction du fédéralisme avec le parlementarisme qui a donné naissance à la notion de fédéralisme exécutif. L'interdépendance croissante des deux paliers de gouvernement, particulièrement depuis la fin de la Deuxième Guerre mondiale, en explique l'ampleur et l'importance pour les Canadiens.

8.2 Le cadre constitutionnel et le cadre institutionnel

La Loi constitutionnelle de 1867 prévoyait une répartition des pouvoirs entre les législatures fédérale et provinciales. Le préambule précisait, toutefois, que la Constitution du Canada reposerait « sur les mêmes principes que celle du Royaume-Uni », appliquant dès lors aux gouvernements fédéral et provinciaux les conventions et les coutumes qui sous-tendent le gouvernement parlementaire selon le modèle de Westminster.

---

1. Loi constitutionnelle de 1982, art. 37, 37.1 et 49.
2. Donald V. Smiley, *Canada in Question: Federalism in the Eighties*, Toronto, McGraw-Hill Ryerson Limited, 1980, p. 91.

8.2.1 La répartition fédérale des pouvoirs

La répartition fédérale des pouvoirs dans la Loi constitutionnelle de 1867 prévoit une forme centralisée de fédéralisme :

- le gouvernement fédéral est habilité à faire des lois « pour la paix, l'ordre et le bon gouvernement du Canada » relativement à toutes les questions ne relevant pas exclusivement des provinces – y compris les pouvoirs en cas d'urgence, les pouvoirs résiduaires et l'intérêt national ;
- le gouvernement fédéral peut enjoindre le lieutenant-gouverneur d'une province de « réserver la sanction royale » à un projet de loi – même si celui-ci relève entièrement de la compétence de la province – pour acceptation ou rejet par le cabinet fédéral ;
- le gouvernement fédéral peut « désavouer » une loi provinciale, c'est-à-dire la rendre sans effet, dans les douze mois suivant son adoption ;
- le Parlement du Canada peut « verser des fonds » aux particuliers, aux institutions et aux gouvernements relativement à des questions relevant exclusivement des provinces, bien que les modalités de ces paiements ne puissent constituer d'aucune façon un règlement ;
- le Parlement peut « déclarer » que des travaux situés dans une province vont profiter à l'ensemble du Canada et, de ce fait, qu'ils relèvent de la compétence législative fédérale ;
- seulement « deux secteurs relèvent en même temps des deux ordres de gouvernement » en 1867 : soit l'immigration et l'agriculture, mais la Constitution reconnaît la primauté du « gouvernement fédéral ».

Vu le rôle limité qu'a joué l'État dans les affaires sociales et économiques avant la Deuxième Guerre mondiale, ainsi que la fréquence à laquelle le gouvernement fédéral s'est prévalu de ses vastes pouvoirs – jusqu'en 1941, par exemple, 112 lois provinciales avaient été désavouées et au moins 70 projets de loi avaient été réservés –, les possibilités de négociations intergouvernementales en vue de la conclusion d'ententes sont longtemps demeurées relativement peu nombreuses.

Cela dit, l'interprétation judiciaire devait, peu à peu, accorder plus d'importance aux pouvoirs provinciaux relatifs à la propriété et aux droits civils, et restreindre la portée des pouvoirs du gouvernement fédéral par rapport à ce qui avait été prévu à l'origine. Les tribunaux devaient, par ailleurs, conclure que certains nouveaux domaines d'activité comportaient des aspects relevant tantôt du gouvernement fédéral, tantôt des provinces – la protection de l'environnement, par exemple.

Au lendemain de la crise économique de 1929, et devant les difficultés socio-économiques qui en avaient découlé, les Canadiens ont commencé à attendre de leurs gouvernements qu'ils leur fournissent un système de sécurité sociale, des programmes de stimulants économiques et des règlements. L'interdépendance des gouvernements face aux aspirations des citoyens est devenue de plus en plus évidente après 1945, et c'est alors que s'est fait sentir la nécessité de discussions, de négociations, d'ententes et d'échanges intergouvernementaux.

8.2.2 Régime parlementaire

Le régime parlementaire, qui suppose une fusion des pouvoirs exécutifs et législatifs du gouvernement, a favorisé l'établissement de relations fédérales-provinciales efficaces. Le premier ministre du Canada et les premiers ministres provinciaux, de même que les membres de leur cabinet respectif, doivent avoir un siège au Parlement ou à l'assemblée législative, selon le cas, ou être en mesure d'obtenir un siège peu après leur nomination au Cabinet. Les facteurs suivants assurent la prédominance de l'exécutif sur le législatif :

- le gouvernement – c'est-à-dire le Cabinet du moment – doit conserver la confiance de la Chambre des communes ou de l'assemblée législative de la province, selon le cas ;
- si le gouvernement vient à perdre cette confiance, il doit démissionner ou recommander la tenue d'une élection générale ;
- la nécessité de préserver cette confiance a suscité de fortes pressions en vue de renforcer la discipline de parti, à Ottawa comme dans les provinces ; nonobstant les requêtes périodiques visant une multiplication des votes libres et une plus grande autonomie pour les députés, la discipline de parti est beaucoup plus stricte en 1997 qu'elle ne l'était en 1867 ;
- le système de scrutin uninominal à un tour, qui est actuellement employé partout au Canada, permet au candidat qui a reçu le plus grand nombre de votes – et non pas une majorité des voix exprimées – lors d'un scrutin d'être déclaré vainqueur ; si plus de deux grands partis politiques contestent l'élection, ce système déforme les résultats au point que le parti en tête – souvent avec moins de 50 % des voix exprimées – est généralement assuré de plus de la moitié – donc, de la majorité – des sièges à la Chambre ;
- seuls les ministres sont habilités à déposer un projet de loi de finances – concernant l'imposition ou les dépenses publiques – à la Chambre ; la plupart des projets de loi tombent dans cette catégorie.

La fusion de l'exécutif et du législatif, le rôle dominant de l'exécutif dans le processus législatif, la discipline de parti et un système électoral qui favorise les gouvernements « majoritaires » favorisent la constance et la stabilité. Dans de pareilles conditions, les gouvernements – celui du Canada aussi bien que ceux des provinces – savent qu'ils peuvent négocier des ententes intergouvernementales et adopter à cet égard les mesures législatives qui s'imposent, pourvu, naturellement, que leur cabinet et leur caucus respectifs soient d'accord.

8.3 Institutionnalisation du fédéralisme exécutif

Comme nous venons de le voir, le fédéralisme centralisé mis en place en 1867 ainsi que le rôle limité joué par l'État avant la Deuxième Guerre mondiale n'ont pas favorisé la consultation, la coopération et la négociation d'ententes entre les deux ordres de gouvernement.

8.3.1 Tribunes fédérales-provinciales

La première conférence intergouvernementale ne devait avoir lieu qu'en 1887 ; seuls les cinq premiers ministres provinciaux qui s'opposaient aux politiques de sir John A. Macdonald étaient présents. Il faudra attendre jusqu'en 1906 pour que soit organisée la première conférence fédérale-provinciale des premiers ministres ; dix-sept seulement suivront jusqu'en 1969[3].

Même si à compter de 1938 les réunions de ministres et de fonctionnaires ont commencé à se multiplier au point, dans certains cas, de devenir des réunions annuelles[4], ce n'est que durant les années 60 que devaient prendre forme les dispositions institutionnelles qui sous-tendent le fédéralisme exécutif.

En 1960, le premier ministre Lesage a organisé la première conférence des premiers ministres provinciaux sur des questions intéressant l'ensemble des provinces. La même année devait également avoir lieu la première conférence fédérale-provinciale « annuelle » des premiers ministres (CPM) ; cependant, aucune n'a été tenue en 1972 et en 1977, et celle de 1993 n'était pas une CMP plénière. La CPM n'a pas des bases aussi clairement établies que la conférence des premiers ministres provinciaux : les thèmes varient considérablement d'une rencontre à l'autre, et elle ne se tient pas non plus à des dates précises. En février 1985, les premiers ministres ont signé un protocole d'entente prévoyant la tenue d'une CPM sur l'économie durant le dernier trimestre de chaque année – si possible – pendant une période de cinq ans, mais cette entente a pris fin depuis.

Les rencontres sectorielles de ministres, de sous-ministres – responsables permanents des ministères gouvernementaux –, de cadres supérieurs et d'autres fonctionnaires se sont multipliées rapidement au cours des années 60. Certaines peuvent se limiter à un échange d'information – les rencontres des statisticiens fédéraux et provinciaux, par exemple ; d'autres font partie d'un processus d'examen permanent ; d'autres encore marquent une étape dans le processus décisionnel : si, par exemple, les premiers ministres doivent négocier de nouveaux arrangements fiscaux, des réunions de fonctionnaires serviront à préparer les réunions de sous-ministres, sur les conclusions desquels les ministres s'appuieront pour rédiger leur propre rapport aux premiers ministres.

S'il fallait faire le compte de toutes les conférences qui se tiennent chaque année à tous les niveaux, on dépasserait facilement les 500 ; on ne tient à cet égard, toutefois, aucun registre central.

8.3.2 Mécanismes de soutien intragouvernementaux

Pour commencer, le gouvernement fédéral ne pouvait compter sur aucun organisme central chargé de surveiller le déroulement général des relations

---

3. Secrétariat des conférences intergouvernementales canadiennes, *Conférences fédérales-provinciales des premiers ministres*, 1906-1985, Ottawa, Secrétariat des conférences intergouvernementales canadiennes, 1986.

4. Gérard Veilleux, *Les relations intergouvernementales au Canada – 1867-1967*, Montréal, Les Presses de l'Université du Québec, 1971, chapitre IV.

fédérales-provinciales – quoique le ministère des Finances s'est occupé de la question, très importante, des relations financières.

C'est en février 1968 qu'a été créé, à l'intérieur du Bureau du Conseil privé – qui constitue, en fait, le ministère du premier ministre et du Cabinet –, le Secrétariat des relations fédérales-provinciales, dont le mandat, plus général par la suite, a d'abord consisté à seconder le premier ministre dans son examen des questions constitutionnelles. En janvier 1975, le Secrétariat devient le Bureau des relations fédérales-provinciales, dont on confie la direction à un second secrétaire du Cabinet – pour les relations fédérales-provinciales. En 1993, le Bureau des relations fédérales-provinciales cesse d'exister, mais ses fonctions seront prises en charge par une direction générale qui verra le jour au sein du Bureau du Conseil privé en 1994, celle des Affaires intergouvernementales.

Chaque gouvernement provincial s'est également doté d'un mécanisme d'appui des relations fédérales-provinciales. Dans quatre provinces – le Manitoba, l'Île-du-Prince-Édouard, la Nouvelle-Écosse et Terre-Neuve –, cette fonction est rattachée au Cabinet du premier ministre. Dans les autres provinces, c'est un ministre distinct qui s'occupe de ces questions. Dans le cas du Québec et de l'Alberta, ce ministre dispose de pouvoirs de « surveillance » très étendus.

8.3.3 Mécanismes de soutien intergouvernementaux

Deux mécanismes de soutien administratif facilitent la bonne marche du fédéralisme exécutif. Créé en février 1968 sous le nom de « Secrétariat de la conférence constitutionnelle », puis transformé et élargi en 1973, le Secrétariat des conférences intergouvernementales canadiennes fournit des services administratifs relativement à la planification et au déroulement des conférences fédérales-provinciales interprovinciales. Les conférences de premiers ministres, de ministres et de sous-ministres bénéficient de ses services de planification et de coordination, de préparation des installations, d'interprétation, de traduction, d'impression, de vérification et de distribution des documents, de soutien administratif pour le président de la conférence, et de préparation d'un compte-rendu sommaire, de relations avec les médias et de sécurité, ainsi que d'autres services connexes.

Le Secrétariat est un organisme intergouvernemental neutre. Son budget est administré par les deux ordres de gouvernement et les membres de son personnel sont recrutés parmi les fonctionnaires fédéraux aussi bien que provinciaux.

Ces conférences peuvent avoir lieu n'importe où au Canada, mais la tâche du Secrétariat sera toujours plus facile à Ottawa, où l'ancienne gare ferroviaire, située en plein cœur de la ville, a été transformée en « Centre des conférences intergouvernementales » ; on y trouve une grande salle pour les conférences publiques, des salles plus petites pour les réunions privées, ainsi que des locaux utilisés comme secrétariat par les délégations gouvernementales, des salons des délégués, les services de soutien et les services aux médias.

8.3.4 Deux organismes intergouvernementaux incorporés

Deux organismes intergouvernementaux ont été constitués par la voie de lettres patentes fédérales.

Le « Conseil canadien des ministres de l'Environnement » a été constitué en 1964 à titre de société à responsabilité limitée et sans but lucratif. Les actionnaires en sont le ministre fédéral, les dix ministres provinciaux et les deux ministres territoriaux. Le Conseil a pour mandat de favoriser la discussion et le règlement conjoint de certaines questions environnementales, de veiller à une élaboration et à une mise en œuvre harmonieuses des mesures législatives, des politiques, des procédures et des programmes axés sur l'environnement, ainsi que de fixer des objectifs, d'établir des normes, de constituer des bases de données scientifiques et d'élaborer des stratégies, des accords et des ententes complémentaires sur lesquels on pourra s'appuyer dans tout le pays. Le gouvernement fédéral assume le tiers de son budget, tandis que le reste est réparti entre les différentes provinces, selon leur population.

En règle générale, le Conseil procède par consensus. Il faut entendre par là l'absence de dissension et la recherche d'un terrain d'entente par l'élimination, entre autres, de certaines options. Si aucun consensus n'est possible, le président peut ordonner que la décision soit laissée à une majorité d'au moins les deux tiers des membres. Chacun de ces derniers n'a qu'une voix.

Le « Conseil des ministres de l'Éducation (Canada) (CMEC) », a reçu ses lettres patentes en 1967. Composé des ministres provinciaux et territoriaux de l'Éducation, le CMEC est un organisme de consultation et d'intervention concernant certaines questions d'intérêt commun. Par ailleurs, il veille à la coopération entre les ministres et les organismes nationaux axés sur l'éducation, assure la liaison avec les divers ministères fédéraux et représente le Canada sur la scène internationale.

Bon nombre d'autres tribunes régulières de ministres et de fonctionnaires fédéraux et provinciaux ont été « institutionnalisés » par des ententes, mais elles n'ont aucun statut juridique. Certaines tribunes régionales, comme le Conseil des premiers ministres des Maritimes, ont été constituées par une loi provinciale.

8.4 Le statut juridique des ententes intergouvernementales

La Couronne du chef du Canada peut ne pas lier la Couronne du chef d'une province, et inversement. Autrement dit, lorsque les premiers ministres ou les ministres représentant les deux ordres de gouvernement signent une entente, celle-ci, loin de posséder un caractère exécutoire sur le plan juridique, représente plutôt un engagement politique. C'est pourquoi le non-respect d'une pareille entente entraîne des sanctions politiques plutôt que juridiques.

Ce sont les lois adoptées par le Parlement et les législatures touchées pour y donner suite qui sont exécutoires. Dans le cas d'une modification constitutionnelle, ce sera la résolution que le Sénat, la Chambre des communes ou une législature provinciale adoptera pour habiliter le Gouverneur général à en faire la proclamation qui a force légale.

Les provinces, en particulier, n'ont pas caché leur inquiétude face au caractère non exécutoire des ententes. C'est d'ailleurs ce qui a amené le Québec à demander, dans le cadre de l'Accord constitutionnel du lac Meech, en 1987, que les ententes conclues en matière d'immigration soient protégées par la Constitution afin que le gouvernement fédéral soit incapable de les modifier ou de les abroger sans le consentement de la province[5]. L'Accord du lac Meech, toutefois, ne devait jamais être ratifié par le nombre nécessaire de provinces ; les modifications qu'il contenait ne devaient jamais être proclamées.

L'Accord constitutionnel de Charlottetown du 28 août 1992[6] comportait une disposition plus générale concernant la protection de toutes les ententes conclues entre le gouvernement fédéral et une province ou un territoire, ou entre une administration autochtone et le gouvernement fédéral, une province ou un territoire. Les Canadiens devaient, toutefois, le rejeter lors d'un référendum tenu le 26 octobre 1992 ; les modifications qu'il renfermait ne devaient jamais non plus être proclamées.

8.5 L'importance des personnalités

L'interaction des exécutifs fédéral et provinciaux ne suivent pas une quelconque formule scientifique préétablie. En effet, les gouvernements sont représentés par des êtres humains ; les visées personnelles, l'idéologie ou le pragmatisme, ainsi que la personnalité particulière des divers intervenants influent de façon considérable sur l'établissement de l'ordre du jour des rencontres intergouvernementales et sur les chances d'arriver à une entente.

La télédiffusion des CPM sur la Constitution de 1968 à 1971, en 1978 et 1979, ainsi qu'en 1980, a attiré l'attention particulièrement sur les premiers ministres provinciaux, qui disposaient alors tous d'un laps de temps égal pour leurs allocutions d'ouverture et de clôture. Plusieurs d'entre eux ont d'ailleurs profité de la situation pour critiquer le gouvernement fédéral sur son propre terrain de compétence législative, pour se présenter comme les porte-parole des régions sur des questions d'intérêt national et, à l'occasion, pour s'ériger en défenseur des intérêts de leur province contre de possibles ingérences fédérales – à la veille d'une élection provinciale, notamment.

Il est arrivé que les relations entre le premier ministre du Canada et ses homologues provinciaux se compliquent en raison d'un conflit de personnalités ou, dans certains cas, pour des questions d'orientation : c'est ainsi que les politiques nationales de M. Trudeau en matière d'énergie lui ont attiré l'hostilité de l'Alberta. L'affiliation politique ne constitue pas nécessairement un facteur de

5. Gouvernement du Canada, *Guide de l'Accord constitutionnel du lac Meech*, Ottawa, Gouvernement du Canada, août 1987, art. 95A-95E, p. 16-17.

6. *Projet de texte juridique*, Ottawa, Gouvernement du Canada, 9 octobre 1992, art. 126 A, p. 27-29.

compatibilité. Les relations du premier ministre libéral Trudeau avec le premier ministre libéral Bourassa ont souvent été tendues, mais ses rapports avec les premiers ministres conservateurs Hatfield (Nouveau-Brunswick) et Davis (Ontario) étaient excellents. Par contre, il existait une entente cordiale entre le premier ministre conservateur Mulroney et Robert Bourassa.

Même au niveau des ministres, des sous-ministres et des hauts fonctionnaires, la personnalité des individus a un rôle à jouer au même titre que leurs ambitions politiques ou leur plan de carrière.

8.6 Le fédéralisme exécutif est-il profitable ou dangereux ?

Au cours des 30 dernières années, le fédéralisme exécutif a été attaqué sur deux plans : parce qu'il marque une dérogation au principe du gouvernement responsable parce que c'est un processus fermé qui exclut toute participation du public.

8.6.1 Gouvernement responsable

Dans les années 70, la voie du fédéralisme exécutif semblait toute tracée. Les gouvernements négocieraient des ententes nécessitant une action concertée ou une intervention législative réciproque. Ils présenteraient ensuite à leur législature respective le projet de loi requis auquel ils refuseraient, au terme du processus d'examen et de discussion parlementaire, d'apporter quelque modification risquant de compromettre l'entente intervenue entre les deux ordres de gouvernement.

D'aucuns ont vu là un transfert du processus décisionnel mené jusqu'alors par le Parlement – ou les assemblées législatives provinciales – à une tribune intergouvernementale qui ne dispose d'aucun statut juridique et qui n'a de comptes à rendre à personne.

Pour qui s'y arrête un peu, toutefois, cette description de la situation n'est peut-être pas entièrement juste. Il faut se rappeler, en effet, qu'en raison de cette fusion du législatif et de l'exécutif, de la prédominance de ce dernier ainsi que de la discipline de parti, le centre vital du processus décisionnel demeure le Cabinet. Ce principe s'appliquait déjà en 1867, soit bien longtemps avant que la notion même de fédéralisme exécutif n'apparaisse. Une fois que le Cabinet a pris sa décision – après avoir consulté, peut-être, le caucus parlementaire du parti au pouvoir –, le projet de loi est déposé devant le Parlement. Presque invariablement, les grands principes qui le sous-tendent finissent par être adoptés sans changement.

Dans les négociations intergouvernementales, aucun gouvernement ne signera une entente à moins d'être convaincu de l'appui de son cabinet et du caucus de son parti. C'est d'ailleurs la raison pour laquelle les discussions tendent souvent à se prolonger indéfiniment. Et c'est pour cela aussi que les gouvernements visent le « consensus » – c'est-à-dire, en règle générale, le consentement unanime des participants. Chaque premier ministre ou ministre doit avoir l'assurance que le gouvernement qu'il ou elle représente sera en mesure d'appuyer l'entente. La règle de l'unanimité donne à chacun un moyen efficace de veiller à ce que l'entente soit formulée en des termes qui soient acceptables par son gouvernement.

La distinction à faire entre le processus décisionnel mené par le Cabinet et celui que l'on observe dans une tribune intergouvernementale serait donc plus apparente que réelle, et le principe du gouvernement responsable ne se trouve peut-être pas en danger.

8.6.2 Un processus fermé

Au fil des ans, le fédéralisme exécutif a donné lieu à un nombre incroyable d'ententes multilatérales et bilatérales. Le Bureau du Conseil privé publie un répertoire renfermant de l'information de base sur les programmes et les activités qui résultent des efforts combinés des divers gouvernements du Canada, des programmes à frais partagés ou des activités administrées conjointement, entre autres[7]. Ces ententes ont une portée énorme et les avantages qu'elles comportent sont considérables. Par exemple, les accords d'aide financière en cas de catastrophe, dont l'administration incombe à Protection civile Canada, prévoient une formule qui permet, au lendemain d'un désastre, de calculer rapidement à combien s'élèvera l'aide financière consentie par le gouvernement fédéral.

Certaines ont un caractère plus spécialisé, comme les ententes conclues par le Canada avec la Colombie-Britannique et les provinces des Prairies concernant la prévention des pertes agricoles ; ou l'entente de coopération conclue entre le Canada et Terre-Neuve concernant les industries culturelles. D'autres sont d'une importance vitale pour les Canadiens. Le volet « santé » du transfert canadien en matière de santé et de programmes sociaux est la cheville ouvrière de notre régime d'assurance-maladie ; bon nombre de Canadiens estiment que la prestation de services de soins de santé assurés et financés par l'État est l'un des facteurs par lequel se définit le Canada. Ces programmes, qu'ils soient de nature spécialisée ou d'une grande importance pour tous les Canadiens, ont été négociés dans le cadre du fédéralisme exécutif, généralement derrière des portes closes. Et cela ne semble pas avoir dérangé beaucoup les Canadiens.

Les négociations ayant trait à la Constitution, cependant, ont suscité un vif intérêt ces dernières années, et tout particulièrement depuis la télédiffusion des audiences parlementaires sur la résolution constitutionnelle en 1980-1981, et la proclamation subséquente de la Loi constitutionnelle de 1982, qui renferme la Charte canadienne des droits et libertés.

D'aucuns affirmeront que la proclamation de la Charte a donné aux Canadiens de nouveaux moyens d'agir et qu'elle les a amenés à s'intéresser davantage aux questions constitutionnelles et à vouloir intervenir directement dans tout processus visant à modifier la Constitution d'une façon importante.

7. Bureau du Conseil privé, Gouvernement du Canada, *Répertoire des programmes et activités fédéraux-provinciaux: 1993-1994 et 1994-1995*, Ottawa, Ministre des Travaux publics et des Services gouvernementaux, 1995.

Voilà pourquoi, lorsque les premiers ministres ont recouru aux mécanismes traditionnels du fédéralisme exécutif pour négocier l'Accord du lac Meech, on a dénoncé le processus : onze hommes réunis derrière des portes closes, dans le plus grand des secrets.

Ce processus a donc été jugé inacceptable, mais il s'en est trouvé un bon nombre aussi pour condamner le fond de l'Accord, qui se limitait aux cinq conditions posées par le Québec. Certains auraient souhaité un ordre du jour plus général.

Une extraordinaire période de consultations publiques a suivi l'échec de Meech : chaque gouvernement a alors procédé à au moins un exercice de consultation, et les quatre associations autochtones ont tenu des audiences au cours desquelles tous leurs membres ont pu se faire entendre. Mais lorsque ces audiences ont pris fin, en 1992, les gouvernements, une fois de plus, se sont tournés vers le fédéralisme exécutif – ou plutôt, vers une version élargie du fédéralisme exécutif, vu que les représentants des territoires et des autochtones étaient invités à participer à part entière – et se sont de nouveau retrouvés derrières des portes closes[8]. L'accord négocié le 28 août 1992, à Charlottetown, devait être soumis à la population lors d'un référendum qui a eu lieu le 26 octobre suivant mais de nouveau, ce fut l'échec.

Le fédéralisme exécutif semble donner d'excellents résultats au chapitre de la négociation des programmes, et les avantages qu'en retirent les Canadiens sont importants. Par contre, son efficacité est maintenant mise en doute lorsqu'il s'agit des grandes questions de réforme constitutionnelle. Comment et à quels stades du processus convient-il de faire intervenir les Canadiens si l'on veut qu'ils comprennent bien les enjeux, qu'ils puissent faire entendre leur point de vue sur le contenu de la modification proposée et qu'ils en appuient le texte final : telle est la grande question qu'il faut régler. Diverses formules ont été examinées, mais le débat reste ouvert[9].

Une chose est certaine, cependant : il est impossible d'exclure totalement le fédéralisme exécutif du processus de révision constitutionnelle. Celui-ci, pour la plupart des modifications importantes qui sont proposées, requiert l'adoption de résolutions en anglais et en français par le Parlement, et par toutes les assemblées législatives provinciales ou par les deux-tiers des législatures provinciales représentant ensemble au moins 50 % de la population. Cela suppose, en fait, que les gouvernements doivent bien coordonner leurs efforts et veiller à une adoption en temps opportun des résolutions requises en vue de la proclamation.

---

8. James Ross Hurley, *Le débat constitutionnel canadien : de l'échec de l'Accord du lac Meech de 1987 au référendum de 1992*, Ottawa, Ministre des Approvisionnements et Services, 1994, p.6.

9. James Ross Hurley, *La modification de la Constitution du Canada : historique, processus, problèmes et perspectives d'avenir*, Ottawa, Ministre des Approvisionnements et Services, 1996, chap. 8.

8.7 Conclusion

Le fédéralisme exécutif n'est pas propre au Canada.

Ronald L. Watts en a démontré l'existence dans d'autres pays dont le système de gouvernement réunit fédéralisme et parlementarisme[10]. Il a clairement fait ressortir que le fédéralisme exécutif ne peut pas fonctionner efficacement dans les fédérations où l'on constate une séparation des pouvoirs exécutifs et des pouvoirs législatifs et où la discipline de parti est plutôt relâchée, comme aux États-Unis et en Suisse.

Pour certains, le fédéralisme exécutif ne saurait constituer le seul moyen de modifier la Constitution canadienne, ou même le moyen qu'il convient de privilégier. Par contre, pour ce qui est des programmes et des activités, il a procuré aux Canadiens des avantages concrets et son rôle n'a jamais été sérieusement contesté. En fait, le fédéralisme exécutif contribue de façon importante à favoriser la collaboration et l'harmonisation intergouvernementales et il est devenu une caractéristique permanente du système de gouvernement fédéral canadien.

---

10. Ronald L. Watts, *Executive Federalism : A Comparative Analysis*, Kingston, Institute of Intergovernmental Relations, 1989.

CHAPITRE 9

Pouvoir judiciaire et droit administratif

Louis Borgeat
Directeur de l'Observatoire de l'administration publique
Professeur
École nationale d'administration publique

Isabelle Giroux
Stagiaire en droit
École nationale d'administration publique

9.1 Introduction

Après réflexion, bien que la thématique très générale des liens entre le pouvoir judiciaire et le droit administratif puisse être traitée selon plusieurs perspectives – par exemple, selon celle, très populaire en *common law* canadienne, du contrôle judiciaire –, nous avons plutôt choisi de l'aborder en examinant, un peu plus largement, l'influence du pouvoir judiciaire sur le droit administratif. Pour un texte destiné à favoriser une meilleure compréhension par des lecteurs issus de plusieurs pays du cadre juridique s'appliquant à l'État canadien, cette approche a l'avantage de mettre en relief les principes traditionnels de notre droit administratif, provenant souvent de la jurisprudence, face à l'évolution contemporaine qu'ils ont subie, en bonne partie sous l'influence du droit statutaire. Elle a aussi l'avantage de se situer dans la continuité des réflexions de l'un des auteurs du présent chapitre, concernant l'intérêt méconnu du droit statutaire en droit administratif canadien[1].

L'analyse que nous suggérons de l'influence du pouvoir judiciaire sur le droit administratif passe par celle de deux phénomènes bien distincts que nous décrirons dans les deux parties que comporte ce chapitre. Dans la première partie, nous verrons que les principes fondamentaux du droit administratif canadien ont connu d'importantes mutations, qui sont principalement attribuables à l'accroissement de la législation encadrant l'activité de l'administration publique ; cette partie permettra de faire ressortir le champ d'application du droit administratif contemporain et d'y situer la place du contrôle judiciaire, qui demeure sans conteste l'un de ses éléments dynamiques. Dans la seconde partie, nous aborderons le phénomène de la constitutionnalisation, sous l'effet des récentes chartes des droits, de certains principes fondamentaux touchant l'organisation et le fonctionnement de la justice administrative. Important en soi parce qu'il touche les fondements mêmes du droit administratif, ce phénomène a un impact particulier sur la nature des réformes que certains gouvernements tentent d'introduire depuis quelques années dans l'univers hétéroclite des tribunaux administratifs.

9.2 L'érosion des principes traditionnels de notre droit administratif

Pour illustrer l'évolution législative qu'a connue le droit administratif traditionnel canadien, il convient d'abord d'énoncer les principes qui le fondent, pour ensuite expliquer les mutations qu'il a subies au cours des dernières décennies de développement continu de l'Administration.

9.2.1 Principales caractéristiques de notre héritage britannique

En 1763, au moment où la Nouvelle-France est définitivement cédée à l'Angleterre, la Proclamation royale introduit le droit public anglais dans la

1. Louis Borgeat, « Les enjeux méconnus de l'autre droit administratif », (1994) 73 *R. du B. can.* 299 pages.

colonie[2]. Hérité du Régime anglais, le droit administratif canadien reprend dans ses fondements les grandes caractéristiques du droit public anglais. Nous en avons relevé trois comme étant particulièrement importantes.

9.2.1.1 *L'unité de droit pour la Couronne et ses sujets*

La *Rule of law*, ou primauté du droit, est un principe fondamental de notre univers constitutionnel. L'émergence de ce principe est historiquement liée au développement de la souveraineté du Parlement en Angleterre, qui a accompagné la soumission progressive du pouvoir exécutif au droit. De façon générale, la *Rule of law* entraîne la primauté du droit et de la légalité sur l'arbitraire, et postule l'égalité de tous devant la loi. En droit administratif, cet aspect de la *Rule of law* implique que la puissance publique et le citoyen sont en principe soumis au même droit, le droit commun, et qu'ils sont justiciables devant les tribunaux ordinaires[3].

Comme il a été observé dans le *Traité de droit administratif*[4], alors que plusieurs pays d'Europe continentale s'appuient sur deux systèmes de droit, un pour régir l'Administration et ses relations avec les citoyens et un autre pour établir les rapports entre les citoyens, les pays de tradition britannique possèdent un système de droit unique ; « la protection des libertés individuelles apparaît, pour les pays de la *common law*, si intimement associée à l'intérêt public qu'il est considéré comme dangereux de soumettre les droits et obligations de l'administration publique à un système de droit distinct »[5]. Ainsi, selon les principes et l'esprit du droit public canadien, le droit administratif ne constitue pas un système complet, autonome et distinct. Dans *Procureur général du Québec* c. *Labrecque*, le juge Beetz, de la Cour suprême du Canada, affirmait que « c'est au contraire le droit commun administré par les tribunaux judiciaires qui est reçu en droit public et dont les dispositions régissent la puissance publique, à moins qu'elles ne soient remplacées par des dispositions législatives incompatibles ou supplantées par des règles particulières à la prérogative royale »[6]. Le droit commun s'applique donc à l'Administration comme fondement de la légalité administrative[7].

Cet aspect de la *Rule of law*, selon lequel l'Administration et le citoyen sont soumis au droit commun et aux tribunaux judiciaires, signifie également que

---

2. Henri Brun et Guy Tremblay, *Droit constitutionnel*, 2e éd., Cowansville, Éditions Yvon Blais, 1990, p. 9-10 ; François Chevrette et Herbert Marx, *Droit constitutionnel : Notes et jurisprudence,* Montréal, Presses de l'Université de Montréal, 1982, p. 6.

3. H. Brun et G. Tremblay, *op. cit.*, note 2, p. 627 ; John M. Evans, Hudson N. Janisch, David J. Mullan et Richard C.B. Risk, *Administrative Law: Cases, Text and Materials*, 3e éd., Toronto, Emond Montgomery, 1989, p. 13 ; F. Chevrette et H. Marx, *op. cit.*, note 2, p. 33 ; Gilles Pépin et Yves Ouellette, *Principes de contentieux administratif*, 2e éd., Cowansville, Éditions Yvon Blais, 1982, p. 41-43.

4. René Dussault et Louis Borgeat, *Traité de droit administratif*, 2e éd., t. 1, Québec, Presses de l'Université Laval, 1984, p. 29.

5. *Ibid.*

6. [1980] 2 R.C.S. 1057, 1081 et 1082.

7. R. Dussault et L. Borgeat, *op. cit.*, note 4, p. 31.

l'exercice du pouvoir public doit être contrôlé par les tribunaux ordinaires, indépendants du pouvoir exécutif. Ainsi, comme l'expliquent Geneviève Cartier et Suzanne Comtois,

> [...] tandis qu'en France les luttes de pouvoirs ont provoqué la proclamation du principe de la séparation des autorités administrative et judiciaire, et influencé le contexte de l'édification d'un système dualiste, de telles luttes ont, en Angleterre, mené, notamment, à la soumission de l'Exécutif au droit et aux tribunaux ordinaires et résulté en la création d'un système juridictionnel unitaire[8].

En droit canadien, le contrôle de la légalité des actes de l'administration publique relève donc, en principe, des tribunaux judiciaires.

9.2.1.2 *La primauté de la jurisprudence comme source de droit administratif*

Les règles de droit relatives au contrôle de l'administration publique, qui ont été pendant longtemps l'essence même d'un droit administratif en émergence, sont traditionnellement surtout d'origine jurisprudentielle : elles ont été élaborées dans des jugements rendus par les cours de justice à l'occasion de litiges opposant les citoyens à la Couronne[9]. C'est en effet d'abord dans la jurisprudence, d'origine britannique encore ici, qu'ont été élaborés les différents moyens de soumettre l'Exécutif à la primauté du droit.

C'est ensuite dans le cadre de l'exercice des recours permettant au citoyen de contester la légalité d'une décision de l'Administration que les cours de justice ont prescrit un ensemble de principes fondamentaux applicables à l'activité administrative, tels les principes de justice naturelle[10]. Des textes législatifs ont quelquefois repris ces règles générales. Mais parce que ces textes sont souvent rédigés en termes généraux, il faut, ici encore, se fier à la jurisprudence pour les interpréter[11]. Ce système, conséquence directe de la *Rule of law*, a consacré pendant longtemps une prépondérance quasi totale de la jurisprudence et du pouvoir judiciaire en matière de droit administratif.

9.2.1.3 *La subsistance de prérogatives royales privilégiant l'Exécutif*

Malgré l'importance accordée au principe égalitaire de la *Rule of law* dans les régimes de tradition britannique, le souverain et, de façon plus contemporaine, l'Exécutif bénéficient traditionnellement d'une série de privilèges et d'im-

---

8. « La reconnaissance d'une forme mitigée de dualité de juridictions en droit administratif canadien », *in* H. Patrick Glenn (dir.), *Droit québécois et droit français : communauté, autonomie, concordance*, Cowansville, Éditions Yvon Blais, 1993, p. 487, à la page 500.

9. Denis Lemieux, *Le contrôle judiciaire de l'action gouvernementale*, 2e éd., Farnham, CCH/FM, 1989, p. 313.

10. Donald Poirier, *Introduction générale à la common law*, Cowansville, Éditions Yvon Blais, 1995, pp. 152-157.

11. D. Lemieux, *op. cit.*, note 9, p. 314 ; G. Pépin et Y. Ouellette, *op. cit.*, note 3, p. 56.

munités, les « prérogatives royales », qui leur confèrent à certains égards un statut particulier par rapport au citoyen ordinaire. Bien que passablement atténuées, certaines prérogatives subsistent encore aujourd'hui et se justifient maintenant par la mission de service public exercée par l'État.

Selon notre collègue administrativiste Patrice Garant, on pouvait distinguer quatre catégories de prérogatives[12]. D'abord, celles relatives aux revenus de l'État et à l'immunité fiscale. Puis, celles relatives à la dignité royale, comprenant notamment les immunités de responsabilité contractuelle, délictuelle et pénale, et l'immunité de prescription extinctive. La troisième catégorie se rapporte à la conduite des affaires extérieures et internes. Finalement, on trouve une série de prérogatives diverses, dont les plus importantes sont celles du secret administratif et de la non-applicabilité des lois à la Couronne, à moins de mention expresse à cet effet.

Ces prérogatives trouvent leur fondement dans les vastes pouvoirs que détenait le souverain aux plus belles heures de la monarchie. D'origine essentiellement coutumière, elles « ont été circonscrites par la jurisprudence, au fil des ans, de sorte qu'elles sont maintenant devenues des règles de *common law* spécifiques »[13]. Le pouvoir judiciaire a su assurer l'adaptation constante de ces règles issues de la monarchie aux exigences d'une démocratie en affirmation. Comme l'explique le constitutionnaliste Henri Brun :

> Les tribunaux peuvent toujours interpréter ces droits d'exception de façon restrictive [...] En vertu de la primauté du droit c'est même là ce qu'ils doivent faire et ce qu'ils font effectivement. Les tribunaux ont ainsi développé un certain nombre de moyens de restreindre l'effet des règles d'exception en faveur de l'administration[14].

Par exemple, l'évolution observée en matière de secret administratif est d'abord et avant tout l'œuvre du pouvoir judiciaire. Comme il a été expliqué dans le *Traité de droit administratif*, le secret administratif « se définit comme le droit dont dispose la Couronne de refuser de dévoiler certaines informations ou de produire certains documents à l'occasion d'un litige en alléguant que cela serait contraire à l'intérêt public »[15]. À l'origine, ce privilège conférait un secret absolu aux documents de l'Exécutif. Cependant, les tribunaux prirent l'initiative de faire évoluer la *common law* de façon à fournir aux justiciables un meilleur accès aux documents administratifs, en permettant aux juges d'examiner les

12. Patrice Garant, *Droit administratif*, 4e éd., vol. 1, « Structures, actes et contrôles », Cowansville, Éditions Yvon Blais, 1996, p. 56-84.

13. H. Brun et G. Tremblay, *op. cit.*, note 2, p. 645.

14. *Ibid.*, p. 646.

15. René Dussault et Louis Borgeat, *Traité de droit administratif*, 2e éd., t. 2, Québec, Presses de l'Université Laval, 1986, p. 771.

documents visés par les demandes et d'évaluer, dans certains cas, le bien-fondé des motifs d'intérêt public invoqués au soutien de leur caractère confidentiel[16].

C'est donc d'abord par la jurisprudence, sous l'influence d'un pouvoir judiciaire gardien encore ici des grands équilibres démocratiques, que les prérogatives ont traditionnellement été adaptées à la réalité d'une autorité publique moins dominatrice et autocratique.

9.2.2 Évolution contemporaine de notre héritage britannique

Dans un régime de tradition britannique soumis au principe de l'unité de droit et de juridiction, on a souvent tendance, encore aujourd'hui, à croire que le droit administratif se résume au contrôle judiciaire de l'activité de l'administration publique[17]. Cette approche s'éloigne d'une réalité contemporaine marquée par l'accroissement constant du rôle de l'État depuis plusieurs décennies. En effet, le droit administratif moderne s'intéresse à la fois aux structures, aux actes, au fonctionnement et au contrôle de l'Administration ; bref, à tout ce qui lui permet d'être l'organisation la plus importante et la plus puissante de la société.

L'évolution du droit observée dans l'ensemble de ces quatre secteurs a apporté des changements majeurs aux caractéristiques de notre héritage de droit public décrites à la section précédente. Pour illustrer la portée de ces changements, nous en présenterons ici deux qui sont survenus dans les secteurs du droit administratif relatifs au fonctionnement et au contrôle de l'Administration.

9.2.2.1 *Le fonctionnement de l'Administration*

L'administration publique a besoin de ressources humaines, financières, matérielles et documentaires pour exercer ses fonctions, et c'est par une gestion efficace de ces ressources qu'elle peut atteindre les objectifs qui lui sont fixés[18]. Le droit statutaire a un impact déterminant sur cette gestion, chacune de ces ressources étant régie par une loi-cadre qui établit des principes généraux ensuite complétés par un ensemble de règlements[19]. L'évolution des principes traditionnels du droit administratif que nous souhaitons présenter ici se situe dans le domaine de la gestion du personnel ; elle a trait au statut général du fonctionnaire.

---

16. René Dussault et Jean Rhéaume, « Le rôle de la jurisprudence et de la législation dans le développement du droit du secret administratif en Angleterre, au Canada, au Québec et dans les autres provinces », (1985) *Cambridge Lectures* , 351 pages.

17. R. Dussault et L. Borgeat, *op. cit.*, note 4, p. 38.

18. Louis Borgeat, René Dussault et Lionel Ouellette, avec la collaboration de Patrick Moran et Marcel Proulx, *L'administration québécoise : organisation et fonctionnement,* Sillery, Presses de l'Université du Québec, 1982, p. 109.

19. R. Dussault et L. Borgeat, *op. cit.*, note 15, p. 3.

À l'origine, le statut de la fonction publique, et cela aussi bien au niveau fédéral qu'au Québec, dépendait presque uniquement de la prérogative royale suivant laquelle le fonctionnaire est un simple serviteur « dont l'emploi dépend du bon plaisir de la Couronne »[20]. Selon cette prérogative, la nomination et la destitution des fonctionnaires sont laissées à la discrétion du gouvernement, ce qui rend possibles les congédiements arbitraires, notamment pour des motifs politiques.

Au Québec, dont nous considérons plus particulièrement la situation ici, la destitution s'exerce effectivement « au bon plaisir » du gouvernement pendant plusieurs décennies. En effet, jusqu'au début des années 40, la législation ne limite pas le pouvoir du gouvernement en cette matière et ne précise pas les motifs permettant la destitution, excepté celui du manquement au serment d'office. La discrétion tombe souvent carrément dans l'arbitraire, et les élections comportant des changements de parti au pouvoir sont l'occasion d'abus commis aux dépens des fonctionnaires.

La situation évolue à partir de 1943, avec la nouvelle Loi du service civil[21] et celles qui l'ont suivie en 1965, 1969, 1978 et 1983[22]. La législation atténue d'abord le caractère discrétionnaire du pouvoir de destitution, en transformant le critère du « bon plaisir » en celui de la « bonne conduite » : les motifs de destitution doivent avoir trait au comportement du fonctionnaire (loyauté, conflit d'intérêts, discrétion, etc.) ou à sa compétence et à sa capacité d'exercer ses fonctions[23]. En matière de nomination, la discrétion laisse la place au principe du « mérite », qui exige la recherche des meilleurs éléments et voit à leur sélection selon des règles objectives et rigoureuses. Cette évolution, réalisée sur une quarantaine d'années, donne au fonctionnaire québécois les attributs d'un véritable régime de carrière comparable à celui des autres pays développés[24].

Par ailleurs, c'est aussi la législation qui permet de déroger au principe traditionnel suivant lequel le « roi ne négocie pas avec ses sujets »[25]. En effet, c'est

20. *Ibid*, p. 231, 232 et 234, 235. Notons que la jurisprudence ancienne fait reposer le principe de la révocation des employés suivant le bon plaisir sur la prérogative royale. Certains auteurs reconnaissent ce fondement alors que, selon d'autres, il est discutable ; voir notamment : R. Dussault et L. Borgeat, *op. cit.*, note 15, p. 258 ; Patrice Garant, *La fonction publique canadienne et québécoise*, Québec, Presses de l'Université Laval, 1973, p. 23.

21. S.Q. 1943, c. 9, devenue par la suite S.R.Q. 1964, c. 13.

22. Loi sur la fonction publique, L.Q. 1983, c. 55, devenue L.R.Q., c. F-3.1.1.

23. Louis Borgeat, *La sécurité d'emploi dans le secteur public : Essai*, Sainte-Foy, Presses de l'Université du Québec, 1996, p. 59.

24. Le régime québécois a ceci de particulier qu'il a ajouté à cette protection contre les congédiements arbitraires une protection de l'emploi en cas de pénurie de travail en instaurant dans la Loi du service civil de 1943 le principe de la garantie de travail même en situation de manque de travail. Ainsi, comme il a été observé dans *La sécurité d'emploi dans le secteur public, ibid.*, p. 6, « [e]n cinquante ans, soit depuis 1943, nous sommes passés d'un régime de précarité totale des emplois à une protection très poussée allant, avec la sécurité d'emploi, jusqu'à garantir à l'employé un poste même en cas de manque de travail ».

25. R. Dussault et L. Borgeat, *op. cit.*, note 15, p. 231.

la Loi de la fonction publique de 1965[26] qui autorise l'accréditation syndicale des fonctionnaires et place ces derniers sous la coupe du Code du travail[27] applicable à l'ensemble des salariés. En raison de l'introduction de la négociation collective, la très grande majorité des fonctionnaires sont aujourd'hui régis par des conventions collectives ; le fonctionnaire public devient ainsi « de plus en plus le véritable partenaire d'un contrat avec l'État »[28].

Même si la négociation collective ne régit pas tout le champ des relations de travail, et que ce sont les lois sur la fonction publique qui précisent ce qui doit être exclu de la négociation, il faut reconnaître que l'établissement d'un régime syndical contractuel intégrant l'employé public dans l'économie du droit commun du travail vient ajouter au statut législatif du fonctionnaire. Comme le souligne Patrice Garant :

> Il résulte des négociations collectives et de la détermination par voie contractuelle d'une partie importante des conditions de travail que le statut de la Fonction publique est partiellement imposé par voie d'autorité législative ou réglementaire et partiellement négocié entre l'État et la collectivité des fonctionnaires, ce qui constitue une innovation remarquable en droit administratif moderne[29].

En conclusion, ce bref exposé en matière de gestion du personnel nous permet de constater que le régime unilatéral du fonctionnaire issu de la Loi sur la fonction publique n'est pas incompatible avec le régime contractuel de droit commun applicable aux travailleurs ordinaires, ces deux régimes ayant pour effet, chacun à leur façon et à un degré variable, d'éloigner le fonctionnaire du régime de prérogative dont il est issu. Enfin, le domaine de la gestion du personnel nous donne un bon exemple de l'impact du droit statutaire sur l'évolution d'une prérogative royale et illustre l'importance du droit statutaire dans l'encadrement normatif de la gestion des ressources de l'Administration et, de façon plus générale, l'importance de ce droit en droit administratif contemporain.

9.2.2.2 *Le contrôle de l'Administration*

Historiquement, l'appareil administratif était surtout contrôlé par le contentieux de la légalité des actes de l'Administration et par l'application du principe de la responsabilité ministérielle, suivant lequel les ministres répondent devant le Parlement des actes accomplis par les fonctionnaires relevant de leur

26. S.Q. 1965, c. 14.

27. À l'époque S.Q. 1964, c. 45, aujourd'hui L.R.Q., c. C-27 ; L. Borgeat, *op. cit.*, note 23, p. 18.

28. *Ibid.*, p. 55.

29. P. Garant, *op. cit.*, note 20, p. 25.

autorité[30]. Si ce dernier mécanisme relève de l'univers surtout politique des conventions constitutionnelles, le contrôle judiciaire de l'Administration, pour sa part, « constitue la pierre angulaire du système de droit administratif canadien et québécois »[31].

Le contrôle judiciaire s'exerce essentiellement par le recours en révision, mais aussi, dans certains cas prévus par le législateur, par voie d'appel. Contrairement à ce dernier recours, qui constitue une voie de réformation de la décision, la révision judiciaire ne s'intéresse qu'à la légalité de la décision et « ne constitue qu'une voie de cassation, permettant au juge la seule annulation de la décision illégale »[32]. Le contrôle judiciaire de l'activité de l'Administration est garanti constitutionnellement[33] et demeure la sanction ultime de l'illégalité de l'action administrative. Néanmoins, il ne représente plus aujourd'hui qu'un mécanisme parmi d'autres de contrôle de l'Administration ; en pratique, il constitue même un mode exceptionnel d'intervention, car peu de décisions de l'Administration en font directement l'objet[34].

L'accroissement des interventions de l'État, la multiplication des nouvelles lois sociales, la lenteur du système judiciaire et son désintérêt à appliquer les nouveaux programmes sociaux ont en effet poussé le législateur à conférer à certains organismes administratifs spécialisés le pouvoir de trancher, dans leurs domaines respectifs, des litiges opposant l'Administration et les citoyens[35]. De nos jours, le législateur confie généralement à des tribunaux administratifs relevant de l'Exécutif, plutôt qu'à des tribunaux judiciaires, la tâche de régler de tels litiges, suivant un processus plus rapide et moins coûteux que celui des cours de justice. Au cours des dernières décennies, on a pu ainsi observer l'émergence de ce que certains n'ont pas hésité à qualifier de « justice administrative de masse »[36].

Ces tribunaux administratifs disposent habituellement d'un pouvoir de réformation qui leur permet non seulement d'annuler, mais aussi de modifier en tout ou en partie la décision rendue en premier lieu, « en tenant compte de tous

---

30. À cela s'ajoute bien sûr l'institution du vérificateur général sur laquelle nous n'insistons pas : ce mécanisme de contrôle, exerçant un droit de regard sur la gestion financière, a une vocation très pointue et ne touche pas beaucoup les relations Administration-citoyens. Soulignons, cependant, que l'étendue des pouvoirs et des responsabilités du vérificateur général du Canada et du vérificateur général du Québec, agissant au nom de leur Parlement respectif, s'est élargie progressivement au fil des réformes législatives et à la suite de l'ajout de la fonction d'optimisation des ressources aux fonctions de vérification financière et de conformité ; ce qui constitue la « vérification intégrée ».

31. G. Pépin et Y. Ouellette, *op. cit.*, note 3, p. 289.

32. René Dussault et Louis Borgeat, *Traité de droit administratif*, 2e éd., t. 3, Québec, Presses de l'Université Laval, 1989, p. 523.

33. *Ibid.*, p. 16 et suiv.

34. G. Pépin et Y. Ouellette, *op. cit.*, note 3, p. 31, 52.

35. P. Garant, *op. cit.*, note 12, p. 233 ; Yves Ouellette, « Les tribunaux administratifs et les restrictions au contrôle judiciaire : un plaidoyer pour une autonomie contrôlée », (1983) 43 *R. du B.* 291, 293-295.

36. *Les tribunaux administratifs : L'heure est aux décisions : Rapport du groupe de travail sur les tribunaux administratifs*, Québec, Publications du Québec, 1987, p. 13.

les éléments dont devait tenir compte le premier décideur »[37]. Cette compétence d'appel est généralement accordée pour vérifier la légalité et l'opportunité des décisions de l'Administration et constitue donc, dans une certaine mesure, une compétence parallèle au contrôle judiciaire de l'activité de l'Administration. L'appel devant les tribunaux administratifs permet de contrôler les critères de défaillance qui sont l'apanage des cours judiciaires. En effet, selon l'étendue du pouvoir d'appel conféré par le législateur, les tribunaux administratifs pourront statuer sur des allégations d'erreur de fait, de droit ou de compétence ou sur des allégations de violation de justice naturelle[38].

L'impact de la présence de ces tribunaux spécialisés sur le droit du contrôle de l'Administration est d'autant plus grand que les cours de justice ont récemment rendu plusieurs décisions très favorables à l'autonomie et au rôle de la justice administrative. Depuis une quinzaine d'années, en effet, la Cour suprême du Canada a modifié son attitude à l'égard des tribunaux administratifs ainsi que sa façon de concilier son rôle de contrôle de la légalité de l'activité administrative, qui comprend la révision des décisions des tribunaux administratifs, avec l'autonomie décisionnelle de ceux-ci. Depuis l'arrêt *Syndicat canadien de la Fonction publique* de 1979[39], la Cour suprême manifeste une reconnaissance accrue de l'expertise des tribunaux administratifs et semble plus respectueuse des « clauses privatives », ces dispositions édictées par le législateur dans le but de protéger le pouvoir décisionnel des tribunaux administratifs et de réduire le contrôle traditionnel des cours de justice[40]. Dans cet arrêt, la Cour suprême établit clairement un nouveau critère de contrôle, celui de l'erreur « manifestement déraisonnable », qui amène les cours de justice à faire preuve de beaucoup plus de réserve et à accorder aux tribunaux administratifs agissant à l'intérieur de leur compétence spécialisée, particulièrement ceux protégés par une clause privative, une plus grande marge de manœuvre[41]. De plus, dans l'arrêt *Bibeault*[42], la cour introduit une méthode pragmatique et fonctionnelle pour déterminer si un sujet donnée relève de la compétence d'un tribunal spécialisé ; cette méthode favorise une vision libérale de la compétence des tribunaux administratifs et tient compte de la spécialisation de ceux-ci[43].

Par ailleurs, toujours dans l'ordre administratif, est apparue ces dernières années une série d'institutions visant à offrir aux administrés une forme de pro-

---

37. Patrice Garant, *Droit administratif*, 4e éd., vol. 2, « Le contentieux », Cowansville, Éditions Yvon Blais, 1996, p. 534.

38. Patrice Garant, « Réflexions sur l'autonomie juridictionnelle des tribunaux administratifs d'appel », (1993) 7 *C.J.A.L.P.* 87, 93 et 94.

39. *Syndicat canadien de la Fonction publique, section locale 963* c. *Société des alcools du Nouveau-Brunswick*, [1979] 2 R.C.S. 227.

40. Claire L'heureux-Dubé, « L'arrêt Bibeault : une ancre dans une mer agitée », (1994) 28 *R.J.T.* 731.

41. R. Dussault et L. Borgeat, *op. cit.*, note 32, p. 176, 177, 210 et 325.

42. *U.E.S., local 298* c. *Bibeault*, [1988] 2 R.C.S. 1048.

43. Gilles Pépin, « La notion de compétence, ses conditions préalables et la retenue judiciaire », (1989) 49 *R. du B.* 135, 156.

tection différente de celle offerte par la justice judiciaire et la justice administrative. Selon l'administrativiste Daniel Mockle, ces institutions peuvent être regroupées en deux catégories[44]. Il y a tout d'abord les ombudsmans spécialisés, créés par le Parlement mais relevant de l'Exécutif, qui traitent des plaintes de leur secteur particulier, par exemple celui de la santé et des services sociaux. Puis, il y a les ombudsmans administratifs simplement créés à l'initiative des organismes administratifs. Ces nouvelles institutions utilisent le même mécanisme non juridictionnel de règlement des plaintes et des revendications que l'ombudsman parlementaire, dont nous traitons ci-après. Ce mode de contrôle connaît un succès du fait qu'il « allie souvent avec bonheur la rapidité, la gratuité, l'efficacité, la discrétion, la simplicité, et avant toute chose, l'immense avantage de pouvoir obtenir le redressement d'une difficulté sérieuse et réelle par un règlement non juridictionnel »[45].

Dans l'univers parlementaire, outre la responsabilité ministérielle, d'autres mécanismes sont venus resserrer le contrôle exercé sur l'activité de l'Administration. C'est par exemple le cas, au Québec, du protecteur du citoyen ou « ombudsman parlementaire ». Créé par l'Assemblée législative et en relevant directement, il a le pouvoir d'enquêter à l'égard des plaintes des citoyens qui s'estiment lésés par l'administration publique. Il ne possède pas de pouvoir de contrainte ou d'annulation, mais il peut faire des recommandations et des critiques qui sont généralement suivies ou prises en considération[46]. L'« ombudsman » québécois exerce depuis quelques années une influence qui va bien au-delà de l'examen des quelque 10 000 cas particuliers qui font annuellement l'objet de ses enquêtes ; sont aussi abordés dans son rapport annuel les problèmes systémiques des ministères ainsi que les effets plus généraux sur la population des compressions budgétaires faites par le gouvernement lui-même[47].

En conclusion, nous constatons que la création de nombreux tribunaux administratifs devant qui se règle la plus grande part du contentieux Administration-citoyens a fortement nuancé le principe traditionnel de l'unité de juridiction issu de la *Rule of law*, et voulant que ce soit les tribunaux judiciaires de droit commun qui contrôlent la légalité de l'activité de l'Administration. De plus, nous observons une large diversification des mécanismes de contrôle de l'Administration au sein de laquelle l'émergence d'institutions non juridictionnelles témoigne d'une approche évolutive de la protection des citoyens contre les abus de l'Administration[48]. Le droit du contrôle de l'Administration est donc aujourd'hui bien loin de l'époque où il se résumait à

---

44. Daniel Mockle, « Le développement des formules non juridictionnelles inspirées du modèle de l'Ombudsman », in *Nouvelles pratiques de gestion des litiges en droit social et du travail : actes de la 4e journée en droit social et du travail*, Cowansville, Éditions Yvon Blais, 1994, p. 43, à la page 80.

45. *Ibid.*, p. 47.

46. D. Mockle, *op. cit.*, note 44, p. 79 ; G. Pépin et Y. Ouellette, *op. cit.*, note 3, p. 33.

47. Protecteur du citoyen, *Pour un État qui assure un juste équilibre : 26e rapport annuel 1995-1996*, Québec, Éditeur officiel, 1996.

48. D. Mockle, *op. cit.*, note 44, p. 73.

quelques grands principes émanant du pouvoir judiciaire, même si l'action de ce dernier est la source de paramètres fondamentaux qui encadrent et influencent toujours l'ensemble des autres intervenants.

* * *

Les quelques exemples utilisés ici pour illustrer l'évolution du droit administratif contemporain ne sont nullement exhaustifs : l'analyse de divers autres changements en matière de structures administratives, de contrats, de décisions, de gestion financière et documentaire ou de responsabilité civile révélerait d'autres phénomènes tout aussi importants. À notre avis, toutefois, les quelques cas considérés sont représentatifs d'une évolution caractérisée tout d'abord par l'omniprésence d'un droit statutaire créant un régime d'intervention propre à l'Administration et situé en marge du droit commun, sans qu'il ne soit forcément incompatible avec ce dernier. L'évolution observée est également marquée par une très grande diversification des mécanismes de contrôle de l'Administration : dans cette nouvelle réalité où tous s'affairent à contrôler l'Exécutif, le contrôle judiciaire demeure fondamental sans détenir pour autant un monopole d'intervention. Enfin, cette évolution témoigne d'une mise à l'écart des prérogatives de la Couronne, désormais abolies, limitées ou transformées par le droit statutaire ou la jurisprudence.

9.3 L'émergence de principes favorisant la constitutionnalisation du droit administratif

Si la première partie de ce texte fait ressortir que le pouvoir judiciaire exerce maintenant une influence partagée avec le pouvoir législatif sur plusieurs aspects du droit administratif, la seconde partie tente de démontrer qu'un autre phénomène récent, l'arrivée des chartes des droits dans l'univers du droit public canadien et québécois depuis 20 ans, aura contribué par un effet de constitutionnalisation du droit administratif au renforcement de l'emprise du pouvoir judiciaire sur plusieurs volets de ce droit. Pour illustrer cette réalité, sans prétendre ici non plus à l'exhaustivité, nous traiterons de l'impact des principes constitutionnels d'indépendance et d'impartialité judiciaire à l'égard des tribunaux administratifs[49].

---

49. Trois dispositions peuvent imposer des exigences d'indépendance et d'impartialité aux tribunaux administratifs québécois. Il s'agit tout d'abord de l'article 7 de la Charte canadienne suivant lequel « chacun a droit à la vie, à la liberté et à la sécurité de sa personne ; il ne peut être porté atteinte à ce droit qu'en conformité avec les principes de justice fondamentale ». Ce concept de justice fondamentale inclut des exigences d'indépendance et d'impartialité ; on note cependant que, pour avoir droit à cette protection, il faut tout d'abord qu'il y ait une atteinte à la vie, à la liberté ou à la sécurité. De plus, en vertu de l'article 11 d) de la Charte canadienne, tout inculpé a droit à « un tribunal indépendant et impartial ». Notons que cette disposition trouve peu d'application en droit administratif, car elle ne s'applique qu'aux décisions qui ont de véritables conséquences pénales. Enfin, l'article 23 de la Charte

9.3.1 Le principe constitutionnel d'indépendance judiciaire

Traditionnellement, en droit administratif, c'est l'indépendance décisionnelle, l'indépendance d'esprit du décideur, que la jurisprudence cherche à protéger par les règles relatives au bon exercice du pouvoir discrétionnaire et, surtout, par la règle d'impartialité exigeant que les organismes exerçant des fonctions quasi judiciaires agissent « avec impartialité, indépendance et désintéressement »[50]. Or, en 1985, à l'occasion d'un litige portant sur une cour de justice criminelle, en interprétant les mots « tribunal indépendant » de l'article 11 d) de la Charte canadienne des droits et libertés[51] introduite dans la Constitution en 1982, la Cour suprême du pays affirme que l'indépendance judiciaire « connote non seulement un état d'esprit [...], mais aussi un statut, une relation avec autrui, particulièrement avec l'organe exécutif du gouvernement qui repose sur des conditions ou garanties objectives »[52]. La cour impose trois conditions essentielles à l'indépendance judiciaire : l'inamovibilité et la sécurité financière du juge, ainsi que l'autonomie institutionnelle de la cour à laquelle il se rattache.

En jetant un éclairage nouveau sur le concept d'indépendance judiciaire dans notre système constitutionnel et sur son champ d'application à l'égard de nos institutions de droit public, cette décision suscite rapidement des contestations inédites relativement au statut des tribunaux administratifs. Est particulièrement remise en question l'inamovibilité des membres de ceux-ci puisque, nommés pour des mandats limités et renouvelables, ils sont dans une situation plus précaire que les juges qui sont en poste jusqu'à l'âge de la retraite. Cependant, selon les cours de justice, le législateur n'entend pas soumettre l'ensemble des tribunaux administratifs aux mêmes exigences d'indépendance que celles imposées aux tribunaux judiciaires[53]. Dans le cadre de l'interprétation

---

québécoise – qui n'est pas véritablement un texte constitutionnel, puisque le Québec ne possède pas de Constitution, mais qui est est considéré comme un texte quasi constitutionnel étant donné sa primauté sur les autres lois – énonce que « [t]oute personne a droit [...] à une audition publique et impartiale de sa cause par un tribunal indépendant qui ne soit pas préjugé ». L'article 56 précise que cette protection vise, notamment, « une personne ou organisme exerçant des fonctions quasi judiciaires ».

50. G. Pépin et Y. Ouellette, *op. cit.*, note 3, p. 252 ; voir aussi Suzanne Comtois, « L'évolution des principes d'indépendance et d'impartialité quasi judiciaire : récents développements », (1993) 6 *C.J.A.L.P.* 187, 189.

51. Charte canadienne des droits et libertés, partie I de la Loi constitutionnelle de 1982 [annexe B de la Loi de 1982 sur le Canada (1982, R.-U., c. 11)].

52. *Valente* c. *La Reine*, [1985] 2 R.C.S. 673, 685. Notons que le principe d'indépendance judiciaire existait bien avant l'arrivée des chartes. Dans l'affaire *SITBA c. Consolidated-Bathurst Packaging Ltd.*, [1990] 1 R.C.S. 282, le juge Gonthier affirmait, à la page 333 : « L'indépendance des juges est un principe reconnu depuis longtemps dans notre droit constitutionnel ; elle fait partie des règles de justice naturelle même en l'absence de protection constitutionnelle ». Puis le juge rappelait les propos du juge en chef Dickson dans l'arrêt *Beauregard c. Canada*, [1986] 2 R.C.S. 56, 69 : « Historiquement, ce qui a généralement été accepté comme l'essentiel du principe de l'indépendance judiciaire a été la liberté complète des juges pris individuellement d'instruire et de juger les affaires qui leur sont soumises : personne de l'extérieur [...] ne doit intervenir en fait, ou tenter d'intervenir, dans la façon dont un juge mène l'affaire et rend sa décision. » Le juge Dickson ajoute : « Ces dernières années, la conception générale du principe de l'indépendance judiciaire a évolué et s'est transformée de manière à répondre aux besoins et aux problèmes modernes des sociétés libres et démocratiques. »

53. Par exemple, *Coffin c. Bolduc*, [1988] R.J.Q. 1307, 1318 (C.S.) ; *Russel c. Radley*, [1984] 1 C.F. 543, 571.

de l'article 23 de la Charte des droits et libertés de la personne[54], loi de nature quasi constitutionnelle adoptée par le Parlement du Québec en 1975, la jurisprudence considère que l'exigence d'indépendance « vise plus l'audition en tant que telle que la constitution de l'organisme »[55] : de fait, la jurisprudence est réticente à reconnaître l'indépendance-statut, de peur de faire obstacle au fonctionnement d'une justice administrative ayant fait les preuves de son utilité, de son efficacité et de sa qualité depuis plusieurs décennies[56].

Ainsi, dans l'arrêt fondamental rendu sur cette question par la Cour suprême en novembre 1996, celle-ci statue clairement que « [l]es principes développés par [cette cour] en matière d'indépendance judiciaire doivent trouver application en vertu de l'article 23 de la Charte »[57]. La cour s'empresse cependant d'ajouter qu'il ne fait cependant « pas de doute que les tribunaux administratifs n'auront pas nécessairement à présenter les mêmes garanties objectives relatives à l'indépendance que les cours »[58]. En fait, le statut des tribunaux administratifs peut être examiné en regard de cette exigence constitutionnelle mais, selon la cour, « une certaine dose de flexibilité est de mise à [leur] endroit »[59] ; il importe de moduler les exigences d'indépendance de façon à tenir compte de la nature du tribunal, de ses fonctions et caractéristiques propres, des intérêts en jeu et du contexte[60]. Par exemple, dans cette affaire où on mettait notamment en doute l'inamovibilité des membres de la Régie des alcools, des courses et des jeux, nommés par décret pour des mandats de deux, trois et cinq ans et prévoyant expressément les motifs de destitution, la cour jugea :

> Les conditions d'emploi des régisseurs se conforment [...] aux exigences minimales d'indépendance. Celles-ci ne requièrent pas que tous les juges administratifs occupent, à l'instar des juges judiciaires, leur fonction à titre inamovible. Les mandats à durée déterminée, fréquents, sont acceptables. Il importe toutefois que la destitution des juges administratifs ne soit pas laissée au bon plaisir de l'exécutif[61].

---

54. Charte des droits et libertés de la personne, L.R.Q., c. C-12 ; voir *supra*, note 49.

55. P. Garant, *op. cit.*, note 37, p. 323 ; voir aussi Patrice Garant, *Droit administratif*, 3e éd., vol. 3, « Les chartes », Cowansville, Éditions Yvon Blais, 1992, p. 298.

56. Gilles Pépin, « L'indépendance des tribunaux administratifs et l'article 23 de la Charte des droits et libertés de la personne », (1990) 50 *R. du B.* 766, 789 et suiv.

57. 2747-3174 *Québec Inc. c. Régie des permis d'alcool du Québec*, C.S.C. , n° 24309, 21 novembre 1996, p. 36 (j. Gonthier).

58. *Ibid.*, p. 38.

59. *Ibid.*, p. 37 ; voir : P. Garant, « L'impartialité structurelle des tribunaux administratifs », 1995 36 *C. de D.* 379, 399 et 400.

60. *Régie des permis d'alcool du Québec*, précité, note 57, p. 37, 38 ; *Canadien Pacifique Ltée c. Bande indienne de Matsqui*, 1995 1 R.C.S. 3, 51 (j. Lamer).

61. *Ibid.*, p. 40.

9.3.2 Le principe constitutionnel d'impartialité judiciaire

Selon la règle d'impartialité appliquée traditionnellement en droit administratif, les membres des tribunaux administratifs doivent « éviter de se placer dans des situations pouvant soulever une crainte raisonnable de partialité chez ceux qui sont touchés par leurs décisions »[62]. En vertu de cette règle, plusieurs situations sont depuis longtemps sanctionnables par les cours de justice, par exemple, les conflits d'intérêts, les comportements hostiles pendant l'audience et le fait de siéger en appel de sa propre cause[63].

Par ailleurs, avec l'arrivée des chartes des droits, dans le cadre de l'interprétation des garanties constitutionnelles touchant les cours de justice, la Cour suprême a cherché à assurer l'intégrité du processus judiciaire et a clairement reconnu, dans l'arrêt *Lippé* relatif aux cours municipales, que le principe constitutionnel d'impartialité comportait un aspect individuel et un aspect institutionnel. En effet, selon la cour, « qu'un juge particulier ait ou non entretenu des idées préconçues ou des préjugés, *si le système est structuré* de façon à susciter une crainte raisonnable sur le plan institutionnel, on ne satisfait pas à l'exigence d'impartialité »[64].

Suivant un scénario assimilable à celui vu antérieurement pour le principe d'indépendance, après les cours municipales, ce fut rapidement au tour de la justice administrative de faire l'objet de reproches en ce qui concerne le principe d'impartialité structurelle[65]. En particulier, ce principe a suscité des inquiétudes relativement à l'existence même des nombreux organismes multifonctionnels qui sont constitués par le législateur de façon à cumuler diverses responsabilités (réglementation, enquête, décisions quasi judiciaires, etc.) afin d'exercer de façon efficace leur rôle de surveillance d'un secteur d'activité donné[66]. Dans l'affaire de la *Régie des permis d'alcool*[67] dont nous venons de parler, la Cour suprême est venue préciser la portée du principe d'impartialité à l'égard de ces nombreux organismes de régulation économique exerçant des fonctions quasi judiciaires. Étant donné que le test élaboré par la cour pour déterminer la crainte de partialité institutionnelle permet de tenir compte de tous les facteurs pertinents et des garanties prévues par la loi pour réduire les effets préjudiciables, la cour est d'avis que la démarche élaborée pour les tribunaux judiciaires convient tout à

---

62. R. Dussault et L. Borgeat, *op. cit.*, note 32, p. 426.

63. *Ibid.*, p. 426 et suiv. ; P. Garant, *op. cit.*, note 37, p. 345 et suiv.

64. *R.* c. *Lippé,* [1991] 2 R.C.S. 114, 140 (j. Lamer). C'est nous qui soulignons. Notons que la dimension institutionnelle de la partialité n'est pas nouvelle en droit administratif. Cependant, la jurisprudence traditionnelle considérait que cette situation de partialité structurelle, quand elle était prévue par le législateur, ne risquait pas de soulever de crainte raisonnable de partialité. Voir : R. Dussault et L. Borgeat, *op. cit.*, note 32, p. 453 et 454 ; P. GARANT, *loc. cit.*, note 59, 380.

65. S. Comtois, *loc. cit.*, note 50, 196 et suiv. ; P. Garant, *Droit administratif*, 3e éd., vol. 3, « Les chartes », *op. cit.*, note 55, p. 312 et suiv.

66. P. Garant, *loc. cit.*, note 59 ; voir aussi *Une justice administrative pour le citoyen : Rapport du Groupe de travail sur certaines questions relatives à la réforme de la justice administrative*, Québec, 1994, p. 56.

67. Précitée, note 57.

fait à l'examen de la structure des organismes administratifs exerçant des fonctions quasi judiciaires, même de façon accessoire[68]. L'appréciation de la crainte de partialité étant toujours fonction des circonstances, il est certain que la nature du litige à trancher, les autres fonctions accomplies par l'organisme en cause et l'ensemble de son contexte d'opération influeront sur l'évaluation. Et dans le cas des tribunaux administratifs, il y a évidemment lieu de faire preuve d'une plus grande souplesse[69]. Ainsi, en l'espèce, la cour considéra que :

> Le fait que la Régie, en tant qu'institution, participe au processus d'enquête, de convocation et d'adjudication ne pose pas en soi problème. Cependant, la possibilité qu'un régisseur particulier décide, suite à l'enquête, de tenir une audition, et puisse ensuite participer au processus décisionnel, soulèverait [...] une crainte raisonnable de partialité [...][70].

Dans un tel cas, la cour indique qu'une mesure appropriée de cloisonnement entre les divers régisseurs impliqués aurait répondu à cette crainte de partialité. Adoptant ici, comme en matière d'indépendance, une attitude de tolérance et d'ouverture, la cour suggère ainsi au législateur une avenue permettant de minimiser les lacunes de fonctionnement des organismes multifonctionnels et assurant la sauvegarde de l'existence de ces organismes dont il faut reconnaître les avantages dans l'application de nombreuses politiques publiques[71].

Les situations dont nous venons de traiter et touchant les principes constitutionnels d'indépendance et d'impartialité constituent une illustration du phénomène de la constitutionnalisation du droit administratif canadien et québécois[72]. Un scénario similaire dans les deux cas et impliquant d'abord une reconnaissance constitutionnelle de principes applicables de prime abord au pouvoir judiciaire, suivie d'une transposition de ceux-ci dans l'ordre exécutif aux organismes quasi judiciaires, fait en sorte que certaines règles fondamentales de notre droit administratif se retrouvent maintenant intégrées dans les principes constitutionnels garantis par les chartes. Le changement est important en principe aussi bien qu'en pratique.

D'abord, la constitutionnalisation de ces principes fait que les règles qui en découlent bénéficient d'un statut supérieur dans l'ordre hiérarchique des normes juridiques. Les dispositions de nature constitutionnelle priment sur les lois édic-

---

68. *Ibid.*, p. 25. Notons qu'un autre aspect du problème consistait à déterminer la portée des termes « organismes exerçant des fonctions quasi judiciaires » à l'article 56 de la Charte québécoise, afin de savoir si le principe d'impartialité de l'article 23 s'appliquait seulement aux organismes exerçant *essentiellement* des fonctions judiciaires. Or, dans *Régie des permis d'alcool*, la Cour suprême affirme clairement que cet article vise aussi les organismes exerçant *accessoirement* des fonctions quasi judiciaires ; *ibid.*, p. 10, 12. Ainsi, ces organismes devront, dans l'exercice de ces fonctions, se conformer aux exigences de l'article 23.

69. *Ibid.*, p. 26.

70. *Ibid.*, p. 36.

71. P. Garant, *loc. cit.*, note 59, 403 et 404.

72. P. Garant, *Droit administratif*, 3e éd., vol. 3, *op. cit.*, note 55, p. XXII.

tées par le législateur, à moins de dérogation expresse à cet effet[73]. Cette prépondérance leur confère une plus grande intangibilité, puisqu'elles sont en principe à l'abri des atteintes issues des initiatives d'un seul Parlement, ainsi qu'une plus grande uniformité dans l'ensemble du droit canadien, la norme interprétée dans un cas valant pour l'ensemble des gouvernements. Ayant à interpréter les droits garantis par les chartes, ce sont donc les cours de justice qui précisent le contenu et la portée des principes constitutionnels et, par conséquent, leur application en droit administratif. Ce phénomène de constitutionnalisation du droit administratif entraîne une influence accrue du pouvoir judiciaire sur celui-ci.

En pratique, nous avons pu constater que, dans l'exercice de ce nouveau rôle constitutionnel, le pouvoir judiciaire, à l'encontre de ce que certains requérants l'incitaient à faire, a évité de rompre l'équilibre existant entre, d'une part, certaines exigences de commodité administrative et, d'autre part, la protection des droits individuels. En effet, nous l'avons vu, dans l'interprétation des principes constitutionnels d'indépendance et d'impartialité, et surtout dans la détermination de leur portée en droit administratif, la jurisprudence a adopté une approche souple, permettant de tenir compte des caractéristiques propres aux divers organismes administratifs, tout en reconnaissant aux administrés de meilleures garanties. La cour a ainsi évité de remettre en cause les fondements mêmes de la justice administrative et elle a plutôt cherché à améliorer certains aspects de son fonctionnement en fonction des valeurs judiciaires et des droits individuels véhiculés par les chartes. Même si le résultat est finalement davantage une adaptation de cette justice qu'une remise en question, il demeure que l'arbitrage entre ces deux approches était dans les mains de la Cour suprême.

9.4 Conclusion

Le présent texte cherche à mettre en perspective quelques éléments de l'évolution de l'influence du pouvoir judiciaire en droit administratif canadien et québécois. Dans un premier temps, une étude de certains volets marquants du droit administratif au cours des dernières décennies a révélé un accroissement considérable du droit statutaire régissant l'organisation et le fonctionnement de l'Administration, ainsi qu'une diversification constante des mécanismes de contrôle de l'Administration par rapport au contrôle judiciaire traditionnel. Le tout dénote une influence diluée du pouvoir judiciaire sur le droit administratif dans sa pleine dimension contemporaine : un législateur imprimant de plus en plus sa marque sur l'action de l'Exécutif entre maintenant en concurrence avec un pouvoir judiciaire surtout actif dans la sphère du contrôle de légalité qui, pour plusieurs, aujourd'hui, n'est plus qu'un moyen de dernier recours. Dans une seconde partie, nous avons vu que l'avènement des chartes des droits avait donné lieu, au cours de la dernière décennie, à la constitutionnalisation de certains principes de base du droit administratif, particulièrement dans le domaine de la

73. Voir : art. 33 Charte canadienne ; art. 52 Charte québécoise.

justice administrative. Ce phénomène a occasionné un renforcement de l'emprise du pouvoir judiciaire sur plusieurs aspects de ce droit: dorénavant, plusieurs paramètres de l'équilibre entre les droits des individus et l'efficacité administrative se trouvent transposés dans l'univers du droit constitutionnel et soumis à l'arbitrage quasi exclusif du pouvoir judiciaire.

Le constat que, pour notre part, nous dégageons de cette analyse, bien sûr très sommaire, est que, si les tribunaux ont peut-être ressenti la présence grandissante du législateur sur leur territoire traditionnel du contrôle, l'occasion que leur offrait l'avènement des chartes des droits a contrebalancé en partie cette perte d'influence. Il est bien difficile, et finalement peu pertinent, de savoir si le pouvoir judiciaire est gagnant ou perdant à la suite de ces deux ordres de mutation qui reflètent deux phénomènes bien distincts, l'expansion et la modernisation de l'appareil d'État et le renforcement des droits individuels. Ce que l'on observe, c'est que la diminution relative de l'influence du pouvoir judiciaire dans l'univers en expansion des règles relatives aux structures, à l'organisation et au fonctionnement de l'Exécutif se situe surtout dans l'ordre administratif des moyens et des processus, alors que son rôle de gardien des équilibres fondamentaux entre droits individuels et efficacité administrative est d'ordre politique et se situe au cœur de la définition des valeurs et du traitement des enjeux qui caractérisent une démocratie moderne. En ce sens, si, quantitativement, le pouvoir judiciaire est sans doute relativement moins présent qu'il ne l'était par rapport à l'ensemble des objets dont traite le droit administratif contemporain, il demeure que, sur un plan plus qualitatif, son influence demeure déterminante à l'égard de plusieurs des grands paramètres qui font évoluer l'ensemble de cette discipline.

CHAPITRE 10

Modernisation administrative au gouvernement du Canada

Michel Paquin
Professeur
École nationale d'administration publique

10.1 Introduction

Une des caractéristiques de l'administration publique canadienne est ce besoin, ressenti depuis au moins 35 ans, c'est-à-dire depuis la parution du rapport de la Commission royale sur l'organisation du gouvernement, appelée « commission Glassco », de réformer l'administration. C'est le gouvernement conservateur du premier ministre John Diefenbaker qui, en septembre 1960, créait cette commission en lui demandant d'étudier l'organisation et le mode de fonctionnement des ministères et organismes du gouvernement du Canada et de faire des recommandations favorisant le mieux l'efficacité, l'économie et l'amélioration de la conduite des affaires de l'État. Depuis 1962, on assiste à une réforme importante tous les trois ou cinq ans, avec toujours les mêmes objectifs (Johnson, 1992 : 7).

Il semble que, en dépit des progrès accomplis, les objectifs visés ne soient jamais complètement atteints. Il faut dire que l'objectif de « laisser les gestionnaires gérer », phrase par laquelle on se souvient de la commission Glassco, est difficilement réconciliable avec la nécessité d'un contrôle efficace par le Parlement et le gouvernement de l'utilisation des deniers publics. Il faut aussi comprendre que les gouvernements font face à des temps difficiles et que l'administration publique, comme toute organisation dont l'environnement est turbulent, doit s'adapter continuellement pour faire face aux nouvelles réalités.

Le Canada a la réputation d'être un des chefs de file en matière de réforme administrative (Caiden, Halley et Maltais; 1995 : 86). Si son administration publique n'a pas connu des transformations aussi profondes que celle d'autres pays, tels le Royaume-Uni et la Nouvelle-Zélande, il faut reconnaître toutefois que des changements importants ont été introduits. Dans ce chapitre, nous allons nous attarder aux efforts de modernisation effectués depuis le milieu des années 80. Au cours de cette période, l'administration publique du Canada a, comme celle de plusieurs autres pays, surtout été influencée par le mouvement du nouveau management public, et les mesures prises ont été fort nombreuses. Aussi, nous allons nous concentrer sur les principales réformes.

10.2 Le programme d'amélioration de la productivité

Durant les années 70 et au début des années 80, les gouvernements successifs ont cherché, à l'aide des organismes centraux, à mieux surveiller les activités des ministères opérationnels, notamment à la suite des critiques adressées par le vérificateur général du Canada, dans son rapport de 1976, selon lequel le Parlement et le gouvernement avaient perdu le contrôle des dépenses publiques. En 1983, le vérificateur général dénonçait plutôt les nombreuses procédures avec lesquelles les administrateurs devaient composer et qui nuisaient à la productivité du secteur public.

Le programme d'amélioration de la productivité du gouvernement fédéral, lancé en 1984 par le président du Conseil du Trésor, fut une réponse aux problèmes dénoncés par le vérificateur général (Clark, 1994 : 214). Dans le cadre de ce programme, on a procédé à une révision des contrôles des ministères effectués par les organismes centraux, à une révision de la réglementation en vue d'éliminer les règles inutiles et à la recherche de moyens visant à améliorer la productivité, en modifiant les milieux de travail. Avec l'arrivée au pouvoir, en septembre 1984, du gouvernement conservateur de Brian Mulroney, le programme perdit de son prestige au profit de deux nouvelles stratégies, la première étant le Groupe de travail ministériel sur l'examen des programmes, la seconde étant l'initiative appelée « Accroissement des pouvoirs et des responsabilités ministériels (APRM) » (Clark, 1994 : 215).

10.3 Le Groupe de travail ministériel sur l'Examen des programmes

Le lendemain de son arrivée au pouvoir, le premier ministre Mulroney annonçait la mise sur pied d'un groupe de travail ministériel chargé de revoir les programmes existants en vue d'éliminer ceux qui étaient devenus inutiles et d'en consolider d'autres, en vue non seulement de réaliser des économies, mais d'avoir un meilleur gouvernement. Le groupe de travail devait revoir les programmes en vue d'établir un profil plus simple, plus compréhensible et plus accessible aux clients, où la prise de décision est décentralisée et appartient le plus possible à ceux qui sont en contact avec les groupes de clients. Le gouvernement souhaitait aussi que l'on s'inspire le plus possible des pratiques de gestion en vigueur dans le secteur privé. Le premier ministre se tourna vers le vice-premier ministre Éric Nielsen pour présider le groupe de travail et il nomma trois de ses ministres supérieurs comme membres. Nielsen établit un comité conseil composé de onze personnes venant du secteur privé (Savoie, 1994 : 127).

Le groupe de travail ministériel mit sur pied dix-neuf équipes de travail chargées d'examiner dix-neuf familles de programmes, la plupart de ces familles recoupant plusieurs ministères. Ces équipes comptaient en moyenne une quinzaine de membres venant à peu près également du secteur privé et de l'administration publique, et elles eurent trois mois pour faire leur revue de programmes. Une fois rédigés, les rapports des équipes de travail étaient soumis au comité-conseil du secteur privé. Les dix-neuf rapports furent déposés le 11 mars 1986. On y recommandait des réductions de dépenses et de taxes pour une valeur de 7 à 8 milliards de dollars et des réductions substantielles des subventions à l'agriculture, aux pêcheries, au transport, aux entreprises et aux arts. On y recommandait aussi l'adoption par le gouvernement d'une politique de transfert par contrat au privé de la prestation de certains services (*make or buy*). On trouvait aussi une foule d'autres recommandations touchant tous les aspects de la politique publique et la plupart des programmes examinés. Les économies provenant de l'exercice Nielsen sont évaluées à environ 500 millions de dollars. On est évidemment très loin des milliards promis (Savoie, 1994 : 129).

En dépit du succès mitigé rencontré sur le plan de la réduction des dépenses, plusieurs réalisations peuvent être attribuées au groupe de travail Nielsen, le gouvernement ayant mis en œuvre plusieurs recommandations, dont celles du groupe de travail sur le processus de réglementation. De plus, plusieurs ministères se sont inspirés des rapports des équipes de travail et ont appliqué des recommandations importantes (Simeon, 1989-1990).

10.4 L'Accroissement des pouvoirs et des responsabilités ministériels

L'Accroissement des pouvoirs et des responsabilités ministériels (APRM) est une initiative du gouvernement conservateur, approuvée par le Conseil du Trésor, en février 1986. Cette initiative repose dans une large mesure sur le travail effectué par le Conseil du Trésor dans le cadre du programme d'amélioration de la productivité que l'APRM se trouve à remplacer. L'APRM compte deux aspects principaux, le premier consistant en une revue des politiques et des procédures du Conseil du Trésor, de façon à donner aux ministres et aux principaux administrateurs des ministères plus d'autorité et de latitude dans les décisions concernant le déploiement des ressources. C'est ainsi que le nombre de rapports à fournir au Conseil du Trésor fut réduit et que fut haussé le plancher sur certaines dépenses autorisées par le Conseil du Trésor.

Le second aspect consistait pour les ministres et leur ministère à négocier avec le Conseil du Trésor, sur une base volontaire, une entente comprenant un cadre pour la gestion et la reddition de comptes. En retour, pour une plus grande flexibilité dans la gestion des politiques du Conseil du Trésor, les ententes prévoyaient un régime de reddition de compte focalisant sur les résultats et comprenant un rapport annuel, des indicateurs de performance et une révision en profondeur tous les trois ans. Par la suite, des ententes furent signées avec dix ministères et le nombre des demandes adressées au Conseil du Trésor par les ministères fut réduit de moitié (Clark, 1994 : 216).

Le fait que, sur une période de quatre ans, seulement dix ministères (le tiers de la fonction publique fédérale) conclurent une entente avec le Conseil du Trésor indique que l'APRM a connu un succès limité. Cela semble démontrer que l'approche du gouvernement en matière de dévolution de l'autorité manquait de leadership politique ou d'orientation stratégique (Aucoin, 1995 : 129).

10.5 Fonction publique 2000

En 1986, deux professeurs de l'Université d'Ottawa, Jak Jabes et David Zussman, effectuèrent une enquête sur les attitudes des hauts fonctionnaires de l'administration fédérale. En analysant les résultats, les deux chercheurs arrivèrent à la conclusion que les attitudes des gestionnaires du secteur public et celles du secteur privé étaient totalement différentes, les notes obtenues sur diverses échelles d'attitude ayant tendance à être plus basses dans le secteur public que celles obtenues dans le secteur privé. Ils constatèrent aussi que, lorsqu'on compare les niveaux de gestion, on note une différence importante dans les attitudes des gestionnaires du secteur public et que le degré de satisfaction baisse à mesure que l'on descend dans la hiérarchie. On est donc face à un phénomène de « solitude verticale » et les gestionnaires ne partagent pas un esprit ministériel. Une enquête plus importante, effectuée en 1988, confirma les résultats de l'enquête précédente et montra même que les conditions s'étaient un peu détériorées (Zussman et Jabes, 1989).

Les résultats de ces enquêtes suscitèrent beaucoup de débats dans la haute fonction publique et devaient conduire à l'annonce, par le premier ministre Mulroney, le 12 décembre 1989, d'un projet de renouvellement de la fonction publique du Canada appelé « Fonction publique 2000 » (Clark, 1994 : 217).

Le greffier du Conseil privé, assisté d'un directeur du projet, était responsable de l'opération, qui était un exercice de réforme entrepris par la fonction publique elle-même. Dix groupes de travail comptant 120 sous-ministres, sous-ministres adjoints et autres cadres supérieurs furent mis sur pied de même qu'un comité consultatif présidé par le greffier du Conseil privé, qui faisait le suivi des groupes de travail et conseillait les responsables de l'opération. Les membres des groupes de travail ont consulté de nombreuses personnes tant au sein qu'à l'extérieur de la fonction publique. Des milliers de personnes ont été consultées, tandis que les sous-ministres menaient au sein de leur ministère des discussions et des consultations sur les rapports des groupes de travail. De leur côté, les responsables du projet menaient des consultations externes, notamment avec les syndicats et divers groupes professionnels. Ces divers travaux devaient mener à la publication, en décembre 1990, d'un livre blanc intitulé *Fonction publique 2000 : le renouvellement de la fonction publique du Canada* (Gouvernement du Canada, 1990).

Le livre blanc fait état de plusieurs défis dont : la rapidité des changements économiques et sociaux et la complexité croissante des questions de politique ; la plus grande transparence du processus politique ; la prolifération des contrôles et les multiples procédures qui sont un frein au changement, la faiblesse du moral des fonctionnaires et de la productivité dans l'administration publique ; les contraintes financières croissantes et le faible niveau de confiance des citoyens à l'endroit de la fonction publique. Ces défis exigent une fonction publique plus ouverte dans ses relations avec les Canadiens et plus flexible dans ses procédures internes. On fait appel au remplacement de la culture bureaucratique par une culture axée sur la consultation et le service au citoyen.

Le livre blanc propose divers moyens. Ainsi, dans le but de promouvoir le changement de culture, les ministères doivent, en consultation avec les employés, élaborer un énoncé de mission, développer la consultation des citoyens et établir des normes de service. L'énoncé de mission doit refléter l'importance de la gestion participative et comprendre des objectifs précis de service. Les ministères doivent s'assurer que l'information relative à la satisfaction des clients est recueillie et que des procédures existent pour faire suite aux plaintes reçues.

Le gouvernement décidait aussi d'établir pour chaque programme un seul budget de fonctionnement regroupant les salaires, les autres dépenses de fonctionnement et les petites dépenses d'immobilisations, de telle sorte que les administrateurs puissent décider de la meilleure façon de faire le travail. Il est de plus proposé que 2% du budget puisse être reporté d'un exercice financier à l'autre.

Des changements dans les politiques administratives et les services communs sont proposés afin d'améliorer la flexibilité et de déléguer des responsabilités sur le plan des activités. Le recours aux services communs ne sera obligatoire que dans les cas d'absolue nécessité.

Le gouvernement s'engage à revoir les structures en limitant à trois le nombre de niveaux de cadres supérieurs au-dessous du sous-ministre. Des administrateurs ayant plus de pouvoirs, de meilleures communications et une réduction de l'effectif devraient découler de cette mesure. Il est de plus proposé, en vue de simplifier les processus, d'améliorer les perspectives de carrière et la flexibilité dans le déploiement, de réduire le nombre de corps d'emploi et le nombre de niveaux au sein d'un groupe.

L'habilitation des fonctionnaires est la pierre angulaire de Fonction publique 2000. Le gouvernement s'engage à accorder plus d'importance à la formation des cadres des niveaux intermédiaires et supérieurs. Les gestionnaires se verront fixer des normes de rendement et ils seront responsables des résultats atteints.

Finalement, le gouvernement s'engageait à favoriser de nouveaux modèles organisationnels pour la prestation des services, notamment sous la forme d'organisme de service spécial (OSS) pour améliorer la qualité et réduire les coûts, en s'inspirant de méthodes de gestion en vigueur dans le secteur privé. Il faut noter toutefois que cette initiative avait déjà été engagée par le Conseil du Trésor et qu'elle n'est pas directement le fruit de Fonction publique 2000.

Dans son rapport de 1993, le vérificateur général du Canada notait que Fonction publique 2000 avait fait d'importants progrès, notamment en ce qui a trait aux changements législatifs et à la modification des systèmes. Ayant constaté qu'une « atmosphère de scepticisme et de cynisme entourait cette initiative », il se montrait cependant préoccupé au sujet de la mise en œuvre (Vérificateur général du Canada, 1993 : 173). En effet, si on note plusieurs réalisations importantes, on note également plusieurs embûches sur la voie du véritable changement que Fonction publique 2000 devait réaliser.

Des changements radicaux dans les structures et les systèmes administratifs ont été apportés. Ainsi, la recommandation concernant le budget d'opération a été introduite – la limite de 2% du report a même été augmentée à 5% à compter de l'exercice financier 1994-1995, le Conseil du Trésor ne contrôle plus les personnes-années, la fonction publique a été largement réformée selon les orientations du livre blanc – une loi sur la réforme de la fonction publique a été adoptée en décembre 1992 – et la plupart des services communs sont maintenant optionnels (Clark, 1994).

Plusieurs ministères se sont intéressés au *Total Quality Management* et plus d'importance est donnée à une focalisation sur le client dans la conception et la prestation des services publics et des activités de régulation (Aucoin, 1995 : 202). Cependant, l'engagement du gouvernement en faveur d'une approcheclient doit surmonter le scepticisme des fonctionnaires, alors qu'il faut maintenir les services et améliorer la qualité dans un contexte où les ressources sont diminuées (Aucoin, 1995 : 211). Quant aux normes de service, elles ne seront pas véritablement élaborées et l'initiative sera reprise par le gouvernement libéral de Jean Chrétien lorsque, en juin 1995, le Cabinet approuvait les grandes lignes d'une initiative appelée « Services de qualité ». La prestation des services se voit alors accorder une bien plus grande priorité que ça n'avait été le cas jusqu'alors (Seidle, 1995 : 91). En 1996, la plupart des ministères avaient rendu public des normes qui sont des points de repère permettant de mesurer l'accessibilité des services, leur fiabilité, leur pertinence et les délais encourus (Gouvernement du Canada, 1996 : 27).

Au moment de sa mise en œuvre, Fonction publique 2000 n'était probablement pas une réponse appropriée au contexte du moment, alors que l'on faisait face à une grave crise économique. Plusieurs mesures impopulaires furent annoncées dans le budget de 1991-1992, dont le gel des dépenses à leur niveau existant, la discussion avec les syndicats sur la réduction de la fonction publique et la décision de réduire de 10 % le nombre de cadres. Fonction publique 2000 fut donc perçue comme une façon de réduire le secteur public et non pas comme un virage culturel (Caiden, Halley et Maltais, 1995 : 92).

À la fin de 1993, Fonction publique 2000, comme programme de réforme, n'existait plus. Il faut cependant attribuer à cette initiative d'avoir donné à la fonction publique canadienne les principaux principes selon lesquels elle devait être gérée. Plusieurs de ces concepts font maintenant partie de la pratique, tels une conscience accrue de l'importance du service au public, la nécessité de la formation, le besoin d'une plus grande participation à la prise de décision et de meilleures communications internes. Fonction publique 2000 a aussi le mérite d'avoir légitimer l'action de ceux qui fonctionnaient déjà selon les principes qu'elle préconise, en dépit de la culture bureaucratique qui existait (Caiden, Halley et Maltais, 1995 : 96-97).

10.6 Les organismes de service spéciaux et autres modes d'implantation des programmes

Au Canada, à l'échelon fédéral, deux modèles d'implantation des programmes prédominent : les services sont assurés soit directement par les ministères, soit par les sociétés d'État à vocation commerciale, qui n'ont aucun lien de dépendance avec le gouvernement. En 1989, le Secrétariat du Conseil du Trésor avait examiné l'expérience britannique du programme *Next Steps* en vue de son implantation au Canada. La création d'agences d'implantation bénéficiant d'une plus grande indépendance, libérant les gestionnaires de plusieurs contraintes opérationnelles, encourageant les administrateurs à se comporter davantage comme des gens d'affaires, créant des incitations à innover et à réduire les coûts et améliorant l'imputabilité grâce à des critères de rendement clairs apparaissait une formule particulièrement intéressante. La variante canadienne de cette formule fut appelée « organisme de service spécial » (OSS). En décembre 1989, le président du Conseil du Trésor annonçait la création de cinq OSS (Clark, 1994 : 217).

La formule canadienne devait cependant connaître moins de succès que la britannique. Les seize organismes existants en 1995 ne comptaient que 7 000 employés – moins de 3 % des fonctionnaires fédéraux – pour des dépenses de programmes de 1,2 milliards de dollars, soit 1 % des dépenses de programmes du gouvernement (Conseil du Trésor du Canada, Secrétariat, 1995 : 4).

Si certains OSS sont financés à partir des frais imposés aux usagers, bon nombre sont financés en partie ou en totalité au moyen de crédits. Un document cadre définit les pouvoirs précis d'un OSS dans des domaines comme la gestion financière et celle des ressources humaines. En réalité, le degré de latitude administrative a été plutôt limité, particulièrement dans le secteur de la gestion des ressources humaines où, pour des raisons juridiques, les délégations ministérielles sont limitées aux pouvoirs du sous-ministre. Deux organismes qui ont le statut d'employeur distinct font cependant exception. Les organismes qui disposent de fonds renouvelables bénéficient d'une marge de manœuvre beaucoup plus grande en matière de gestion financière. Le sous-ministre ou le sous-ministre adjoint dont relève un OSS demeure responsable des activités de l'organisme et, par conséquent, une bonne partie de l'autonomie des OSS est non officielle et dépend de la volonté de la haute direction du ministère de ne pas intervenir dans les opérations quotidiennes de l'organisme (Wright, 1995).

En retour d'une plus grande autonomie, les OSS doivent rendre des comptes. Ils doivent cependant respecter les politiques des organismes centraux et du ministère dont ils n'ont pas été exemptés. La reddition des comptes porte donc sur le respect des politiques et sur les résultats. Les principaux instruments de reddition de compte sont la charte de l'organisme, qui définit le cadre de l'imputabilité, le plan annuel d'entreprise et le rapport annuel qui permettent d'établir les objectifs de rendement et de rendre compte des résultats à cet égard. Cependant, aucune information sur des aspects du rendement autres que financiers n'a été demandée et très peu d'organismes publient un rapport annuel. Le mécanisme traditionnel du plan opérationnel pluriannuel et du budget des dépenses principal continue donc de s'appliquer (Wright, 1995 : xv).

Dans une étude récente, Peter Aucoin attribue les résultats modestes obtenus à l'absence de leadership politique visant une réforme en profondeur de la gestion publique et à l'absence de volonté de considérer des changements importants dans les façons de faire du secteur public. La conception des organismes de service spéciaux serait fondamentalement mauvaise, parce qu'ils demeurent des unités au sein des ministères et relèvent ainsi des sous-ministres plutôt que d'être des unités séparées relevant directement d'un ministre (Aucoin, 1996).

Le gouvernement libéral, au pouvoir depuis novembre 1993, n'a pas remis en question l'existence des OSS, ni d'ailleurs favorisé le développement de ces organismes. Il a continué à s'intéresser à cette formule, mais aussi à de nouveaux modèles organisationnels. Dans certains cas, le gouvernement a favorisé le regroupement de certaines unités. Ainsi, les flottes non militaires de la Garde côtière et de Pêches et Océans ont été fusionnées, ce qui permet de mettre en œuvre des stratégies plus cohérentes et de rationaliser les dépenses rattachées aux installations et à l'administration. Par ailleurs, le gouvernement fédéral reconnaît que les administrations provinciales, les entreprises privées, les organismes bénévoles et les groupes communautaires peuvent parfois être de meilleurs fournisseurs de services. Les nouvelles approches favorisent la conclusion d'ententes de partenariat avec les provinces et le secteur privé, par exemple, dans le domaine du tourisme où la contribution fédérale pour les activités de marketing s'accompagne d'un effort équivalent du secteur privé. Enfin, les nouvelles approches comprennent le transfert de certaines activités au secteur privé, dans certains cas en négociant des ententes avec des groupes d'anciens employés (Gouvernement du Canada, 1996 : 22-25).

Dans le budget de mars 1996, le gouvernement annonçait la création de trois nouvelles agences (l'Agence des parcs nationaux, l'Agence d'inspection des aliments et la Commission nationale du revenu), mais aucune n'est un organisme de service spécial.

10.7 La réorganisation de 1993

En juin 1993, Kim Campbell, la nouvelle chef du parti progressiste conservateur et nouvelle première ministre restructurait le gouvernement en réduisant le nombre de ministères de 32 à 23. En octobre, le parti libéral, mené par Jean Chrétien, remportait les élections. Le nouveau premier ministre apporta quelques changements à la réforme Campbell, mais il retint l'idée d'un plus petit cabinet et opta pour 24 ministères. Les attentes étaient qu'un plus petit cabinet, avec moins de ministres représentant des intérêts particuliers, produirait un meilleur équilibre entre les ministères dépensiers et ceux allouant les fonds, et qu'il serait plus facile d'avoir une vue globale. Un ancien haut fonctionnaire, Marcel Massé, fut désigné président du Conseil privé, ministre des Affaires intergouvernementales et ministre chargé du Renouveau de la fonction publique.

Le nouveau gouvernement avait trois principaux objectifs. Premièrement, il voulait améliorer l'efficacité de la fédération en définissant plus clairement les responsabilités respectives du gouvernement central et des provinces, et en réduisant les chevauchements coûteux. Deuxièmement, il voulait procéder à la revue des programmes de façon à établir des priorités et à réduire les dépenses tout en fournissant les meilleurs services possible aux Canadiens. Troisièmement, le nouveau gouvernement désirait le renouveau de la fonction publique. Tout en admettant, à cause de contradictions, l'échec de Fonction publique 2000, il lui attribuait certaines réalisations importantes et reconnaissait la valeur des idées et des principes sous-jacents (Massé, 1993).

10.8 L'Examen des programmes

Une des principales promesses des libéraux lors de la campagne électorale de 1993 était de ramener le déficit, pour 1997-1998, à 3 % du PIB. Les conservateurs avaient fait des efforts considérables dans la lutte au déficit, mais sans atteindre des résultats vraiment satisfaisants. On avait utilisé divers moyens pour limiter les dépenses, mais on n'avait pas remis en question de façon fondamentale les programmes gouvernementaux existants. Au printemps de 1994, les ministères et organismes gouvernementaux se virent attribuer des cibles de dépenses pour les trois exercices financiers commençant en avril 1995. Ces cibles correspondaient généralement à des réductions importantes du budget et les ministères et organismes étaient responsables de concevoir les changements aux programmes permettant d'atteindre les cibles fixées.

Le premier budget libéral couvrant l'exercice 1994-1995 n'était pas particulièrement dur, mais les mesures présentées au Parlement, en février 1995, allaient passer à l'histoire. Sur une période de trois ans, on prévoyait une réduction des dépenses des programmes – c'est-à-dire toutes les dépenses à l'exception du service de la dette – de l'ordre de 29 milliards de dollars et l'élimination de 45 000 emplois dans la fonction publique. Plusieurs organismes étaient appelés à disparaître ou à fusionner avec d'autres et des programmes de subventions, notamment dans les secteurs de l'agriculture et des transports, étaient abolis. Le gouvernement annonçait son intention de remplacer ses contributions aux provinces dans les domaines de la santé, du bien-être et de l'éducation post-secondaire par un nouveau programme de transfert. Les provinces auraient plus de flexibilité dans la gestion des programmes, mais les paiements transférés étaient réduits de 4,5 milliards de dollars par année (Kroeger, 1995 : 21-22).

L'Examen des programmes a fait appel à des techniques inusitées jusque-là. Plutôt que d'appliquer des compressions uniformes, les cibles budgétaires variaient énormément d'un secteur à l'autre allant d'une réduction minimale de 5 % dans quelques secteurs jusqu'à un maximum de 60 % dans d'autres (Kroeger, 1995 : 23). C'est dans le cadre de rencontres bilatérales que le ministre des finances, Paul Martin, et le ministre Marcel Massé ont, entre autres, fait part à chaque ministre du pourcentage attendu de lui en matière de réduction des dépenses. Notons toutefois que les cibles de coupure se sont modifiées en cours de route, forçant ainsi certains ministères à reprendre leur exercice (Charih, 1995 : 31-32).

Le gouvernement a créé, au sein du Bureau du Conseil privé, le Secrétariat de l'examen des programmes et a invité les ministères à présenter un plan stratégique d'activités. Chaque ministère a présenté son plan après avoir obtenu le feu vert de son ministre. Une fois analysés par le Secrétariat à l'examen des programmes, les plans stratégiques d'activités étaient soumis au comité directeur de sous-ministres où le sous-ministre présentait son plan. Lorsque la réaction était positive, le plan était présenté devant le comité Massé composé de ministres supérieurs (Charih, 1995 : 33).

Grâce aux changements apportés aux services eux-mêmes et à leur mode de prestation, il est prévu une diminution des dépenses de programmes de plus de 12 % entre 1993-1994 et 1998-1999. Par rapport à la taille de l'économie, ces dépenses passent, pour la même période, de près de 17 % à 12 % du PIB (Gouvernement du Canada, 1996 : 7).

10.9 L'exploitation des technologies de l'information

Les efforts du gouvernement fédéral pour améliorer la qualité et l'efficacité de ses programmes et de ses services comprennent, entre autres, une meilleure utilisation des technologies de l'information. En 1993, un poste de dirigeant principal de l'informatique a été créé au Conseil du Trésor et, sous sa direction, on a publié un *Plan directeur pour le renouvellement des services gouvernementaux à l'aide des technologies de l'information* (Conseil du Trésor, Secrétariat, 1994) qui met l'accent sur la réingénierie des processus, en ayant recours à la nouvelle technologie de l'information. On pense ainsi que les services pourront être offerts plus facilement et à moindres coûts. On compte plusieurs expériences ayant permis de réduire la paperasserie et d'améliorer l'accessibilité et la rapidité du service. Par exemple, à Industrie Canada, pour les documents exigés aux termes de la Loi sur les sociétés par actions, on peut recourir à l'enregistrement et à l'émission électronique éliminant la nécessité d'un double enregistrement aux échelons fédéral et provincial. Le site Canada sur Internet qui permet d'accéder à une série de renseignements et de services constitue un autre exemple (Gouvernement du Canada, 1996 : 21-22).

10.10 Conclusion

L'administration publique canadienne a connu, depuis le début des années 60, des transformations importantes. Depuis le milieu des années 80, ces changements se sont accélérés. Sous le gouvernement conservateur (1984-1993), on a surtout cherché à introduire dans l'administration publique des modes de gestion inspirés de l'expérience du secteur privé. Tout en poursuivant dans cette voie, les libéraux, au pouvoir depuis l'automne 1993, ont cherché à recadrer le rôle de l'État. La volonté politique de transformation de l'administration publique se manifeste plus fortement que sous le règne conservateur et les résultats sont plus marqués.

* * *

RÉFÉRENCES

AUCOIN, P. (1995). *The new public management. Canada in comparative perspective*, Montréal, Institut de recherches en politiques publiques.

AUCOIN, P. (1996). « Designing Agencies for Good Public Management : the Urgent Need for Reform », *Choices Governance*, vol. 2, n°, 4, avril, p. 5-19.

CAIDEN, G.E., A.A. HALLEY et D. MALTAIS (1995). « Results and lessons from Canada's PS2000 », *Public Administration and Development*, vol. 15, p. 85-102.

CHARIH, M. (1995). « La révision des programmes fédéraux : un examen du processus », dans A. Armit et J. Bourgault (dir.), *L'heure des choix difficiles : l'évaluation de l'Examen des programmes*, Institut d'administration publique du Canada, p. 29-37.

CLARK, I. (1994). « Restraint, renewal, and the Treasury Board Secretariat », *Administration publique du Canada*, vol. 37, n° 2, été, p. 209-248.

CONSEIL DU TRÉSOR DU CANADA, SECRÉTARIAT (1994). *Plan directeur pour le renouvellement des services gouvernementaux à l'aide des technologies de l'information*, Ottawa.

CONSEIL DU TRÉSOR DU CANADA, SECRÉTARIAT (1995). *Cadre d'examen des différents modes d'exécution des programmes*, Ottawa.

GOUVERNEMENT DU CANADA (1990). *Fonction publique 2000. Le renouvellement de la fonction publique du Canada*, Ottawa.

GOUVERNEMENT DU CANADA (1996). *Repenser le rôle de l'État. Rapport d'étape*, Ottawa.

JOHNSON, A.W. (1992). *Reflections on Administrative Reform in the Government of Canada 1962-1991*, Ottawa, Bureau du vérificateur général du Canada.

KROEGER, A. (1995). « Changing Course : The Federal Government's Program Review of 1994-95 », dans A. Armit et J. Bourgault (dir.), *L'heure des choix difficiles : l'évaluation de l'Examen des programmes*, Institut d'administration publique du Canada, p. 21-28.

MASSÉ, M. (1993). *Créer un gouvernement de qualité : le défi de la mise en œuvre*, Allocution à la Conférence nationale sur les relations gouvernementales, 1er décembre.

SAVOIE, D.J. (1994). *Thatcher, Reagan, Mulroney : In Search of a New Bureaucracy*, Toronto, University of Toronto Press.

SIEDLE, F.L. (1995). *Rethinking the delivery of public services to citizens*. Montréal, Institut de recherche en politiques publiques.

SIMEON, J.C. (1989-1990). « Groupe de travail Nielsen sur l'étude des programmes et la réorganisation de l'administration fédérale », *Optimum*, vol. 20-1, p. 7-20.

VÉRIFICATEUR GÉNÉRAL DU CANADA (1993). *Rapport du vérificateur général du Canada à la Chambre des communes*, Ottawa.

WRIGHT, J.D. (1995). *Organismes de services spéciaux : autonomie, responsabilité et mesure du rendement*, Ottawa, Centre canadien de gestion.

ZUSSMAN, D., et J. JABES (1989). *The Vertical Solitude : Managing in the Public Sector*, Halifax, Institute for Research on Public Policy.

CHAPITRE 11

L'exercice des pouvoirs et l'autonomie gouvernementale chez les Autochtones au Canada

Audrey Doerr

Ex-directrice générale pour l'Ontario, ministère des Affaires indiennes et du Nord

11.1 Historique

Au Canada, les droits ancestraux et les droits issus des traités des Indiens, des Inuit et des Métis sont garantis et protégés par la Loi constitutionnelle de 1982[1]. Toutefois, au sein du système fédéral canadien, la responsabilité des peuples autochtones est habituellement perçue comme une responsabilité relevant du gouvernement fédéral. Le paragraphe 91(24) de la Loi constitutionnelle de 1867 confiait au gouvernement fédéral l'autorité quant aux Indiens et aux terres réservées aux Indiens. En 1939, la Cour suprême rendait une décision qui établissait que, pour les besoins administratifs fédéraux, les Inuit (ou « Esquimaux », comme on les appelait alors) relevaient également du gouvernement fédéral en vertu du paragraphe 91(24), bien qu'ils ne soient pas assujettis à la Loi sur les Indiens. Les gouvernements provinciaux, comme celui de l'Alberta, assument diverses responsabilités pour les Métis bien que la Constitution canadienne ne les oblige pas à le faire. L'envergure de cette responsabilité varie d'un océan à l'autre, en particulier dans le cas des programmes et services offerts par les gouvernements provinciaux aux Autochtones et aux Indiens inscrits.

Selon le recensement national, le Canada compte plus de un million de personnes ayant des origines autochtones pour une population totale de près de 27 millions d'habitants[2]. La définition des groupes autochtones se fait de diverses façons[3]. La Loi sur les Indiens détermine qui peut être enregistré comme Indien inscrit. En décembre 1995, le registre des Indiens dénombrait 593 050 Indiens inscrits au Canada[4]. Près de 60 % d'entre eux habitent l'une ou l'autre des 608 collectivités indiennes sur les terres de réserve appartenant à la Couronne, dont la superficie totale atteint 2,6 millions d'hectares, principalement dans le sud du Canada. Parmi ces populations indiennes, on trouve 11 grandes familles linguistiques et 53 langues différentes.

Les termes « Indiens inscrits » comprennent les Indiens visés par les traités et les Indiens inscrits vivant à l'extérieur des zones visées par les traités. Il existe également des Indiens non inscrits ou des descendants de lignée autochtone, qui ont abandonné leur droit ou l'ont perdu par voie de mariage avec des Blancs. Ils sont soumis aux mêmes lois qui gouvernent les non-Autochtones et ne bénéficient d'aucun des avantages réservés aux Indiens inscrits.

On compte environ 36 000 Inuit au Canada. Ils parlent l'inuktitut et habitent principalement la région de l'Arctique de l'est des Territoires du Nord-Ouest et les régions côtières du Québec et du Labrador. Les Métis sont les

1. Loi constitutionnelle de 1982, *Lois révisées du Canada*, annexe II, article 44, 1985.
2. Canada. Statistique Canada, *Profil de la population autochtone du Canada*, Ottawa, Industrie Canada, 1995, tableau 1, nº de catalogue 94-325.
3. Bradford W. Morse, « Aboriginal Peoples and the Law », dans Bradford W. Morse (dir.), *Aboriginal Peoples and the Law: Indian, Metis and Inuit Rights in Canada*, Ottawa, Carleton University Press, 1985, chapitre 1, p. 1-15. Monsieur Bradford offre une excellente discussion sur cette question.
4. Canada. Affaires indiennes et Nord Canada, *Registre des Indiens*, décembre 1995.

descendants des Métis de vieilles souches de l'ouest du Canada et probablement les seules personnes de sang mêlé à être reconnues comme une nation autochtone. On dénombre environ 135 000 Métis[5], qui vivent principalement dans les centres urbains, les autres habitant les collectivités métisses comme on en trouve en Alberta. Ces groupes bénéficient des mêmes services des divers gouvernements que les non-Autochtones bien que de nombreuses organisations autochtones aient mis sur pied des services spécialement à leur intention dans les centres urbains.

Ainsi donc, le plus important groupe d'Autochtones demeure les Indiens inscrits. Puisque ce groupe est assujetti à un régime législatif et administratif différent des autres Canadiens et Autochtones non inscrits, il constituera le sujet principal du présent chapitre.

11.2 Histoire de la colonisation et naissance d'une nation

L'histoire des relations gouvernementales avec les peuples autochtones au Canada remonte aux explorations et aux colonies des Européens aux XVe et XVIe siècles. Nonobstant certaines alliances militaires et autres avec les Premières Nations, cette relation se caractérisait principalement par une attitude de paternalisme et de domination à l'égard des cultures autochtones. Les agents ou surintendants des Indiens étaient nommés et chargés de voir à tout ce qui touchait les peuples autochtones. La mise en place du système de terres de réserve, qui précède la Confédération canadienne, s'est poursuivie avec la signature de traités dans la plupart des régions du pays au fur et à mesure qu'avançait la colonisation[6].

Plusieurs types de traités existent : les traités conclus avant la Confédération, les traités numérotés et les revendications territoriales globales ou traités modernes. Chaque traité est unique, mais il garantit habituellement certains droits dont des rentes annuelles, des terres de réserve, des droits de chasse et de pêche, ainsi que d'autres avantages. Les droits des Indiens visés par un traité varient selon les modalités particulières du traité signé par leur bande. Les Premières Nations signataires de traités attachent beaucoup d'importance à ceux-ci ainsi qu'à leur intention première. Elles voient leurs relations avec la Couronne (ou avec son représentant, le gouverneur général du Canada) comme des relations de nation à nation ayant préséance sur toute autre activité gouvernementale.

La première version codifiée de la Loi sur les Indiens, adoptée en 1878, enchâssait le régime colonial de tutelle et de protection. Un seul organisme fédéral, la Division des affaires indiennes, était chargé de fournir aux Indiens inscrits les services normalement assurés aux autres Canadiens par les

5. Canada. Statistique Canada, *op. cit.*

6. Derek G. Smith (dir.), *Canadian Indians and the Law: Selected Documents, 1663-1972*, Toronto, McClelland and Stewart, 1975.

gouvernements provinciaux. La Loi couvre en détail l'adhésion aux bandes, l'administration indienne, les terres, l'éducation aux niveaux primaire et secondaire, le développement des ressources naturelles, incluant les minéraux, le pétrole, le gaz naturel et le bois. Toutefois, certains domaines, comme celui des services sociaux, sont de compétence provinciale.

L'article 88 de la Loi précise que « [s]ous réserve des dispositions de quelque traité et de quelque autre loi fédérale », toutes les lois d'application générale des provinces s'appliquent là ou existe une lacune dans la législation fédérale[7].

La Loi sur les Indiens a subi peu de changements au cours des années, les dernières modifications d'envergure ayant été faites en 1985. Ces modifications, regroupées sous le projet de loi C-31, retiraient de la Loi toute discrimination fondée sur le sexe, redonnaient aux personnes admissibles leur statut d'Indien inscrit et leur droit d'adhésion aux bandes et confiaient à celles-ci le pouvoir de diriger leurs membres. On estime que plus de 70 000 personnes ont regagné leurs droits grâce à cette modification[8]. Une modification apportée à la Loi électorale du Canada, en 1960, accordait aux Indiens inscrits le droit de vote aux élections fédérales. Les gouvernements provinciaux ont emboîté le pas au cours de la décennie suivante.

En 1969, le gouvernement fédéral tenta de démanteler ce régime législatif digne de l'ère coloniale. Dans un livre blanc, le gouvernement proposait entre autres choses d'abolir la Loi sur les Indiens et le ministère des Affaires indiennes et du Nord canadien (MAINC), de transférer les terres de réserve détenues en fiducie par la Couronne aux peuples autochtones et de transférer la responsabilité des services aux Indiens aux provinces. L'intention du gouvernement était de normaliser les relations avec les Indiens et de les placer sur un pied d'égalité avec les autres Canadiennes et Canadiens. Cette démarche fut rejetée par les dirigeants nationaux des Indiens inscrits. À leurs yeux, l'égalité préconisée par le gouvernement constituait une forme d'abandon de responsabilités sans aucune forme de reconnaissance ou d'efforts pour redresser les torts faits aux Autochtones dans le passé ou pour maintenir les responsabilités fiduciaires de la Couronne. Le gouvernement fédéral n'eut d'autre choix que de retirer sa proposition de politique.

Ce moment marqua un tournant décisif dans les relations entre le gouvernement et les Indiens inscrits ainsi dans le développement politique des Premières Nations. Les gouvernements commencèrent à reconnaître l'existence des droits ancestraux et le besoin de régler les griefs ou les revendications territoriales en suspens. Par exemple, à la suite d'une décision de la Cour suprême de 1973, qui soutenait une revendication de droits ancestraux présentée par les Autochtones[9], le gouvernement fédéral adopta deux politiques sur les revendi-

---

7. Shin Imai et Dinna Lea Hawley. *The 1995 Annotated Indian Act including regulations and related constitutional provisions*, Toronto, Carswell, 1995, article 88, p. 94-95.

8. Margaret Jackson, « Aboriginal Women and Self-Government », dans John H. Hylton (dir.), *Aboriginal Self-Government in Canada*, Saskatoon, Purich Publishing, 1994, p. 182.

9. *Calder* et al. *c. Procureur général de la Colombie-Britannique* (1973) R.C.S. 313.

cations territoriales. Ainsi, la politique sur les revendications territoriales globales se fonde sur le concept de la continuité des droits et titres ancestraux délaissés par les traités ou autre moyen juridique. Quant à la politique sur les revendications particulières, elle aborde les griefs issus de traités ou d'ententes conclues antérieurement.

11.3 Développement politique et constitutionnel et évolution des politiques

Depuis le livre blanc, le mouvement autochtone national poursuit deux objectifs principaux : le premier étant celui des droits constitutionnels et des revendications territoriales et le deuxième, celui d'améliorer les conditions sociales et économiques des Premières Nations.

Les efforts déployés à la fin des années 70 pour rapatrier la Constitution et y ajouter une charte des droits offrirent aux Premières Nations l'occasion de faire avancer leur cause. En faisant campagne au Canada et en Grande-Bretagne, les dirigeants des Premières Nations réussirent à obtenir l'appui des politiciens fédéraux et provinciaux en faveur de la reconnaissance des droits ancestraux et des droits issus des traités dans la Loi constitutionnelle de 1982. Cet accomplissement fut suivi de quatre conférences des premiers ministres sur les questions constitutionnelles intéressant les Autochtones, de 1983 à 1987, où l'on tenta de définir ces droits. Les dirigeants des quatre associations autochtones nationales participèrent à ces débats en compagnie des dirigeants des gouvernements fédéral et provinciaux. Bien que seule la conférence de 1984 donna lieu à une entente de modification (portant sur l'égalité des sexes), le processus sensibilisa le grand public aux questions autochtones et suscita une participation sans précédent des gouvernements provinciaux à ce débat. Comme nous l'avons précédemment mentionné, les provinces estimaient alors que les questions autochtones étaient principalement de compétence fédérale, mais bon nombre d'entre elles ont depuis élargi leur programmation autochtone et y ont ajouté des programmes destinés aux Indiens inscrits.

L'enjeu le plus important soulevé durant cette période est sans contredit la question de l'autonomie gouvernementale. Au cours de l'automne 1983, un rapport signé par tous les partis siégeant au Comité spécial de la Chambre des communes sur l'autonomie gouvernementale des Indiens recommandait non seulement que le droit à l'autonomie gouvernementale soit inscrit à la Constitution, mais proposait des lois sur l'autonomie gouvernementale, le transfert de programmes et la révision de la politique sur les revendications territoriales globales. Le gouvernement fédéral, parallèlement au processus constitutionnel des Autochtones, mit en œuvre une politique d'autonomie gouvernementale axée sur la collectivité, le transfert de l'administration des programmes ministériels aux collectivités indiennes et entama une révision complète de sa politique sur les revendications territoriales globales afin d'y ajouter un volet sur la négociation d'ententes d'autonomie gouvernementale.

Après la conférence autochtone de 1987, les dirigeants non autochtones des gouvernements fédéral et provinciaux tournèrent leur attention vers les questions constitutionnelles plus globales. L'élaboration de l'Accord du lac Meech en 1990 fut éperonné par le fait que le Québec n'avait pas signé la Constitution de 1982. Mais cet accord ne devait pas réussir. D'ailleurs, les Premières Nations critiquèrent son processus d'élaboration, parce qu'elles en avaient été exclues. Après la tristement célèbre crise d'Oka (Québec) de l'été 1990, le gouvernement fédéral redoubla d'efforts pour régler les enjeux autochtones en suspens. Il mit alors sur pied la Commission royale sur les peuples autochtones et lui confia un mandat très large[10]. De plus, le gouvernement s'engagea à accélérer la résolution des revendications des Indiens, dont les revendications territoriales, et à prendre des mesures pour améliorer leurs conditions de vie sociales et économiques.

Lors de la rencontre constitutionnelle suivant l'échec de l'Accord du lac Meech, les Premières Nations furent invitées à la table de négociation. Elles souhaitaient alors que l'on établisse un troisième palier de gouvernement et cherchaient à obtenir un statut particulier. Les dirigeants des Premières Nations ont toujours aimé utiliser le débat souverainiste québécois pour faire avancer leur cause et ce, au grand dam des politiciens québécois. L'Accord de Charlottetown, élaboré en 1992, contenait de nombreuses dispositions détaillées sur la négociation et la mise en œuvre de l'autonomie gouvernementale des Autochtones.

Cependant, cette proposition constitutionnelle ne réussit pas à se rallier l'approbation de la majorité des Canadiens, dont des électeurs autochtones lors d'un référendum national. Plus de la moitié des Autochtones qui ont voté ont rejeté la proposition[11]. Sans nul doute, les politiciens, qu'ils soient autochtones ou non, avaient peut-être mal perçu l'opinion publique. Les enjeux constitutionnels perdirent tout intérêt dans l'arène publique et, dès lors, furent délaissés par les gouvernements.

La démarche actuelle, suivie par le gouvernement fédéral du Parti libéral, élu en octobre 1993, sous la direction du premier ministre Jean Chrétien, est de se concentrer sur des initiatives d'ordre pratique. Dans son livre rouge[12], le Parti libéral du Canada s'engageait à agir comme si le droit inhérent à l'autonomie gouvernementale existait déjà en vertu de l'article 35 de la Constitution canadienne et énonçait les grandes lignes de sa politique sur l'autonomie gouvernementale, en août 1995[13]. Cette démarche, axée sur la négociation, vise princi-

10. J. Wherrett, « The research agenda of the Royal Commission on Aboriginal Peoples », *Administration publique du Canada*, Ottawa, été 1995, vol. 38, n° 2, p. 272-282.

11. Ovide Mercredi, et Mary Ellen Turpel, *In the Rapids, Navigating the Future of First Nations*, Toronto, Viking Press, 1993, p. 209. Seuls 8 % des électeurs autochtones ont voté à ce référendum ; 60 % se sont prononcés contre l'Accord.

12. Parti libéral du Canada. *Pour la création d'emplois, pour la relance économique : le plan d'action libéral pour le Canada*, Ottawa, Parti libéral du Canada, 1993.

13. Canada. Affaires indiennes et Nord Canada, *Guide de la politique fédérale sur l'autonomie gouvernementale des Autochtones – L'approche du gouvernement du Canada concernant la mise en œuvre du droit inhérent des peuples autochtones à l'autonomie gouvernementale et la négociation de cette autonomie*, Ottawa, 1995.

palement à conclure des ententes pratiques sur l'exercice de l'autonomie gouvernementale. On s'engage également dans le livre rouge à faire disparaître progressivement le ministère des Affaires indiennes et du Nord canadien ; à améliorer les conditions de vie sociales et économiques des Autochtones incluant le logement ; à mettre en œuvre des initiatives en matière d'éducation, de formation, de santé, d'administration autochtone de la justice ; et de mettre sur pied un processus de révision des traités.

11.4 Opérations

L'amélioration des conditions de vie sociales et économiques des peuples autochtones constitue un enjeu constant qui remonte à plusieurs décennies[14]. Nonobstant les dépenses gouvernementales, qui ont plus que doublé chaque décennie, la croissance de la population autochtone et son économie de subsistance ont empêché bien des collectivités autochtones d'enregistrer de véritables progrès au chapitre de leurs conditions de vie sociales et économiques.

En leur qualité de citoyens canadiens, les Indiens inscrits ont droit aux mêmes programmes et services fédéraux que les autres Canadiens. Ils bénéficient donc des allocations familiales, de la sécurité de la vieillesse, de l'assurance-emploi et de l'aide sociale. Il existe également des programmes qui leur sont destinés, dont ceux portant sur l'éducation, le logement, le développement économique et certains soins de la santé non couverts ailleurs.

En 1996-1997, le ministère des Affaires indiennes et du Nord canadien dépensera près de 3,5 milliards de dollars dans les domaines suivants[15] :

Aide sociale et services sociaux	1 022,7	millions de dollars
Éducation	1 120,0	millions de dollars
Logement	156,5	millions de dollars
Soutien au gouvernement autochtone	316,2	millions de dollars
Développement économique	53,0	millions de dollars
Immobilisations	777,0	millions de dollars
Autonomie gouvernementale	38,4	millions de dollars

Les dépenses du ministère pour les revendications globales et particulières s'élèveront à 344,5 millions de dollars pour l'exercice financier 1996-1997.

14. H.B. Hawthorn (dir.), *A Survey of Contemporary Indians of Canada : Economic, Political, Educational Needs and Policies*, Ottawa, Imprimeur de la Reine, 1966. Cette étude fait autorité en la matière.

15. Canada. Affaires indiennes et Nord Canada, *Budget des dépenses 1996-1997, Partie III – Plan des dépenses*, Ottawa, Travaux publics et Services gouvernementaux Canada, 1996, p. 24. Comparer ces chiffres aux dépenses de 562 millions de dollars en 1976-1977 et 1 257 millions de dollars en 1986-1987. Voir le plan des dépenses du ministère de ces années.

Bien que le ministère des Affaires indiennes et du Nord canadien fournisse la majeure partie du budget des collectivités indiennes, quatorze autres ministères fédéraux offrent des programmes à l'intention des Indiens inscrits. Par exemple, les services de santé communautaires dans les réserves sont assurés par la Direction générale des services médicaux de Santé Canada qui confie la gestion de son programme aux administrations des Premières Nations. Parmi ces services, mentionnons des services non couverts comme les médicaments par ordonnance, les soins dentaires, les programmes de promotion de la santé et la détection de problèmes environnementaux et leur résolution. D'autres ministères ont également des programmes à l'intention des Premières Nations. Mentionnons Développement des ressources humaines Canada, Industrie Canada, Justice Canada et la Société canadienne d'hypothèques et de logement. Tous ces ministères et organismes fédéraux sont assujettis aux compressions budgétaires bien qu'on se soit efforcé de prendre en considération la croissance de la population autochtone et de conserver un taux minimal de croissance des programmes contrairement aux autres domaines de dépenses du gouvernement fédéral. On estime qu'au total le gouvernement fédéral dépense plus de 6 milliards de dollars pour les peuples autochtones.

Depuis près de vingt ans, le ministère des Affaires indiennes et du Nord canadien réduit ses activités en transférant ses programmes aux administrations des Premières Nations. En 1978, le ministère employait 9000 personnes. Dix ans plus tard, ce nombre s'élevait à 6000. En 1996, le ministère ne comptait que 3 000 employés permanents. Au cours des années 70, les collectivités indiennes administraient 20% des services et programmes du MAINC; ce pourcentage s'élève, aujourd'hui, à plus de 80% en raison des transferts de responsabilités.

La Loi sur les Indiens constitue encore le cadre législatif principal du gouvernement et de l'administration des collectivités des réserves indiennes. Toutefois, quelques collectivités indiennes ont négocié des ententes d'autonomie gouvernementale distinctes de la Loi, comme c'est le cas des Sechelts de la Colombie-Britannique et des neuf collectivités cries de la région de la Baie-James. De nombreuses autres collectivités ont négocié et obtenu, à divers degrés, l'autorité administrative d'organismes et de conseils autochtones.

La plupart des collectivités autochtones sont petites. À peine 10% des bandes comptent plus de 2000 personnes et 6% comptent moins de 100 personnes. La structure hiérarchique la plus courante comporte un chef et un nombre de conseillers qui varie selon la taille de la population. La majorité des bandes ont adopté des règles sur l'adhésion et elles assurent l'entière administration de leur liste de membres. Les Indiens qui habitent dans la réserve jouissent de certains privilèges, comme le droit de voter aux élections du conseil de bande la protection de la propriété personnelle, l'accès aux programmes communautaires, une exemption des impôts fédéral et provincial si les revenus visés sont gagnés dans la réserve, et une exemption de taxes municipales si les biens sont situés dans la réserve.

Dans les collectivités de taille modeste, une poignée de conseillers et un administrateur de bande suffisent à assurer l'administration publique, mais les collectivités plus importantes sont dotées de départements distincts pour les services de police, de logement, de services sociaux et autres pour mieux desservir leur population. L'éducation est l'une des grandes priorités des collectivités et la grande majorité d'entre elles administrent leurs propres écoles et programmes d'éducation. Toutefois, la majorité des emplois décrochés par les Autochtones ne sont pas des emplois permanents au sein de la fonction publique non autochtone. Il s'agit plus souvent d'emplois à terme ou de contrats qui dépendent des fonds provenant des transferts de programmes. Il existe quelques exemples d'associations professionnelles d'administrateurs autochtones, comme la Ontario Native Welfare Workers Association. On note également une bonne croissance des programmes de perfectionnement professionnel à l'intention des administrateurs supérieurs et administrateurs financiers, particulièrement au sein des collectivités plus populeuses.

Les économies des petites collectivités éloignées fonctionnent principalement à coup de subventions gouvernementales et le taux de chômage y demeure élevé. Les activités traditionnelles comme la chasse, la pêche et le piégeage continuent, mais un nombre croissant de petites entreprises, de coentreprises et de partenariats autochtones remportent de francs succès dans divers secteurs allant de l'industrie forestière et minière aux arts et à l'artisanat, en passant par la mode autochtone. Des regroupements de Premières Nations ont fait leur entrée dans le secteur bancaire en exploitant notamment la Peace Hills Trust, tandis que d'autres possèdent des lignes aériennes régionales et forment des sociétés offrant des services à l'ensemble du pays. Fait important à souligner, de plus en plus de Premières Nations concluent des ententes avec leur gouvernement provincial respectif pour assurer la cogestion de l'aménagement du territoire et des ressources des terres de la Couronne considérées comme des terres ancestrales. Certaines provinces, comme la Colombie-Britannique, ont agi en chef de file et ont favorisé la pleine participation des Premières Nations au développement des ressources.

Les règlements de revendications territoriales globales, particulièrement dans le Grand Nord, ont favorisé le développement politique et économique de bon nombre de Premières Nations. Par exemple, les Inuit du Grand Nord ont entamé un projet ambitieux d'édification de nation. La planification de l'établissement d'une forme de gouvernement populaire au Nunavut, dans l'Arctique de l'Est, en 1999, va bon train. Toutefois, pour les Autochtones visés par la Loi sur les Indiens, les progrès ont été beaucoup plus lents, malgré les initiatives de politique du gouvernement fédéral.

11.5 Défis et considérations

Le processus constitutionnel suivi au cours des dernières décennies a permis aux peuples autochtones de faire valoir leurs enjeux sur la scène nationale. Ce processus a également favorisé l'adoption de grands changements de politique par le gouvernement fédéral qui, malgré les changements de partis au pouvoir, a maintenu son objectif global de rehausser la maîtrise que doivent exercer les Autochtones sur leurs propres affaires et de promouvoir leur développement économique et social. Depuis la fin du processus constitutionnel de 1992, les politiques sur les Autochtones sont devenues plus fragmentées et les enjeux moins précis, particulièrement sur la scène nationale. Cette situation a eu pour résultat de déplacer le fardeau du progrès et de l'imputabilité au palier local et sur les épaules des dirigeants des collectivités.

Au même moment, les autres voies de résolution des enjeux autochtones demeurent ouvertes. Les processus de négociation d'ententes d'autonomie gouvernementale sont en place ; les tribunaux continuent de jouer un rôle actif dans l'interprétation des droits ancestraux garantis par la Constitution[16] ; et le processus de négociation des revendications territoriales offre un forum de négociation englobant une foule de sujets, dont les ententes d'autonomie gouvernementale. L'établissement d'un processus de négociation de traités en Colombie-Britannique marqua un tournant décisif dans la négociation des revendications territoriales de l'ensemble de la province. Ce processus tripartite et continu favorise l'établissement de relations harmonieuses avec les Premières Nations et la résolution pacifique des conflits.

En novembre 1996, le rapport tant attendu de la Commission royale sur les peuples autochtones a été publié. On y réitère le besoin de recourir à une démarche globale et populiste afin de modifier les relations entre les peuples autochtones et non autochtones. Parmi les recommandations clés, mentionnons des propositions en faveur d'un troisième palier de gouvernement fondé sur la présomption de souveraineté partagée incluant la création d'un Parlement autochtone et la reconnaissance des nations autochtones fondée sur les nations autochtones de vieille souche, comme unité de base de l'autonomie gouvernementale. Quant à la situation économique et sociale, le rapport recommande de dépenser 1,5 milliard de dollars de plus d'ici cinq ans, et jusqu'à 2 milliards de dollars annuellement au cours des quinze années suivantes[17]. La réaction initiale du gouvernement fédéral à cette proposition d'augmentation de dépenses était qu'elle était irréaliste dans le contexte économique actuel. De leur côté, les dirigeants autochtones savent qu'ils devront se rallier l'appui des Autochtones et des non-Autochtones pour éperonner la mise en œuvre des recommandations du rapport. La première étape sera un examen approfondi, par toutes les parties intéressées, des cinq volumes du rapport et de ses quelque 400 recommandations.

Tandis que le débat sur l'autonomie gouvernementale des Autochtones prend de l'ampleur, les Premières Nations doivent toujours relever les défis d'ordre pratique, comme le développement de leur autosuffisance économique, considérée par tous comme une étape indispensable si l'on veut briser le cycle de dépendance du passé et rehausser l'autonomie politique. Alors que les dépenses

---

16. Par exemple, la Cour suprême du Canada a rendu trois décisions le 21 août 1996 au sujet des droits de pêche en Colombie-Britannique. Pour rendre sa décision, la Cour a imposé plusieurs tests pour déterminer, dans chaque cas, si le droit ancestral existait. La Cour a reconnu l'existence de ce droit dans un cas, mais non dans les deux autres. Voir : *Globe and Mail*, Toronto, le jeudi 22 août 1996, p. A4.

17. René Dussault et George Erasmus, *Allocution prononcée lors de la publication du rapport de la Commission royale sur les peuples autochtones*, Hull, le 21 novembre 1996.

gouvernementales aux niveaux fédéral et provincial accusent un déclin et compte tenu que la croissance démographique des collectivités des Premières Nations est supérieure à la moyenne nationale, les peuples autochtones devront trouver des façons de rehausser leur bien-être économique, tout en préservant leur culture et leurs traditions. Certains indicateurs suscitent l'optimisme. Plus de 150 000 membres des Premières Nations détiennent un diplôme d'études post-secondaires[18]. Et comme nous l'avons mentionné précédemment, on dénombre plusieurs succès de lancement d'entreprises et de développement économique ainsi que d'ententes de cogestion des terres et des ressources qui engendrent des revenus et donnent aux collectivités l'accès à des capitaux.

Cependant, les vestiges du colonialisme demeurent. La persistance de la Loi sur les Indiens et le régime quasi colonial qu'elle représente constituent une anomalie en notre ère où les droits ancestraux et les droits issus des traités sont enchâssés dans la Constitution et que le gouvernement fédéral a adopté une politique sur le droit inhérent à l'autonomie gouvernementale. Et pourtant, pour de nombreux Indiens inscrits, la disparition de cette structure juridique complexe représente une menace à la relation de confiance et à la responsabilité de fiduciaire du gouvernement fédéral. Comme le déclarait le chef national de l'Assemblée des Premières Nations : « Les peuples des Premières Nations ont de la difficulté à accepter cette Loi ; et pourtant, nous ne pouvons imaginer vivre sans elle, car c'est tout ce que nous connaissons[19]. »

Bien que de nombreux dirigeants autochtones savent qu'ils doivent bouleverser les vieilles habitudes de dépendance pour survivre, ils ne sont guère empressés, selon leur propre aveu, à gouverner leur pauvreté. De plus, les Autochtones couvent encore le sentiment très vif d'avoir été des victimes. La réduction de l'appui financier du gouvernement exige la mise en œuvre de stratégies pour redoubler les efforts visant à aligner l'activité économique autochtone avec l'activité économique canadienne et à profiter de toutes les occasions que les gouvernements ont tenté de créer. Mais, somme toute, c'est le caractère unique de la culture autochtone, et non l'assimilation, qui motivera les dirigeants politiques des Premières Nations.

---

18. Canada. Statistique Canada, *op. cit.*

19. Mercredi et Turpel, *op. cit.*, p. 20.

SECTION B

L'administration publique : l'expérience des autres institutions politiques et administratives

CHAPITRE 12

Provinces et territoires : caractéristiques, rôles et responsabilités

Graham White

Professeur
Département de science politique
Université de Toronto

12.1 Introduction

Dans le monde anglophone, le mot « provincial » est généralement assorti de diverses connotations péjoratives : gauche, à l'esprit étroit, de qualité inférieure, sans intérêt. Au Canada, ce mot peut certes revêtir une signification peu flatteuse. Cependant, puisqu'il fait référence le plus souvent aux gouvernements provinciaux, les connotations négatives servent le plus souvent à exprimer un désaccord quant à la manière dont les provinces exercent leurs grandes prérogatives et non à manifester du mépris ou un manque d'intérêt à l'égard de quelqu'un ou de quelque chose. En effet, les provinces canadiennes comptent parmi les gouvernements infranationaux les plus puissants au monde. Elles jouissent de beaucoup plus de pouvoirs et d'autonomie envers le gouvernement central que tout autre gouvernement infranational dans les fédérations actuelles, à l'exception des cantons suisses. En fait, dans certains champs de compétence, telle la politique sociale, les provinces canadiennes possèdent plus d'autonomie que les États membres de l'Union européenne.

On ne peut donc comprendre la politique, l'administration publique et le gouvernement canadiens sans avoir une idée claire du rôle et des pouvoirs des provinces. De surcroît, en raison de leur grande autonomie et de la sphère étendue de leurs compétences – tout cela à l'intérieur des limites constitutionnelles/institutionnelles –, elles offrent un cadre de référence intéressant pour l'analyse des changements organisationnels et administratifs. C'est pourquoi le présent chapitre présente en survol la nature et la constitution des provinces et des deux territoires du Canada, ainsi que le rôle et les responsabilités de leur gouvernement respectif. En outre, afin de préciser le contexte dans lequel se posent les questions administratives provinciales traitées plus en profondeur dans d'autres chapitres du présent ouvrage, nous faisons certaines observations générales sur les structures gouvernementales et les ententes administratives. C'est également dans d'autres chapitres que l'on trouvera l'analyse de la nature et du fonctionnement du fédéralisme, c'est-à-dire l'interaction du gouvernement fédéral avec les gouvernements provinciaux.

12.2 Les provinces : un croquis sur le vif

Comme on s'y attend d'un pays qui s'étend sur cinq fuseaux horaires, la géographie, la superficie, les assises économiques, la composition sociale et l'orientation politique varient grandement entre les dix provinces canadiennes. Comme premier coup d'œil sur ces différences, le tableau présente quelques données statistiques élémentaires sur la région géographique, la population et la richesse – mesurée en fonction du produit intérieur brut provincial *per capita* – de chacune des provinces. Les quatre provinces de l'Atlantique (Nouveau-Brunswick, Nouvelle-Écosse, Île-du-Prince-Édouard et Terre-Neuve) ont été peuplées dès le XVIIIe siècle par l'arrivée d'un grand nombre d'Européens ; pendant longtemps, elles ont toutes été désavantagées sur le plan économique : d'une part, en raison de leur forte dépendance à l'égard de l'exploitation des ressources naturelles (pêche, forêts et mines) et, d'autre part, en raison de leur manque de poids politique par rapport aux provinces du centre du Canada, plus puissantes et plus peuplées. À l'exception du Nouveau-Brunswick, dont une très grande partie de la population est francophone, elles ont une population d'origine anglo-celtique peu marquée par l'immigration. Le conservatisme, le respect de la tradition et une remarquable absence de conflits idéologiques caractérisent la politique de ces provinces.

Le Québec, par sa langue et sa culture françaises – plus de 80 % de sa population est francophone –, est « une province pas comme les autres », entre autres en raison de son éternelle préoccupation quant à la question nationaliste, laquelle n'a aucune contrepartie dans les autres provinces. Son économie se diversifie de plus en plus, bien que les ressources naturelles demeurent un secteur important de son économie. L'Ontario est une grande province, riche et puissante, dont l'économie est de loin la plus diversifiée de toutes. Cette province attire une part disproportionnée d'immigrants, de sorte que ce qui fut autrefois un fief anglo-celtique s'est transformé socialement par l'arrivée de centaines de milliers d'immigrants venus du sud de l'Europe, après la Deuxième Guerre mondiale, et, plus récemment, par un nombre à peu près égal d'immigrants arrivés de l'Asie, des Caraïbes et d'autres parties du monde non européen. Pendant de nombreuses décennies, la politique ontarienne a été marquée par la modération, la stabilité et un étrange mélange d'orientations idéologiques mises de l'avant par le parti politique qui a gouverné cette province pendant 42 années consécutives, après la Deuxième Guerre mondiale : le Parti progressiste-conservateur. Au cours de la dernière décennie, les assises de la politique ontarienne ont été fortement ébranlées par l'élection, en 1990, d'un parti social-démocrate modéré, soit le Nouveau Parti démocratique, qui fut suivi, en 1995, par un parti conservateur de droite intransigeant.

Le Manitoba, la Saskatchewan et l'Alberta, appelées « provinces des Prairies », partagent des caractéristiques géographiques importantes et ont été peuplées par des Européens bien plus tardivement que d'autres régions du Canada. Toutefois, leur économie varie considérablement de l'une à l'autre : celle de l'Alberta est fondée sur l'huile lourde et les gisements de gaz, celle de la Saskatchewan est principalement agricole et celle du Manitoba, mixte. L'immigration dans ces trois provinces diffère également quant à l'époque de l'arrivée des premières vagues de colonisateurs et de leur origine et, par conséquent, quant aux tendances idéologiques – britannico-ontariennes au Manitoba, européennes de l'Est et du Centre en Saskatchewan et américaines en Alberta. Les différences politiques reflétant en partie les caractéristiques de l'immigration sont évidentes : alors que la Saskatchewan est le cœur de la sociale démocratie au Canada, les gouvernements qui se succèdent chez l'une de ses voisines, l'Alberta, sont généralement les plus de droite au pays[1].

C'est grâce à ses ressources naturelles que la Colombie-Britannique fut fondée, mais cette province possède aujourd'hui une économie moderne diversifiée et beaucoup plus orientée vers les pays côtiers du Pacifique. Géographiquement séparée du reste du pays par d'énormes chaînes de montagnes, elle

1. Pour une analyse des caractéristiques d'immigration propres à chacune des provinces des Prairies et leurs conséquences politiques, se reporter au texte de Nelson Wiseman, *The Pattern of Prairie Politics*, dans Hugh G. Thorburn (dir.), Party Politics in Canada, 7ᵉ éd., Scarborough, Ontario, Prentice-Hall, 1996, p. 428-445.

en est aussi étonnamment distante sur le plan psychologique. À l'origine, elle était un avant-poste typiquement britannique, mais elle a accueilli, du moins ses grands centres urbains, des flots d'immigrants venus d'Asie au cours des dernières décennies. Le vaste mouvement syndicaliste ouvrier qu'a connu cette province est unique au Canada et sa politique en est marquée par une polarisation idéologique plus prononcée qu'ailleurs au pays.

12.3 Les compétences et les pouvoirs provinciaux

Les gouvernements provinciaux jouent en fait le premier rôle dans tous les aspects importants de la politique canadienne ou y exercent une influence prépondérante. La division officielle des pouvoirs entre le gouvernement fédéral et les gouvernements provinciaux, telle qu'elle est stipulée dans la Loi constitutionnelle, aide à comprendre l'étendue des pouvoirs accordés aux provinces, mais le libellé de cette loi nous porterait à sous-estimer grandement l'importance qui leur est reconnue. L'analyse qui suit reflète la pratique réelle de l'autorité provinciale plus que ne le font les subtilités constitutionnelles.

En ce qui concerne les principaux champs de compétence, les provinces possèdent une autorité absolue sur les administrations locales et municipales, sur l'enseignement primaire et secondaire, ainsi que sur la plus grande partie du droit civil (famille, biens, droits des sociétés). Les soins de santé, l'enseignement post-secondaire, la main-d'œuvre et les ressources naturelles sont aussi du ressort des provinces, bien que le gouvernement fédéral y soit engagé à divers degrés ; en définitive, cependant, l'influence fédérale est plutôt limitée. Sauf en ce qui concerne l'assurance-emploi et les pensions de vieillesse qui constituent des exceptions importantes, la sécurité sociale est également la chasse gardée des provinces. Dans un grand nombre de ces champs, particulièrement la sécurité sociale, le gouvernement fédéral peut cependant exercer une influence considérable, en raison de la dépendance des provinces à l'égard des subventions conditionnelles très importantes d'Ottawa. Toutefois, au cours des dernières années, la capacité du fédéral d'imposer des normes ou d'exercer une influence dans des champs tels que la santé et l'éducation a été considérablement réduite du fait qu'il a remanié ses transferts de paiement aux provinces. Il a en effet remplacé les programmes à frais partagés et les subventions conditionnelles d'autrefois par un financement global et inconditionnel. Par conséquent, tout en conservant une certaine influence dans le vaste champ des soins de santé – par exemple, en ce qui a trait à l'accès aux services et aux limites imposées au secteur privé relativement à la prestation des soins –, le gouvernement fédéral a effectivement abandonné sa mainmise sur la plupart des aspects de la sécurité sociale.

Le droit criminel est exclusivement de compétence fédérale, bien que l'administration de la justice, qui comprend la mise en application de la plupart des lois et la plus grande partie du système judiciaire, soit de responsabilité provinciale. Le gouvernement fédéral est, en vertu de la Constitution et en pratique, le premier responsable de tout ce qui a trait aux peuples autochtones. Toutefois, au cours des dernières années, les provinces se sont engagées graduellement dans ce champ politique de plus en plus important.

La défense – au Canada, ce domaine n'occupe pas une place prioritaire – et la politique monétaire sont les seuls champs où les provinces ne jouent aucun rôle. L'activité bancaire est de compétence fédérale, mais les provinces contrôlent les aspects clés du secteur financier, y compris la réglementation des valeurs mobilières et les quasi-banques, telles les coopératives de crédit et les caisses populaires ; plusieurs provinces exploitent ce qui, effectivement, sont de petites banques. La politique étrangère est essentiellement la chasse gardée du fédéral, et bien que la Constitution ne dise mot sur cette question, les provinces limitent elles-mêmes leur engagement dans ce domaine et s'en remettent volontiers à Ottawa pour des raisons pragmatiques. Toutefois, il est bien connu que les provinces poursuivent des activités en matière de politique extérieure. Jusqu'à ce qu'elles subissent, récemment, des mesures de compression budgétaire, plusieurs d'entre elles maintenaient des bureaux à l'étranger – l'Ontario en a fermé une dizaine – axés surtout sur le commerce et le développement économique. En raison de ses aspirations souverainistes, le Québec entretient beaucoup plus de liens internationaux que les autres provinces, surtout avec les pays francophones. Quant à l'immigration, bien que, théoriquement, ce soit une responsabilité partagée entre le fédéral et les provinces, ces dernières, sauf le Québec, s'en remettent largement au gouvernement central.

Dans de nombreux domaines, tels l'environnement, la protection du consommateur, la culture et les établissements correctionnels, les deux paliers de gouvernement sont tous deux profondément engagés. Le gouvernement fédéral détient le premier rôle en matière de transport aérien et ferroviaire – bien que, singulièrement, plusieurs provinces aient possédé ou possèdent encore des entreprises ferroviaires et aériennes – ainsi que dans la marine marchande. Les grands axes routiers sont entièrement de compétence provinciale.

12.4 Les finances des provinces

La compétence des provinces dans ce grand nombre d'activités étatiques ne saurait s'exercer sans les ressources financières nécessaires. Et même si cette question de capacité financière ne cesse de se poser, il n'en demeure pas moins que les provinces ont accès à un éventail de sources de revenu beaucoup plus large que tout autre gouvernement infranational au monde. En raison des limites constitutionnelles, il y a un petit nombre de champs d'imposition, relativement mineurs, tels les tarifs douaniers et les droits à l'exportation, qui ne sont pas accessibles aux provinces. Les seules véritables raisons qui empêchent les gouvernements provinciaux d'augmenter leur revenu par l'établissement de nouveaux impôts et de nouvelles taxes sont politiques. Quelle est la capacité de leur population à assumer des impôts et des taxes ? Comment répartir les champs d'imposition où les deux paliers de gouvernement exercent une autorité ? Bien que leurs sources de revenu diffèrent en importance, le fédéral et les provinces tirent la plupart de leurs revenus de l'impôt sur le revenu des particuliers et des sociétés, ainsi que des taxes de vente.

En 1994-1995, c'est l'impôt sur le revenu des particuliers[2] qui a constitué la principale source du revenu des provinces, soit 26,5 %. Les taxes à la consommation, principalement les taxes de vente générales et, dans une moindre mesure, les redevances sur les carburants, l'alcool et le tabac, ont représenté 18,8 %. Diverses autres taxes, les droits sur les permis, les redevances sur les primes d'assurance-santé et sur les indemnités aux travailleurs, les revenus tirés de la vente de biens et services, etc., ont compté pour 35,9 %. Enfin, le reste, soit 18,7 %, est venu des paiements de transfert du gouvernement fédéral.

Toutefois, ces chiffres valent pour l'ensemble des provinces et ne font pas état des différences marquées qui existent entre elles. La dépendance des provinces quant à l'impôt sur le revenu des particuliers varie de 17 % à 31 %, mais la différence est encore plus marquée en ce qui concerne d'autres sources de revenu. Par exemple, l'Alberta, qui ne prélève pas de taxe de vente, ne tire que 6 % de son revenu des taxes à la consommation, alors que Terre-Neuve, dont la taxe de vente s'élève à 12 %, tire 21 % de son revenu de cette manière. Durant les années prospères des décennies 70 et 80, les taxes et les redevances sur l'huile lourde et l'exploitation du gaz ont fourni à l'Alberta plus de la moitié de son revenu ; aujourd'hui, cette proportion est beaucoup moindre, soit moins de 20 %, mais aucune autre province n'en tire autant. La dépendance envers les paiements de transfert fédéraux varie aussi considérablement ; elle est attribuable dans une large mesure aux paiements de péréquation sans condition accordés aux provinces les plus pauvres. En 1994-1995, les quatre provinces les plus riches ont reçu des paiements de transfert fédéraux de 11 % à 20 % de leur revenu total, alors que pour les Maritimes, ces paiements ont représenté de 36 % à 43 %.

Puisque les provinces dispensent des services dont la nature et l'importance varient beaucoup moins que leurs bases économiques, elles affichent, par conséquent, des variantes beaucoup moins grandes dans leurs dépenses que dans leurs revenus. En 1994-1995, elles ont consacré dans l'ensemble 31 % du total de leurs dépenses aux programmes de santé, 22 % aux services sociaux, 21 % à l'éducation et 26 % aux autres services. Cependant, ces dépenses n'ont représenté qu'un peu plus de 85 % de leur budget. Près de 15 % de ce dernier a été consacré au paiement des intérêts sur leur dette. Toutes les provinces sont actuellement endettées, mais dans des proportions très variables selon le point de comparaison adopté : en dollar indexé, *per capita* ou par rapport au produit intérieur brut (PIB). De même, alors que certaines provinces ont adopté des dispositions suffisamment rigoureuses pour générer des excédents budgétaires sur une base annuelle, bien que leur dette et leurs frais d'intérêts demeurent importants, d'autres continuent d'accumuler des déficits considérables. Toutefois, ces

2. Toutes les données statistiques qui apparaissent dans ce paragraphe et les deux suivants sont tirées du texte d'Allan M. Maslove et de Kevin D. Moore, « Provincial Budgeting », dans Christopher Dunn, *Provinces : Canadian Provincial Politics*, Peterborough, Ontario, Broadview Press, 1996, p. 321-350.

dernières années, toutes ont pris des mesures draconiennes pour limiter et réduire leurs dépenses. Cette volonté, dont il sera question plus loin, sous-tend la réforme administrative actuellement en cours dans les provinces, comme d'ailleurs à l'échelle nationale.

12.5 Les territoires du Nord

En plus de ses dix provinces, le Canada possède deux, bientôt trois, territoires nordiques : le Yukon et les Territoires du Nord-Ouest, considérés comme des « protoprovinces ». De très petites populations dispersées habitent ces grands espaces. Le Yukon a une superficie de près de 500 000 kilomètres carrés et une population de 31 000 habitants environ. Les Territoires du Nord-Ouest sont encore relativement moins peuplés, car approximativement 66 000 habitants sont dispersés sur 3,3 millions de kilomètres carrés. Bien que ces territoires soient très riches en ressources naturelles, leur développement économique est ralenti par un climat très rude, des communications difficiles et beaucoup d'autres obstacles. Une forte présence autochtone distingue ces territoires. Au Yukon, plus de 20 % de la population est autochtone ; tandis que dans les Territoires du Nord-Ouest, c'est plus de 60 % – dans les provinces, à l'exception d'une ou deux, les autochtones comptent pour 3 % à 4 % de la population ; à l'échelle nationale, c'est environ 3 %.

Jusqu'à tout récemment, les territoires étaient gouvernés – ou peut-être plus exactement administrés – par Ottawa. Ils possédaient un pouvoir très limité sur leur administration ; c'était en fait des colonies internes. Au cours des années 70 et 80, le gouvernement fédéral leur a permis de devenir à toutes fins utiles des territoires autonomes, possédant leur propre assemblée législative, leur cabinet et leur fonction publique. Au cours de la même période, il a accordé aux gouvernements territoriaux presque tous les pouvoirs dont jouissent les provinces, c'est-à-dire la compétence en matière de soins de santé, d'éducation, de services sociaux, d'administration municipale, de ressources renouvelables et d'autres domaines semblables. Le gouvernement fédéral s'est réservé le contrôle du territoire et des ressources non renouvelables. Le Yukon et les Territoires du Nord-Ouest sont maintenant gérés de l'intérieur, mais demeurent fortement dépendants d'Ottawa du point de vue financier. En effet, plus de 80 % de leurs revenus proviennent des paiements de transfert fédéraux – comme nous l'avons déjà signalé, aucune province ne tire plus de 45 % de son revenu des paiements de transfert fédéraux, et, pour la plupart, cette proportion est beaucoup moindre. Les chiffres du tableau montrant le PIB *per capita* peuvent donner l'impression que les territoires sont extraordinairement riches, mais il faut tenir compte des coûts astronomiques de la vie dans le Nord – en général, le prix des biens et des services est 50 % plus élevé que dans le Sud du pays, et pour certaines petites collectivités très éloignées, c'est le double.

Provinces canadiennes et territoires

Nom	Population 1996 (000)	Territoire (km²) (000)	PNB *per capita* 1994	Devenue province
Terre-Neuve	574	404	16716	1949
Île-du-Prince-Édouard	137	5	18112	1873
Nouvelle-Écosse	943	56	19662	1867
Nouveau-Brunswick	753	73	19771	1867
Québec	7389	1540	22946	1867
Ontario	11252	1068	27639	1867
Manitoba	1144	649	22187	1870
Saskatchewan	1022	651	22820	1905
Alberta	2789	661	30272	1905
Colombie-Britannique	3855	948	27236	1871
Yukon	31	482	30433	–
Territoires du Nord-Ouest	67	3379	30609	–

Sources: Population – Statistique Canada, *Statistiques démographiques trimestrielle*, juin 1996, catalogue n° 91-002.
PNB/per capita – Statistique Canada, *Comptes économiques provinciaux. Estimés annuels 1981-1994*, catalogue n° 13-213.

Pour ce qui est des structures gouvernementales, le Yukon suit de près le modèle des provinces, mais à une échelle réduite, car son assemblée législative ne comprend que 17 membres. Dans les Territoires du Nord-Ouest, vu la forte influence des autochtones, une forme originale de gouvernement, appelée « gouvernement par consensus », a été mise en place. Ce gouvernement s'appuie sur les principes constitutionnels fondamentaux du système de Westminster qui comprend le Parlement et le Cabinet, mais sans partis politiques. Ainsi, les relations politiques entre les membres du Conseil des ministres et les simples députés sont bien différentes de celles qui existent ailleurs au Canada. Toutefois, la structure et le fonctionnement de l'appareil administratif gouvernemental, fortement sous l'emprise du Cabinet, suivent de près le modèle des provinces.

En 1999, les Territoires du Nord-Ouest formeront deux entités distinctes : le Nunavut (qui signifie « notre terre » en inuktitut, langue des Inuit) formé de la partie orientale et centrale du territoire actuel, qui englobera plus de 80 % de la population inuit, et une autre qui n'est pas encore nommée, formée de la partie occidentale et dont la population comptera un nombre presque égal d'autochtones et de non-autochtones. Cette dernière entité sera dotée d'un modèle réduit de la fonction publique actuelle des Territoires du Nord-Ouest, mais beaucoup d'incertitude règne encore concernant les structures politiques qui la régiront. Ces questions sont trop complexes pour être abordées dans le cadre du présent ouvrage. La plupart portent sur la difficulté de concilier les formes gouvernementales des autochtones, autonomes et extrêmement ramifiées, avec ce qui, dans le Nord, est appelé « gouvernement populaire », qui s'applique et fait appel à tous les résidants[3].

Le mise sur pied du gouvernement du Nunavut constitue un exercice fascinant du point de vue des structures organisationnelles et de l'administration publique. Comme si la tâche de diviser les actifs, les effectifs et le matériel du gouvernement actuel entre les deux nouvelles entités n'était pas déjà assez complexe, et politiquement litigieuse, les fonctionnaires chargés de concevoir le gouvernement du Nunavut visent en plus à mettre en place une fonction publique très différente de ce qui existe au Canada. Ils planifient un appareil d'État très décentralisé, au sein duquel l'inuktitut sera la langue de travail et les Inuit détiendront un nombre de postes proportionnel à leur population. Cependant, ces nobles objectifs sont menacés par des contraintes financières – tous les fonds viennent d'Ottawa – et des difficultés d'ordre pratique, telle la formation d'un nombre suffisant d'Inuit pour occuper les postes de fonctionnaire[4].

12.6 Les organismes gouvernementaux des provinces

Bien que la Constitution du Canada laisse beaucoup de latitude aux provinces en ce qui a trait à leur propre constitution et, par conséquent, à leur cadre institutionnel, les gouvernements provinciaux affichent une étonnante similarité dans leurs structures fondamentales. Chose plus étonnante encore, la tendance à long terme a été la convergence des organismes gouvernementaux. Par exemple, de bicamérales qu'étaient plusieurs assemblées législatives provinciales au début, toutes sont maintenant unicamérales ; de même, plusieurs provinces employaient autrefois la forme électorale de circonscription plurinominale à scrutin proportionnel ou une autre forme de représentation proportionnelle, mais aujourd'hui toutes ont adopté le système uninominal majoritaire à un tour (système majoritaire uninominal).

À l'exemple du gouvernement fédéral, toutes les provinces, y compris le Québec, sont fortement attachées au modèle britannique de régime parlementaire à cabinet « responsable ». Certes, il existe des variantes importantes entre les provinces quant aux dispositions institutionnelles particulières, telles le nombre, le mandat et le pouvoir des comités parlementaires, ainsi que les ressources en personnel attribuées aux députés élus, mais la relation de pouvoir

---

3. Pour une vue d'ensemble des gouvernements et de la politique dans les territoires, se reporter à Kirk H. Cameron et Graham White, *Northern Governments in Transition : Political and Constitutional Development in the Yukon, Nunavut and the Western Northwest Territories*, Montréal, Institut de recherches en politiques publiques, 1995.

4. On peut trouver un plan détaillé du gouvernement du Nunavut dans les rapports suivants de la Commission d'établissement du Nunavut : *Les empreintes de nos pas dans la neige fraîche : rapport détaillé de la Commission d'établissement du Nunavut, adressé au ministère des Affaires indiennes et du Nord canadien, au gouvernement des Territoires du Nord-Ouest et au Nunavut Tunngavik Incorporated, concernant l'établissement du gouvernement du Nunavut*, Iqaluit, Territoires du Nord-Ouest, 1995 ; et *Les empreintes de nos pas dans la neige fraîche 2 : deuxième rapport détaillé de la Commission d'établissement du Nunavut*, Iqaluit, Territoires du Nord-Ouest, 1996. Ces rapports et les documents connexes peuvent être consultés sur Internet, à l'adresse : http//natsiq.nunanet.com/~nic.

fondamentale entre le cabinet et l'assemblée législative est à peu près la même. Dans chacune des provinces, le Conseil des ministres domine de façon écrasante, et bien que l'assemblée législative puisse apporter une contribution substantielle sur le plan de l'imputabilité, du recrutement de personnel, de l'enseignement public, etc., elle influence peu l'élaboration des politiques et ne joue à peu près aucun rôle dans la direction de l'appareil bureaucratique gouvernemental.

Il existe de grandes différences entre les provinces en ce qui concerne les structures et les processus décisionnels de leur cabinet, notamment quant au rôle et au pouvoir de ses comités, ainsi que l'étendue et la complexité des organismes centraux qui le soutiennent. Il n'est pas étonnant que les grandes provinces aient eu tendance à mettre en place des processus plus complexes et institutionnalisés au sein de leur cabinet, quoique des facteurs autres que l'étendue territoriale, telle l'idéologie du parti au pouvoir, influent sur leur élaboration. Le parti social-démocrate que fut le CCF, devenu le NPD, l'illustre bien. Son penchant pour la planification et l'interventionnisme, jumelé au peu de confiance envers la bureaucratie hiérarchique, l'ont amené à mettre en place, même dans de petites provinces, des secrétariats centraux imposants et puissants travaillant à la planification et à l'élaboration des politiques, ainsi qu'un vaste ensemble de comités du Conseil des ministres. La première forme de ce conseil des ministres qualifié « d'institutionnalisé » est apparue dans la petite province de la Saskatchewan après la prise du pouvoir par le CCF, en 1944, soit quelques années avant qu'Ottawa s'engage sur la même voie.

Sur le plan des structures administratives, les dispositions organisationnelles particulières diffèrent certainement, mais leur modèle est identique dans l'ensemble. La fonction publique provinciale est caractérisée par un nombre relativement élevé de ministères responsables d'un secteur particulier (agriculture, main-d'œuvre, transport, santé et autres domaines semblables), par opposition aux quelques ministères dont les responsabilités sont très étendues, par un ensemble considérable de sociétés d'État parfois très grandes – organismes publics formés en sociétés qui offrent des biens et des services qui pourraient être offerts par le secteur privé, comme la production et la distribution de l'électricité, les réseaux de transport et la vente des spiritueux, enfin, par un autre ensemble complexe d'organismes, de conseils et de commissions semi-autonomes exerçant des fonctions de réglementation, de décision, de consultation et autres pour le compte du gouvernement. D'une province à l'autre, le mandat et la structure de ces sociétés d'État et de ces organismes semi-autonomes sont souvent étonnamment semblables.

Jusqu'à un certain point, bien sûr, ces ressemblances découlent des mêmes solutions apportées aux mêmes problèmes. En même temps, les provinces canadiennes sont fortement influencées par les processus de diffusion, non seulement sur le plan politique, mais aussi sur celui des méthodes et des dispositions administratives[5]. Les gouvernements provinciaux ne répugnent nullement à adopter des formes administratives nouvelles mises à l'essai à Ottawa mais, tout

---

5. Se reporter à James Iain Gow, *Learning from Others; Administrative Innovations Among Canadian Governments*, Toronto, Institut d'administration publique du Canada, 1994.

compte fait, leur échelle plus réduite, leur organisation moins complexe et leur plus grande capacité de consacrer leur énergie politique à des projets de réforme plus ambitieux les rendent plus aptes que le gouvernement fédéral à innover dans le domaine de l'administration publique.

Au moins en partie, la convergence administrative et organisationnelle qui se pratique au sein des gouvernements provinciaux reflète un trait caractéristique propre à leurs hauts fonctionnaires. Bien que le nombre de ces derniers soit peu élevé, des échanges importants de hauts fonctionnaires ont lieu au sein des fonctions publiques provinciales pour de multiples raisons. Les provinces ont souvent à leur emploi plusieurs sous-ministres (le poste le plus élevé au sein de la fonction publique) possédant une grande expérience à de hauts niveaux dans d'autres fonctions publiques provinciales ou dans la fonction publique fédérale. Pourtant, il n'existe pas de programmes d'échanges officiels ; ces derniers découlent plutôt de choix de carrière personnels ou d'autres facteurs particuliers, tels les grands écarts de rémunération qui existent entre les provinces pour des postes semblables, les purges politiques occasionnelles et le recrutement de hauts fonctionnaires.

Puisque beaucoup de chapitres du présent ouvrage abordent l'analyse de la nature et le processus des réformes administratives provinciales, nous nous bornerons à formuler quelques observations. Au Canada, tous les paliers de gouvernement (fédéral, provincial, territorial et municipal) ont vécu un bouleversement et une restructuration sans précédent depuis la dernière moitié des années 80. Ces changements incluent des mesures de restrictions importantes et des réformes administratives. Seules ces dernières seront traitées[6].

Deux ensembles de facteurs connexes sous-tendent la plupart de ces changements. D'abord, le programme néo-conservateur visant à réduire radicalement l'intervention et le rôle de l'État est à l'ordre du jour. Il s'agit d'un phénomène international qui a touché le Canada, quoique de manière plus modérée que dans certains autres pays industrialisés. Ensuite, une obsession quasi universelle a cours au sujet des dettes publiques et des déficits gouvernementaux, présumés provenir davantage des dépassements budgétaires et des fonctions publiques gonflées que de régimes d'imposition inéquitables, de politiques monétaires inadéquates ou d'autres facteurs.

Par conséquent, les pressions financières et les impératifs idéologiques ont incité les provinces et les territoires à décréter une baisse ou un gel systématique des rémunérations dans le secteur public, à mettre en place des programmes de compression des effectifs et d'élimination de niveaux de gestion, à fusionner et à éliminer des ministères, ainsi qu'à privatiser ou à confier en sous-traitance un nombre considérable de services gouvernementaux. Bien que d'autres mesures aient aussi transformé les fonctions publiques provinciales et territoriales du Canada, comme l'accent mis sur l'amélioration de la qualité des services dispensés et

6. Pour une analyse du processus de réduction de la taille de l'État et une documentation considérable sur les provinces, se reporter à Amelia Armit et Jacques Bourgault, *L'Heure des choix difficiles : l'évaluation de l'examen des programmes*, Toronto et Régina, Institut d'administration publique du Canada, Canadian Plains Research Center, 1996.

le recours accru à la technologie de pointe en matière d'information ne reflètent pas nécessairement la volonté de réduire les coûts et la taille de l'État, on doit cependant les envisager dans ce contexte. Dans une étude effectuée sur les réformes administratives des provinces mises en place au début des années 90, Lindquist et Murray affirment que « les similitudes entre les provinces sont frappantes[7] ». En général, les changements dans les services publics, bien que considérables, ont été conventionnels et n'ont pas égalé la restructuration profonde réalisée en Grande-Bretagne et en Nouvelle-Zélande[8].

12.7 Conclusion

En bref, pour les personnes qui s'intéressent à l'administration publique, les deux caractéristiques des gouvernements provinciaux et territoriaux du Canada qui méritent d'être retenues sont probablement le nombre impressionnant de pouvoirs et de responsabilités dévolus à ces gouvernements et la quasi-uniformité de leurs structures et de leurs processus administratifs. Bien que l'on puisse constater un grand nombre d'initiatives particulières de petite et moyenne envergure prises par diverses provinces, même dans le contexte actuel de restrictions et de restructurations, on constate que les mêmes événements ont généralement conduit aux mêmes mesures. Déterminer les raisons de ce phénomène – qui se produit en dépit des limites juridiques et constitutionnelles minimales qui restreignent l'action des provinces et des territoires – n'entre pas dans le cadre du présent chapitre. Le lecteur souhaitera peut-être poursuivre la lecture des chapitres qui suivent en gardant cette question à l'esprit.

---

7. Evert A. Lindquist et Karen B. Murray, « A Reconnaissance of Canadian Administrative Reform During the Early 1990s », *La Revue de l'administration publique du Canada*, vol. xxxvii, automne 1994, p. 489.

8. Pour un parallèle entre la réforme de la fonction publique canadienne et les changements survenus en Grande-Bretagne, en Nouvelle-Zélande et en Australie, se reporter à Peter Aucoin, *The New Public Management: Canada in Comparative Perspective*, Montréal, Institut de recherches en politiques publiques, 1995. L'analyse faite par l'auteur porte uniquement sur les services fédéraux, mais étant donné la nature essentiellement conventionnelle des réformes fédérales, ses observations valent pour les services provinciaux.

CHAPITRE 13

Le cas de la Colombie-Britannique : la gestion des ressources naturelles et le développement durable

Rod Dobell

Professeur
Chaire Winspear de politiques publiques
Université de Victoria

Darcy Mitchell

Étudiante au doctorat
École d'administration publique
Université de Victoria

13.1 Introduction

L'humanité a franchi le seuil du village global surpeuplé (Daly, 1973; Union of Concerned Scientists, 1993; von Weizsacker, 1994)[1]. En raison de l'importance de la population humaine, de l'habitat et des activités industrielles, ainsi que de la complexité et de la connexité de la circulation de l'information et des technologies qui les relient, il est véritablement approprié de parler de menaces, pour ce qui est des écosystèmes de la Terre, tout en revendiquant les avantages associés à l'économie mondiale intégrée.

La Colombie-Britannique est une entité politique qui se caractérise par une société et une économie fortement tributaires de ces écosystèmes et, de façon plus générale, des ressources renouvelables et non renouvelables. Par conséquent, les institutions politiques et les structures administratives sont surtout orientées vers la gestion des ressources. Ces institutions et ces structures font surtout face à l'inquiétude croissante du public quant aux conséquences sociales de la transition menant à l'utilisation durable des ressources, qui est de plus en plus considérée comme la principale fonction de la gestion publique.

Le présent chapitre brosse un tableau de la structure du gouvernement de la Colombie-Britannique et des mécanismes administratifs mis en place pour la gestion des ressources, et présente quelques questions et réponses en matière de politiques. Il met l'accent sur les nouvelles difficultés que les administrateurs et les gestionnaires ont à surmonter au cours de cette transition, dont l'objectif est d'en arriver à une durabilité régionale au sein d'une économie mondiale intégrée et d'un village global interrelié. Il traite aussi des nouvelles questions embarrassantes qui surgissent au cours de l'élaboration des politiques, à la suite des pressions du public au sujet d'une « connaissance démocratisante », et dans leur mise en œuvre, en dépit de groupements plus activistes de « citoyens transfrontières ». Les difficultés d'ordre administratif que soulève l'harmonisation des accords négociés à l'échelle nationale et internationale ainsi que les mesures prises à l'échelle régionale sont d'un intérêt particulier.

13.2 Ressources naturelles et politique environnementale au sein de la Fédération canadienne : le cadre constitutionnel

En 1867, lorsque le Parlement d'Angleterre a adopté l'Acte de l'Amérique du Nord britannique (AANB) créant le Dominion du Canada, la plupart des questions liées à la gestion des ressources, qui sont de nos jours des éléments très importants du programme politique, n'étaient pas considérées comme des sujets d'intérêt public ou politique. Par conséquent, ces questions n'ont tout simplement pas été énoncées de façon explicite dans la loi fondamentale du pays. Bien que l'Acte prévoie la répartition des compétences en matière de ressources naturelles entre le gouvernement central (fédéral) et les gouverne-

---

1. Pour un point de vue opposé, voir Simon (1981), la *Heidelberg Declaration* (1993) ou Easterbrook (1995).

ments régionaux (provinciaux), il laisse place à des modifications implicites quant aux champs de compétence résultant de l'application d'autres dispositions de l'Acte, aux conflits qui se présentent dans l'exercice de certains pouvoirs conférés et à des chevauchements de compétence – et, en fait, à des lacunes en matière de compétence –, en raison des questions auxquelles n'ont pas pensé les Pères de la Confédération.

Les articles 91 et 92 de la Loi constitutionnelle répartissent les pouvoirs entre les gouvernements fédéral et provinciaux. En plus du pouvoir de légiférer pour « la paix, l'ordre et le bon gouvernement du Canada », bon nombre de sujets liés aux ressources naturelles et à la politique environnementale, tels le commerce, les bâtiments et les navires, l'imposition, les pêcheries et les autochtones font partie de l'autorité législative du Parlement fédéral. La Loi constitutionnelle prévoit aussi que toute responsabilité résiduelle non assignée aux provinces est du champ de compétence du gouvernement fédéral.

Les assemblées législatives provinciales assument de nombreuses responsabilités dans le domaine de l'environnement et des ressources naturelles, y compris l'imposition, le bois, les municipalités, les travaux et les entreprises locales – à l'exception des travaux et des entreprises reliant la province à une ou d'autres provinces, ou des travaux exécutés à l'avantage général du Canada –, la propriété et les droits de la personne.

L'alinéa 92a, ajouté en 1982 lors de la modification de la Loi constitutionnelle, accorde aux provinces la compétence de légiférer dans le domaine des ressources non renouvelables, des ressources forestières et de l'énergie électrique – à l'exception des pêches –, de même que le pouvoir d'imposer, tout en réservant au gouvernement fédéral la préséance sur les questions liées à l'exportation de ces ressources provinciales.

La plupart des ressources naturelles (terres et forêts, pétrole et gaz, minéraux et production hydroélectrique) relèvent de la compétence provinciale, alors que la pêche intérieure et la pêche dans les eaux côtières relèvent de la compétence fédérale. Au cours des années, différents aspects de la gestion des pêches ont été assumés par les gouvernements provinciaux, conformément à des ententes administratives non constitutionnelles. De plus, et cela revêt une grande importance pour la Colombie-Britannique, une série de décisions des tribunaux ont attribué au gouvernement fédéral le pouvoir de contrôler l'étendue et les pratiques de pêche dans les eaux maritimes ; elles ont clarifié le pouvoir des provinces de réglementer les aspects liés à la propriété dans le secteur des pêches (Parsons, 1993). Ainsi, le poisson qui nage en eau salée est de compétence fédérale, tandis que, une fois capturé, le poisson, son commerce et sa transformation sont, sauf dans le cas des pêches autochtones, du domaine des compétences provinciales. Le gouvernement fédéral, en vertu de la Loi sur les pêches, a le pouvoir de réglementer les activités qui peuvent directement nuire au poisson, tandis que les gouvernements provinciaux réglementent presque toutes les activités humaines ayant une incidence sur les habitats côtiers et d'eau douce. Les amendements proposées actuellement à la Loi sur les pêches élargiraient la portée de la participation des provinces dans la protection de l'habitat du poisson et prévoiraient la négociation d'ententes de gestion ayant force de loi parmi les groupes travaillant dans le secteur des pêches.

En revanche, la protection de l'environnement ne relève pas d'un ordre de gouvernement en particulier, mais fait partie d'un ensemble de domaines, dont certains sont de compétence fédérale et d'autres, de compétence provinciale (Hogg, 1995). Au cours des dernières années, le Conseil canadien des ministres de l'Environnement (CCME) a tenté de clarifier les rapports entre les gouvernements fédéral et provinciaux en ce qui concerne la lutte contre la pollution et d'autres questions environnementales. En 1990, le Conseil a rédigé un document intitulé *Déclaration sur la collaboration intergouvernementale,* et a récemment publié un projet d'Accord-cadre sur l'environnement. Aux termes de cet accord, le pouvoir fédéral serait reconnu dans les questions environnementales nationales et transfrontalières, dans le cadre des relations internationales du Canada en matière d'environnement, dans les domaines de l'environnement liés aux terres fédérales, dans les relations avec les autochtones et dans la collaboration avec les provinces, pour protéger les écosystèmes importants de l'ensemble du pays. De plus, les provinces pourraient bénéficier d'une participation directe, en exerçant leur compétence en ce qui concerne l'élaboration, la mise en œuvre et la gestion des règlements sur l'environnement, ainsi que les processus d'évaluation environnementale. Cependant, l'harmonisation complète des procédures fédérales et provinciales en matière de protection et d'évaluation environnementales demeure un objectif lointain.

Les municipalités, dont le pouvoir provient de l'assemblée législative provinciale, jouent un rôle important dans la gestion de l'environnement, particulièrement en raison de la réglementation concernant le zonage, la construction, l'assainissement de l'eau, les eaux usées et l'élimination des déchets solides (Longo, 1996), de même que dans l'aménagement du territoire, la planification en matière de transport et le développement de la collectivité en général.

13.3 Structure de l'économie de la Colombie-Britannique

Comparativement à la plupart des entités économiques occidentales, la Colombie-Britannique est fortement tributaire des activités basées sur les ressources et les exportations vers les marchés internationaux. En 1994, 23 % du produit intérieur brut (PIB) annuel de la province, évalué à 67 milliards de dollars, provenait de l'exportation de marchandises. Au cours de la même année, les produits forestiers représentaient 60 % des exportations sur les marchés internationaux, tandis que l'exploitation minière, la production d'énergie et la pêche comptaient pour 21 % (B.C. Ministry of Finance and Corporate Relations, 1995 : 67). Deux marchés importants – d'une part les États-Unis (54 %) et d'autre part le Japon et les autres pays de la région du Pacifique (39 %) – absorbent la majeure partie des exportations de la Colombie-Britannique. Par comparaison, le commerce avec le reste du Canada est plutôt faible.

Cependant, au cours des dernières années, le secteur tertiaire a joué un rôle accru dans l'économie de la province, passant de 60 % du PIB, en 1961, à 72 %, en 1994, (B.C. Ministry of Finance and Corporate Relations, 1991 et 1995). Le secteur tertiaire constitue aussi le principal employeur de la province, représentant près de 75 % du nombre total d'emplois. En 1994, le tourisme (deuxième industrie en importance en Colombie-Britannique, et de plus en plus intéressée à l'écologie) représentait plus de 6 milliards de dollars du PIB de la province. Toutefois, l'importante contribution du secteur tertiaire au PIB est surévaluée dans l'économie de la Colombie-Britannique, étant donné que la croissance de nombreuses entreprises du secteur tertiaire, et des services publics, est à la fois directement et indirectement liée au développement du secteur de la production de biens (B.C. Ministry of Finance and Corporate Relations, 1991).

Bien que la part du PIB liée aux activités basée sur les ressources ait diminué, elle continue de s'accroître en chiffres absolus. Cette croissance est principalement attribuable à l'amélioration de l'accès aux ressources et de l'utilisation des terres. Par exemple, la récolte de bois sur les terres publiques de la province – 96 % du sol forestier de la Colombie-Britannique étant de propriété publique – est passée de 20 millions de mètres cubes, en 1945, à 50 millions de mètres cubes, en 1975, et à près de 76 millions de mètres cubes, en 1994 (Forest Resources Commission, 1991, et B.C. Ministry of Finance and Corporate Relations, 1995). Les incidences économiques quant aux diminutions futures de cette coupe annuelle admissible (CAA), soit à la suite d'une réglementation imposée par le directeur de l'exploitation forestière de la province en vue d'assurer la durabilité de l'industrie, soit simplement à la suite de la chute inévitable causée par l'épuisement de la réserve initiale de peuplements mûrs, seront probablement graves et seront la cause de problèmes politiques considérables à la grandeur de la province.

La confiance traditionnelle de la Colombie-Britannique en une structure industrielle fondée sur les ressources et l'exportation a entraîné une instabilité considérable de sa performance économique, de ses niveaux d'emploi et de ses recettes publiques, car elle s'est exposée ainsi aux cycles économiques internationaux et particulièrement aux marchés de produits en fluctuation constante (B.C. Ministry of Finance, 1991). Il est de plus en plus urgent de réduire cette instabilité par la diversification économique, car les industries à base de ressources, particulièrement l'industrie forestière, font face à des contraintes d'approvisionnement et à des menaces de boycottage international croissantes. De plus, elles font face à d'autres difficultés de commercialisation résultant des inquiétudes liées aux méthodes de gestion de la forêt découlant des activités menées par des organisations non gouvernementales. De plus, les secteurs économiques en expansion, dont bon nombre sont « libres » ou indépendants par rapport au choix de l'endroit, sont attirés par le charme de l'environnement ou d'autres aspects de la Colombie-Britannique, qui sont sensibles à l'esthétisme et aux dommages que peuvent causer les méthodes d'exploitation des ressources.

En Colombie-Britannique, le dualisme d'une économie fondée à la fois sur les services et sur les ressources se reflète dans la répartition géographique de l'activité économique. L'exploitation des ressources est concentrée dans les régions de l'« arrière-pays » (McCann, 1982), lesquelles subissent le poids des conséquences d'une économie fondée sur les ressources et l'instabilité de l'emploi, tandis que la transformation, les services financiers et les autres services commerciaux, le transport et les communications, ainsi que la prise de décision au niveau des affaires et du gouvernement, sont concentrés dans le « centre », et principalement dans le Lower Mainland et dans le sud-est de l'île de Vancouver. Dans ce contexte, les collectivités qui vivent dans l'arrière-pays et dans le centre ont une définition bien différente de la « durabilité » :

> À la fin des années 80, la durabilité des écosystèmes est devenue l'élément moteur du mouvement écologique en Colombie-Britannique, et celle des collectivités dépendantes des ressources est devenue l'élément moteur des travailleurs de l'industrie des ressources (Reed, 1995 : 336).

Plus récemment, les inquiétudes entourant la durabilité des écosystèmes en Colombie-Britannique ont commencé à porter sur les impacts environnementaux, et sociaux, de la croissance urbaine, des habitudes de très grande consommation de matériaux et de ressources, et de la production de déchets dans les sociétés industrielles occidentales.

13.4 Questions et réponses : vue d'ensemble

En Colombie-Britannique, le débat sur la durabilité a commencé dans le secteur du bois. Au cours des dernières décennies, l'importance que l'on accordait depuis longtemps à la politique forestière provinciale, en tant qu'élément favorisant la croissance économique axé sur la forêt, est devenue de plus en plus controversée. À la fin des années 80, au moment où la présumée seconde vague d'environnementalistes déferlait sur la planète, les économistes et les environnementalistes s'en sont pris à la politique forestière de la Colombie-Britannique. Les environnementalistes se sont opposés au fait que le contrôle de l'industrie du bois soit entre les mains d'un petit groupe d'entreprises importantes se livrant à des techniques d'exploitation intensive qui favorisent les coupes à blanc de grands espaces ; à la « liquidation » d'écosystèmes forestiers caractérisés par des peuplements mûrs ; au délaissement général des valeurs environnementales et sociales au profit d'intérêts économiques à court terme ; à l'absence de la participation du public dans les processus décisionnels. Les économistes ont attaqué le système sur deux points : en premier lieu, ils critiquaient le fait que les redevances d'exploitation par volume ont été établies par le gouvernement et non par le marché et, par conséquent, ne reflétaient pas toute la valeur de la ressource forestière ; en deuxième lieu, ils dénonçaient le fait que les droits de propriété détenus par les sociétés forestières n'étaient pas assortis des mesures incitatives nécessaires au maintien à long terme de la forêt (Hoberg, 1996). En outre, une série de décisions judiciaires rendues au cours des années 80 ont entraîné des injonctions visant à interrompre plusieurs projets de développement des ressources sur les terres publiques, en attendant la négociation des revendications territoriales des autochtones.

Le gouvernement de la Colombie-Britannique a réagi à cette vague croissante de conflits en déployant des efforts visant d'abord à mettre fin à cette « guerre du bois ». Au cours des cinq dernières années, ces efforts ont abouti à une transformation de la gestion des ressources et des processus de planification en Colombie-Britannique. Ils ont encouragé un dialogue politique à l'échelle de la province, dans lequel le terme « durabilité », dans l'une ou l'autre de ses définitions, est probablement aujourd'hui un élément permanent.

En Colombie-Britannique, la politique sur les ressources naturelles et, de façon plus générale, les tentatives pour en arriver à un équilibre durable pour ce qui est des intérêts environnementaux, économiques et sociaux ont été motivées par deux priorités principales : 1) la concurrence accrue pour le partage d'une réserve de plus en plus restreinte de ressources, de biens, de services et d'attraits ; 2) la demande croissante visant la participation du public dans la répartition des ressources entre divers organismes ayant des intérêts concurrentiels.

Les demandes quant à la participation directe des intervenants reflètent, par conséquent, une perte de confiance importante dans les processus décisionnels traditionnels ainsi que dans la capacité de la science traditionnelle et des « experts » à apporter des solutions judicieuses et durables aux problèmes complexes en matière de politique. La réaction du gouvernement provincial a été de mettre en place un large éventail de lois, de politiques, de processus, d'organismes et de structures en vue d'examiner les aspects environnementaux, économiques et sociaux de l'utilisation des terres en Colombie-Britannique et d'accroître considérablement la participation des « intervenants » dans cette entreprise.

Dans le cadre du présent chapitre, il n'est pas possible de présenter la liste complète des questions liées à la gestion des ressources et à la durabilité auxquelles fait face la Colombie-Britannique. Un document de travail plus détaillé, qu'il est possible d'obtenir directement auprès des auteurs, fait état de quelques initiatives illustrant la gamme des questions politiques et les réactions du gouvernement dans le domaine des ressources naturelles et de l'environnement. Clayoquot Sound et la Commission sur les ressources et l'environnement (Commission on Resources and Environment) sont des exemples représentatifs d'un certain nombre d'événements importants et sont brièvement présentés dans la prochaine section.

13.5 Exemples caractéristiques

13.5.1 Politique forestière : Clayoquot Sound

Clayoquot Sound, situé sur la côte ouest de l'île de Vancouver, a été le centre de conflits en rapport avec la politique forestière en Colombie-Britannique, et continue d'être un élément de lutte constant. L'évolution de la gestion de la forêt à Clayoquot Sound fournit un exemple révélateur des enjeux faisant l'objet d'un débat en Colombie-Britannique et de l'élaboration des solutions politiques correspondantes.

Au mois d'août 1989, le gouvernement provincial a mandaté le Groupe de travail sur le développement durable de Clayoquot Sound (Clayoquot Sound Sustainable Development Task Force) pour expérimenter l'élaboration d'un consensus viable visant à concilier les valeurs des intérêts concurrentiels et pour présenter un plan adapté à la collectivité pour la durabilité de toutes les valeurs de Clayoquot Sound (Darling, 1991). Le Groupe de travail et son successeur, le Comité directeur du développement durable de Clayoquot Sound (Clayoquot Sound Sustainable Development Steering Committee), ne sont pas parvenus à résoudre la question du genre d'exploitation forestière qui devrait se pratiquer, alors que les négociations sur le développement durable à long terme pour les régions étaient en cours (Hoberg, 1996; Darling, 1991). Après une série de réunions agitées, au cours desquelles des fonctionnaires de l'Environnement ont abandonné le processus en guise de protestation contre le maintien d'une exploitation forestière à court terme, le Comité a cessé ses activités en 1992, sans être parvenu à un accord sur l'avenir de l'exploitation forestière dans la région.

Pendant ce temps, le gouvernement provincial avait mis sur pied la Commission sur les ressources et l'environnement (Commission on Resources and the Environment-CORE), dont le mandat consistait à élaborer un processus détaillé d'aménagement du territoire pour la province. La priorité de la Commission était de concevoir, d'un commun accord, un plan d'aménagement du territoire pour l'île de Vancouver, mais le processus de Clayoquot Sound était explicitement exclu de son mandat. Bien que la décision du Cabinet provincial concernant l'aménagement du territoire de Clayoquot Sound ait été fondée sur la préservation beaucoup plus que l'aurait souhaité l'industrie forestière, les environnementalistes en ont été indignés, et cette décision a soulevé une importante campagne de désobéissance civile, qui s'est soldée par l'arrestation de plus de 800 personnes, accusées d'avoir bloqué les chemins régionaux utilisés pour l'exploitation forestière, au cours de l'été de 1993 (Hoberg, 1996). Les poursuites judiciaires ultérieures ont entraîné de nombreuses condamnations et les appels ont été largement infructueux. Néanmoins, cette croisade de désobéissance civile a réussi à attirer l'attention sur certaines questions fondamentales concernant les obligations du gouvernement et de l'industrie d'agir non seulement de façon à ne pas s'opposer à l'objectif des engagements internationaux auxquels souscrit le gouvernement fédéral – en sanctionnant, par exemple, la Convention sur la biodiversité –, mais aussi de prendre des mesures positives pour la mise en œuvre de ces engagements. En conséquence, il se pourrait que les principes juridiques qui ont servi à prononcer les condamnations jusqu'à maintenant soient substantiellement modifiés dans l'avenir. Ces modifications visent à ce que les gouvernements infranationaux et les sociétés privées prennent une plus grande part de responsabilité afin de limiter les mesures qui compromettent l'exécution des engagements contractés dans les pactes internationaux.

Bien que la décision concernant l'exploitation forestière de Clayoquot Sound n'ait pas été explicitement révoquée, le gouvernement, à la demande du commissaire Stephen Owen, a mis sur pied le Comité scientifique chargé de l'examen des méthodes favorisant la forêt durable à Clayoquot Sound (Scientific Panel for Sustainable Forest Practices), dont l'objectif consiste à faire de ces méthodes d'exploitation forestière les « meilleures du monde ». En avril 1995, le

Comité, composé de scientifiques possédant d'excellentes références dans le domaine de l'environnement, de même que des anciens de la première nation Nuu-chah-nulth, considérés comme des experts en matière de « savoir écologique traditionnel » appelés à participer à un processus participatif d'analyse de politique plutôt que comme représentants politiques s'engageant dans un processus de négociation, a recommandé des pratiques d'exploitation forestière soumises à une surveillance rigoureuse à Clayoquot Sound (Scientific Panel, 1995). Toutes ces recommandations, dont bon nombre entraînent une augmentation substantielle des frais d'exploitation forestière dans cette région, ont été acceptées par le gouvernement. Pendant ce temps, en mars 1994, le gouvernement provincial a négocié un « accord de mesures provisoire » avec les tribus nuu-chah-nulth de la région centrale visant à accroître la participation des peuples autochtones locaux au chapitre de la planification, de la gestion et du développement des ressources à Clayoquot Sound. Cet accord, qui comprenait la création du Conseil de la région centrale (Central Region Board), dont la présidence est partagée pour assurer la cogestion des activités de la région, a dernièrement été prolongé pour une période de trois ans. Le Conseil se compose de cinq représentants des Premières Nations, de cinq représentants des collectivités locales et de deux coprésidents – un pour chaque groupe. Ayant pour mission explicite la gestion du territoire et des ressources de Clayoquot Sound avant la conclusion d'un traité et connaissant un succès croissant dans l'établissement de relations de coopération entre tous les intervenants engagés dans l'aménagement du territoire et l'utilisation des ressources, le Conseil représente un modèle intéressant et prometteur pour la création d'institutions de cogestion innovatrices ailleurs dans la province et dans d'autres provinces et territoires.

À la suite de ces différents événements, la récolte forestière à Clayoquot Sound a considérablement diminué et la rentabilité soutenue de l'exploitation forestière dans la région est remise en question. En 1996, à la Conférence de l'Union mondiale pour la nature (UICN), le gouvernement provincial s'est rallié aux groupes qui réclament que Clayoquot Sound fasse partie des réserves de la biosphère des Nations Unies. À Clayoquot Sound, la « guerre du bois » pourrait éventuellement se terminer seulement par l'arrêt complet de l'exploitation forestière à l'échelle industrielle et la transition vers une sylviculture sélective prodiguée à l'échelle communautaire.

Ailleurs, cependant, le processus de la CORE et les activités subséquentes d'aménagement du territoire ont permis de clarifier considérablement les objectifs en matière d'aménagement du territoire et des forêts dans toute la province. En particulier, le Code de pratiques forestières (Forest Practices Code) de la Colombie-Britannique est entré en vigueur en juin 1995 et vise à réglementer les techniques d'exploitation forestière, particulièrement à réduire l'ampleur des coupes à blanc, à renforcer les exigences en matière de reboisement, à réduire les conséquences sur l'environnement des chemins d'exploitation forestière, ainsi qu'à protéger la qualité de l'eau et l'habitat du poisson. Les amendes éventuelles pour des infractions au Code sont considérables, jusqu'à un million de dollars par jour, bien qu'aucune amende de cet ordre n'ait encore été imposée.

Le Code représente une solution « dure » pour traiter les méthodes d'exploitation forestière inacceptables ; il a été bien accueilli par les environnementalistes, mais critiqué par l'industrie forestière, parce qu'elle le juge complexe et lourd et parce que les frais relatifs à sa mise en application sont trop élevés. Le gouvernement provincial examine actuellement des moyens de « rationaliser » le Code pour réduire les frais de mise en application engagés par l'industrie et pour alléger la tâche des fonctionnaires chargés de l'inspection.

Le Forest Land Reserve (FLR) Act de 1995 a été élaboré d'après l'Agricultural Land Reserve Act qui a été adopté au cours des années 70 par le gouvernement néo-démocrate et qui visait à protéger les terres agricoles contre la vague de développement. Le FLR touche les forêts publiques et toutes les forêts privées, ces dernières appartenant à la catégorie de forêts dont les propriétaires peuvent bénéficier d'une réduction d'impôt foncier en échange d'engagements dans le contexte de la gestion de la forêt. Le FLR permet au Code de pratiques forestières de la Colombie-Britannique de s'appliquer aux terres privées sur la réserve, lesquelles sont presque exclusivement la propriété d'importantes sociétés d'exploitation forestière (CORE, 1996).

13.5.2 Aménagement du territoire et coordination des politiques : Commission sur les ressources et l'environnement

Comme il a été mentionné ci-dessus, la CORE (Commission on Resources and the Environment) a été créée par le gouvernement provincial, au début de 1992, pour mettre au point une formule d'aménagement du territoire plus exhaustive pour la Colombie-Britannique et pour cesser les « querelles de clocher » caractérisées par des conflits interminables, comme le montre l'exemple de Clayoquot Sound. Le mandat de la Commission comprenait l'élaboration de plans stratégiques d'utilisation des terres dans quatre des régions les plus controversées de la province. Simultanément, la Commission a imaginé une stratégie provinciale portant sur tous les aspects de la durabilité, dont les principes ont été consolidés dans une charte (Land Use Charter), largement considérée comme étant le canevas d'une politique provinciale. Bon nombre de ces principes ont été directement inclus dans la politique et les mesures législatives, telle le Growth Strategies Act (CORE, 1996).

Bien qu'aucun des processus d'aménagement régional du territoire mis de l'avant par la CORE n'ait obtenu le consensus à la table de négociation, les recommandations du commissaire ont eu une très grande influence dans la répartition finale des terres régionales adoptée par le Cabinet. En particulier, la désignation de zones protégées à l'échelle régionale se rapprochait étroitement de l'objectif de la stratégie en matière de zones protégées (Protected Area Strategy) pour la province, qui consistait à doubler les réserves naturelles provinciales, passant ainsi de 6 % à 12 % – pourcentages qui rejoignent les objectifs provisoires de la Commission mondiale de l'environnement et du développement, ou commission Brundtland.

Au début de 1996, le gouvernement provincial a procédé à la dissolution de la Commission qui, à son avis, « avait rempli son mandat, qui consistait à résoudre les litiges sur l'utilisation des terres dans toute la Colombie-Britannique » (Cabinet du premier ministre, mars 1996)[2]. Ses tâches devaient être assumées dans le cadre des processus de la Land and Resource Management Planning et du Land Use Coordination Office.

Le Land and Resource Management Planning (LRMP) est né de la mise en œuvre de processus du consultation publique pour l'évaluation des impacts socio-économiques de la gestion des ressources forestières dans la province. Les plans du LRMP, dits « infrarégionaux », pour les distinguer des plans régionaux de la CORE, se proposent de diviser les régions en un certain nombre de zones, chacune mettant l'accent sur une ressource et des valeurs environnementales particulières (CORE, 1996). Le Land Use Coordination Office (LUCO) a été créé en 1994 pour améliorer la direction et la coordination de toutes les initiatives interministérielles concernant l'aménagement du territoire. Le bureau, sous la direction du Cabinet, agit à titre d'organisme central pour aider à atteindre les objectifs en matière d'aménagement du territoire, en établissant des orientations stratégiques, en assurant la coordination des plans de travail des ministères, en surveillant les programmes des ministères et en rédigeant des rapports sur ces derniers. Le LUCO assure aussi une orientation pour ce qui est des activités et des processus régionaux et infrarégionaux sur l'utilisation des terres, et coordonne le travail des comités de gestion interorganismes (Inter-agency Management Committees) et des conseils de ressources communautaires (Community Resource Boards).

13.5.3 Traités avec les Premières Nations

En 1990, les gouvernements du Canada et de la Colombie-Britannique, ainsi que les chefs des Premières Nations, ont formé un groupe de travail mixte chargé de recommander un processus visant à négocier des accords en Colombie-Britannique où, contrairement au reste du Canada, très peu d'accords ont été signés avec les peuples autochtones au cours de la période coloniale et au début de la Confédération. Pour le gouvernement de la Colombie-Britannique, le fait d'accepter de négocier des ententes signifiait l'abandon d'une politique centenaire qui niait l'existence des droits autochtones sur les terres ou les ressources provinciales.

La gestion actuelle et l'aliénation des terres et des ressources qui peuvent éventuellement faire partie des traités représentent un enjeu important dans le processus de négociation d'un traité. Certaines nations ont critiqué le gouvernement provincial, parce qu'il a omis de protéger ces terres et ces ressources au moyen de la mise en œuvre d'accords de mesures provisoires et de nombreuses autres se sont abstenues de participer activement aux processus d'aménagement régional et infrarégional – de même qu'aux processus de la CORE décrits

2. L'évaluation du succès de la Commission, et de son impact sur la gestion publique plus généralement, demeure un sujet d'intérêt constant. Voir Duffy et coll., 1996 ; Wilson et coll., 1996.

ci-dessus –, sous prétexte que ce genre de processus pourrait nuire aux accords éventuels.

En plus des inquiétudes des Premières Nations concernant le processus d'élaboration d'un traité, un débat important se tient actuellement parmi la population non autochtone, débat avivé par les modalités proposées dans le cadre d'un récent accord de principe sur le traité de Nisga'a, qui entraîneraient des transferts considérables des contribuables de la Colombie-Britannique et de l'ensemble du Canada, si ces modalités sont conservées jusqu'à la fin des négociations (Scarfe, 1996 : 15). La négociation de traités qui adoucissent les conflits et les injustices au lieu de les aggraver, comme ceux conclus entre les populations autochtones et non autochtones de la Colombie-Britannique, continuera de soulever la controverse, et le processus pourrait encore se poursuivre au cours des prochaines décennies.

13.5.4 Coopération frontalière et accords internationaux

Jusqu'à tout récemment, la relation à caractère dominant entre les gouvernements canadien et américain de la côte nord-ouest du Pacifique était plutôt axée sur la concurrence économique, particulièrement dans le secteur forestier. Cependant, vers la fin des années 80, l'élaboration d'ententes et d'institutions transfrontalières a commencé à prendre de l'ampleur. Alors que la notion de structures communes et formelles de gestion et d'aménagement pour la région biogéographique de « Cascadia » – en gros la région de Puget Sound et du détroit de Géorgie – ou d'autres regroupements importants comme celui de la région économique de la côte nord-ouest du Pacifique est loin d'être comprise, l'État de Washington et la province de la Colombie-Britannique ont entrepris conjointement plusieurs étapes visant une meilleure coopération sur les questions environnementales, y compris l'Accord de coopération environnementale (Environmental Cooperation Agreement) signé en mai 1992, qui établit un Conseil de coopération environnementale (Environmental Cooperation Council) composé des plus hauts fonctionnaires du B.C. Ministry of Environment Land and Parks et du State of Washington Department of Ecology. L'une des premières mesures adoptées par le Conseil a été la création d'un Comité sur la science de la mer (Marine Science Panel) pour établir les priorités en matière de gestion et un plan d'action détaillé pour la région du Puget Sound et du détroit de Géorgie. Les deux gouvernements ont aussi signé un accord de coopération en matière de transport (Transportation Cooperation Agreement) et un accord sur la gestion de la croissance (Growth Management Agreement), qui ont tous les deux servi de cadres juridiques pour les activités transfrontalières déjà en cours (Hodge et West, 1997 ; Blatter, 1996).

Des questions plus générales sur l'organisation gouvernementale et les méthodes de gestion sont soulevées à la suite du renforcement des liens internationaux, tant sur le plan de la gestion économique (Dobell et Steenkamp, 1994) que de l'influence croissante des organismes sociaux, des groupes et des « citoyens transfrontaliers » (Dobell et Neufeld, 1993).

Néanmoins, dans le domaine de l'environnement et de l'utilisation durable des ressources, la question qui attire le plus l'attention à l'heure actuelle est probablement celle de la mise en application des engagements internationaux. Ce sujet est en partie une question constitutionnelle, mais plus essentiellement une question liée à l'émergence du droit coutumier international (Sands, 1995) et à l'intérêt mondial croissant pour les pactes fondés sur des valeurs, ce qui oblige les signataires à veiller à la mise en œuvre et à l'exécution complète des mesures dans les collectivités et les unités infrarégionales, que ce soit au moyen de structures intergouvernementales traditionnelles ou, très probablement, au moyen de nouveaux mécanismes ou d'alliances interinstitutionnelles (Dobell et Bernier, 1996). Toutefois, l'exemple de l'Accord de libre-échange nord-américain et de l'entente sur l'environnement démontre que les tensions et litiges liés à la mise en œuvre par des unités infranationales faisant parti des accords internationaux sont loin d'être terminés.

13.6 Conclusion

Dans l'ensemble, on pourrait dire que la Colombie-Britannique, en raison de son intérêt marqué pour le partage des décisions, le programme général sur la durabilité, la participation et la mise en application sur le terrain, soit dans les collectivités, a tracé une voie claire pour concevoir un cadre de valeurs communautaires axé sur les mécanismes actuels du marché mondial, dont elle dépend tellement, et auxquels elle est si vulnérable, dans le domaine de la politique de gestion des ressources. Toutefois, il serait trop optimiste de prétendre que la politique et la pratique actuelles suivent réellement cette voie. En ce qui concerne la création de nouveaux organismes et l'établissement de valeurs très claires pour orienter la gestion des ressources et le développement durable, la Colombie-Britannique peut se vanter d'être l'un des chefs de file à l'échelle mondiale. Pour ce qui est de l'engagement politique et de la mise en œuvre de politiques, il y a malheureusement encore beaucoup de travail à accomplir. En effet, il n'est que trop évident que l'on a délaissé certains des principes susmentionnés. Une question se pose : est-il possible de réaliser les orientations actuelles, même avec un point de départ favorisant la richesse des ressources et un environnement propre comme celui de la côte Ouest du Canada ?

Le discours politique s'est cependant modifié. Il existe une prise de conscience accrue concernant le besoin d'apporter un certain nombre de changements sociaux essentiels qui sont, dans l'ensemble, nécessaires à la transformation éventuelle d'une structure économique fondée sur la liquidation du capital naturel en une structure misant sur un rendement durable des investissements.

Sur le plan des politiques :

- La gestion des ressources fait de plus en plus l'objet de débats dans le contexte élargi des inquiétudes à propos de la conservation et des politiques en matière de durabilité. Les critères de gestion sont orientés vers le besoin de gérer afin de conserver l'intégrité des écosystèmes plutôt que promouvoir un changement constant du produit. Cette orientation rendra de plus en plus nécessaire le recours à des mesures préventives visant à s'assurer que les interventions humaines ne mettent pas en péril la santé des écosystèmes.

- Il serait urgent, plutôt que d'avoir recours à une méthode de planification stratégique centralisée, d'adopter des méthodes de gestion ou d'apprentissage plus souples.
- En raison de l'intérêt croissant pour conserver l'intégrité des écosystèmes, on note un besoin de plus en plus grand de reconnaître la valeur du capital naturel, et l'intérêt correspondant pour les revendications territoriales et la clarification des droits de propriété. La gestion des ressources à accès libre et des ressources communes est davantage reconnue comme une responsabilité cruciale en matière de politique, comme l'est la réforme des dispositions sur le régime foncier, la redéfinition des droits de propriété et la création d'organismes pour encourager une gestion durable et plus responsable. Ce changement entraînera davantage d'intérêt pour la réforme de l'écotaxe ou des « taxes vertes ».

Sur le plan administratif :

- La manière d'envisager les écosystèmes entraîne aussi un virage nécessaire vers une gestion qui tient compte des bassins hydrographiques ou des écosystèmes, au lieu des champs de compétence et au-delà des frontières politiques existantes. Le besoin de se pencher sur des problèmes liés à l'uniformisation des politiques et entre les organismes, ainsi que la coordination entre les paliers de gouvernement, présente des défis importants pour les unités administratives et les ministères à structures verticales et spécialisés.
- En outre, le virage vers un mode de consultation axé sur des processus participatifs et des négociations entre groupes d'intérêt multiples force les analystes de la politique et les administrateurs à s'engager dans des procédures ouvertes, publiques et politisées, ce qui représente des défis sans précédent. L'élaboration analytique et ordonnée des politiques au sein d'un organisme a été remplacée, en majeure partie, par des processus d'élaboration publics, organiques, imprévisibles et souvent très conflictuels, auxquels participent différents groupes d'intérêt. Ce type de processus d'élaboration de politiques se pratique non seulement aux étapes exécutives et législatives de l'adoption des politiques, mais au sein des partenariats d'organismes publics ou du secteur privé pour la mise en œuvre et la cogestion.
- L'importance accordée au discours entourant la réglementation soulève des inquiétudes sur le plan de l'efficacité de la réglementation et de l'application. L'attention porte de plus en plus sur les instruments économiques considérés comme des instruments privilégiés parmi un ensemble « restreint » d'instruments directeurs.
- La gestion des ressources axée sur la collectivité s'avère de plus en plus comme l'option privilégiée dans la conception de structures de rechange pour la gestion et la prestation des services. Le contingentement ou la création d'organismes autonomes pour la gestion collective de l'utilisation des ressources devient une des options de plus en plus envisagée dans les

discussions portant sur la gestion des ressources et la protection de l'environnement visant la santé des écosystèmes. La recherche d'une signification fonctionnelle des principes de subsidiarité devient ainsi une tâche administrative de grande importance.

- De façon plus générale, l'élaboration des politiques et les pratiques administratives au sein du gouvernement doivent se trouver un rôle approprié dans l'ensemble du programme sur la durabilité qui conçoit les mécanismes pertinents nécessaires pour appuyer la transition au sein de la collectivité et pour simplifier l'adaptation économique – probablement en tenant compte de l'augmentation des revenus que retire l'État, propriétaire d'un capital naturel de plus en plus restreint et dont la valeur ne cesse d'augmenter. Cependant, on ne peut affirmer que le public ou le gouvernement actuel soit engagé dans ce programme fondamental, ou même qu'il le reconnaisse.

La durabilité, la subsidiarité et l'autonomie gouvernementale sont tous des concepts complexes et difficiles à cerner. Ils sont en train de causer un degré de turbulence et d'agitation sans précédent dans l'élaboration, la mise en œuvre et l'administration continue de la politique en matière de ressources et d'environnement en Colombie-Britannique. Les organismes d'administration publique effectuent un changement irréversible, dans toutes les sphères et à la grandeur de la province, dans le but d'intégrer les conséquences. Une révolution des systèmes de croyance et l'étendue des processus d'apprentissage social constituent donc les caractéristiques les plus frappantes de l'administration publique et de la gestion des ressources à mesure que la Colombie-Britannique fait face à la fin de l'ère du « libre accès » et aux vicissitudes du village global surpeuplé.

* * *

Références

AUDITOR GENERAL OF BRITISH COLUMBIA AND DEPUTY MINISTERS' COUNCIL (1995). *Enhancing Accountability for Performance in the British Columbia Public Sector.*

BLATTER, Joachim (1996). « Cross-Border Cooperation and Sustainable Development in Europe and North America », thèse de maîtrise inédite, School of Public Administration, University of Victoria.

BRITISH COLUMBIA COMMISSION ON RESOURCES AND ENVIRONMENT (1996). *On the Road to Sustainability: A Synopsis of Provincial Sustainability Issues.*

BRITISH COLUMBIA FOREST RESOURCES COMMISSION (1991). *The Future of Our Forests*, B.C. Ministry of Finance and Corporate Relations, Planning and Statistics Branch.

BRITISH COLUMBIA MINISTRY OF FINANCE AND CORPORATE RELATIONS, PLANNING AND STATISTICS DIVISION (1991). *The Structure of the British Columbia Economy: A Land Use Perspective*, British Columbia Round Table on the Environment and the Economy, Victoria.

BRITISH COLUMBIA MINISTRY OF FINANCE AND CORPORATE RELATIONS (1995). *1995 British Columbia Financial and Economic Review.*

BRITISH COLUMBIA MINISTRY OF MUNICIPAL AFFAIRS (1995). *An Explanatory Guide to B.C.'s Growth Strategies Act.*

BRITISH COLUMBIA OFFICE OF THE PREMIER (1996). « Commission on Resources and Environment Winds Down », Communiqué de presse, 7 mars.

BRITISH COLUMBIA ROUND TABLE ON THE ENVIRONMENT AND THE ECONOMY (1993). *The Georgia Basin Initiative: Creating a Sustainable Future*, BCRTEE, Victoria.

DALY, Herman E. (1973). *Toward a Steady-State Economy*, San Francisco W.H. Freeman and Co.

DARLING, Craig, (1991). *In Search of Consensus: An Evaluation of the Clayoquot Sound Sustainable Development Task Force Process*, University of Victoria Institute for Dispute Resolution.

DOBELL, Rodney, et Luc BERNIER (1996). *Citizen-Centered Governance: Inter-governmental and Inter-institutional Implications of Alternative Service Delivery*, Institute of Public Administration and KPMG Centre for Government, Toronto.

DOBELL, Rodney, et Michael NEUFELD (1993). *Trans-Border Citizens: Networks and New Institutions in North America*, Lantzville, Oolichan Books for the North American Institute.

DOBELL, Rodney, et Philip STEENKAMP (1994). *Public Management in a Borderless Economy*, Institut d'administration publique du Canada, Toronto.

DUFFY, Dorli M., Mark ROSELAND et Thomas J. GUNTON (1996). « A Preliminary Assessment of Shared Decision-Making in Land Use and Natural Resource Planning », *Environments*, volume 23, numéro 2, p. 1-15.

EASTERBROOK, Gregg (1995). *A Moment on the Earth: The Coming Age of Environmental Optimism*, New York, Viking.

HALEY, David et Martin LUCKERT (1996). « Policy Instruments for Sustainable Development in the British Columbia Forestry Sector », *in* A. SCOTT, J. ROBINSON et D. COHEN, Ed. *Managing Natural Resources in British Columbia: Markets, Regulations, and Sustainable Development*, Vancouver, UBC Press.

HOBERG, George (1996). « The Politics of Sustainability: Forest Policy in British Columbia », *in* R.K. CARTY, Ed. *Politics, Policy and Government in British Columbia*, Vancouver, UBC Press.

HODGE, R.A., et Paul R. WEST (1997). « Achieving Progress in the Great Lakes Basin Ecosystem and the Georgia Basin-Puget Sound Bioregion », *in* Richard KIY et John D. WIRTH, Eds., *Case Studies in Environmental Management on the Borders in North America*, à paraître.

HOGG, Peter W. (1985). *Constitutional Law of Canada, Second Edition*, Toronto, Carswell.

HOWLETT, Michael et Jeremy RAYNER (1995). « Do Ideas Matter? Policy Network Configurations and Resistance to Policy Change in the Canadian Forest Sector », *Canadian Public Administration*, 38 : 3.

LONGO, Justin (1996). « The Multi-Jurisdictional Nature of Environmental and Natural Resource Issues », thèse de maîtrise inédite, School of Public Administration, University of Victoria.

McCANN, L.D. (1982). « Heartland and Hinterland: A Framework for Regional Analysis », *in* L.D. McCANN, Ed., *Geography of Canada: Heartland and Hinterland*, Scarborough, Prentice-Hall Canada.

PARSONS, L.S. (1993). « Management of Marine Fisheries in Canada », *Canadian Bulletin of Fisheries and Aquatic Sciences*, 225 : 763 p.

REED, Maureen (1995). « Implementing Sustainable Development in Hinterland Regions », *in* Bruce MITCHELL, Ed., *Resource and Environmental Management in Canada*, Don Mills, Oxford University Press.

RUFF, Norman (1996). « Provincial Governance and the Public Service: Bureaucratic Transitions and Change », *in* R.K. CARTY, Ed., *Politics, Policy and Government in British Columbia*, Vancouver, UBC Press.

SANDS, Phillippe (1995). *Principles of International Environmental Law*, Manchester, Manchester University Press.

SCARFE, Brian L. (1996). « How Aboriginal Title Settlements to be Financed », projet de thèse de maîtrise inédite, Victoria, BriMar Consultants Ltd., octobre.

SCIENTIFIC PANEL FOR SUSTAINABLE FOREST PRACTICES IN CLAYOQUOT SOUND (1995). *Report 5 – Sustainable Ecosystem Management in Clayoquot Sound: Planning and Practices.*

SIMON, Julian (1981). *The Ultimate Resource*, Princeton, Princeton University Pres.

UNION OF CONCERNED SCIENTISTS (1993). *World Scientist's Warning to Humanity*, avril.

VON WEIZSACKER, Ernst (1994). *Earth Politics*, London, Zed Books.

WACKERNAGEL, Mathis, et William REES (1996). *Our Ecological Footprint: Reducing Human Impact on the Earth*, Gabriola Island, New Society Publisher.

WILSON, Anne, Mark ROSELAND et J.C. DAY (1996). « Shared Decision-Making and Public Land Planning: An Evaluation of the Vancouver Island Regional CORE Process », *Environments*, vol. 23, n° 2, p. 69-86.

WILSON, Jerem (1990). « Wilderness Politics in B.C.: The Business Dominated State and the containment of Environmentalism », *in* W.D. COLEMAN et G. SKOGSTAD, Ed., *Policy Communities and Public Policy in Canada: A Structural Approach*, Mississauga, Copp Clark Pitman.

CHAPITRE 14

Les administrations municipales dans le processus de gouverne

David Siegel
Professeur associé de science politique
Université Brock

Le texte a été traduit de l'anglais par Jacques Bourgault, professeur à l'UQAM et professeur associé à l'ENAP.

Les Canadiens ont toujours manifesté une attitude ambivalente face au gouvernement local. D'un côté, on vante les vertus de ce palier de gouvernement le plus près de la population et les sondages montrent que les Canadiens considèrent que c'est le gouvernement local qui leur fournit le plus de services pour leurs impôts. De l'autre, le taux de participation aux élections est beaucoup plus faible à ce niveau qu'aux élections fédérales ou provinciales, et les taux de participation aux autres institutions locales semblent aussi modestes. Pourtant, il s'agit de la forme de gouvernement qui est la plus ouverte et la plus proche des citoyens. S'ils participent peu aux élections ou aux comités de l'administration, les citoyens se manifestent souvent et bruyamment aux réunions du conseil municipal décriant les taxes trop élevées ou, encore, les inondations dans leur sous-sol.

14.1 Les administrations locales au sein du réseau intergouvernemental

L'hésitation des citoyens à se mobiliser pour les questions locales vient probablement du fait que les gouvernements locaux jouissent de responsabilités très limitées dans le partage des pouvoirs au Canada. L'illustration 1 montre que, mesuré en dépenses[1], les gouvernements fédéral et provinciaux jouent un rôle beaucoup plus important que les gouvernements locaux.

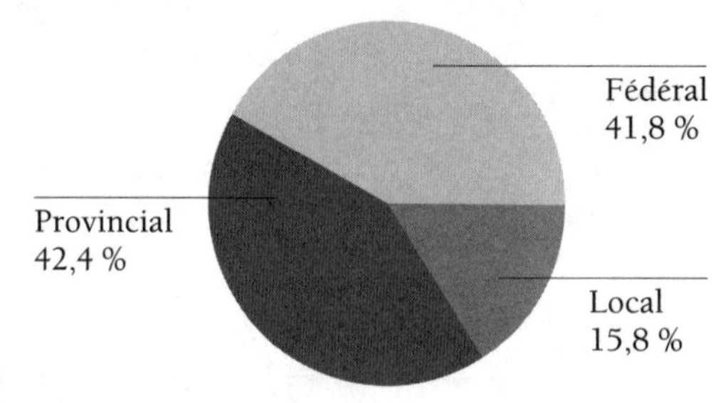

Illustration 1
Dépenses par niveau de gouvernement (1993)

Les dépenses « locales » représentent moins de la moitié de celles des autres niveaux, ce qui saute aux yeux des gens, puisque c'est le niveau qu'ils sont le mieux à même d'observer : cela démontre en tout cas la marge de manœuvre très limitée des administrations locales.

1. Karin Treff et T. Cook, *Finances of the Nation 1995*, Toronto, Canadian Tax Foundation, 1995, p. 18 : 11.

Qui plus est, le système local de gouvernement se trouve sous le contrôle direct des gouvernements provinciaux. Voilà qui rend difficile la description du système au Canada, puisqu'il y en a donc dix, soit un dans chaque province[2], chacune ayant, dans le cadre constitutionnel canadien, le contrôle complet sur tous les aspects du gouvernement local. Il n'y a pas de règle fondamentale commune comme on en trouve à certains endroits aux États-Unis : au contraire, la règle ici semble la forme extrême du *Dillon's Rule*, c'est-à-dire que les administrations locales ne peuvent exercer que les pouvoirs qui leur sont précisément attribués par une loi provinciale[3]. Les provinces peuvent créer de nouvelles administrations locales, en fusionner, en éliminer, leur donner de nouvelles compétences, leur en retirer ou, encore, changer comme elles le veulent les rapports municipalités-province. En pratique, les provinces n'exercent ces immenses pouvoirs qu'avec circonspection et qu'après consultation des municipalités.

Si chaque province peut gérer ses rapports avec les municipalités d'une manière qui lui soit particulière, on observe cependant beaucoup de similarités dans tout le Canada. Ainsi, chaque province compte, en son Conseil des ministres, un ministre des Affaires municipales bien que dans certaines provinces son portefeuille inclut aussi l'habitation. Le ministère des Affaires municipales (tel qu'on le désigne couramment) a la responsabilité d'ensemble du système municipal : il a l'initiative des modifications aux lois municipales, modifie la structure organisationnelle du gouvernement municipal et conseille les municipalités aux prises avec des problèmes qu'elles ont peine à résoudre. Ce ministère jouit d'immenses pouvoirs, mais agit toujours après une vaste consultation des municipalités.

Plusieurs provinces ont aussi mis sur pied un organisme quasi judiciaire qui entend en appel les décisions municipales en matière de zonage du territoire, d'expropriation, etc. Son rôle principal est d'entendre les appels sur les plans d'aménagement ou les règlements de zonage. Il agit comme organisme judiciaire à l'abri du contrôle politique direct.

La plupart des autres ministères provinciaux ont aussi affaire aux municipalités. Les autoroutes provinciales sont reliées aux routes locales et le ministère provincial de l'Éducation est responsable du fonctionnement des écoles locales ; en général, ces relations fonctionnent selon le principe de la carotte et du bâton ; si les ministères provinciaux utilisent la persuasion et les subventions conditionnelles pour obtenir des municipalités qu'elles agissent selon leurs plans, ils disposent néanmoins de pouvoirs coercitifs dans la plupart des cas. Comme le ministère des Affaires municipales, les autres ministères préfèrent obtenir des consensus plutôt que d'imposer leurs conditions.

---

2. En fait, si l'on tient compte des deux territoires du Nord canadien, qui ont chacun leur propre système, il y a un grand nombre de gouvernements locaux contrôlés par les autochtones. Ces modes d'administration sont innovateurs et importants, mais notre chapitre se concentrera sur les formes de gouvernement des régions plus densément peuplées du pays.

3. Stanley Makuch, *Canadian Municipal and Planning Law*, Toronto, Carswell, 1983, p. 115.

Le tableau 1, qui illustre la répartition des responsabilités entre les ministères provinciaux et les administrations locales, doit faire l'objet de nuances pour deux raisons : d'une part, le partage varie selon les provinces et, d'autre part, ces relations comportent de nombreuses subtilités qu'un tableau statique comme celui-ci ne peut rendre compte. Par exemple, la direction provinciale des administrations scolaires dans certaines provinces est si détaillée que plusieurs mettent en doute la réalité de quelque contrôle local sur le sujet.

Tableau 1
Partage des responsabilités provinces/administrations locales

Provincial	Partagé : provincial et local	Surtout local, avec forte responsabilité provinciale	Surtout local
Production d'électricité	Habitation	Éducation	Protection contre les incendies
Soins de santé*	Aménagement du territoire	Transport public	Loisirs
Services sociaux*	Parcs		Eaux usées
Police			Déchets solides
Routes			Distribution de l'eau traitée

* Forte responsabilité fédérale

Le statut des administrations locales au Canada ressort clairement de ce tableau : les objets classés « surtout local » importent d'abord aux individus, mais ont peu de répercussions sur la politique générale par comparaison à celle de la santé et des services sociaux. Même dans les domaines de prédominance locale, on observe souvent de forts contrôles provinciaux sur ce que les municipalités font. L'exemple classique de la disposition des déchets solides, où les normes provinciales de localisation, aménagement et gestion des sites d'enfouissement contraignent les municipalités, illustre cette réalité.

Si les gouvernements provinciaux peuvent beaucoup légiférer au sujet des municipalités, en pratique celles-ci se sont suffisamment bien organisées pour influencer les gouvernements provinciaux, notamment par une association des municipalités dans chaque province[4]. Les gouvernements provinciaux prennent en général au sérieux ces associations qui deviennent ainsi des intervenants légitimes dans le processus d'élaboration des politiques et dont les points de vue sont fortement pris en considération. Cependant, le défi de ces associations semble de présenter des opinions minimalement homogènes tant varie leur base en ce qui concerne les dimensions et types de municipalités. L'association

4. Leur rôle se trouve bien décrit dans Peter G. Boswell, « Provincial-Municipal Relations », dans Christopher Dunn (dir.), *Provinces Canadian Provincial Politics*, Peterborough, Ontario, Broadview Press, 1996, p. 265-26.

nationale, la Fédération des municipalités canadiennes, représente les intérêts des municipalités au niveau national. Même si ces associations influencent le processus d'élaboration des politiques, leur influence varie sensiblement selon les enjeux et une grande diversité de facteurs.

14.2 La structure du gouvernement local[5]

Durant l'après-guerre, le Canada a connu le même type d'urbanisation que les autres pays développés[6]. Récemment, la croissance s'est plus manifestée en banlieue que dans les centres. L'exode urbain, caractéristique des États-Unis, ne s'est pas manifesté au Canada : les zones les plus luxueuses sont encore dans les centres-villes, par exemple : Outremont et Westmount, à Montréal ; Rosedale, Cabbagetown et Annex, à Toronto ; et la Baie des Anglais à Vancouver. Dans certains cas, comme à Annex ou Cabbagetown, il s'agit d'une revitalisation d'une zone urbaine abandonnée.

Les villes canadiennes n'avaient pas vécu, en raison de leur diversité, les tensions raciales survenues chez leurs voisines du sud ; depuis quelques années, l'intense immigration d'Afrique, d'Asie et des Caraïbes s'accompagne de certaines tensions raciales, particulièrement dans les zones périphériques où le coût de la vie est moins élevé. Les villes canadiennes, bien qu'épargnées par les tensions raciales, doivent affronter le défi de la croissance rapide des zones urbaines. Le Canada, qui s'est toujours montré fier de ses innovations en matière de gestion des régions métropolitaines, a trouvé plusieurs solutions pour contrôler la croissance urbaine.

La plus simple est l'« annexion à la cité centrale ». La cité centrale croît par l'annexion du territoire nécessaire à sa croissance comme l'a fait Calgary, en Alberta, grâce à l'intervention provinciale qui étend sans cesse ses limites. Cette expansion devance continuellement les besoins recensés ; à Calgary, les banlieues n'ont donc pas pu se développer aussi rapidement[7].

Cette solution semble fort prometteuse ; elle permet un aménagement optimal du territoire et les citoyens s'y retrouvent bien, eux qui acceptent une plus vaste administration pour un territoire plus ample, plutôt que d'avoir de nombreux fiefs divisés. Le seul aspect négatif est que leur ampleur peut décourager la participation des citoyens.

---

5. Voir à ce sujet Allan O'Brien, *Municipal Consolidation in Canada and its Alternatives*, Toronto, Intergovernmental Committee on Urban and Regional Research, 1993 ; Andrew Sancton, *Local Government Reorganization in Canada Since 1975*, Toronto, ICURR Press, 1991.

6. Leo Driedger, *The Urban Factor*, Don Mills, Ont., Oxford University Press, 1991, chap. 3 ; Peter McGahan, *Urban Sociology in Canada*, Toronto, Butterworths, 1982 ; Roy D. Bollman, et Brian Biggs, « Rural and Small Town Canada : An Overview », dans Roy D. Bollman (dir.), *Rural and Small Town Canada*, Toronto, Thompson Educational Publishing Inc., 1992.

7. Jack Masson et Edward LeSage, C. Jr., *Alberta's Local Governments ; Politics and Democracy*, Edmonton, University of Alberta Press, 1994, p. 164-167.

Son implantation se trouve facilitée si, hors de la circonscription centrale, il n'y a pas encore de pôles de développement : s'il s'avère difficile de prendre le contrôle de petites unités organisées, il est beaucoup plus facile de s'étendre sur des territoires qui n'appartiennent à personne. Voilà pourquoi ce modèle se trouve surtout en Alberta et en Saskatchewan ; on le retrouve aussi en Nouvelle-Écosse comme à Halifax et au Cap-Breton.

La solution est le « gouvernement partagé ». Il s'agit d'imposer une superstructure sur plusieurs petites villes qu'on laisse intactes. Le plus vaste gouvernement régional coordonnera les services de l'ensemble de la région métropolitaine alors que les municipalités fourniront certains services précis très adaptés à des clientèles municipales très ciblées.

Dès 1954, le Toronto métropolitain s'est constitué sur cette base suivi, en 1969, par les communautés urbaines québécoises. Il s'agit de confier aux gouvernements régionaux les services à pressentir en réalisant des économies d'échelle ou, encore, ceux qui s'adressent à une communauté régionale, comme le traitement des eaux usées, la purification de l'eau, alors que l'aménagement du territoire et le transport conviennent plus aux villes. Les municipalités deviennent responsables de biens publics qui correspondent plus directement aux besoins immédiats des gens, tels que la planification des quartiers, des parcs et des loisirs.

Lorsqu'il y a, dans la même région, deux paliers gouvernementaux qui remplissent les mêmes fonctions, les tensions surgissent inévitablement et les citoyens se plaignent de dédoublements et de redondances d'activités. La Colombie-Britannique[8] a voulu régler la question par un système à deux paliers dont le supérieur n'a pour fonctions que celles spécialement déléguées par les municipalités de la base. Ces « districts régionaux » vivent ainsi moins de tensions, puisque les deux paliers s'accordent sur les services à être livrés par le niveau supérieur. En Ontario et au Québec, le palier supérieur fut imposé aux municipalités contre leur gré.

Il s'agit ainsi de jouir du meilleur des deux mondes ; un vaste gouvernement régional qui réalise des économies d'échelle et des municipalités proches des gens ; en fait, les gens se sont tout de même plaints de duplications et de dédoublements, alors que les politiciens des deux niveaux jetaient de l'huile sur le feu, en consacrant plus de temps et de ressources à s'affronter qu'à livrer de réels services aux citoyens. Le problème fondamental est peut-être que les gens ne comprennent pas la structure de base de tout gouvernement local et n'acceptent donc pas les systèmes à deux paliers.

L'illustration 2 montre ce que, typiquement (mais hypothétiquement), peut représenter l'organisation d'un gouvernement local. L'unité centrale (entre les pointillés) assume la plupart des fonctions, mais des agences spécialisées jouent aussi un rôle important ; certaines d'entre elles sont élues directement (celles qui

---

8. Robert L. Bish, *Local Government in British Columbia*, Richmond, B.C., Union of British Columbia Municipalities, 1984, chap. 4 ; O'Brien, *op. cit.*, p. 52-57.

ont une ligne continue qui les lie à l'électorat) et échappent donc totalement au contrôle du conseil municipal, alors que d'autres demeurent relativement autonomes malgré un certain contrôle du conseil.

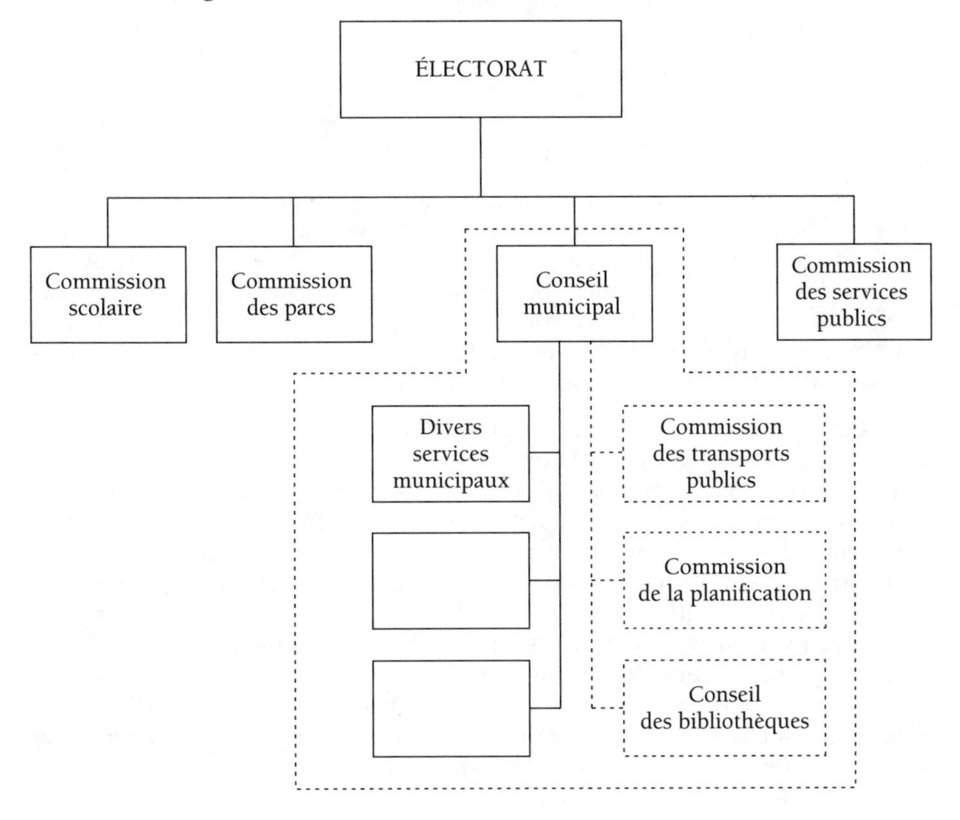

Illustration 2

Les municipalités canadiennes sont dirigées par un conseil municipal élu composé d'un président, normalement le maire, et de conseillers. En général, le maire a un rôle honorifique, représentant la ville aux occasions protocolaires, présidant les séances, mais n'a aucun pouvoir supplémentaire à ceux des autres conseillers. Ceux-ci sont élus soit par procuration soit au suffrage universel, ce dernier étant surtout pratiqué dans les petites municipalités. Les procurations valent en général pour désigner un ou deux conseillers à la fois. Les municipalités peuvent modifier leur système électoral mais, en général, l'accord de la province sera nécessaire. L'ampleur d'un conseil municipal varie beaucoup, mais il est de moindre dimension que celui d'une municipalité d'Europe. Le tableau 2 présente le cas de l'Ontario qui représente bien, à cet égard, l'ensemble des provinces.

Tableau 2
Ampleur des conseils municipaux en Ontario (exceptant le maire)

Population de la municipalité	Moyenne	Minimum	Maximum
Petite (< 10000)	4,7	2	8
Moyenne (10000-100000)	7,7	3	15
Grande (> 100000)	12,5	6	18

Les conseils, surtout les grands, créent des comités à qui ils confient l'essentiel de leur travail, se réservant l'élaboration de la politique municipale et les sujets très controversés. La province n'a pas à autoriser la structure des comités. En général, ces comités s'occupent des affaires financières, des travaux publics, de l'aménagement du territoire et des parcs et loisirs. Les plus grandes villes comptent quelquefois sur un comité exécutif, mais ses pouvoirs se heurtent aux appréhensions des conseillers municipaux.

Les organismes spécialisés fonctionnent tout à fait à part des conseils municipaux bien qu'ils agissent sur le même territoire[9]. Alors que les administrations municipales fournissent des services généraux, ces agences se cantonnent dans la fourniture d'un seul service ou, encore, de quelques services reliés entre eux. Elles varient non seulement d'une province à l'autre, mais aussi à l'intérieur d'une même province. On les retrouve dans différents domaines d'action, par exemple en éducation, en matières policières, en aménagement du territoire, en production et distribution d'électricité et en contrôle d'inondations. Certaines jouissent d'une certaine autonomie face au conseil, alors que d'autres en sont complètement séparées parce que leur organe de direction est lui aussi élu. Les membres non élus des organes de direction d'agences peuvent être désignés par le conseil municipal, par le gouvernement provincial ou, encore, par un autre corps politique.

La prolifération de ces agences, dont l'existence n'est pas justifiée dans plusieurs cas, cause de nombreux problèmes. D'abord, les citoyens y retrouvent mal l'imputabilité et le contrôle du conseil municipal ; que dire aussi du jour de l'élection où le citoyen tente de retracer, sur son bulletin de vote, le nom de son conseiller municipal parmi les très nombreux noms et organismes au sujet desquels il doit voter ; enfin, la superposition des agences aux mandats différents sur le même territoire ne facilite pas la prestation des services publics.

14.3 Élections

Chaque municipalité tient, à des intervalles de deux à quatre ans, des élections sous l'égide du greffier municipal dans le cadre des règles législatives provinciales. Le scrutin pour la direction des agences spécialisées, mentionnées

9. Dale Richmond et David Siegel (dir.), *Agencies, Boards and Commissions in Canadian Local Government*, Toronto, The Institute of Public Administration of Canada et Intergovernmental Committee on Urban and Regional Research, 1994.

précédemment, rend l'élection plus longue et difficile à suivre pour l'électorat dans la mesure où un même scrutin peut donner un maire, des conseillers pour deux paliers de gouvernement, à des commissions scolaires[10] et des représentants à la direction d'agences spécialisées. Dieu merci, il n'y a pas de tradition canadienne de tenir des référendums en ces mêmes journées de scrutin. Si toutes les provinces ont prévu la possibilité de plébiscites, on ne recourt que rarement à ces référendums.

Les règles accordant le droit de vote se ressemblent d'une province à l'autre : la citoyenneté canadienne, la majorité politique à dix-huit ans et la résidence permanente (ou la propriété) sur le territoire. Le scrutin n'est donc aucunement censitaire.

Ces élections locales semblent, en général, se tenir à part de la politisation partisane nationale ; bien sûr, certains liens organisationnels et financiers existent et l'on connaît les préférences politiques de chacun au niveau national, mais personne ne s'affiche aux couleurs du parti national pendant la campagne ou le mandat.

En général, les campagnes électorales coûtent peu et présentent, sauf dans les grandes villes, un caractère artisanal. Le porte-à-porte, la publicité médiatique, l'affichage conventionnel et les débats contradictoires (quelquefois présentés à la télévision communautaire ou locale) en constituent les principales activités. À part les grandes villes, le financement modeste des campagnes ne permet ni la publicité électronique ni les sondages d'opinion.

Certaines provinces contrôlent d'ailleurs les levées de fonds et les dépenses électorales mais, sauf dans quelques très grandes villes, il n'est pas besoin d'y recourir. Ce financement modeste réduit l'envergure de la campagne, d'autant plus que la rigueur morale semble jouer un rôle important dans les campagnes locales ; une campagne qui imiterait le style de celles menées aux paliers supérieurs se retournerait probablement contre les candidats ; on préfère demeurer proche des gens, quitte à disposer de moyens moins sophistiqués.

14.4 Financement du gouvernement local

L'illustration 3 montre que les deux sources traditionnelles de financement du gouvernement local sont la taxe foncière et les transferts des gouvernements supérieurs, surtout provinciaux.

La taxe foncière est prélevée selon la « valeur raisonnable du marché » des terrains et édifices ; ce concept de « valeur raisonnable du marché » donne lieu à beaucoup d'interprétations selon les provinces ; les autres valeurs, telles que l'inventaire et l'équipement, ne font pas partie de la valeur foncière taxée. La propriété taxée se divise en trois classes générales : résidentielle, commerciale-

10. Dans certaines provinces, il peut même y avoir plus d'une commission scolaire sur un même territoire local, selon la répartition linguistique ou religieuse de la population ; si un même électeur ne peut voter que pour une seule des directions de commission scolaire, la campagne électorale pour les deux organismes ne simplifie pas le processus.

industrielle et agricole. Après la fixation des valeurs foncières, le taux des taxes leur est appliqué spécifiquement, si bien que les propriétés commerciales et industrielles portent un fardeau fiscal beaucoup plus lourd alors que les résidences s'en tirent le mieux. Les propriétés agricoles reçoivent aussi un traitement généralement favorable pour préserver l'utilisation agricole des terrains.

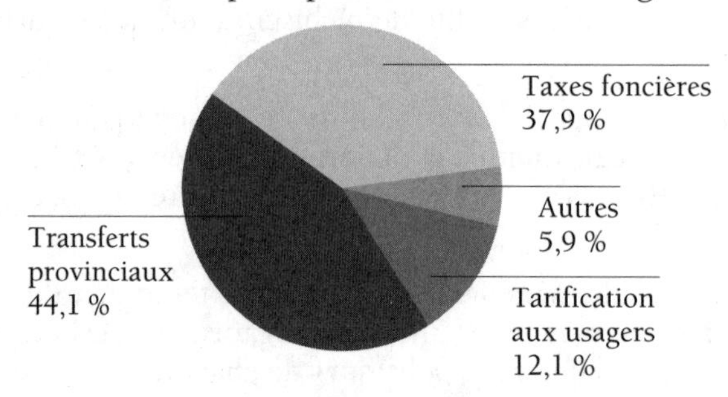

Illustration 3
Sources de revenus pour les administrations locales

Les paiements de transfert viennent surtout des gouvernements provinciaux[11], et le ministère des Affaires municipales verse ces fonds sans y attacher quelque condition d'utilisation. Ils s'établissent selon le nombre d'habitants des municipalités ou le nombre de résidences ou à partir d'un pourcentage de la valeur foncière taxable. Plusieurs autres ministères provinciaux versent des subventions conditionnelles à la réalisation de certains travaux dont le montant, soumis à un plafond, dépend des sommes dépensées par la municipalité.

La troisième source de revenus municipaux, bien que de moindre ampleur, a beaucoup crû dans les dernières années : il s'agit des frais d'utilisation ; les plus anciennes taxes et les mieux acceptées touchent les égouts, l'eau potable et l'électricité ; maintenant, on fait aussi payer à l'usager l'enfouissement des ordures, les programmes récréatifs et certains permis ; les municipalités deviennent d'autant plus imaginatives dans ce domaine que les fonds provinciaux diminuent sans cesse ; certaines villes vont même jusqu'à faire payer pour le ramassage des ordures, les appels d'urgence au service d'incendie pour les accidents d'automobile et les déplacements des policiers pour les fausses alertes de système d'alarme.

Si les services fournis par les municipalités varient sensiblement, on peut cependant dire que 80 à 90 % des dépenses municipales vont en salaires versés à des employés syndiqués et bien organisés dans des associations très puissantes, dont les conventions de travail contraignent lourdement à la fois la fixation des salaires et l'organisation du travail. Ces syndicats, traditionnellement si puissants, ressortent affaiblis des coupes imposées récemment par les gouvernements, ce qui fait qu'ils préfèrent actuellement à l'obtention de salaires plus élevés la garantie des planchers d'emploi (s'opposant à l'impartition et la contractualisation à l'extérieur).

11. Treff et Cook, *op. cit.*, p. 8 : 14-15.

Dans les provinces où les municipalités en ont aussi la responsabilité, l'enseignement primaire et secondaire y constitue la principale dépense ; cette fonction dépend en général d'un organisme spécialisé, sinon ce sont les services consacrés aux incendies, à la police, aux transports en commun et aux routes qui constituent les principales dépenses de la municipalité. Les services sociaux de sécurité sociale ne relèvent en général pas des municipalités ; dans les provinces où c'est le cas, ils constituent un poste de dépenses fort important qui croît d'ailleurs en période de crises économiques pendant que les revenus des taxes deviennent fort difficiles à encaisser.

14.5 Structures administratives

Récemment, les villes canadiennes semblent avoir adopté le modèle du système de la gérance des villes, quoiqu'un peu différent du modèle américain d'origine[12]. Le gérant de la ville s'y trouve remplacé par le directeur général ; celui-ci semble détenir moins d'autorité que le gérant américain.

L'illustration 4 représente le système des comités du conseil et son harmonisation avec les services administratifs. Ce système, qui existe encore dans les plus petites villes, plaisait aux conseillers municipaux qui pouvaient, grâce aux comités, participer jusque dans la gestion des services au prix de la violation du principe de l'unité de commandement et de la perte du point central de coordination de la gestion.

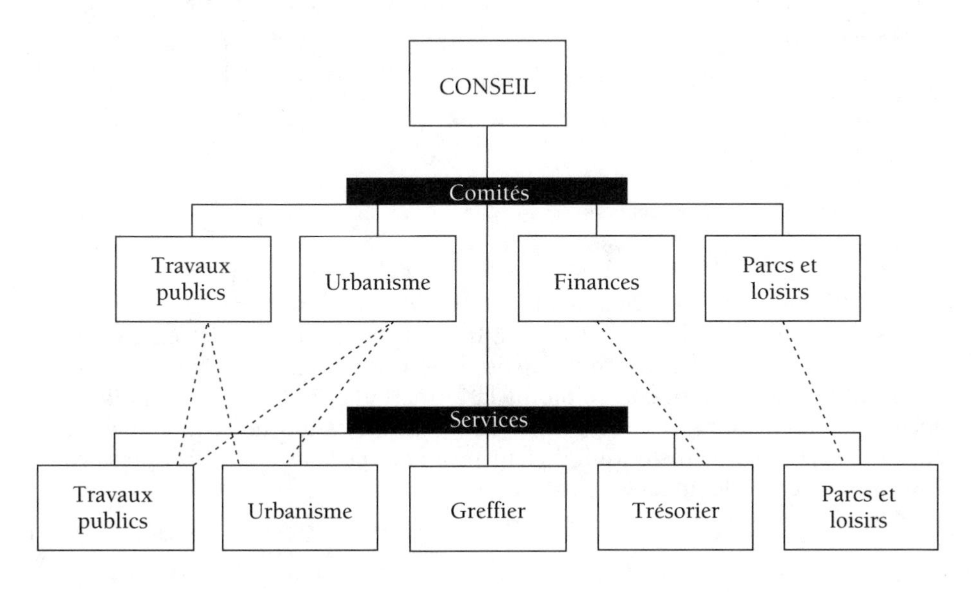

Illustration 4
Système des comités du conseil

12. Un excellent survol de ce système dans les dernières années se trouve dans T.J. Plunkett, *City Management in Canada; The Rôle of the Chief Administrative Officer*, Toronto, Institute of Public Administration of Canada, 1992.

Chaque municipalité décide de sa structure de gestion au sujet de laquelle la province n'a qu'un pouvoir de conseil. Avec les années, c'est le système du directeur général (illustration 5) qui s'est mis à avoir cours, avec certaines variations dans la plupart des municipalités, simplifiant la structure organisationnelle et créant un point central d'ancrage de la gestion.

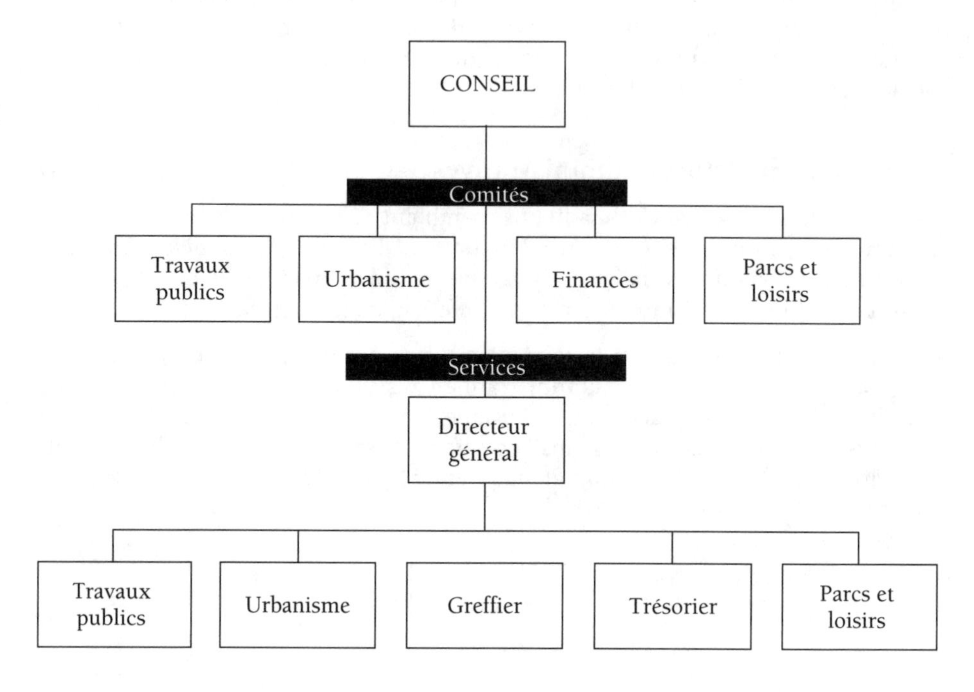

Illustration 5
Système du directeur général

Si les municipalités canadiennes se trouvent bien servies par des gestionnaires au profil très relevé, c'est plus le fruit du hasard que de la planification. On enseigne peu la gestion municipale dans les universités et collèges canadiens, et l'on y dispense encore moins la formation à la direction générale. Les meilleurs curriculums visent à former des spécialistes tels des comptables, des ingénieurs et des urbanistes qui, de leur poste de spécialiste, graviront les échelons jusqu'à celui de directeur général.

14.6 Tendances récentes et défis

De nombreux défis confrontent les municipalités canadiennes, mais celui de la crise des finances publiques, à l'instar des autres gouvernements pendant les années 90, semble le plus important. La réduction importante des transferts venant des provinces s'est fait sentir sur les finances municipales, d'autant plus que les provinces ont simultanément transféré de coûteuses responsabilités au palier municipal ; au même moment, les contribuables s'opposent à toute augmentation des taxes, ce qui rend plus difficile la production d'un budget équilibré, qui n'augmenterait pas les taxes foncières. En somme, les deux principales sources de revenus municipaux ont plafonné simultanément.

Il leur fallait donc se tourner vers la tarification des usagers, une source de revenu qui paraît équitable dans la mesure où elle fait payer les utilisateurs d'un service ; cependant, ces tarifs contribuent si peu au budget municipal que même leur élévation spectaculaire ne pourrait compenser la perte des transferts provinciaux. Ces augmentations massives ne sont pas pour demain, puisqu'elles rencontrent une opposition farouche des citoyens.

Les municipalités se devaient donc d'innover : certaines ont réduit les salaires de leurs employés ou en ont mis à pied un fort contingent ; les défis du maintien du niveau de services, malgré la réduction des effectifs, ne pouvait être relevé longtemps sans changements profonds. Les municipalités ont entrepris de faire appel à des fournisseurs à l'extérieur du service public, soit pour affaiblir le syndicat omnipuissant, soit pour bénéficier de l'approche innovatrice des entrepreneurs qui produiraient d'une manière plus efficace les services publics. D'autres ont privilégié le partenariat avec des organismes, avec ou sans but lucratif, pour fournir certains services. Non seulement ces approches sauvent-elles de l'argent, mais elles rendent le service public plus adapté, parce que plus proche des besoins des utilisateurs.

Même les provinces ont contribué aux changements importants survenus à la gouverne municipale : l'application extrémiste du « principe de Dillon », qui leur laissait peu d'autonomie, fut complètement renversée en Alberta où les municipalités jouissent maintenant de subventions plus générales, alors que l'Ontario songe à faire de même. On reconnaît ainsi la maturité politique des municipalités qui jouissent de plus de discrétion dans le choix des services qu'elles offriront à la population.

Par ailleurs, certaines provinces cherchent à accroître l'efficacité en forçant la fusion des municipalités ; les économies d'échelle, les hausses de la capacité de rendement pourraient, croient-elles, faire produire à moindres coûts les biens publics. Pourtant, plusieurs études d'économistes laissent croire que, dans le monde des municipalités les plus fortes économies d'échelle sont réalisées à des niveaux de population relativement bas[13] ; on se demande alors comment les regroupements permettront de telles économies. Actuellement, les provinces mettent les bouchées doubles pour forcer les fusions de municipalités, alors que leurs avantages économiques ne sont pas encore prouvés.

13. Richard C. Tindal, « Municipal Restructuring : The Myth and the Reality », *Municipal World*, mars 1996, p. 3-8 ; Joseph Kushner, « Municipal Reform : Is Consolidation the Answer ? », *Municipal World*, mars 1996, p. 10-11 ; Andrew Sancton, « Reducing Costs by Consolidating Municipalities : New Brunswick, Nova Scotia, Ontario », communication présentée à l'assemblée annuelle de l'Association canadienne de science politique, Unviversité Brock, St. Catharines, Ontario, 2 juin 1996.

14.7 Conclusion

Les administrations municipales jouent un rôle de premier plan dans le système canadien de gouvernement. Elles fournissent plusieurs des services essentiels et donnent aux citoyens l'impression qu'il y a au moins un niveau de gouvernement proche d'eux et sensible à leurs besoins. Elles vivent actuellement des changements fort importants. On veut les forcer à être plus efficaces, tout en réduisant la taille de l'administration. Voilà un défi de taille que sauront surmonter les autorités municipales et leurs employés particulièrement doués et très adaptables aux situations les plus changeantes.

CHAPITRE 15

Les relations intergouvernementales de l'Alberta

David Elton
Président
Canada West Foundation

Peter McCormick
Professeur
Département de science politique
Université de Lethbridge

15.1 Introduction

Depuis 25 ans, le Department of Federal and Intergouvernemental Affairs (FIGA) (ministère des Affaires intergouvernementales et fédérales) est un des portefeuilles les plus en vue et les plus réputés du gouvernement albertain ; ce n'est pas peu dire d'un ministère « consultatif » qui ne dispose pas d'un gros budget et ne s'adresse pas à une clientèle particulière. Son nom forme un acronyme bien connu des Albertains politiquement informés, et se prononce « FEE-ga[1] ».

L'Alberta a été la première province à créer, en 1972, un portefeuille spécialement consacré aux relations intergouvernementales, peu après l'entrée en fonction du gouvernement Lougheed. Trois causes sont à l'origine de sa mise sur pied. On peut les résumer ainsi : la revendication d'un « traitement juste », le besoin de rationalisation administrative et le sentiment d'« aliénation » ressenti dans l'Ouest.

La première est issue de l'histoire albertaine qui, depuis la création de la province, en 1905, a souvent gravité autour des conflits opposant le gouvernement de l'Alberta au gouvernement canadien. Pendant un quart de siècle, cette province a revendiqué un « traitement juste ». C'est par ce slogan qu'elle a réclamé la propriété de ses ressources et les mêmes droits reconnus aux plus anciennes provinces en vertu de la Constitution. Cette inégalité constitutionnelle suscitait beaucoup de mécontentement dans les trois provinces des Prairies. Lorsque, finalement, les revendications ont abouti à l'Accord de 1930 sur les ressources de l'Ouest, qui plaçait officiellement ces provinces sur le même pied que l'Ontario et le Québec, le mécontement a fait place à une grande satisfaction. Par la suite, la question du transport est devenue primordiale pour l'Alberta, province enclavée dont l'économie dépend des exportations. Le pétrole (ensuite le gaz naturel) est devenu prioritaire à la suite de la découverte importante du champ pétrolifère Leduc, après la Deuxième Guerre mondiale, et a hissé l'Alberta au rang de province « possédante » presque du jour au lendemain.

La rationalisation administrative fait référence à un processus adopté par la plupart des gouvernements provinciaux au cours des années 70. En Alberta, elle est issue du style de gestion d'un nouveau premier ministre batailleur et confiant, qui voulait un centre organisationnel capable de présenter le point de vue de la province aux autres gouvernements et de mettre le gouvernement de l'Alberta au courant des mesures fédérales pouvant menacer ses intérêts. Le début des années 70 a été marqué par une forte tendance à l'expansion de la fonction publique, aux processus rationalisés de prise de décision, ainsi qu'aux institutions et aux structures centrales spécialisées. Cette tendance était fondée sur l'approche systémique de la gestion, provenant d'une sensibilisation aux modèles complexes d'interdépendance et d'interaction qui existent à l'intérieur d'un gouvernement et entre les gouvernements, de même qu'au sein d'autres groupes sociaux ou politiques. Pour l'Alberta, cela supposait que tous les organismes du gouvernement soient sensibilisés à l'incidence de leurs activités sur chaque organisme de l'État et sur leur ensemble.

---

1. Les renseignements sur le FIGA contenus dans cet essai proviennent des rapports annuels de ce ministère. On peut les obtenir en s'adressant au FIGA.

Avant la formation du FIGA, les principaux ministères, tels l'Agriculture, les Terres et Forêts, ainsi que les Voies publiques, s'occupaient eux-mêmes de leurs relations avec les organismes du fédéral et des autres provinces, en consultant au besoin le Cabinet du premier ministre. En retour, celui-ci s'occupait des questions politiques majeures, comme la réforme constitutionnelle, le financement des programmes à frais partagés, etc.

La création du FIGA est fondée sur le besoin de mettre sur pied une entité administrative centralisée qui superviserait et coordonnerait les négociations intergouvernementales et qui surveillerait la mise en application des accords conclus au cours de ces négociations. Bref, le FIGA a été créé pour que tous les organismes du gouvernement albertain adoptent une position unanime lorsqu'ils négocieraient avec les organismes du fédéral ou des autres provinces.

La troisième cause, le sentiment d'aliénation de l'Ouest, fait référence à un état d'esprit persistant dans l'Ouest canadien en général et en Alberta en particulier, qui perçoit souvent la politique nationale comme entrant en conflit avec les politiques et les intérêts de l'Ouest. En ce sens, la création du FIGA en 1972 a représenté une anticipation de la décennie à venir, pendant laquelle la question des ressources est passée au premier plan du programme national (plus encore après que la crise dans les pays de l'OPEP a fait monter en flèche les prix de l'énergie), provoquant des confrontations politiques violentes entre le premier ministre Lougheed de l'Alberta et le premier ministre Trudeau du Canada, et faisant passer l'expression « aliénation de l'Ouest » des manuels scolaires à la une des journaux.

Sous ce triple aspect, le FIGA symbolise nettement le dernier quart de siècle de la politique albertaine et constitue un sujet approprié pour tracer le portrait de l'administration publique de cette province.

L'importance de ce ministère dans l'ensemble de la politique provinciale est clairement démontrée par la liste des ministres qui en ont détenu le portefeuille. Parmi ceux-ci, nommons Don Getty, qui devint plus tard premier ministre ; Lou Hyndman, ancien trésorier provincial et vice-premier ministre ; Jim Horsman, qui fut en même temps vice-premier ministre ; Ralph Klein, qui a gardé le portefeuille du FIGA pendant son mandat de premier ministre ; et maintenant Ken Rostad, ancien ministre de la Justice. Tous ont été des acteurs puissants sur la scène politique, dès leur entrée jusqu'à leur ascension à des postes ministériels importants (premier ministre, trésorier provincial, ministre de la Justice). Ils ont été des ministres clés dans le circuit interne de toutes les prises de décision. De plus, les ministres des Affaires intergouvernementales ont fréquemment influencé les orientations du gouvernement quant aux grands projets prioritaires, notamment Don Getty dans le dossier de l'imposition des revenus, au cours des années 70, et Horsman dans les débats constitutionnels qui ont dominé largement la scène politique canadienne des quinze dernières années, ainsi que dans les tentatives de réduire les barrières commerciales interprovinciales pendant la dernière décennie. Le FIGA a aussi connu une stabilité comparable en ce qui concerne ses sous-ministres, ce poste ayant été occupé par seulement cinq hauts fonctionnaires forts et efficaces (Meekison, Millican, Dinning, MacDonald et

Lennie). De plus, il n'a jamais été divisé ou fusionné avec un autre ministère, même si la taille du Cabinet croît et décroît (plus récemment) depuis 1970.

Les relations fédérales-provinciales occupent une place de premier plan dans la politique provinciale de l'Alberta, plus grande que dans toute autre province, à l'exception du Québec. Aux élections de 1975 et de 1982 (et dans une moindre mesure, en 1979), les griefs contre le gouvernement fédéral ont dominé la campagne électorale. Parfois, il s'agit pour le gouvernement de tabler sur son thème de « prise en main de sa propre destinée » (comme en 1975) ; d'autres fois, c'est l'opposition qui attaque un gouvernement jugé trop complaisant à l'égard des « fédéraux » – en 1982, le premier ministre Lougheed a été vertement critiqué en raison d'une photo le montrant à sabler le champagne en compagnie du premier ministre Trudeau. Il est important de souligner que le sentiment d'aliénation ressenti dans l'Ouest n'est pas que le fait des politiciens ambitieux ou des journalistes en quête de manchettes ; c'est plutôt un état d'esprit persistant qui se fait sentir partout et sous-tend la politique albertaine. Ce sentiment est si réel que, dans une campagne électorale, il peut faire basculer un grand nombre de sièges, provinciaux comme fédéraux, ce qui met en évidence l'importance du FIGA et des questions qu'il traite au nom du gouvernement de l'Alberta. Il s'ensuit donc que le ministère des Affaires intergouvernementales et fédérales exerce une influence bien visible au sein du Cabinet provincial et que son ministre est un joueur clé dans bon nombre d'élections. Cet aspect de la politique albertaine a été relativement moins important aux récentes élections provinciales, particulièrement celles de 1986 et 1989. En effet, les gouvernements provincial et fédéral étant du même parti, situation inusitée en Alberta, le gouvernement n'a pas pu utiliser ses munitions électorales habituelles. En 1993, la campagne était axée sur les problèmes provinciaux, principalement locaux, à un degré exceptionnellement élevé.

Maintenant qu'Ottawa est de nouveau aux mains du Parti libéral – depuis 1993, le principal parti d'opposition à la législature provinciale –, il est fort probable que les frictions entre les deux gouvernements (par exemple, au sujet des lignes directrices nationales concernant le « filet de sécurité sociale ») deviendront bientôt un avantage politique. Il y a des provinces canadiennes où une stratégie d'attaque contre le fédéral constitue un faible capital politique et d'autres où des tactiques de ce genre assurent presque la victoire. En situation « normale », il est clair que l'Alberta se trouve parmi ces dernières.

Il ne faut pas déduire que le FIGA existe seulement comme moyen d'entretenir les relations entre Edmonton et Ottawa. En fait, le mandat de ce ministère est beaucoup plus ambitieux et les relations fédérales-provinciales n'en constituent que la partie essentielle, si petite qu'elle soit. De plus, il ne possède pas le monopole de ces relations. Lorsque la question du Québec a pris des proportions de crise à l'été 1994, le premier ministre Klein a réagi non seulement en se réservant le portefeuille du FIGA, mais en créant son propre groupe consultatif sur le Québec, formé de huit universitaires provenant des quatre coins de la province et qu'il a rencontrés personnellement par la suite, selon le besoin. Le FIGA est devenu l'organisateur et le coordonnateur de ces rencontres.

Toute analyse du FIGA, comme celle de tout autre ministère albertain, doit être clairement délimitée selon les périodes « avant Klein » et « après Klein ». Depuis l'élection de 1993, la réduction des dépenses imposée aux principaux ministères (Services sociaux, Santé, Éducation et Enseignement supérieur) a varié de 12,6 % à 20 % ; mais les autres ministères, en particulier les ministères consultatifs, ont subi des compressions budgétaires de 30 % et plus. Cela n'a pas modifié le mandat général du FIGA, mais a changé l'envergure et le centre de ses activités. Pour simplifier, nous essaierons d'esquisser un tableau synoptique qui présente ce ministère dans ses « jours de gloire » des années 80, en insistant sur l'année 1986, juste après l'importante réorganisation ministérielle de juillet 1985, mais qui tient compte aussi des réalités plus contraignantes des années 90, en soulignant la structure organisationnelle réduite de 1995.

15.2 Le mandat du FIGA

Le mandat du ministère des Affaires intergouvernementales et fédérales, tel que décrit dans l'annexe 6 de la Loi sur l'organisation du gouvernement, est extrêmement vaste. Le ministre :

a) est responsable de la coordination de tous les programmes, politiques et activités du gouvernement de l'Alberta et de ses organismes en relation avec le gouvernement du Canada, les gouvernements provinciaux et territoriaux du Canada, les gouvernements des États et des pays étrangers, ainsi que tous les organismes de ces gouvernements ;

b) doit assurer une révision permanente :

- *i)* de tous les programmes, politiques et activités du gouvernement de l'Alberta et de ses organismes en relation avec le gouvernement du Canada, les gouvernements provinciaux et territoriaux du Canada, de même qu'avec les gouvernements des pays et des États étrangers,
- *ii)* de toutes les ententes intergouvernementales,
- *iii)* de toutes les lois pertinentes relatives à ces politiques, programmes, activités et ententes ;

c) doit prendre part aux négociations de toutes les ententes proposées ;

d) doit de temps en temps faire ce qu'il juge nécessaire pour susciter ou maintenir la coopération intergouvernementale entre le gouvernement de l'Alberta et le gouvernement du Canada, le gouvernement d'une province ou d'un territoire du Canada ou le gouvernement d'un pays ou d'un État étranger.

Il n'est donc pas surprenant que bon nombre de ministères se soient d'abord opposés au rôle mandaté du FIGA, lequel consiste à coordonner et à surveiller toutes les activités intergouvernementales (planifier les réunions, diriger les séances d'information, fournir les directives protocolaires, etc.), sans mentionner le pouvoir indiscret et sans limite d'« assurer une révision » de toutes les interactions et de « faire ce qu'il juge nécessaire ».

Le FIGA n'a évidemment jamais été le seul ministère à détenir des responsabilités intergouvernementales et internationales. Ceux du Développement économique, de l'Agriculture et de l'Énergie et des Ressources naturelles prennent tous une part active à la promotion des exportations, comme le faisait le ministère du Commerce international, maintenant disparu. De même, la plupart des ministères participent dans une certaine mesure à la coordination fédérale-provinciale et interprovinciale. Le *Treizième Rapport annuel* du FIGA (31 mars 1986) mentionne 130 réunions fédérales-provinciales et 39 réunions interprovinciales. Parmi ces réunions, seulement dix sont des réunions de premiers ministres, les autres sont partagées à peu près également entre des réunions de ministres et des réunions de sous-ministres. Les rencontres fédérales-provinciales ont généralement porté sur le financement alors que la main-d'œuvre a fait l'objet des rencontres interprovinciales. Et son mandat étant ce qu'il est, le FIGA s'est mêlé de tout, pour ainsi dire.

Les activités du FIGA touchent à plusieurs domaines. Le premier est celui des *relations fédérales-provinciales*. Son engagement dans ce champ se manifeste surtout par le soutien accordé au premier ministre lors des conférences des premiers ministres, forum qui a pris une importance exceptionnelle pendant le processus constitutionnel qui a dominé les années 80 et qui comprend les deux conférences des premiers ministres sur les problèmes autochtones. Le centre organisationnel de ces activités est la Division des affaires constitutionnelles, financières et sociales, formée en juillet 1985 par la fusion de la Division de la recherche et de la planification avec la Division des affaires culturelles et sociales. (Même après la réduction de l'effectif et la réorganisation de 1995, la Section des politiques budgétaire et sociale demeure et constitue une des deux subdivisions de la Division des affaires intergouvernementales canadiennes, l'autre étant la Section de la politique sur l'économie et les ressources.) Le ministre et le ministère ont largement contribué à la réponse publique du gouvernement albertain aux projets constitutionnels, allant de la publication de *Harmony in diversity* (*Harmonie dans la diversité*) au cours des années 70 – qui soutenait un fédéralisme plus décentralisé et une chambre haute de style germanique – aux projets de réforme du Sénat des années 80 (sénateurs élus : le « triple E »), ainsi qu'aux documents sur les intrusions fédérales et le renouvellement du fédéralisme qui relient ces deux époques.

Le FIGA possède aussi un bureau à Ottawa, qui se tient au courant des activités du gouvernement fédéral afin de fournir l'information la plus récente sur ce qui intéresse l'Alberta. Le mandat de ce bureau comprend des contacts étroits avec les ministres du Cabinet fédéral, les députés et les représentants du gouvernement, de même que des réunions occasionnelles de ces gens avec les représentants de l'Alberta. Le bureau aide aussi les gens d'affaires et autres Albertains en visite à Ottawa et sert de source d'information publique pour les diplomates, les gens d'affaires et les universitaires du centre du Canada. L'Alberta a longtemps été la seule province à maintenir un bureau de ce genre.

Le deuxième domaine est celui des *relations interprovinciales*. Le FIGA organise la participation du premier ministre à la Conférence annuelle des premiers ministres. Lorsque le premier ministre albertain est président de cette conférence – comme c'était le cas en 1986 et en 1996, par exemple –, le FIGA agit comme organisateur et hôte de la réunion elle-même. L'Alberta participe aussi à la Conférence des premiers ministres de l'Ouest, qui réunit régulièrement les quatre premiers ministres pour des échanges d'opinions et parfois la préparation d'un front commun contre le gouvernement fédéral. De temps à autre, les intérêts de la province peuvent passer par des projets généraux – comme la réduction des barrières commerciales interprovinciales où l'Alberta a joué un rôle de leader – ou plus restreints – comme la collaboration entre l'Alberta et la Colombie-Britannique, qui a mené à au moins une réunion ministérielle conjointe entre les deux provinces. Le FIGA est aussi l'intermédiaire par lequel l'Alberta gère ses relations bilatérales avec les autres provinces, comme ce fut le cas lorsque le premier ministre Klein a pris l'initiative, au cours des dernières années, de resserrer les liens traditionnels entre l'Alberta et le Québec. Klein a été le premier à venir au Québec en qualité de premier ministre après la victoire électorale du Parti québecois, en 1994, et le premier également à rendre visite à cette province après le référendum de 1995. Sur un plan plus prosaïque, l'Alberta a contribué aux ententes bilatérales sur la gestion de l'eau avec la Colombie-Britannique, la Saskatchewan et les Territoires du Nord-Ouest.

Le FIGA dirige aussi les *relations de l'Alberta avec d'autres gouvernements* à l'extérieur du Canada. La Division internationale créée en 1978 est une direction distincte à l'intérieur du FIGA et elle assume de nombreuses responsabilités. L'une consiste à organiser les visites officielles des dignitaires étrangers en Alberta ; il y a eu 317 de ces visites en 1986, et les visiteurs provenaient d'une cinquantaine de pays ; deux ans auparavant, le nombre de ces visites se chiffrait à 368. Une autre concerne les relations avec les États-Unis, en particulier le gouvernement de certains États. À titre d'exemple, en 1985, le premier ministre Lougheed a assisté à la réunion annuelle de la National Governors' Association, à Boise, en Idaho. Au cours de la même année, le titulaire du FIGA était l'hôte de la réunion tenue à Banff sur le projet législatif Canada/États-Unis, qui regroupait des législateurs d'États américains et de provinces canadiennes pour discuter d'intérêts communs. Le ministre a aussi participé à deux réunions de la National Conference of State Legislatures. Plus récemment, l'Alberta est devenue membre de la Pacific North West Economic Region (PNWER), organisme composé de législateurs de deux provinces canadiennes et de cinq États américains dont les membres se consacrent à la promotion de la collaboration régionale. L'Alberta fait aussi partie de la Western Governors' Association (WGA), de la Western Legislative Conference (WLC) et du Montana/Alberta Boundary Advisory Committee (MABAC), lequel a récemment contribué à conclure des ententes bilatérales sur le transport qui sont uniques en Amérique du Nord.

L'Alberta a longtemps soutenu que les gouvernements provinciaux devraient jouer un rôle plus grand au sein des délégations canadiennes qui prennent part aux consultations et aux négociations internationales sur des questions les concernant directement – comme l'Agence internationale de l'énergie et le Comité économique conjoint Canada-Japon. Le FIGA a constitué le canal par lequel ce rôle a pu graduellement prendre de l'expansion. Sa participation de 1991 en est un exemple frappant. À la requête du gouvernement fédéral, le FIGA a élaboré une stratégie et préparé la position du Canada en vue des négociations internationales sur l'environnement.

La Division internationale dirige aussi des activités culturelles, scientifiques et éducatives, notamment les relations de l'Alberta avec ses « provinces sœurs » de Hokkaido (Japon), Heilongjan (Chine) et Kangwon (Corée). (Plusieurs grandes municipalités albertaines ont des arrangements parallèles avec des villes de ces provinces, et le FIGA joue un rôle qui facilite ces échanges.) L'Alberta soutient des programmes d'études sur le Canada dans les universités et d'autres établissements d'éducation à l'étranger, en se servant de ce soutien comme levier pour faire connaître l'Ouest canadien et l'Alberta ; des fonds sont consentis à plusieurs établissements et associations des États-Unis, du Royaume-Uni, de la Corée et de Hong Kong. Dans le domaine des échanges scientifiques internationaux, l'accent est mis sur la coopération dans le secteur des ressources naturelles, comme l'Alberta Oil Sands Technology and Research Authority (AOSTRA) (Commission de la recherche et de la technologie sur les sables bitumineux de l'Alberta) et sur son expertise dans le domaine des sables bitumineux, du pétrole lourd et d'une meilleure récupération du pétrole.

Le Projet de collaboration canado-russe sur le fédéralisme constitue un exemple récent et tout à fait inusité des activités de cette division. Ce projet comportait des séminaires, des conférences, des publications et des voyages d'études destinés à informer les décideurs russes sur le fonctionnement d'un État fédéral. En juin 1994, le gouvernement canadien a décerné une récompense au FIGA pour cette réalisation. C'était la première fois au Canada qu'un contrat important accordé dans le cadre du programme de soutien technique des Affaires étrangères faisait l'objet d'un prix attribué à un organisme d'un autre gouvernement. Le FIGA a organisé une visite en Russie pour des universitaires canadiens et a invité les dirigeants et les universitaires russes à visiter plusieurs centres canadiens, y compris le Nord.

Le *commerce et le développement internationaux* constituent un quatrième champ d'activité pour le FIGA. Ce ministère y a consacré une bonne partie de ses efforts depuis la formation de la Section des relations économiques internationales au sein de la Division du commerce intérieur, au début des années 80. À cet égard, le nom de cette section ne reflète pas l'importance de son mandat, qui ne se limite pas aux relations du gouvernement de l'Alberta avec les gouvernements étrangers visant à faciliter les liens entre les gens d'affaires albertains et ceux des autres pays, même si ces liens sont devenus particulièrement importants au cours des dernières années. En effet, en plus de sa participation aux négociations qui ont mené à l'accord de libre-échange entre le Canada et les États-Unis, cette section a participé à la préparation de la position canadienne présentée à l'Uruguay Round du GATT (surtout sur l'agriculture). C'est aussi grâce à elle que les représentants de l'Alberta ont été présents à des rencontres comme celles qui ont lieu entre les pays producteurs de pétrole faisant partie de l'OPEP et ceux qui n'en font pas partie. Plus récemment, c'est encore par les bureaux à l'étranger que la Section des relations économiques internationales a travaillé à promouvoir les intérêts de l'Alberta dans les autres pays, particulièrement dans ceux situés sur la côte du Pacifique, et a organisé des activités comme celles des voyages du premier ministre visant à développer le commerce extérieur de la province.

Le *commerce intérieur* est un cinquième domaine auquel se consacre le FIGA. L'Alberta est une des provinces canadiennes qui a longtemps soutenu l'abaissement des barrières commerciales entre les provinces. Elle a joué un grand rôle dans les négociations qui ont mené à l'Accord sur le commerce intérieur signé par toutes les provinces et le gouvernement fédéral en 1994. C'est d'ailleurs à la suite de cet accord qu'a été mis sur pied au sein de FIGA, en 1995, le Bureau du commerce intérieur dirigé par Jim Horsman, ancien ministre du FIGA qui aujourd'hui ne fait plus partie du gouvernement. Malheureusement pour le Canada et l'Alberta, l'Accord sur le commerce intérieur maintient les barrières commerciales provinciales, en exemptant plusieurs provinces, notamment la Colombie-Britannique, la Saskatchewan et le Québec, d'une réelle réduction de leurs propres barrières commerciales[2].

Comme sixième champ d'activités, le FIGA s'est consacré *à l'établissement et au maintien de bureaux à l'étranger*. Il en a ouvert dans divers centres mondiaux. Le plus ancien est l'Alberta House à Londres, en Angleterre. À New York, à Hong Kong et, en 1985, à Tokyo, le FIGA a nommé des agents généraux. Des bureaux moins importants ont été installés à Houston, jusqu'en 1985, à Los Angeles et, depuis 1988, à Séoul, en Corée du Sud. Ces bureaux ont ajusté leurs priorités selon le pays où ils étaient situés, ainsi que le contexte économique et politique changeant. Celui de Londres s'est appliqué à l'examen des prix du pétrole et à promouvoir l'investissement institutionnel, les investissements dans les coentreprises, le commerce, les voyages d'affaires et les congrès. Le bureau de New York s'est occupé de promouvoir les investissements et de colliger de l'information sur les lois américaines pouvant avoir une incidence sur l'Alberta, notamment celles touchant l'importation d'énergie et le commerce. À Los Angeles, ce sont aux activités professionnelles de l'Alberta sur le marché de l'Ouest américain, à l'encouragement des investissements américains et à la promotion des coentreprises que le bureau s'est surtout consacré. Avant l'affaiblissement de l'industrie pétrolière, le bureau de Houston, fermé en juin 1989, a servi de lien avec cette industrie. Comme ce secteur de l'industrie a décliné au cours des années 90, le bureau de Houston s'est tourné vers le commerce extérieur côtier et les coentreprises, principalement en relation avec les gouvernements de l'Amérique centrale et de l'Amérique du Sud fortement représentés à Houston et dans les environs. Aucun de ces bureaux européens et nord-américains n'a survécu aux réductions d'effectif effectuées sous le règne de Klein.

D'autres bureaux témoignent de l'importance croissante des pays côtiers du Pacifique. Celui de Tokyo, établi en 1970 et où on a nommé un agent général en 1985, représente les intérêts albertains au Japon et en Corée. Il s'occupe surtout de promotion commerciale, d'investissements, de tourisme et d'échanges éducatifs et économiques. Depuis l'ouverture d'un bureau à Séoul, en 1988, il se

2. Graham Parsons et Peter Arcus, *Interprovincial Trade and Canadian Unity* (Commerce interprovincial et unité canadienne), Canada West Foundation, novembre 1996, p. 4-5, 11.

concentre plus directement sur le Japon. Pour promouvoir les intérêts de la province en Chine et en Asie du Sud-Est, y compris l'Australie et la Nouvelle-Zélande, l'Alberta a ouvert un bureau à Hong Kong, en 1980, et y a nommé un agent général en 1985. L'émigration des entrepreneurs de Hong Kong et la recherche de débouchés en vue du développement économique de la province, principalement lié au pétrole, au gaz naturel et aux télécommunications, ont été au cœur des préoccupations de ce bureau. Contrairement à ceux de l'Europe et de l'Amérique du Nord, ces bureaux de l'Asie n'ont pas été fermés à la suite des restrictions budgétaires.

Enfin, le FIGA fournit des *services auxiliaires* à ses propres divisions et à d'autres ministères par sa Division du soutien administratif et sa Section des communications. La Division du soutien administratif possède un bureau de traduction et d'interprétation qui dessert tous les ministères, conseils et organismes gouvernementaux albertains. On y fait sur place la traduction dans les deux langues officielles nationales, mais pour ce qui est des autres langues, on fait appel à des professionnels contractuels de l'extérieur, payés selon la formule de rémunération à l'acte. La Section des communications offre des services de consultation et d'information en relations publiques à l'ensemble du FIGA et aux bureaux situés ailleurs au Canada et à l'étranger. Cette section publie deux périodiques : *Asia-Alberta Exchange (Échanges entre l'Alberta et l'Asie)*, publication trimestrielle décrivant les activités de l'Alberta avec les pays asiatiques, et *Alberta Focus*, mensuel (dix numéros par année) portant sur les tendances économiques, culturelles, technologiques et les programmes généraux en Alberta.

15.3 Le FIGA à l'ère de la réduction de l'effectif au sein du gouvernement

Ralph Klein a gagné l'élection de 1993 en promettant un budget équilibré par la réduction des dépenses gouvernementales et fera campagne, aux prochaines élections, en s'appuyant sur sa réussite à cet égard. Les effets des compressions sur les « programmes axés sur les personnes » ont fait l'objet de l'attention publique, tels les soins de santé et l'éducation, mais dans les faits, les plus petits ministères responsables et les services consultatifs ont subi de plus grandes compressions. Le FIGA n'a pas été épargné non plus ; même si le premier ministre le dirigeait à cette époque, il ne l'a pas soustrait aux réductions.

Entre 1993 et 1996, le budget de l'éducation, par exemple, a été réduit de 12,6 %, mais celui de fonctionnement du FIGA a été amputé de 40 %, ce qui a entraîné une réduction importante de son personnel. On a craint aussi que ces compressions obligent le FIGA à déménager son bureau principal, situé dans le centre d'Edmonton, pour un emplacement plus modeste. Comme dans les autres ministères, le moral des employés a été ébranlé par les licenciements massifs, et tandis qu'on procédait à la consolidation et au remaniement, on a vu diminuer l'efficacité du FIGA. Au cours de la même période, les bureaux à l'étranger ont été fermés, sauf ceux des centres situés sur la côte asiatique, qui ont été confiés à d'autres ministères. Ces bureaux conservés reflètent les priorités régionales actuelles de l'Alberta.

Il suffit de comparer l'organigramme du FIGA de 1986 avec celui de 1996 pour constater l'envergure des compressions budgétaires qui ont été imposées à ce ministère, ainsi que son échelle et sa configuration plus modestes après Klein. Le plus récent rapport du FIGA et son nouvel organigramme sont affichés sur le réseau Internet à l'adresse suivante : http://www. gov.ab.ca/.

15.4 L'avenir du FIGA

Pour le FIGA, la réduction de l'effectif et les compressions budgétaires ne sont rien de plus qu'un ralentisseur sur la route. Ce ministère va nécessairement demeurer un joueur de ligue majeure dans la politique de l'Alberta puisque, même plus qu'au cours de la dernière décennie, les événements vont se jouer entre ses mains, et cela pour trois raisons. D'abord, le retrait fédéral en cours concernant le financement des mesures de sécurité sociale laisse entrevoir moins de friction entre les tentatives fédérales de maintenir des normes nationales et le désir des provinces de trouver leurs propres solutions dans leur sphère de compétence, d'autant plus que ces dernières y investiront leurs propres ressources financières. Ensuite, pour l'Alberta, le régime d'assurance-maladie et la Loi canadienne sur la santé ont constitué déjà des sujets de friction ; en Colombie-Britannique, les confrontations ont plutôt évolué autour de l'aide sociale et le Régime d'assistance publique du Canada ; enfin, pour ces deux provinces, les compromis entre les questions environnementales et le développement des ressources constituent pour le gouvernement fédéral de constantes occasions d'intervenir. Ces trois sources de confrontations ne sont qu'une indication des choses à venir. Que des changements s'effectuent par des modifications constitutionnelles ou par voie d'aménagements administratifs n'a pas d'importance puisque les deux relèvent du FIGA ; et si les normes imposées par le fédéral sont remplacées par des ententes négociées au niveau provincial, encore là tout se fera sous les auspices du FIGA.

Deuxièmement, dans le contexte actuel de mondialisation croissante de l'économie, la Division internationale et les bureaux à l'étranger sont appelés à jouer un rôle encore plus important dans la promotion du commerce albertain. Ce contexte renforcera aussi l'opinion partagée au sein du Bureau du commerce intérieur voulant qu'il est nuisible à la constitution et au fonctionnement du Canada de permettre une grande variété de moyens qui bloquent le commerce interprovincial et empêchent la création d'un véritable marché commun canadien.

Troisièmement, même un scénario « de maintien du statu quo » pour l'avenir immédiat garderait le FIGA pleinement engagé, qu'il s'agisse de négocier la gestion de l'eau avec la Saskatchewan ou les Territoires, de renégocier le contrat de la GRC – par lequel le corps de police fédérale devient un corps de police provinciale contractuel, ce qui constitue un étrange expédient canadien qui a engendré bon nombre de malentendus politiques et constitutionnels –, de jouer un rôle de soutien lorsque le gouvernement fédéral négocie, sur la scène internationale, des ententes commerciales sur l'énergie ou l'agriculture, ou encore de sous-traiter ses services au service extérieur canadien.

Tous ces facteurs continueront à faire du FIGA un joueur important sur le plan des politiques provinciales et le canal central par où passeront toutes les relations de l'Alberta avec les gouvernements et beaucoup d'organismes extérieurs. Les ministres ambitieux voudront en détenir le portefeuille.

CHAPITRE 16

Pratiques innovatrices de gestion publique dans les provinces canadiennes

Sandford Borins
Professeur de management public
Université de Toronto

Silvana Kocovski
Diplômée du Cooperative Programme in Administration
Université de Toronto

Le texte a été traduit de l'anglais par Éric Manseau, étudiant au doctorat du Département de science politique de l'UQAM.

16.1 Introduction

L'un des traits fondamentaux du Canada est certainement le caractère authentique de son système fédéral. Son évolution a permis que les gouvernements exercent un pouvoir exclusif dans plusieurs domaines de compétence ainsi que des pouvoirs partagés avec le gouvernement fédéral. Ce chapitre vise à démontrer la nature du fédéralisme canadien par l'étude des candidatures soumises au Prix de la gestion innovatrice, parrainé par l'Institut d'administration publique du Canada (IAPC) et destiné aux gouvernements fédéral, provinciaux et municipaux. Notre analyse de la distribution des candidatures et des gagnants de ce prix depuis sa mise sur pied en 1990 montre à quel point les gouvernements provinciaux et municipaux furent innovateurs, phénomène que nous tenterons d'expliquer. Ce chapitre présente aussi les composantes de base d'un nouveau paradigme en administration publique et décrit les innovations les plus intéressantes des gouvernements provinciaux et municipaux, en montrant de quelle manière elles s'incrivent dans ce nouveau paradigme.

16.2 Les candidatures au Prix de la gestion innovratrice de l'IAPC

Ce prix de l'IAPC est le seul au Canada à récompenser les pratiques de gestion innovatrices de tous les organismes publics et à tous les paliers de gouvernements. Le prix fut décerné la première fois en 1990 et commandité par la firme Coopers-Lybrand. Son objectif est d'améliorer les pratiques de la gestion publique au Canada, en offrant aux gestionnaires innovateurs la possibilité de faire connaître leur projet. Ces projets sont évalués sur la base de quatre critères : leur caractère innovateur, leur efficacité, leurs avantages en ce qui concerne la satisfaction pour la clientèle et leur apport à une plus grande compétivité. L'IAPC fait parvenir chaque année 1000 formulaires de mise en candidature aux sous-ministres fédéraux et provinciaux, aux présidents des sociétés d'État et aux directeurs généraux des grandes villes. En outre, l'IAPC fait la promotion de ce prix auprès de ses membres.

Les mises en candidature peuvent être déposées facilement. Dans un texte d'au plus 1500 mots, les candidats sont appelés à décrire leur projet innovateur, son origine, le processus de changement qui l'accompagne, les résultats obtenus et les conséquences du projet pour d'autres organisations. Chaque année, un thème différent oriente la compétition. Les sept premiers prix ont eu pour thème : le service au public (1990), la délégation de pouvoirs (1991), gestion et partenariats (1992), faire mieux avec moins (1993), remodeler le gouvernement (1994), réussir la diversité (1995) et maîtriser le changement (1996).

Toutes les candidatures reçues sont évaluées par un jury de cinq membres, renouvelé chaque année, et composé d'un universitaire, d'un ex-politicien, d'un sous-ministre provincial et d'un sous-ministre fédéral ainsi que d'un directeur général municipal. Le jury effectue une présélection de cinq à dix finalistes, lesquels font ensuite l'objet d'une entrevue de 30 à 60 minutes. Les premier, deuxième et troisième lauréats sont ainsi choisis.

Tableau 1
Comparaison des candidatures par niveau de gouvernement et par région

	1990	1991	1992	1993	1994	1995	1996	Total
Gouvernement fédéral	13	21	22	33	47	20	40	196
Gouvernements provinciaux et territoriaux								
Maritimes	1	3	10	6	7	4	6	37
Québec	1	1	6	7	15	6	3	39
Ontario	14	17	27	36	23	16	15	148
Manitoba	1	1	0	3	4	7	7	23
Saskatchewan	5	1	0	3	2	1	4	16
Colombie-Britannique	8	5	15	3	5	7	5	48
Territoires	0	0	0	1	0	1	3	5
Total	**35**	**36**	**61**	**66**	**59**	**46**	**49**	**352**
Gouvernements municipaux								
Maritimes	1	0	1	1	0	1	3	4
Québec	1	0	1	1	1	0	0	1
Ontario	6	7	12	8	6	3	15	24
Ouest/Territoires	0	4	0	8	7	7	8	22
Total	**8**	**11**	**14**	**18**	**14**	**11**	**23**	**99**
Total des candidatures	**56**	**68**	**97**	**117**	**120**	**77**	**112**	**647**

Le tableau 1 fait état d'une classification des candidatures selon le niveau de gouvernement et selon la région. Ce décompte est établi selon la liste de toutes les candidatures reçues chaque année par la revue *Management et secteur public* de l'IAPC. Au cours des sept premières années d'existence du prix, 30 % des candidatures sont venues du gouvernement fédéral, 54 % des provinces et 15 % des municipalités. Un phénomène est frappant : 70 % des innovations dans le secteur public proviennent des paliers provincial et municipal, et non du gouvernement fédéral[1]. Parmi les provinces, l'Ontario a le plus de candidatures, 23 % du total, presque autant que celles soumises par le gouvernement fédéral. Il est à noter que les candidatures du gouvernement fédéral comprennent celles provenant de tous les fonctionnaires fédéraux, qu'ils travaillent dans la capitale nationale ou en région. Dans le tableau 1, la catégorie « Maritimes » renvoie aux

1. Les innovations présentées au prix de l'IAPC ne représentent pas l'ensemble des innovations du secteur public, puisque les gestionnaires innovateurs peuvent décider de ne pas soumettre leur candidature ou de la soumettre à un autre prix relevant de leur propre gouvernement. Néanmoins, nous croyons que le prix de l'IAPC est intéressant dans la mesure où il offre un échantillon vaste et représentatif des innovations dans le secteur public en raison de sa portée nationale, de son prestige et de son processus de mise en candidature simple.

provinces de Terre-Neuve, de la Nouvelle-Écosse, de l'Île-du-Prince-Édouard et du Nouveau-Brunswick.

Les gouvernements sont de tailles différentes et le tableau 2 tient compte de cette disproportion en présentant le taux de candidatures *per capita* établi selon les données les plus récentes (1991) du recensement de la population. Une autre méthode pour tenir compte de la taille des gouvernements aurait consisté en l'utilisation du nombre de fonctionnaires pour chaque palier considéré. Mais le travail aurait été considérable puisque, dans les fonctions publiques et dans les sociétés d'État, le nombre d'employés a varié de manière continue, particulièrement du côté des gouvernements ayant rationalisé leur fonction publique et privatisé certaines sphères de leurs activités. En outre, le nombre d'employés s'avère encore plus difficile à mesurer au palier municipal. Ainsi, nous avons choisi la population en tant qu'indice de la taille du gouvernement. Cela peut toutefois nous induire en erreur, lorsqu'il s'agit des provinces de l'Atlantique. La faiblesse du secteur privé dans cette région a en quelque sorte été compensée par le secteur public, ce qui contribue à gonfler la proportion de la fonction publique de cette région par rapport à celle du reste du pays. Cela signifie que l'évaluation *per capita* établie à partir de la population totale surestimera la fréquence de l'innovation dans les provinces de l'Atlantique. On notera que les données des gouvernements municipaux sont intégrées à celles de leur gouvernement provincial respectif, puisque ce palier est à l'origine des villes et en a la compétence.

Tableau 2
Comparaison des candidatures selon les régions (*per capita*)

Régions	Population	1990	1991	1992	1993	1994	1995	1996	Total
Fédéral	27 297	0,5	0,8	0,8	1,2	1,7	0,7	1,5	7,2
Maritimes	2 332	0,9	0,13	4,7	3,0	3,0	2,2	3,9	18,9
Québec	6 896	0,3	0,1	1,0	1,2	2,3	0,9	0,4	6,2
Ontario	10 085	2,0	2,4	3,9	4,4	2,9	1,9	3,0	20,3
Ouest/ Territoires	7 995	2,4	2,4	2,3	3,1	2,6	3,4	4,1	20,3
Moyenne annuelle	1,2	1,4	2,5	2,6	2,5	1,8	2,6	14,6	

Note : La population est exprimée en milliers d'habitants et la comparaison des candidatures est notée en millions d'habitants.

Le tableau 2 montre clairement que l'Ontario et les provinces de l'Ouest (Colombie-Britannique, Alberta, Saskatchewan, Manitoba) obtiennent les taux d'innovation les plus élevés pour l'ensemble de la période de sept années. Le taux d'innovation des provinces atlantiques a augmenté d'année en année ; toutefois, ce taux est exagéré compte tenu de la prédominance, dans cette région, des emplois dans le secteur public. Le gouvernement fédéral et le Québec demeurent bons derniers, même si l'un d'entre eux, le gouvernement fédéral, montre au fil des ans une tendance à la hausse qui laisse prévoir un rattrapage au regard des autres régions du pays.

Certes, on constatera le nombre considérable de candidatures provinciales, mais la question est de savoir si elles sont de même qualité que celles du gouvernement fédéral. Il faut reconnaître qu'elles sont... de meilleure qualité ! En sept ans d'existence, les gouvernements provinciaux ont remporté le premier, deuxième et troisième prix à 21 reprises. Le gouvernement fédéral, pour sa part, a remporté un prix deux fois seulement, une troisième place en 1993 et une deuxième place en 1996, Le palier municipal a également obtenu un prix à deux reprises, premier en 1990 et deuxième en 1991. Les gouvernements provinciaux ont raflé tous les autres prix.

Étant donné ces résultats, la question que l'on doit poser est pourquoi les gouvernements provinciaux du Canada sont innovateurs à ce point. Nous proposons deux réponses. Premièrement, les provinces détiennent des compétences exclusives dans plusieurs domaines, tels la santé et l'éducation, et, dans plusieurs autres domaines, des compétences partagées avec le gouvernement fédéral, telles que le logement, l'environnement, les communications et les ressources naturelles. Les gouvernements provinciaux sont devenus davantage engagés que le gouvernement fédéral dans la prestation de services de première ligne, secteur dans lequel les possibilités d'innovation s'avèrent plus grandes. Les gouvernements provinciaux ont été soumis à tous les éléments ayant présidé à la nouvelle gestion publique, y compris la réduction des ressources financières, la concurrence internationale, la technologie de l'information et les consommateurs de plus en plus exigeants. Les provinces canadiennes ont accumulé d'énormes déficits, ont vu leur fardeau de la dette s'accroître et ont été contraints à la discipline des marchés financiers mondiaux (Borins, 1995b). Elles ont tenté de faire face au défi d'offrir un niveau de services comparable ou meilleur, à un coût réduit, en devenant innovatrices.

La seconde explication au taux élevé d'innovations du palier provincial comparativement à celui du gouvernement fédéral est que les gouvernements provinciaux sont plus petits ; en règle générale, les petites organisations peuvent bouger plus rapidement et être davantage innovatrices. Ces dernières années, les contrôles excessifs des organismes centraux et la démotivation, particulièrement en ce qui a trait aux cadres intermédiaires (Zussman et Jabes, 1990), ont constitué deux problèmes pour le gouvernment fédéral. Les critiques du fédéralisme canadien soutiennent qu'il produit des chevauchements de compétence et un dédoublement des efforts. Toutefois, nous suggérons que cela est un avantage pour le fédéralisme canadien, puisque cela favorise l'augmentation du taux d'innovations. Les provinces peuvent lancer de nouvelles idées qui, si elles sont couronnées de succès, influenceront certainement les autres provinces et le gouvernement fédéral. Si elles n'ont pas de succès, elles seront abandonnées. Avant de publier *Reinventing Government*, David Osborne a écrit un ouvrage, beaucoup moins connu celui-là, intitulé *Laboratories in Democracy* (1990), traitant des gouvernements innovateurs. La théorie d'Osborne s'applique aux provinces et municipalités canadiennes. Enfin, cet argument renferme une analogie avec la biologie évolutionniste : l'avantage de la diversité de l'espèce est qu'elle accroît la probabilité d'adaptation et de survie face aux changements environnementaux et à l'adversité. À cet égard, l'espèce « gouvernement canadien » montre une remarquable diversité !

16.3 Les programmes d'innovations des gouvernements provinciaux

Sur la base d'expériences entreprises dans plusieurs pays du Commonwealth, Borins (1995a) a décrit un nouveau paradigme de l'administration publique composé des éléments suivants :

a) offrir des services de qualité répondant aux besoins des citoyens ;

b) accroître l'autonomie des gestionnaires publics, en particulier au regard des contrôles des organismes centraux ;

c) évaluer et récompenser les organisations et les individus selon l'atteinte des cibles de performance ;

d) rendre les ressources humaines et technologiques nécessaires au rendement disponibles aux gestionnaires ;

e) reconnaître les bienfaits de la concurrence et conserver une ouverture d'esprit face à l'idée que le secteur privé devrait accomplir des activités de nature publique.

Dans le cadre d'une recherche récente, nous avons fait parvenir un long questionnaire à un échantillon des meilleures candidatures reçues au prix de l'IAPC – en général, les gagnants et les finalistes. Sur la base des réponses obtenues à ce questionnaire, nous décrirons certains de ces projets innovateurs et montrerons comment ils s'inscrivent dans les éléments du nouveau paradigme de l'administration publique. Les sections suivantes traiteront des facteurs qui ont contribué à ces innovations, de leur nature et des résultats obtenus.

16.4 L'apport de la technologie de l'information à l'amélioration du service

Dans le cadre d'un partenariat avec IBM, la province de l'Ontario a mis sur pied des guichets électroniques pour offrir des produits et des services gouvernementaux courants, tels le renouvellement des certificats d'immatriculation pour les véhicules automobiles et les changements d'adresse. Jusqu'à maintenant, l'Ontario compte 60 guichets de services offrant des heures d'ouverture moins restrictives que les bureaux gouvernementaux et effectuant un million de transactions par année. Cette innovation fut réalisée sans le concours d'investissements de capitaux et en utilisant un personnel de trois employés ; IBM fut rémunérée par des commissions. IBM a aussi dirigé la campagne publicitaire des Guichets de service auprès des États et des gouvernements locaux américains. L'arrivée d'autres ministères venant s'ajouter à celui des Transports, l'instaurateur du projet, rendra possible d'autres transactions à ces guichets de même que l'établissement de liens entre ceux-ci et d'autres façons de rendre les services, notamment les bureaux gouvernementaux traditionnels et même la nouvelle technologie comme Internet.

Les provinces de la Colombie-Britannique et de l'Ontario, candidates au prix en 1993, furent les premières à élaborer un système électronique d'enregistrement et de recherche pour des sûretés mobilières. La Colombie-Britannique remporta le premier prix cette année-là. Pour le client, les avantages de la recherche électronique sont considérables : il a la possibilité d'effectuer des recherches à partir de son propre bureau, plutôt que de se rendre aux bureaux du gouvernement, et des transactions plus rapidement et de manière plus précise, ainsi que de profiter d'heures d'ouverture plus étendues. Pour ce qui est des résultats, cela signifie que plus de 80 % des enregistrements et des recherches sont désormais effectués de manière électronique dans les deux provinces. L'un des facteurs ayant soutenu la diffusion de cette innovation est le fait que la plupart des prêts sont attribués par un petit nombre d'organisations de grande taille qui ont été à même de constater tôt les avantages du système électronique. Pour les gouvernements, la possibilité d'offrir un meilleur service avec moins de ressources est un avantage : par exemple, la Colombie-Britannique a réduit son personnel de 39 à 10 employés et l'Ontario a réduit son budget dans ce domaine de 7 à 4 millions de dollars, tandis que la satisfaction des clients augmentait. Une preuve supplémentaire du succès de cette innovation est que d'autres provinces empruntent maintenant la voie ouverte par la Colombie-Britannique et l'Ontario. Le lien entre l'approche traditionnelle (utilisation du papier) et la nouvelle technologie est une question qui fait l'objet d'un suivi. Les deux provinces conservent le système traditionnel, mais l'Ontario a ajouté des frais de 5 $ pour couvrir les coûts élevés liés aux transactions faites sur papier et pour favoriser l'utilisation du nouveau système. Le domaine des titres de propriété est le prochain champ d'application de l'enregistrement électronique actuellement en voie de développement.

16.5 La réingénierie des processus : amélioration des services et réduction des coûts

Dans certains cas, les gouvernements provinciaux et municipaux se sont engagés dans l'examen complet de leurs activités avec pour résultats des hausses marquées de l'efficacité. Deux exemples parmi ces cas sont la mise en œuvre du programme Endurance au travail au centre de réadaptation de la Commission d'indemnisation des accidents du travail de l'Alberta (CIAT), gagnante du deuxième prix en 1993, et l'initiative de gestion des coûts du canton de Pittsburg, Ontario, finaliste en 1994. Ces deux expériences ont été conduites selon des cibles de rendement de plus en plus exigeantes – le troisième élément du paradigme –, stimulant ainsi l'amélioration continue de l'organisation.

En 1988, une étude de la CIAT albertaine révélait que cette organisation mettait davantage l'accent sur le paiement des indemnités que sur la réadaptation, que les demandes de paiement augmentaient rapidement, que le service à la clientèle était médiocre et que la technologie utilisée était désuète. La CIAT fut bientôt sous la gouverne d'une nouvelle direction et un processus de planification stratégique fut lancé. Dans la foulée de ce renouveau, le centre de réadaptation adoptait l'endurance au travail (*work hardening*), une approche qui a pris forme aux États-Unis. Plutôt que de travailler en fonction de blessures standard, les équipes de thérapeutes adoptèrent une approche fondée sur les blessures propres à une industrie. En outre, on donna aux travailleurs accidentés du travail réel ou stimulant afin de contribuer à leur cheminement de réhabilitation. Les résultats se traduisent par une augmentation de 85 % de la productivité du personnel en 1990-1991, une diminution de 59 à 31 de la moyenne des séjours à l'hôpital en 1995 et, conséquemment, une réduction du coût des soins de santé de 2,6 millions de dollars, et une augmentation du pourcentage de retour au travail. L'adoption de l'approche de l'endurance au travail, par le Nouveau-Brunswick et par la CIAT de la Colombie-Britannique, s'avère un indicateur supplémentaire rendant compte du succès de l'Alberta.

Le canton de Pittsburgh est le lieu de bon nombre de services gouvernementaux fédéraux ; dans le cadre de la planification stratégique, on prévoyait des revevus insuffisants en raison de la réduction probable des paiements d' « en-lieu de taxes » accordés par le gouvernement fédéral. Le canton entreprit un programme de gestion des coûts, un processus de réduction continue des coûts à partir de l'identification et de la mise en œuvre des possibilités de réduction avec la participation des employés, sans toutefois réduire le niveau des services ni augmenter les taxes. Ce programme est une solution de remplacement à l'approche des coupures radicales nécessitant des compressions dans les programmes et le licencement d'employés. On a demandé aux 44 employés du canton de réduire les coûts d'exploitation de 10 % en éliminant le gaspillage, en augmentant les revenus autres que les taxes et en révisant en profondeur les processus de travail. En contrepartie, il leur fut promis qu'il n'y aurait aucun congédiement et un partage des gains provenant de ces réductions. Le budget fut réduit de 536 000 $, soit un dépassement de 500 000 $ par rapport à l'objectif ; par conséquent, les taxes ne furent pas augmentées. Au cours de la deuxième année, l'objectif fut fixé à 5 %, ou 250 000 $, et les employés ont identifié d'autres réductions possibles de l'ordre de 306 000 $. Les deux tiers de l'objectif ont été atteints par la réduction des coûts et l'amélioration des processus, plutôt que par des tarifs additionnelles. Une enquête auprès des contribuables n'a montré aucune baisse du niveau de satisfaction, indiquant ainsi que le programme de réduction des coûts ne s'est pas fait au détriment de la qualité des services.

16.6 Les agences spéciales de services : autonomie accrue et meilleur rendement

Candidate en 1994 et finaliste en 1996 au prix de l'IAPC, l'Agence de fonctionnement spéciale responsable du parc automobile du Manitoba (AFSRPA) est la première agence spéciale de services (ASS) au sein des provinces canadiennes. Ces agences illustrent les éléments deux et trois du nouveau paradigme ; dotées d'une grande autonomie afin de permettre les initiatives, elles ont toutefois l'obligation d'atteindre des cibles de rendement fort exigeantes. Les ASS furent établies selon le modèle des expériences britannique et néo-zélandaise où plusieurs unités fonctionnelles ont vu leur autonomie de gestion s'accroître. L'AFSRPA fournit les véhicules de service aux ministères et aux sociétés d'État sur la base du recouvrement de ses coûts. Depuis sa transition en tant qu'agence spéciale, l'AFSRPA a augmenté sa rentabilité en réduisant les coûts relatifs aux opérations et à l'entretien des véhicules. On a consulté les clients pour savoir comment exploiter la flotte de manière optimale contribuant ainsi à réduire le parc automobile de 20 %. Les taux de location sont concurrentiels d'avec ceux du secteur privé. Le moment déterminant pour l'AFSRPA arriva le premier jour d'avril 1996, lorsque les ministères ont été libérés de leur obligation de louer leurs véhicules à l'agence afin de leur permettre d'aller chez les concurrents du secteur privé. C'est là le cinquième principe du nouveau paradigme. Enfin, tant le Manitoba que la plupart des autres provinces prévoient accorder un tel statut aux unités opérationnelles du gouvernement.

16.7 Les nouvelles pratiques de gestion des ressources humaines : les initiatives d'équité en emploi

Le quatrième élément du nouveau paradigme comprend l'amélioration des méthodes de gestion des ressources humaines dans la fonction publique. Un aspect de cette amélioration touche les initiatives d'équité en emploi et l'enjeu de société important que constitue le multiculturalisme. Le projet Partenaires de bonne volonté du ministère de la Consommation et du Commerce de l'Ontario, candidat en 1992, et l'une des composantes qui permit à ce ministère de remporter le premier prix en 1994, est un exemple d'initiative heureuse en matière d'équité en emploi. Dès 1987, dans le cadre d'un projet visant à stimuler l'économie nord-ontarienne, le gouvernement de l'Ontario décida de transférer plusieurs ministères de Toronto, la capitale provinciale, vers le nord. On décida de déménager le Bureau du registraire général, composante du ministère de la Consommation et du Commerce, responsable des statistiques démographiques avec plus de 10 millions de documents (en papier), vers Thunder Bay, à 1500 kilomètres au nord de Toronto. Plutôt que de déménager l'ensemble de ces documents, le ministère opta pour leur conversion informatisée. Ce travail de conversion colossal fut entrepris dans le cadre d'un partenariat avec la société Goodwill inc., où l'on embaucha et forma 86 chômeurs, dont certains auraient un handicap. Ce travail de conversion fut terminé deux mois avant l'échéance, à un coût de 1,3 million de dollars, ce qui est très bas si l'on considère que l'embauche d'un personnel spécialisé en informatique aurait coûté 3 millions de dollars. De plus, le projet a contribué à faire épargner 700 000 $ en paiements d'assistance sociale et à développer les habiletés des participants.

16.8 Les partenariats : l'atteinte d'objectifs publics par le secteur privé

De plus en plus, les gouvernements provinciaux reconnaissent qu'ils manquent de moyens pour la mise en œuvre de leurs politiques publiques de grande envergure. Ces gouvernements ont réagi en formant des partenariats avec d'autres organisations ayant des intérêts dans la mise en œuvre de ces politiques.

Le ministère des Ressources naturelles de l'Ontario a pris cette voie pour des domaines tels que la conservation, la protection environnementale et la gestion des conflits en cette matière. En 1989, le ministère, organisation décentralisée avec des bureaux dans 175 communautés, désignait le partenariat comme élément essentiel pour l'atteinte de son principal objectif, en l'occurrence le développement durable des ressources naturelles. Des partenariats ont été conclus afin de mener à bien la planification des ressources dans certaines régions, de reconstruire l'industrie du tourisme et celle de la pêche dans d'autres, de résoudre les problèmes d'environnement locaux, ainsi que les querelles avec les autochtones, et d'obtenir des fonds pour les programmes de reboisement. L'application, sous plusieurs formes, d'une approche fondée sur le partenariat a permis au ministère des Ressources naturelles de remporter le premier prix en 1992.

Gagnant du deuxième prix en 1994, l'Office des personnes âgées de l'Ontario a pour objectif de maintenir la qualité de vie et de prolonger l'autonomie des personnes âgées, ce qui du reste contribue aussi à réduire le budget du gouvernement en matière de santé. Ce programme est destiné aux individus et aux organismes bénévoles, aux entreprises, à d'autres organisations gouvernementales et aux communautés afin d'élaborer des programmes de formation pour les professionnels qui travaillent avec les retraités et pour les retraités eux-mêmes. Le programme a créé au-delà d'une centaine d'outils de formation, notamment des manuels et des enregistrements vidéo, a présenté plus de 900 ateliers de travail à 18 000 professionnels et a mis sur pied 40 initiatives de développement communautaire impliquant des personnes âgées. En collaboration avec les marchands, on a aussi fait en sorte de rendre davantage accessible leur magasin et de rendre d'usage facile l'empaquetage. Tout cela fut réalisé avec un personnel de quatre employés seulement et un budget de 400 000 $. Ce programme a reçu huit récompenses internationales et fut repris en Nouvelle-Zélande, au Japon, en Australie et au Royaume-Uni.

Le programme d'alphabétisation du Nouveau-Brunswick fut au nombre des candidats, en 1993, et gagnant du troisième prix, en 1994. En 1991, malgré un taux d'analphabétisme de 24 %, la province consacrait que peu de ressources humaines à la formation des analphabètes, par un enseignement individualisé et des classes traditionnelles communautaires, formation qui montrait un taux de décrochage de 50 %. Tant l'Année internationale de l'alphabétisation (1990) que la prise de connaissance, par un haut fonctionnaire du gouvernement, d'un programme communautaire d'alphabétisation en Thaïlande, ont donné l'élan au projet. Le gouvernement nomma un ministre d'État à l'Alphabétisation, avec pour mandat d'accroître l'alphabétisation et l'apprentissage continu. Un organisme sans but lucratif, Alphabétisation Nouveau-Brunswick inc., eut pour mandat de développer des partenariats dans les secteurs public et privé. Des programmes locaux furent établis, des professeurs embauchés pour organiser et donner les cours dans des locaux improvisés, tels les sous-sols des églises. Ces arrangements ont permis aux formateurs de réduire plus facilement les préjugés face à l'analphabétisme de sorte que l'apprentissage a augmenté et le taux de décrochage diminué, de 50 % à 7 %. En outre, la province a mis sur pied des classes d'alphabétisation en milieu de travail à l'aide d'un soutien financier des employeurs. En somme, le Nouveau-Brunswick fut en mesure de susciter l'apport tant du gouvernement fédéral, du secteur privé, des syndicats que des bénévoles. À l'heure actuelle, plus de 3000 personnes sont dans des classes d'alphabétisation comparativement à 200 avant l'initiative d'alphabétisation du Nouveau-Brunswick. L'un des facteurs à l'appui de l'efficacité de ce programme est que le coût nécessaire à la prestation de ce service n'est que de 1,39 $ de l'heure, par étudiant. Ce programme a eu un effet d'entraînement, puisque l'Association des banquiers canadiens lanca un programme visant l'amélioration des notions de calcul mathématique au Nouveau-Brunswick et que la province voisine, la Nouvelle-Écosse, instaura un programme d'alphabétisation similaire.

16.9 Conclusion

Ce chapitre a montré qu'il y a beaucoup de pratiques de gestion publique innovatrices dans les provinces canadiennes. Ces innovations sont tout à fait conformes au nouveau paradigme de l'administration publique. Elles comprennent des programmes d'amélioration du service à la clientèle à l'aide de la nouvelle technologie et de la réingénierie des processus, des agences spéciales de services, et des initiatives semblables qui visent à donner une plus grande autonomie de gestion afin d'améliorer le rendement, des initiatives qui visent l'atteinte d'objectifs de rendement de plus en plus exigeants et des initiatives qui visent l'amélioration de la qualités des ressources humaines. Tant qu'il y aura des initiatives pour accroître la concurrence à l'intérieur du gouvernement et dans certains cas pour privatiser, les provinces seront plus à même de conclure des partenariats avec le secteur privé et les organismes bénévoles, lesquels deviennent un vecteur pour la mise en œuvre des politiques gouvernementales. Enfin, l'expérience des provinces canadiennes démontre qu'il n'y a pas de frontières à l'innovation. Dans certains cas, il s'agissait d'innovations provenant de l'étranger, telles que les agences spéciales de services, l'endurance au travail et les programmes d'alphabétisation communautaires. Dans d'autres cas, il s'agissait d'innovations d'ici couronnées de succès qui ont été imitées dans d'autres provinces et à l'étranger, telles que les guichets et les enregistrements électroniques, et l'initiative de l'Office des personnes âgées de l'Ontario. Les provinces canadiennes s'inscrivent d'emblée dans un courant universel.

* * *

RÉFÉRENCES

BORINS, Sandford (1995a). « Summary: Government in Transition – A New Paradigm in Public Administration », dans *Government in Transition* (sous la direction de la Commonwealth Association for Public Administration and Management), Toronto, Commonwealth Secretariat, p. 3-23.

BORINS, Sandford (1995b). « The New Public Management is Here to Stay », *Administration publique du Canada*, vol. 38 (printemps), p. 122-132.

OSBORNE, David (1990). *Laboratories of Democracy*, Boston, Havard Business School Press.

ZUSSMAN, David, et Jak JABES (1990). *The Vertical Solitude*, Montréal, Institut de recherche sur les politiques publiques.

CHAPITRE 17

La restructuration du gouvernement et l'évolution de la fonction publique de carrière dans les provinces et territoires du Canada

Evert A. Lindquist
Professeur associé
Département de science politique
Université de Toronto
Vice-président
Comité de la recherche
Institut d'administration publique du Canada

17.1 Introduction

Les fonctionnaires des provinces et territoires canadiens se souviendront des années 90 comme d'une période marquée par l'incertitude et de profondes transformations. Ils ont vu leur environnement de travail bouleversé par l'accroissement de la dette et du déficit, la réduction des paiements de transfert du gouvernement fédéral, l'adoption de nouvelles technologies et la décision des dirigeants politiques et bureaucratiques d'expérimenter de nouveaux modes de gestion et de prestation des services. Les fonctionnaires provinciaux ont été touchés par les mesures gouvernementales visant à réduire et à rationaliser non seulement les activités de la fonction publique, mais également celles de l'ensemble du secteur public, y compris l'éducation, la santé, l'assistance sociale et les municipalités. De leur côté, les fonctionnaires des Territoires du Nord-Ouest et du Yukon ont été perturbés par les revendications territoriales et la tendance au transfert de responsabilités du gouvernement fédéral vers les gouvernements territoriaux et les collectivités autochtones.

Ces événements ont remis en cause les principes qui ont sous-tendu l'évolution de la fonction publique moderne au Canada à tous les niveaux de gouvernement depuis les dernières décennies. L'Institut d'administration publique du Canada – avec l'aide du Conseil du Trésor et de la Commission de la fonction publique du Canada – a mis en place un groupe d'étude mixte chargé d'examiner la « restructuration du gouvernement et [la] fonction publique de carrière au Canada »[1]. Le présent commentaire s'inspire des vingt chapitres destinés à constituer le document final et brosse un tableau de l'évolution récente de la gestion des ressources humaines au sein de la fonction publique des provinces et des territoires. Les forces qui ont remodelé l'environnement de travail des fonctionnaires de carrière sont diverses : restructuration, rationalisation, formation et perfectionnement, équité en matière d'emploi, vieillissement du personnel, relations syndicats-direction, activités politiques, etc. Le présent document vise, au mieux, à donner un aperçu des multiples aspects de cette question. Malgré les différences considérables que présentent les provinces et territoires quant à leur étendue et à leurs pratiques, les douze gouvernements ont dû faire face à des difficultés semblables et – faut-il s'en étonner ? – y ont répondu par des réformes semblables.

Nous commencerons par présenter un tableau général des principaux événements qui ont mené à l'établissement des institutions professionnelles de la fonction publique de carrière au Canada. Les quatre parties qui suivront constitueront un survol des récents développements qui ont eu lieu dans chaque province et territoire. Nous conclurons par une réflexion sur l'impact de ces événements sur les carrières au sein de la fonction publique et indiquerons certains enjeux et certaines limites que pourraient poser ces récentes réformes.

---

1. Voir : Evert A. Lindquist (dir.), *Government Restructuring and Career Public Service in Canada* (Restructuration du gouvernement et fonction publique de carrière au Canada) (à paraître), Institut d'administration publique du Canada, Toronto. À moins d'indication contraire, les citations suivantes sont issues de premières versions des différents chapitres devant constituer le présent ouvrage. Bien que le présent commentaire repose largement sur les écrits des membres du groupe d'étude, nous demeurons le seul responsable des erreurs de fait ou d'interprétation.

17.2 Historique

De façon générale, les fonctions publiques canadiennes sont essentiellement professionnelles et non partisanes. Au cours du XXe siècle, la plupart des gouvernements ont reconnu la valeur de la fonction publique et des principes qui la gouvernent : embauche et promotion fondées sur le mérite, carrières à vie au sein de la fonction publique et soutien continu à la formation et au perfectionnement professionnel[2]. Malgré le fait que ces principes ont graduellement émergé au cours de plusieurs décennies, il est possible de distinguer les jalons importants de cette évolution ou les principaux enjeux qui ont fait l'objet de réformes.

La première étape a été le rejet de toute allégeance politique comme critère fondamental dans la dotation des postes de la fonction publique. Sous l'influence du discours et des réformes de nos voisins du Sud, le favoritisme a été progressivement associé à l'inefficacité dans la gestion et les pratiques de travail, à la nomination de fonctionnaires ne disposant pas de la formation ou de l'expérience requises pour bon nombre de tâches et à un accès insuffisant de l'ensemble des citoyens aux carrières offertes par la fonction publique. Entre la Première et la Deuxième Guerre mondiales, les gouvernements fédéral et provinciaux du Canada ont, par une progression irrégulière, délaissé les procédés teintés de favoritisme au profit d'un système axé sur le mérite, par la création de postes au sein de leur fonction publique et l'imposition d'examens aux candidats. Bien que le système fondé sur le mérite n'ait pas mis un terme aux nominations politiques, il a permis d'éliminer les renvois massifs de fonctionnaires au lendemain de l'élection d'un nouveau gouvernement et, de ce fait, a contribué à stabiliser le personnel et à accroître le professionnalisme au sein de la fonction publique.

Les deux événements suivants sont apparus à la même époque. Le premier a trait à l'expansion du concept d'État providence au Canada au cours des années 60 et au début des années 70. Le gouvernement fédéral a utilisé son « pouvoir de dépenser » pour encourager les gouvernements provinciaux à élargir leurs programmes par des accords de partage des coûts avantageux dans les domaines de l'éducation, de la santé et de l'assistance sociale. En outre, un programme de péréquation, négocié avec les gouvernements provinciaux, est venu en aide aux provinces disposant d'une assiette fiscale relativement restreinte, en compensant les faibles revenus de façon que leurs citoyens puissent profiter des mêmes programmes et services publics généralement offerts dans les autres régions du pays. Cette période a vu la fonction publique des provinces s'accroître de façon constante.

Parallèlement, l'adoption, en 1967, d'un régime complet de négociation collective par le gouvernement fédéral a provoqué des transformations fondamentales dans la gestion des relations employeurs-direction dans les provinces[3].

---

2. Voir : Kenneth Kernaghan, « Career Public Service 2000 : Road to renewal or impractical vision ? » (Carrière fonction publique 2000 : voie du renouveau ou utopie ?), *Administration publique du Canada*, vol. 34, n° 4, hiver 1991, p. 551, et Evert A. Lindquist, « The Complex Concept of Canadian Public Service », chapitre 2.
3. Voir : Mark Thompson et John Fryer, « Changing Rules for Employers and Unions in the Public Service », chapitre 4.

Il s'agissait d'un changement important puisque, auparavant, les fonctionnaires étaient représentés par diverses associations. Les employés des gouvernements provinciaux devaient compter sur la bonne volonté de leurs employeurs, lorsque venait le temps de négocier les ajustements de salaires et l'amélioration des conditions de travail. La négociation collective a vite été adoptée par les gouvernements provinciaux, bien que les points négociables et le droit de grève des syndicats aient été beaucoup plus limités dans le secteur public que dans le secteur privé. Les syndicats de fonctionnaires ont connu du succès dès le départ, en raison du contexte économique relativement favorable et de la tendance à la hausse des budgets gouvernementaux.

Au cours des années 80, les gouvernements du pays se sont montrés peu enclins à s'engager dans des restructurations de programmes, malgré l'augmentation du déficit et de la dette. Ils ont plutôt tenté, les uns après les autres, de réaliser des économies en adoptant de nouvelles méthodes de gestion, en éliminant les niveaux hiérarchiques, en apportant des assouplissements à la réaffectation du personnel, en freinant la croissance des programmes et en recourant à la technologie de l'information pour stimuler la productivité. L'image du fonctionnaire a perdu beaucoup de son lustre aux yeux du public et la « bureaucratie » est devenue le passe-temps de la plupart des partis politiques – le déficit et la dette étaient le fruit de l'incompétence et de l'incurie des fonctionnaires, et non la faute des dirigeants politiques ou du public, qui réclamait un grand nombre de programmes. Avec l'intensification constante des pressions budgétaires, les élus ont cherché à éviter les prises de décision difficiles nécessaires à une restructuration importante des programmes et ont souvent privilégié les « solutions » entraînant le moins de remous politiques, soit le gel ou la réduction des salaires et des avantages des fonctionnaires et la multiplication des réductions générales parmi les autres formes de « frais généraux ».

Le début des années 90 a vu les gouvernements provinciaux prendre des mesures plus radicales, comme la réduction des cabinets et la rationalisation des ministères, la diminution des salaires des employés, négociée ou imposée par décret, les mises à pied et les programmes de retraite anticipée pour les fonctionnaires. Ils ont en outre multiplié les mesures pour réviser, privatiser et éliminer des programmes, les abandonner à d'autres compétences ou les confier à des sous-traitants. Selon Thompson et Fryer, contrairement à leurs collègues du secteur privé, les chefs syndicaux du secteur public n'étaient pas prêts à se mesurer aux gouvernements à la fin des années 80 et au début des années 90, au moment de négocier les privatisations, les diminutions de salaire et les réductions importantes de personnel[4]. Cette situation a entraîné des discussions amères et des décisions unilatérales du gouvernement, ce qui a eu pour effet d'affaiblir le processus de négociation collective, de diminuer la confiance et de politiser les relations employeurs-direction.

Dans l'ensemble, ces événements ont provoqué des changements importants, et parfois dramatiques, chez les fonctionnaires et ont affaibli leur moral. Comme le soulignent Gilles Paquet et Lise Pigeon, on venait de rompre le

---

4. *Ibid.*

« contrat moral » conclu des dizaines d'années auparavant entre les fonctionnaires et les gouvernements en tant qu'employeurs. Ce pacte traditionnel, en vertu duquel les fonctionnaires recevaient la sécurité d'emploi et un salaire modeste en échange de leur anonymat et de leur neutralité, a été violé par les événements que nous avons relatés et par des mesures visant à augmenter la responsabilité d'exécution des fonctionnaires[5]. Cette vague de restructurations et de réductions d'effectif va probablement continuer de déferler au cours des prochaines années et soulever une grande incertitude quant à la nature des fonctions publiques et des régimes de gestion des ressources humaines qui seront mis au service des Canadiens dans les années à venir.

Douze des vingt chapitres rédigés pour le compte du groupe d'étude de l'IAPC décrivent l'évolution et la situation actuelle des fonctionnaires de carrière au sein des gouvernements fédéral, provinciaux et territoriaux du Canada. On a demandé aux collaborateurs de relater l'« histoire » de chacun des gouvernements plutôt que de proposer un moule commun, en partie parce que leur histoire et leurs défis actuels respectifs pouvaient présenter des thèmes différents. Il en a résulté un riche tableau des traditions et des bouleversements qui ont marqué la fonction publique au Canada. En raison de l'espace limité, nous ne présenterons qu'un aperçu des plus récents faits notoires survenus à ce chapitre dans les provinces et les territoires.

17.2.1 Les provinces de l'Est

Les quatre provinces de l'Est comportent certaines des fonctions publiques les plus restreintes au Canada, mais elles présentent des différences intéressantes dans les approches qu'ont adoptées les gouvernements face à la réforme.

Terre-Neuve[6]. La fonction publique de Terre-Neuve et du Labrador a un passé pittoresque, passant d'une ère de sectarisme, de favoritisme et de cloisonnement s'échelonnant de 1855 à 1934, à une commission de gouvernement, dirigée conjointement par des Britanniques et des Terre-Neuviens, de 1934 à 1949. Ce régime a permis l'adoption de valeurs britanniques liées à une fonction publique de carrière, professionnelle, et qui ont contribué à diminuer le favoritisme. Après l'admission de Terre-Neuve comme province canadienne, en 1949, on a continué à délaisser graduellement le favoritisme et les gouvernements libéraux et conservateurs qui se sont succédé ont permis l'adoption de pratiques de gestion modernes. Au début des années 90, les restrictions financières et la restructuration économique se sont traduites par des compressions budgétaires importantes, la privatisation, la fusion et la rationalisation des ministères, le gel des salaires ainsi que des mises à pied. Entre 1992 et 1994, le nombre d'employés provinciaux est passé de 27 500 à 25 500. Les récents efforts visant à réduire le confessionnalisme dans le secteur de l'éducation de la province, protégé par la Constitution canadienne, pourraient entraîner des changements importants dans le domaine administratif.

---

5. Voir : Gilles Paquet et Lise Pigeon, « In Search of a New Covenant », chapitre 18.

6. Voir : Christopher Dunn, « The Newfoundland Public Service : The Past as Prologue ? », chapitre 8.

Île-du-Prince-Édouard[7]. La fonction publique de l'Î.-P-É. s'est rapidement développée avec le plan de développement global, lancé en 1970 et financé en grande partie par le gouvernement fédéral. Bon nombre de fonctionnaires non classifiés ont été engagés dans les années 70 et sont, dans une large mesure, restés en dehors du système du mérite (de 20 à 38% de l'ensemble de la fonction publique permanente). La récession du début des années 80 a entraîné une réduction du personnel temporaire et certains postes vacants n'ont pas été pourvus, bien que le nombre de postes permanents ait augmenté. Un bon nombre d'employés occasionnels ont par la suite été intégrés à la fonction publique permanente mais, depuis quelque temps, cette proportion est revenue aux niveaux antérieurs. L'effectif de la fonction publique a culminé à près de 4500 employés en 1990. Au début de cette décennie, sous l'effet de la détérioration de la situation financière de la province, le gouvernement s'est progressivement orienté vers une réforme de la fonction publique et a entrepris de restructurer le portefeuille des cabinets et des ministères, et il a créé de nouvelles entités dans le domaine du développement économique et des services de soins de santé et d'action communautaire. Le budget de 1994 a annoncé la suspension des conventions collectives existantes et a diminué sensiblement les salaires dans le secteur public. La Civil Service Commission (Commission de la fonction publique) a été remplacée par le Staffing and Classification Board (Conseil de dotation et de classification) et une nouvelle entité a été mise en place pour négocier les conventions collectives au nom des employeurs du gouvernement. À la fin de 1994, la fonction publique comptait moins de 3900 employés.

Nouvelle-Écosse[8]. Bien que le gouvernement de la Nouvelle-Écosse ait pris des mesures pour diminuer l'ampleur du favoritisme au cours des années 30, cette pratique est demeurée jusqu'à très récemment une caractéristique importante de la fonction publique de cette province. En 1956, le premier ministre Robert Standfield a rompu avec la tradition en ne remplaçant pas la majorité des fonctionnaires, mais le favoritisme est demeuré dans le secteur de la voirie et dans les postes de durée déterminée. Au cours des années 70 et 80, le premier ministre Buchanan a diminué l'indépendance de la Commission de la fonction publique et a mis en place un mécanisme central d'élaboration des politiques, de façon à pouvoir mieux répondre aux programmes de développement du gouvernement fédéral. Les nominations aux organismes centraux et à la haute direction des ministères étaient de plus en plus politisées, mais cette situation n'a pas touché directement « les rangs des secteurs techniques, professionnels et administratifs ». En 1993, le premier ministre Savage a pris des mesures pour « dépolitiser » la nomination des hauts fonctionnaires, en choisissant un fonctionnaire de carrière comme sous-ministre (bien que celui-ci ait entretenu des liens étroits avec le Parti libéral) et en nommant les sous-ministres après un concours public. M. Savage remplaça la Commission de la fonction publique par un ministère des Ressources humaines, tout en adoptant une politique d'ingérence non politique et en augmentant la capacité des ministères à gérer leurs ressources humaines.

---

7. Voir : John Cromley, « The Career Public Service in Prince Edward Island : Evolution and Changes », chapitre 9.

8. Voir : Peter Aucoin, « Nova Scotia : Government Restructuring and Career Public Service », chapitre 10.

Ces mesures ont provoqué la colère des partisans libéraux et soulevé la controverse, car elles venaient s'ajouter à d'autres mesures, telles que la restructuration de la fonction publique et la réduction de son effectif, la diminution des salaires des employés et la suspension des conventions collectives. Au printemps de 1994, un programme de retraite anticipée a été mis en place, puis amélioré, avec pour objectif la mise à la retraite de 2000 fonctionnaires et l'élimination définitive de 1400 employés permanents, ce qui représentait une proportion importante de l'effectif de la fonction publique, qui comptait 8200 employés au cours de l'exercice 1995-1996.

Nouveau-Brunswick[9]. La fonction publique moderne du Nouveau-Brunswick est largement redevable à un ambitieux programme de réformes (Programme of Equal Opportunity) mis sur pied dans les années 60 par le gouvernement libéral du premier ministre Louis Robichaud. L'élaboration de nouvelles politiques et la réalisation de programmes dans les secteurs de l'éducation, de la santé, de la justice et des municipalités nécessitaient la mise en place d'une fonction publique plus importante et plus professionnelle. Pour y arriver, on fit appel à des fonctionnaires talentueux venant d'autres territoires. L'effectif de l'ensemble de la fonction publique est passé de 2900 employés en 1960 à plus de 25000 en 1972. Malgré le règne prolongé des Libéraux à la tête de la province, le nouveau gouvernement conservateur de Richard Hatfield créa un important précédent, en n'effectuant pas de purge parmi les hauts fonctionnaires. En 1987, le premier ministre Frank McKenna a poursuivi dans cette voie, lorsque les Libéraux ont repris en main les destinées d'une fonction publique toujours en croissance. En 1993, la province comptait 52000 employés dans le secteur public, dont 10000 fonctionnaires. La dégradation des finances et les compressions imminentes dans les paiements de transfert du gouvernement fédéral ont poussé le gouvernement à instaurer des réformes visant à réaliser des économies, en éliminant des postes, en utilisant les technologies de l'information, en recourant à la sous-traitance et à la privatisation et en favorisant le partenariat entre le secteur privé et le secteur public. On a de plus encouragé la réaffectation des employés et l'adoption de mesures favorables au rendement. En outre, certains indices laissent croire que la règle de la « carrière à vie » serait remise en question.

17.2.2 Les provinces du centre

Le Québec et l'Ontario sont les seules provinces dont la fonction publique peut rivaliser avec celle du gouvernement fédéral en ce qui regarde l'importance et la complexité. Bien que le cas de la province de Québec soit traité en détail plus loin dans le présent ouvrage, il est utile de résumer les récentes expériences qui s'y sont déroulées.

Québec[10]. Au Québec, la tradition de la fonction publique de carrière remonte à 1867, mais elle se démarque en ce que des principes importants

9. Voir : Donald Savoie, « A Have Public Service in a Have-Less Province », chapitre 11.

10. Voir : James Iain Gow, « The Career Public Service in Quebec : How to Reinvigorate the Closed Shop », chapitre 12.

régissant la fonction publique moderne du Québec – pratiques d'embauche entièrement soumises à la concurrence et élargissement du système de classification – ont été le fruit de négociations avec les syndicats du secteur privé. En 1983, la nouvelle Loi sur la fonction publique a modifié le principe du mérite afin de promouvoir l'avancement des femmes ; elle a en outre créé un bureau des ressources humaines, transféré aux sous-ministres le pouvoir d'effectuer des nominations et réduit le rôle de la Commission de la fonction publique. Depuis le début des années 80, la proportion d'employés temporaires a augmenté, pour atteindre entre 20 et 40 % de l'effectif de la fonction publique. Ceux-ci ont subi les contrecoups des réductions étant donné les fortes garanties protégeant le salaire et les conditions de travail des employés permanents, ce qui a diminué d'autant les possibilités d'embauche pour les jeunes. Les diminutions de salaire, la suspension des conventions collectives et les lois ordonnant le retour au travail ont rendu difficiles les relations de travail dans les années 80. En 1993, l'effectif de la fonction publique était de 71 000 employés, dont 20 % étaient des travailleurs occasionnels. Le gouvernement libéral a alors dévoilé un plan visant une réduction importante de la fonction publique d'ici à 1998. Son successeur social-démocrate, le Parti québécois du premier ministre Jacques Parizeau, a d'abord écarté ce plan, préférant établir des comités mixtes avec les syndicats du secteur public sur des questions touchant les ministères et le gouvernement. Cependant, à la suite du référendum d'octobre 1995, le gouvernement de Lucien Bouchard a entrepris de remettre à flot les finances de la province. Aussi, outre qu'il a lancé diverses réformes administratives, le gouvernement a cherché à diminuer les salaires et les avantages de la fonction publique et des travailleurs de l'ensemble du secteur public, ce qui a engendré de fortes tensions avec les syndicats de ce secteur.

Ontario[11]. Après 43 ans sous la tutelle d'un gouvernement conservateur, la seconde fonction publique en importance au Canada connaît des années de bouleversements. Ces soubresauts sont attribuables à la récession du début des années 90, à la réduction des paiements de transfert et à un électorat volage, qui a élu un gouvernement social-démocrate en 1990, pour le remplacer par un gouvernement conservateur sur le plan financier. Peu de temps après l'arrivée au pouvoir du Nouveau Parti démocratique en 1990, les 80 000 membres de la fonction publique ont commencé à subir toutes sortes de bouleversements, largement attribuables à un déficit provincial toujours grandissant, résultat d'une dure récession et des compressions dans les paiements de transfert fédéraux. En 1993, le gouvernement annonçait la mise en place de son Plan de contrôle des dépenses, la fusion de certains ministères, la préparation d'un pacte social ainsi qu'un programme de retraite anticipée. Ces mesures ont déclenché des réactions négatives de la part des syndicats du secteur public, alliés traditionnels du NPD, qui ont ouvertement critiqué le gouvernement et ont tenté de s'y opposer. Une mesure visant à forcer les gestionnaires à adhérer au principal syndicat du secteur public, le SEEFPO, s'est retournée contre le gouvernement lorsque les cadres intermédiaires et les cadres supérieurs se sont regroupés pour former un nouveau syndicat. Bien que le gouvernement se soit efforcé d'établir des comités

11. Voir : Graham White, « Change in the Ontario Public Service », chapitre 13.

syndicats-direction entre les ministères et à l'intérieur de ceux-ci dans le but de réaliser des économies axées sur des objectifs de réduction des dépenses, les employés sont devenus maussades et démoralisés. En 1995, le Parti progressiste-conservateur de Mike Harris était élu. Porté par sa « révolution du bon sens », le nouveau gouvernement a diminué l'impôt provincial, réduit considérablement les dépenses liées aux programmes et procédé à une réduction spectaculaire de l'effectif de la fonction publique, en retranchant 12 000 postes. Après une dure grève en 1995, le SEEFPO a obtenu un régime de retraite amélioré et des droits de supplantation fondés sur l'ancienneté, mais le gouvernement n'est pas revenu sur son intention de réduire l'effectif de la fonction publique et a même augmenté le nombre de ses objectifs. Il est intéressant de noter que le gouvernement n'a pas diminué les salaires et a rétabli les augmentations au mérite. De plus, il a récemment annoncé son intention d'augmenter les salaires des hauts fonctionnaires et d'accorder des primes de rendement.

17.2.3 Les provinces de l'Ouest

Bien qu'il soit difficile d'établir des principes généraux quant à la nature changeante de la fonction publique dans les provinces de l'Ouest, chacune d'elles a fourni des modèles importants de réforme pour le reste du Canada. L'Alberta et la Saskatchewan ont adopté des modèles de réduction du déficit et de la dette très différents, mais tout aussi efficaces l'un que l'autre. Le Manitoba et l'Alberta ont tenté différentes approches de remplacement à la prestation des services publics. Pour sa part, la Colombie-Britannique, bien avant les récents événements survenus en Ontario, a depuis longtemps connu des changements radicaux.

Manitoba[12]. On dit de la fonction publique manitobaine qu'elle est « une organisation tranquille et traditionnelle, qui n'a pas fait l'objet de grandes crises de réformes administratives ni d'accusations de favoritisme politique profondément enraciné ». Malgré l'alternance de gouvernements conservateurs et néo-démocrates au cours des dernières décennies, la fonction publique manitobaine n'a pas été le jouet de la politique, bien que tous les sous-ministres, sous-ministres adjoints et directeurs aient été, jusqu'à tout récemment, nommés par décret. La plupart des fonctions de la Commission de la fonction publique ont été attribuées aux ministères, ce qui a provoqué des écarts dans les pratiques d'embauche et de promotion. Depuis quelques années, les priorités du gouvernement conservateur de Filmon ont été de réduire les dépenses, de diminuer la dette et de restructurer la fonction publique. Pour parvenir à ce dernier objectif, on a créé un grand nombre d'organismes de service spécial (le Manitoba est la première province à ce chapitre) et lancé les programmes Service 1st et Better Methods afin d'améliorer le service et de réaliser des économies. En général, les cadres supérieurs ont appuyé cette orientation vers un « gouvernement entrepreneurial », mais on a constaté un affaiblissement du moral et un ralentissement des efforts visant à diversifier la fonction publique. Le gouvernement a adopté unilatéralement des lois pour prolonger les conventions collectives et

12. Voir : Ken Rasmussen, « The Manitoba Civil Service : A Quiet Tradition in Transition », chapitre 14.

réduire les salaires, ce qui a provoqué des sérieuses tensions entre le gouvernement et l'Association des fonctionnaires du Manitoba. Des programmes de retraite volontaire et l'érosion de l'effectif ont permis d'éliminer 2000 postes. Des mesures de réaffectation du personnel ont fait que le nombre de mises à pied définitives a été relativement faible. L'effectif de la fonction publique est passé d'un peu plus de 15000 employés en 1990 à près de 13000 en 1995.

Saskatchewan[13]. Bon nombre des plus valeureux fonctionnaires du Canada viennent de la Saskatchewan, en raison des solides traditions de sa fonction publique, mais aussi des bouleversements qu'ont connus les différents gouvernements de la province. La première approche de la direction de la fonction publique voulait que les ministres ne viennent pas jouer les apprentis sorciers dans l'administration publique, bien que la nomination des cadres supérieurs ait relevé du gouvernement. Après l'élection de 1982, le gouvernement conservateur du premier ministre Grant Devine a congédié de nombreux fonctionnaires liés au précédent gouvernement néo-démocrate et a accru la capacité des cabinets des ministres. En 1986, le gouvernement a lancé un programme concerté de sous-traitance, de privatisation, de consolidation, de réduction de l'effectif et de réinstallation d'organismes, qui a profondément démoralisé la fonction publique et, ironiquement, a conduit à un important déficit. En 1991, le gouvernement néo-démocrate du premier ministre Roy Romanow a écarté certains cadres supérieurs, tout en affirmant les valeurs traditionnelles caractéristiques d'un gouvernement responsable et du rôle de la fonction publique. Les efforts pour reprendre le contrôle des finances se sont traduits par une réduction importante de l'effectif, une décentralisation, une déstratification des niveaux hiérarchiques et des négociations collectives serrées avec les syndicats. En 1995, après une diminution de 1000 postes, il restait à peine plus de 11500 fonctionnaires. Par ailleurs, le gouvernement a cherché à renforcer le régime de négociation collective et a créé dans les ministères des comités syndicats-direction chargés d'examiner les restructurations proposées et les mesures d'économie. Le gouvernement et les syndicats envisagent l'élaboration d'une approche d'embauche et de promotion axée sur les compétences plutôt que sur le poste occupé.

Alberta[14]. L'expérience de l'Alberta vaut la peine qu'on s'y attarde car, dans le cadre de son programme de restructuration et de réduction de l'effectif – la « révolution Klein » –, le gouvernement conservateur du premier ministre Ralph Klein a ramené l'effectif à temps plein de la fonction publique au niveau de 1972, soit à moins de 20000 employés, après qu'elle eut atteint des niveaux supérieurs à 35000 employés, au début des années 80, et d'environ 25000, quelques années plus tard. Les réductions plus récentes ont été réalisées au moyen de généreuses mesures d'encouragement au départ et d'un recours important à la privatisation et à la sous-traitance, ce qui a mené à l'émergence d'une « bureaucratie fantôme » rémunérée à moindre salaire. En raison de la dynastie qu'ont créée les gouvernements progressistes-conservateurs qui se sont succédé

13. Voir : Ken Rasmussen, « New Values and Old Traditions : The Career Public Service in Saskatchewan », chapitre 15.

14. Voir : Ed Le Sage, Jr., « Business Government and the Evolution of Alberta's Career Public Service », chapitre 16.

à la tête de l'Alberta depuis des dizaines d'années, on est en droit de s'interroger sur la neutralité de la fonction publique albertaine. Bien que l'on puisse constater que des fonctionnaires « experts et conservateurs » ont été nommés à des postes de cadres supérieurs, les principes du mérite et de la neutralité sont généralement observés, ce qui témoigne d'une traditionnelle séparation entre, d'une part, les questions politiques et l'élaboration des politiques et, d'autre part, l'administration publique. Les gouvernements de l'Alberta ont longtemps insisté sur la formation et l'aide au cheminement de carrière, mais les principales fonctions de la gestion des ressources humaines ont été décentralisées et confiées aux ministères hiérarchiques. Le principe du mérite est appliqué par le Personnel Management Office (Bureau de la gestion du personnel), relevant d'un ministre plutôt que directement de la législature, et non par une commission indépendante. Il est intéressant de constater que, malgré la réduction de personnel, la proportion de femmes dans le groupe des gestionnaires a augmenté – bien que la représentation des jeunes et des peuples autochtones laisse encore à désirer – et que les grèves se font moins nombreuses dans le secteur public.

Colombie-Britannique[15]. Pendant des dizaines d'années, la province la plus occidentale du pays a fourni le plus bel exemple de politique polarisée au Canada, alternant entre un gouvernement créditiste et un gouvernement néo-démocrate, respectivement de l'extrême droite et de l'extrême gauche, et entretenant des relations de travail conflictuelles. On a perçu une forte orientation politique des cadres supérieurs de la fonction publique sous le récent gouvernement néo-démocrate de Harcourt (1991-1995), mais cette tendance est apparue en partie en réaction aux pratiques et aux programmes des précédents gouvernements du Crédit social dirigés par les premiers ministres Hennett et Vander Zelm, et en partie en raison de la nécessité de poursuivre un programme d'action différent. Ces deux gouvernements ont mis en place des cadres supérieurs favorables à leurs orientations et il est nettement apparu aux yeux du public que certains de ces cadres s'appliquaient à défendre et à mettre en œuvre les décisions du gouvernement. De 1983 à 1992, dans un effort concerté pour réduire la taille de l'appareil gouvernemental et privatiser ses activités, les gouvernements créditistes ont réduit l'effectif de la fonction publique, lequel est passé de près de 40 000 employés à un peu moins de 34 000 employés. La fonction publique s'est accrue sous le gouvernement Harcourt, mais le gouvernement néo-démocrate nouvellement élu de Glen Clark a vu s'intensifier les pressions favorables à une réduction du déficit au moyen de compressions des dépenses et à une diminution de l'effectif de la fonction publique. Au début de 1996, le gouvernement néo-démocrate employait un peu moins de 38 000 fonctionnaires permanents et plus de 5 000 employés auxiliaires. Comme en Ontario, les syndicats du secteur public de la Colombie-Britannique n'ont pas hésité à s'opposer aux gouvernements sur ces questions, même aux gouvernements sociaux-démocrates.

---

15. Voir : Ed Le Sage, Jr., « British Columbia's Public Service : Weathering Ideological Storm », chapitre 17.

17.2.4 Les territoires du Nord

La conduite des affaires publiques dans les Territoires du Nord-Ouest et au Yukon a longtemps été méconnue pour diverses raisons : notamment parce que les gouvernements territoriaux constituaient un prolongement administratif du gouvernement fédéral, parce que chaque administration regroupait un nombre restreint de citoyens – malgré l'immensité des territoires – et que les Canadiens du Sud connaissaient mal le Nord du pays. Cependant, les changements auxquels on assiste actuellement au point de vue politique et sur le plan de la fonction gouvernementale au Yukon et dans les anciens Territoires du Nord-Ouest sont sans pareil au Canada et ont des répercussions importantes sur leur fonction publique respective.

Territoires du Nord-Ouest[16]. Les fonctionnaires des Territoires du Nord-Ouest ont dû faire face à plusieurs défis de taille. La première difficulté est venue des décisions du gouvernement fédéral de diminuer les paiements de transfert au gouvernement, ce qui a forcé les dirigeants politiques et administratifs à remodeler les organismes centraux ainsi qu'à restructurer et à regrouper les divers organismes, conseils et commissions. La deuxième difficulté est venue quant à elle de la création récente d'un nouveau territoire, le Nunavut, et de la mise en place d'une toute nouvelle fonction publique, d'une nouvelle structure de gouvernement et d'une nouvelle capitale pour servir l'est de l'Arctique. On compte établir un gouvernement semblable à un gouvernement provincial, quoique fortement décentralisé. Ainsi, dans tout le Nunavut et le reste des Territoires du Nord-Ouest, les chefs autochtones et d'autres dirigeants ont demandé la décentralisation de la prestation des services au sein de leur collectivité, bien que plus des trois quarts des fonctionnaires travaillent déjà en dehors de la capitale. Cette situation pose des problèmes énormes aux ministères et aux fonctionnaires maintenant installés à Yellowknife, puisqu'un bon nombre des 6 200 fonctionnaires des T.N.-O. sont susceptibles de travailler pour le compte de gouvernements différents. Viennent s'ajouter à ces difficultés le droit des autochtones à occuper des postes dans la fonction publique en proportion de leur nombre dans la population, de même que plusieurs revendications territoriales en suspens dans l'ouest de l'Arctique.

Le Yukon[17]. Les fonctionnaires du Yukon sont aux prises avec des difficultés qui leur sont propres. En 1994, le Yukon comptait environ 1 000 employés du gouvernement fédéral et presque 2 900 employés du territoire. Le gouvernement fédéral, qui contrôlait depuis longtemps les affaires du Yukon en en confiant la responsabilité à des commissaires nommés par lui et en accordant des pouvoirs au ministère des Affaires indiennes et du Nord canadien, a progressivement délégué des responsabilités au gouvernement du Yukon et, plus récemment, aux collectivités des premières nations. Cette délégation a été accélérée par les compressions des dépenses du fédéral et l'émergence des gouvernements des pre-

---

16. Voir : Graham White, « Public Service in the Northwest Territories : Challenges of the Northern Frontier », chapitre 6.

17. Voir : Gillian Fitzgibbon, « Government Restructuring and Public Service in the Yukon Territory : Pressures and Proposals for Change », chapitre 7.

mières nations au fil des règlements des revendications territoriales. Outre ces difficultés, des pressions venant de l'intérieur du gouvernement ont également contribué à affecter le moral de la fonction publique du Yukon : régime de gestion des ressources humaines centralisé, contraintes budgétaires, relations syndicats-direction de plus en plus houleuses et microgestion du travail des fonctionnaires par les politiciens. L'adoption sans réserve du principe du gouvernement responsable, la négociation d'ententes entre le gouvernement et les gouvernements des premières nations (quatorze en tout) sur le mode de prestation des services et la nécessité d'apaiser les tensions au sein du gouvernement pourraient mener à l'émergence d'une nouvelle gestion des ressources humaines.

17.3 **Conclusion**

Tous les gouvernements provinciaux et territoriaux ont connu d'énormes difficultés au cours de la dernière décennie, difficultés qui ont ébranlé l'« univers traditionnel » de la fonction publique de carrière, qui englobait notamment l'impartialité politique, l'embauche et la promotion au mérite et la carrière à vie au sein de la fonction publique[18]. Malgré les contraintes financières qui se faisaient de plus en plus pressantes au cours des années 80, les gouvernements provinciaux ont éprouvé de la difficulté à modifier cet univers, bien que ce concept n'ait jamais constitué une image tout à fait exacte de la carrière au sein de la fonction publique au Canada. Cependant, après les grandes manœuvres de restructuration et de réduction de l'effectif du début des années 90, on a assisté à l'émergence de nouveaux principes régissant les carrières et la gestion des ressources humaines au sein des fonctions publiques provinciales. Bien que les gouvernements provinciaux ne l'aient pas proclamé à outrance, les fonctionnaires savent que, dorénavant, une carrière au sein de la fonction publique ressemblera fort à une carrière dans le secteur privé et que les gouvernements ne peuvent plus garantir un emploi à vie. De l'avis des observateurs cités dans le présent chapitre, bien que ces changements aient entraîné une baisse de moral et donné lieu à des tactiques syndicales plus militantes, ils n'ont pas altéré, à court terme, la qualité et le professionnalisme de la fonction publique.

Gilles Paquet et Lise Pigeon notent que les gouvernements qui entendent entretenir une fonction publique plus restreinte devront se tourner de plus en plus vers un secteur parapublic élargi et les organismes privés pour assurer, par contrats, la prestation des services et, dans certains cas, pour entretenir avec les syndicats du secteur public des relations axées sur un meilleur esprit de collaboration[19]. Cette nouvelle distribution des responsabilités et une exploitation plus avisée des marchés et des contrats sont censées apporter plus de souplesse et de malléabilité aux fonctions publiques provinciales. Toutefois, Paquet et Pigeon estiment que les marchés et les contrats ne pourront combler certains

---

18. Pour en savoir plus sur le concept de l'« univers » de la fonction publique, consulter Evert Lindquist et Gilles Paquet, « Government Restructuring and Federal Public Service : The Search for a New Cosmology », chapitre 5.

19. Pour obtenir une vue d'ensemble de la question, consulter Gilles Paquet et Lise Pigeon, *op. cit.*

aspects du travail dans le secteur public – aspects implicites, mais essentiels –, notamment : la nouvelle nature du travail, la nécessité de favoriser l'adoption de normes de responsabilité et de loyauté, et la nécessité d'une plus grande participation des cadres intermédiaires, des travailleurs de première ligne, des citoyens et des collectivités dans la prise de décision et l'administration. L'émergence d'un nouveau partage des responsabilités et de nouvelles modalités du travail ne se fera pas avec la seule passation de contrats, mais nécessitera de nouvelles normes de gestion publique et de leadership.

Même si le noyau du secteur public est appelé à décroître davantage, les institutions de la fonction publique pourraient revêtir une nature ou des qualités très différentes selon l'équilibre des responsabilités entre les gouvernements fédéral et provinciaux, l'intégrité physique du Canada en tant que nation et la mesure de la croissance économique et de la cohésion sociale[20]. Dans une fédération plus décentralisée, caractérisée par un moindre « pouvoir de dépenser » du gouvernement fédéral, les gouvernements provinciaux pourraient rechercher une plus grande diversité dans la qualité et la culture des fonctions publiques. L'un des défis que posent les scénarios les plus extrêmes engageant la société et la fédération sera de déterminer comment faire passer un nombre important de fonctionnaires d'un champ de compétence à un autre.

On ne peut envisager l'évolution des fonctions publiques provinciales et territoriales sans imaginer une perspective nationale des institutions des fonctions publiques au Canada, dans laquelle il devient évident que le seul examen de la fonction publique fédérale ne révèle qu'un petit élément du tableau. Les nouvelles approches à la prestation des services publics, qui comprennent le recours à des organismes parapublics, à but lucratif ou non, indiquent qu'un ensemble plus vaste d'institutions non permanentes et d'organismes contractants va être appelé à fournir les services au public. Outre qu'ils réalisent des projets en collaboration avec les gouvernements, bon nombre de ces institutions et organismes vont fournir des services à plusieurs gouvernements à la fois. De plus, un plus grand nombre de personnes vont vouloir ou devoir englober plus d'un champ de compétence et plus d'un organisme afin de s'acquitter de leurs tâches dans le secteur public. Jusqu'à présent, on ne s'est pas beaucoup employé à trouver des moyens de favoriser le mouvement de personnel entre les gouvernements et les secteurs et de garantir que l'embauche et la promotion respectent les normes les plus élevées. Il serait donc pertinent d'envisager la mise sur pied d'un organisme national, et non fédéral, chargé de collaborer étroitement avec tous les gouvernements et leurs ministères des Ressources humaines et les responsables des régimes du mérite.

Malgré tous les discours sur l'échec des institutions des fonctions publiques et sur les bureaucrates « incontrôlables », et malgré les limites décrites ci-dessus, on imagine difficilement comment les provinces canadiennes et les territoires pourraient fonctionner sans le secours d'une bureaucratie profession-

---

20. Deux scénarios concernant la société et la fédération en rapport avec la fonction gouvernementale au Canada sont décrits dans Evert Lindquist et Steven Rosell, « Alternative Scenarios for Public Service in Canada », chapitre 19.

nelle et compétente, quelle que soit son importance. Ces bureaucraties sont des instruments essentiels de l'orientation des gouvernements et fournissent aux citoyens et aux collectivités une variété impressionnante de programmes. Les fonctionnaires constituent un outil de continuité et sont le seuil des connaissances spécialisées et de la mémoire institutionnelle nécessaires à tout gouvernement accédant au pouvoir. Les nouveaux modèles de prestation de services ne pourront s'établir définitivement sans une détermination et une aptitude suffisantes de la société civile à endosser de nouveaux rôles et responsabilités, et à continuer de rejeter l'image du gouvernement en tant que dispensateur de services publics[21].

On peut donc conclure, à la lumière de ce qui précède, que, peu importe l'envergure de la restructuration gouvernementale, le secteur public du Canada continuera de jouer un rôle important dans un avenir proche. Dans bien des provinces et territoires, le noyau de la fonction publique subit des transformations, qui se traduisent par une plus grande dépendance à l'égard de l'ensemble du secteur public et des organismes sans but lucratif, et par des ententes de partenariat avec les autres gouvernements et les entités du secteur privé. Malgré cela, les Canadiens auront encore besoin d'institutions efficaces au sein de la fonction publique et de fonctionnaires hautement compétents et dévoués.

---

21. Voir R. Putman, *Making Democracy Work: Civic Tradition in Modern Italy,* Princetown University Press, 1993, et R.N. Bellah, W.M. Sullivan, A. Swidler et S.M. Tipman, *Habits in the Heart: Individualism and Commitment in American Life,* New York, Harper and Row, 1986.

SECTION C

L'Administration québécoise

CHAPITRE 18

La spécificité du Québec et son impact sur les institutions

James Iain Gow
Professeur
Département de science politique
Université de Montréal

L'auteur désire remercier André Blais et Louis Massicotte des commentaires qu'ils ont faits sur une première version de ce texte.

18.1 Introduction

En 1945, les dirigeants de la revue *L'Action nationale* résumaient ainsi les principes à partir desquels ils allaient juger désormais la politique étrangère canadienne: « Nous sommes *catholiques*, d'origine et de civilisation *française*, ressortissants d'une petite puissance[1]. » Le catholicisme n'a plus le poids politique et social dominant qu'il avait, mais son legs est toujours présent. Le français est désormais au cœur de la spécificité québécoise, tandis que la petite puissance dont il est question est de plus en plus le Québec plutôt que le Canada qui, lui, a eu le temps depuis lors de devenir une puissance moyenne, membre du Groupe des sept.

Les trois caractéristiques ont leur origine dans les décisions prises par les autorités britanniques au lendemain du Traité de Paris de 1763 par lequel la France cédait la Nouvelle-France à la Grande-Bretagne. Pragmatique, mais motivé par une tradition de *self-government* des colonies et par la conscience que les difficultés avec les treize colonies du sud s'aggravaient, le gouvernement anglais règle le sort de la colonie par l'Acte de Québec de 1774. Il accepte le libre exercice de la religion catholique sous la surveillance du gouverneur. C'est une décision importante car, à la même époque, grâce au *Test Act*, les charges publiques sont fermées aux catholiques en Angleterre. Cette même législation décrète que le droit criminel sera anglais, mais que la législation civile sera celle de la colonie française, ce qui notamment maintient le système seigneurial de la propriété des terres. Aucune protection n'est accordée alors à la langue française, mais lorsque le Bas-Canada est doté d'une assemblée législative, en 1791, l'anglais et le français sont adoptés comme langues d'usage. L'Acte constitutionnel qui crée ainsi un système parlementaire[2] consacre la division du Canada en deux provinces distinctes, le Haut-Canada, lieu d'immigration des loyalistes qui ont fui les treize colonies révolutionnaires, future province d'Ontario, et le Bas-Canada, majoritairement français, et berceau de la province de Québec.

Dans les pages qui suivent, nous traitons de chacune de ces caractéristiques, soit la religion, la langue et la culture et le sentiment d'appartenir à une petite puissance, du point de vue de ses conséquences pour les institutions et les pratiques de l'État et de l'administration québécoise.

18.2 Le legs catholique

Jusqu'à aujourd'hui, le Québec reste la province la plus catholique du Canada. Face à l'industrialisation du XXe siècle, une ambivalence s'est installée au sein des élites politiques dominantes: les gouvernements libéraux et de l'Union nationale jusqu'en 1960 encouragent l'investissement étranger, mais ils maintiennent une idéologie agriculturiste et un système de valeurs opposé à

1. *L'Action nationale*, janvier 1945, p. 163.

2. Mais non le système parlementaire britannique d'aujourd'hui. Il faudra attendre 50 ans avant que les autorités acceptent le principe que le gouvernement doit avoir la confiance de la majorité de l'assemblée.

celui du monde industrialisé. C'est seulement après la mort du premier ministre unioniste Maurice Duplessis (au pouvoir de 1936 à 1939 et de 1944 à 1959) que la modernisation est embrassée par ces élites, avec les débuts de la Révolution tranquille des libéraux (1960-1966).

Quel est l'héritage institutionnel de ce catholicisme[3]? De 1867 à 1960, plusieurs grands services publics sont administrés de façon confessionnelle. Le plus important est l'instruction publique, qui est assurée par des commissions scolaires protestantes et catholiques sous la direction d'un Conseil de l'instruction publique, lui-même divisé en comités catholique et protestant. De 1867 à 1875, il y a un ministre de l'Instruction publique, mais ce poste est aboli pour n'être recréé qu'en 1964. Entre-temps, le département de l'Instruction publique relève à toutes fins utiles des deux comités confessionnels (les évêques sont membre d'office du comité catholique), puisque le Conseil entier ne se réunit pas de 1904 à 1964. La voie d'accès à l'université pour les francophones passe par les collèges classiques, institutions religieuses privées subventionnées par l'État, tandis que les protestants ont créé des *high schools* dès les années 20. Les universités Laval, à Québec, et de Montréal ont des chartes pontificales aussi bien que civiles, et les autorités publiques s'en remettent aux instances religieuses pour les décisions importantes à leur égard.

Pendant longtemps la santé et les services sociaux ont aussi été des domaines réservés aux institutions religieuses. La première intervention systématique a été la Loi de l'assistance publique de 1921, qui partage également l'obligation de secourir les indigents hospitalisés entre l'État, la municipalité et l'institution religieuse d'accueil. Ce partage durera jusqu'en 1960.

Toute la politique du peuplement sera aussi menée par l'intermédiaire de sociétés de colonisation diocésaines. La conséquence en est qu'il n'y a aucune aide directe aux colons avant les années 20 et que le taux de réussite des colons sur les terres défrichées est très bas. Depuis le XIXe siècle, l'Église est présente dans les cercles et sociétés agricoles ; au XXe siècle, elle participera à la fondation de syndicats et de coopératives catholiques.

Sur le plan des idées politiques, l'influence de l'Église se manifeste de plusieurs façons. D'abord l'idéologie antiétatique était renforcée par la notion que les domaines éducatifs et sociaux appartenaient à l'Église. Ensuite, l'autoritarisme du modèle catholique favorise un leadership politique fort, un chef, comme on appelait Maurice Duplessis. Il favorisait aussi le favoritisme, le « patronage », qui règnait dans l'attribution des emplois et des contrats publics, puisqu'il proposait l'exemple des saints-patrons qui intercédaient au ciel en faveur des fidèles[4]. Enfin, l'omniprésence de l'Église limite le débat politique. Le chef de l'opposition du temps de Maurice Duplessis a rappelé combien il était difficile de critiquer la politique gouvernementale de l'éducation, de l'agriculture

3. Voir notre *Histoire de l'administration publique québécoise, 1867-1970*, Montréal, Les Presses de l'Université de Montréal, 1986.

4. Vincent Lemieux, *Le patronage politique, une étude comparative*, Québec, Les Presses de l'Université Laval, 1977, p.196-203.

ou de la santé sans se faire accuser d'avoir critiqué le clergé[5]. Dans la pratique, une méfiance face au modernisme laïcisant était présente dans des domaines aussi différents que le contenu des manuels scolaires, la politique des bibliothèques publiques, l'aide aux universités, la censure du cinéma, le syndicalisme et la coopération.

Bien des institutions de la catholique province de Québec ont disparu depuis la Révolution tranquille, il y a 30 ans. Le système de santé a été entièrement étatisé, l'aide sociale aussi. Combinée à l'assurance-chômage, l'aide sociale constitue un « filet de sécurité », de sorte que les démunis dépendent beaucoup moins aujourd'hui de la charité religieuse (bien que les effets de la crise financière des gouvernements canadien et québécois fassent que l'on se tourne de nouveau vers celle-ci). Par ailleurs, si les collèges et les universités se sont aussi laïcisés, les commissions scolaires qui gèrent les écoles primaires et secondaires restent confessionnelles. Cette situation, qui a son origine dans un article de l'Acte de l'Amérique du Nord britannique, a empêché jusqu'à présent la création de commissions scolaires linguistiques. Les groupes protestants, majoritairement anglophones, se sont ralliés avec le temps à l'idée de commissions linguistiques, des regroupements de parents catholiques combattent toujours l'abandon de leur protection constitutionnelle. Finalement, il y a un écho du passé dans le fait que les comités catholique et protestant du Conseil supérieur de l'éducation sont chargés de la rédaction des règlements concernant l'enseignement confessionnel, le contenu moral et religieux des manuels scolaires et la formation des professeurs chargés de l'enseignement religieux. Le gouvernement actuel entend remplacer les commissions scolaires confessionnelles par des commissions scolaires linguistiques mais, ne voulant pas demander au gouvernement fédéral de changer la Constitution de la province, ses efforts jusqu'à présent ont été sans succès.

Pendant les 35 dernières années, où l'influence de l'Église a beaucoup diminué, il est possible de constater dans plusieurs tendances visibles un ressac contre l'ancienne idéologie catholique et conservatrice du passé. Déjà au cours des années 50, les intellectuels devenaient de plus en plus critiques à l'égard de l'idéologie conservatrice-catholique ainsi qu'à l'égard du gouvernement Duplessis[6]. Par ailleurs, malgré les structures autoritaires, certains observateurs avaient remarqué un certain égalitarisme parmi la population québécoise[7].

Le résultat en est que lorsque l'État québécois commence à se moderniser au début des années 60, les classes moyennes s'empressent à l'embrasser. L'administration se bureaucratise, les emplois sont désormais pourvus par concours, des systèmes d'attribution des contrats sont installés. Les subventions aux réseaux décentralisés de l'éducation, de la santé et des affaires sociales sont

5. Georges-Emile Lapalme, *Mémoires*, tome III, *Le vent de l'oubli*, Montréal, Leméac, 1970, p. 116-117.

6. Léon Dion écrit que les intellectuels ne trouvaient rien de bon dans ce régime (*Québec, 1945-2000,* tome II, *Les intellectuels et le temps de Duplessis*, Québec, Les Presses de l'Université Laval, 1993, p. 314).

7. Jean Mercier, *Les Québécois, entre l'État et l'entreprise*, Montréal, l'Hexagone, 1988, p.19 et 71, et Edouard Cloutier, « Les conceptions américaines, canadiennes anglaises et canadiennes françaises de l'égalité », *Revue canadienne de science politique*, vol. 9, n° 4, 1976, p. 581-604.

accompagnées de normes centralisées. À tout cela, le syndicalisme des employés du secteur public a donné un puissant soutien. Avant la fin des années 60, les conditions de travail, notamment les salaires et le régime de retraite, sont déterminées à Québec, les gestionnaires des institutions décentralisés étant réduits à un rôle de mise en application de conventions collectives négociées par Québec. Cette situation donne lieu à des confrontations épiques au cours des années 70 entre le gouvernement et le front commun des syndicats du secteur public : grèves, manifestations et même l'emprisonnement de trois chefs syndicaux, en 1972, pour outrage au tribunal. Par ailleurs, en matière de régime syndical, le secteur public se situe entre les systèmes européen et américain. De l'Europe, il a retenu le droit à la négociation collective des conditions de travail et à la grève en cas d'impasse ; des États-Unis, il a emprunté le monopole de la représentation pour le syndicat majoritaire dans une unité d'accréditation, ainsi que la cotisation obligatoire de tous les membres de cette unité, qu'ils soient membres ou non du syndicat[8]. La conséquence est un pouvoir syndical si fort dans le secteur public que les gouvernements ont eu recours à de nombreuses lois d'exception, forçant le retour au travail ou décrétant les conditions de travail depuis l'introduction de la négociation collective en 1964-1965. Évidemment, la facture à l'État pour des services rendus précédemment par les institutions religieuses augmente en conséquence.

Le ressac contre l'Église se manifeste par la laïcisation et la centralisation très rapide de nombreuses institutions et politiques gouvernementales. En même temps, le taux de naissances au Québec passe du plus fort (et de loin) au Canada en 1960 au plus bas en 1970[9]. D'une époque où les Canadiens français pouvaient assurer leur influence au sein du système politique canadien et québécois par « la revanche des berceaux », on passe à une situation où l'intégration des immigrants à la communauté de langue française apparaît comme vitale à la survie. Le catholicisme n'étant plus le rempart de la population québécoise, la langue en devient le trait déterminant.

18.3 La langue et la culture françaises

Depuis les débuts du Régime britannique, la langue était indissociable de la foi dans l'identité des Français du Canada. Sans qu'il y ait eu de reconnaissance officielle, on l'a vu, la première Assemblée législative du Bas-Canada a fonctionné dans les deux langues, les partis s'appelaient « français » (ou canadien) et « britannique », d'ailleurs. Lorsque le Canada actuel est fondé, en 1867, la Constitution, l'Acte de l'Amérique du Nord britannique stipule que le français et l'anglais sont les langues de la législature et des tribunaux du Québec.

---

8. *Régime de relations de travail dans le secteur public de certains pays développés (Rapport Cadieux-Bernier)*, Québec, Conseil du trésor et ministère des Communications, 1983.

9. Le taux brut de natalité (les naissances par mille habitants) est passé de 31 en 1954 à 27,5 en 1960, à 16,1 en 1970, pour échouer à 12,6 en 1987, avant d'amorcer une petite remontée par la suite. Voir S. Langlois *et al.*, *La société québécoise en tendances, 1960-1990*, Québec, Institut québécois de recherche sur la culture, 1990, p.129.

À l'époque, aucun autre gouvernement provincial ni le gouvernement fédéral ne sont officiellement bilingues[10].

Depuis les débuts de la fédération canadienne, tous les gouvernements du Québec ont défendu l'autonomie provinciale face à un gouvernement fédéral trop porté, à leurs yeux, à intervenir dans leurs champs de compétence constitutionnelle. Jusqu'en 1960, cependant, cette bataille tendait à être de nature négative, car les gouvernements, étant conservateurs, ont perçu le gouvernement fédéral comme l'envahisseur étatiste.

En 1960, le Parti libéral du Québec, sous la direction de Jean Lesage, commence à parler de l'État québécois comme « l'instrument principal de l'émancipation et du progrès de notre peuple[11] ». Motivé par l'idée que le Québec accusait alors « un certain retard » par rapport aux autres provinces, et fort de l'excellente santé financière de la province, legs du prudent Maurice Duplessis, le gouvernement du Québec lançait sa « Révolution tranquille ». Sur le plan des institutions, ce discours a donné des résultats percutants. Premièrement, on crée en 1960, le ministère des Affaires culturelles, le premier en Amérique du Nord. Sous sa direction, un premier Office de la langue française fera la promotion du français, par l'intermédiaire de recherches et de publications.

Deuxièmement, en 1964, le ministère de l'Éducation est créé de nouveau, avec mission de moderniser les programmes d'enseignement et les institutions de l'instruction publique. Des commissions scolaires régionales sont créées pour bâtir et gérer des écoles secondaires polyvalentes, offrant à la fois des programmes scolaires et professionnels. Dans le domaine de la télévision, une loi est adoptée créant, en 1969, Radio-Québec, à qui on confie une mission éducative.

Troisièmement, le gouvernement libéral met sur pied un ensemble d'institutions capables d'orienter la vie économique du Québec : la Caisse de dépôt et de placement, la Société générale de financement et le Conseil d'orientation économique, qui deviendra en 1968 l'Office de planification. Quatrièmement, on étatise par l'achat d'actions les sept entreprises hydroélectriques qui partageaient avec Hydro-Québec la production et la distribution d'électricité au Québec. La transaction fait d'Hydro-Québec une société d'État puissante. La « nationalisation » de l'électricité obéit à des motifs économiques, mais elle est présentée sous des allures nationalistes, le slogan libéral lors de l'élection dont elle était l'enjeu principal étant « Maîtres chez nous ! ». L'une des raisons invoquées est l'unilinguisme anglais de ces entreprises privées, situation qui sera rapidement corrigée dans les années suivantes.

Cinquièmement, le Québec devient la première province canadienne à se donner un ministère des Relations extérieures, avec le ministère des Affaires

10. Aujourd'hui, le Nouveau-Brunswick est officiellement bilingue. L'Ontario, le Manitoba et la Saskatchewan ont des législations qui offrent certaines protections au français, mais rien de comparable aux institutions locales de la communauté anglophone au Québec (municipalités, commissions scolaires et hôpitaux).

11. Jean-Louis Roy, *Les programmes électoraux du Québec*, tome II, Montréal, Léméac, 1971, p. 426.

intergouvernementales de 1967[12]. Bien qu'il y ait eu des délégations sporadiques à l'étranger dans le passé, sous le nouveau ministère, le nombre de délégations à l'étranger croîtra graduellement jusqu'à 22, avant d'être réduit à 11 en 1996, pour des raisons d'économie.

Tout ce foisonnement d'institutions nouvelles témoigne d'une volonté de prendre en main la destinée de la société québécoise. Cette volonté s'exprime sur deux grandes axes. Sur le plan externe, outre qu'il assure une présence internationale du Québec sans l'intermédiaire du gouvernement fédéral, le gouvernement québécois occupe tous les champs de sa compétence et il refuse la plupart des programmes conjoints proposés par le gouvernement canadien. Ainsi, le Québec sera la seule province canadienne à créer son propre régime de sécurité de la vieillesse, dont les contributions alimenteront d'ailleurs la Caisse de dépôt et placement. Face à d'autres initiatives fédérales dans des domaines de sa compétence, le gouvernement du Québec demandera une compensation financière en cas de non-participation (c'est l'*opting out*).

Sur le plan interne, la période des années 60 sera une période de construction d'une capacité gouvernementale accrue dans toutes les provinces, c'est pourquoi on l'a baptisée le *province-building*[13]. Cependant, le Québec a dépassé toutes les autres, sauf la Saskatchewan où les socialistes du Nouveau Parti démocratique avaient derrière eux une longue tradition de planification. Au Québec, cette période témoigne d'un réveil de tendances interventionnistes et planificatrices qu'on n'avait pas connues depuis la colonie française[14].

Au départ, le premier ministre Jean Lesage voulait implanter au Québec une planification économique indicative à la française. Rapidement, cependant, il a dû déchanter, car le Québec, en tant que province canadienne, ne commande pas tous les leviers de la politique économique et ne possédait pas non plus les connaissances nécessaires à l'élaboration d'une telle politique. Il fallait notamment créer des comptes nationaux provinciaux, tâche qui fut confiée au Bureau de la statistique. Pour le reste, les gouvernements successifs mettent l'accent sur le développement régional qui relèvera, à partir de 1969, de l'Office de planification et de développement du Québec.

Une volonté d'intervenir plus activement dans la vie économique et sociale amène ces gouvernements à mettre sur pied des organismes centraux de planification, de coordination et de contrôle gouvernemental. En 1968, les services auprès du premier ministre sont organisés sous la direction d'un secrétaire général qui sera le premier commis du gouvernement, responsable de la préparation

---

12. Voir Jean-Philippe Thérien, Louis Bélanger et Guy Gosselin, « La politique étrangère québécoise », dans A-G. Gagnon, *Québec, État et société* , Montréal, Québec/Amérique, 1994, p. 255-278, et Paul Painchaud, *Le Canada et le Québec sur la scène internationale*, Québec, Centre québécois de relations internationales, 1977.

13. R.A. Young, Philippe Faucher et André Blais, « *The Concept of Province-Building : a Critique* », *Revue canadienne de science politique*, n° 17, 1984, p. 783-818.

14. Selon Luc Bureau deux tendances se disputent dans la tradition québécoise, l'une se référant à un passé agricole paisible et idéalisé, l'autre étant utopiste-technocratique (*Entre l'Éden et l'Utopie*, Montréal, Québec/Amérique, 1984).

et du suivi des décisions du Conseil des ministres. En 1969, suite logique à la négociation collective des conditions de travail des fonctionnaires, la tâche d'élaborer une politique salariale et de négocier avec les syndicats est confiée à un ministère de la Fonction publique. Également en 1969, l'École nationale d'administration publique (ENAP) voit le jour. Celle-ci ne sera pas l'équivalent de l'ENA française, malgré plusieurs vœux exprimés en ce sens, car la structure des emplois n'est pas comparable. L'ENAP aura plutôt comme mission des activités de perfectionnement qui permettront aux fonctionnaires spécialisés de se préparer à des postes de cadre supérieur.

En 1970, une réforme fait du Conseil du trésor un organisme hybride qui est à la fois le comité de gestion du Conseil des ministres et une permanence de fonctionnaires d'élite qui veillent à la préparation des budgets, à la gestion des contrats et du personnel et à la réforme administrative. Ses fonctions chevauchant celles du ministère de la Fonction publique, les deux vont vivre une rivalité inégale jusqu'à la disparition du ministère en 1983, faisant place à un organe spécialisé de soutien et de recherche relevant du Conseil du trésor, l'Office des ressources humaines.

L'apogée de ce mouvement de structuration interventionniste sera atteinte pendant le premier mandat du Parti québécois, sous la direction de René Lévesque (1976-1981). Afin de parer à l'inexpérience des membres de son gouvernement et d'attribuer des rôles de premier plan à certains ténors du parti, le premier ministre donne à cinq ministres le titre de ministre d'État au développement économique, au développement social, au développement culturel, à la réforme parlementaire et au développement régional. Ceux-ci présideront des comités du Conseil des ministres par lesquels devront passer toute proposition courante destinée au Conseil des ministres plénier. Avec le premier ministre, le ministre des Finances et le président du Conseil du trésor, ils composent le Comité des priorités du Conseil des ministres, créant ainsi pour la première fois au Québec une sorte d'*inner cabinet* dans un conseil à deux niveaux. Cette structure est largement abandonnée quand arrive l'ère des restrictions budgétaires en 1981.

On met également sur pied des organismes chargés de la politique linguistique. L'Office de la langue française de 1961 n'a pas de pouvoirs coercitifs. À la fin des années 60, des commissions scolaires de la région de Montréal forcent la main au gouvernement par l'adoption d'un unilinguisme français à l'échelle locale. Une première tentative de 1969 qui fait du français et de l'anglais des langues officielles est mal reçue. Le problème est devenu urgent, suffisamment parce que la population québécoise ne se reproduisait pas et que les immigrants avaient tendance à s'assimiler à la communauté anglophone. En 1974, le gouvernement libéral de Robert Bourassa adopte une politique du français langue officielle, mais de l'anglais comme langue « nationale ». En matière d'accès à l'école anglaise, le critère désormais sera la langue déjà parlée : seuls les enfants qui parlent l'anglais pourront aller à l'école anglaise.

Élu pour la première fois en 1976, le gouvernement du Parti québécois se donne comme priorité l'adoption d'une Charte de la langue française. Celle-ci déclare le français langue du gouvernement et de l'administration, restreint l'accès à l'école anglaise aux enfants dont un parent aura fréquenté l'école anglaise au Québec et impose le français comme langue d'affichage et comme langue de travail dans les entreprises privées et publiques. Pour administrer cette loi, trois organismes ont été mis sur pied : l'Office de la langue française, avec un mandat d'étude et de recherches, de négociation de la francisation d'entreprises couvertes par la Loi, et de poursuite d'individus ou d'entreprises délinquantes ; la Commission de protection de la langue française, dont la mission est d'enquêter de sa propre initiative ou suivant des plaintes déposées auprès d'elle ; et un organisme consultatif, le Conseil de la langue française.

Depuis son adoption, la Charte de la langue française a perdu plusieurs de ses dents par l'intervention des tribunaux. Déjà, l'Acte de l'Amérique du Nord britannique rendait inconstitutionnelle l'exclusion de l'anglais du Parlement et des tribunaux québécois. Ensuite, l'adoption, en 1982, de le Charte des droits et libertés du Canada permettait d'autres contestations judiciaires. Ainsi, la Cour suprême a jugé illégale la « clause Québec », car elle contravenait cette charte. Seule une « clause Canada » qui limitait l'accès à l'école anglaise aux enfants dont un parent aurait fréquenté l'école anglaise n'importe où au Canada serait acceptable. Enfin, un jugement de 1988 décrète qu'il est inconstitutionnel d'imposer l'unilinguisme dans l'affichage commercial. Le gouvernement libéral de Robert Bourassa choisit, avec la loi 178 de 1988, de permettre le bilinguisme sur les affiches à l'intérieur des établissements commerciaux ayant moins de 50 employés, mais de l'interdire à l'extérieur. Cinq ans plus tard, il fait adopter la loi 86, qui autorise l'affichage et la publicité en français et en une autre langue « pourvu que le français figure de façon nettement prédominante », se conformant ainsi au jugement de la Cour suprême[15].

Le gouvernement libéral de Robert Bourassa avait, pour des raisons d'économie, voulu supprimer et la Commission de protection et le Conseil de la langue française. Face à de nombreuses protestations, il a conservé le Conseil, mais supprimé la Commission, appelée par la communauté anglophone, « police de la langue ». À l'heure actuelle, le gouvernement Bouchard a soumis une proposition visant à recréer la Commission, bien que de nombreux groupes alliés du gouvernement n'en voient pas la nécessité.

Une dernière source d'influence française se trouve dans le domaine du droit administratif. Nous avons vu que le Québec se distingue par l'existence du Code civil dans un pays où la *Common Law* prédomine. Le Code de procédure civil a déterminé la hiérarchie des tribunaux québécois ainsi que les pourvois gouvernant le contrôle de la légalité des actes de l'administration. Avant 1960, trois raisons expliquent l'absence de développement d'un droit administratif à partir de cette base : pendant longtemps, les interventions de l'État étaient limitées, créant moins d'occasions d'y penser ; ensuite, le droit administratif anglo-canadien ne se préoccupait que du contrôle de l'administration par les tribunaux judiciaires ; enfin, le style paternaliste des gouvernements faisait en sorte qu'ils

15. Louis Massicotte, « *La vie parlementaire* », dans Denis Monière, *L'année politique au Québec, 1993-1994*, Montréal, Fides, p. 14. Sur les débats antérieurs sur cette question, voir Guy Bouthillier, « La question linguistique », dans le même ouvrage, éditions de 1987-1988, p. 125-128, et 1988-1989, p. 91-93, toutes les deux publiées par Québec/Amérique.

s'encadraient avec un minimum de contraintes réglementaires qui puissent donner lieu à des actions juridiques. Depuis 1960, et en pleine connaissance de l'évolution du droit administratif en France, un groupe de professeurs a constitué un droit administratif québécois[16]. Celui-ci n'est pas une copie conforme de celui de la France, car il y a trop de différences dans un régime où le droit public est britannique et où l'influence américaine est très forte. À titre d'exemple, le Québec, comme les autres provinces canadiennes et le gouvernement fédéral, depuis le début du siècle emprunte au gouvernement américain l'idée d'organisme réglementaire autonome (*independent regulatory commission*) qui se voit attribuer des pouvoirs de réglementation, d'administration et d'adjudication. Bien que deux rapports de juristes aient proposé de mettre fin à cet état de chose et de séparer la fonction judiciaire des autres, les gouvernements jusqu'à ce jour n'ont pas manifesté d'intérêt pour ce genre de réforme. Aussi, ce sont les cours judiciaires qui assurent la surveillance des administrations publiques provinciales, relevant d'une hiérarchie judiciaire qui débouche sur la Cour suprême du Canada.

Entre les décisions d'il y a deux siècles (droit civil, religion, langue des institutions parlementaires) et l'époque contemporaine, l'exemple de la France est très peu invoqué au sein de l'État et de l'administration québécois. À peu près le seul exemple est celui d'Henri Bunle, fonctionnaire français prêté au gouvernement québécois, en 1913, pour monter le système de collecte et de diffusion du tout nouveau Bureau de la statistique du Québec. À partir de 1960, on voit des influences françaises importantes dans plusieurs cas : la planification française, le droit administratif, la classification des emplois et l'École nationale d'administration publique, mais la spécificité québécoise vient autant du mélange de ces influences avec celles de la Grande-Bretagne et des États-Unis. En plus des institutions parlementaires et du droit public coutumier britannique, le Québec a connu l'influence des gouvernements britanniques récents dans les cas du ministère de la Fonction publique, de la privatisation des entreprises publiques et de la création des unités autonomes de service[17]. L'administration québécoise est aussi très américaine. Toutes les réformes importantes introduites aux États-unis depuis 40 ans ont eu leur écho au Québec : le *planning, programming and budgeting system (PPBS)*, la gestion par objectifs, la budgétisation-à-base-zéro, la déréglementation, la sous-traitance, les méthodes d'évaluation psychologique, etc. Enfin, le gouvernement fédéral et les autres provinces ont été des sources d'influence importantes dans des cas comme la Commission de la fonction publique, le Conseil du trésor, le vérificateur général,

---

16. Voir notamment René Dussault et Louis Borgeat, *Traité de droit administratif*, 2e éd. tomes I (1984), II (1986) et III(1989), Québec, Les Presses de l'Université Laval, et Patrice Garant *Droit administratif*, 3e éd. 1991-1992, vol.1 (Structures actes et contrôles), 2 (Le contentieux) et 3 (Chartes), Cowansville, Éditions Yvon Blais.

17. Sur les privatisations, voir Pierre Fortier, *Privatisation de sociétés d'État. Orientations et perspectives*, Québec, Ministre des Finances, 1986, p.63-68 ; sur les unités autonomes, Jean-Claude Deschênes, *Les agences britanniques, source d'inspiration des modernisations administratives*, Montréal, Institut de recherche en politiques publiques, coll. Choix : gestion de l'État, vol. 2, n° 3, février 1996.

le protecteur du citoyen et l'accès à l'information[18]. Par ordre d'importance, les influences jouant sur l'administration québécoise proviennent donc du Canada, des États-Unis, de la Grande-Bretagne et, enfin, de la France.

18.4 Ressortissants d'une petite puissance

Quand *L'Action nationale* publiait son article en 1945, la petite puissance en question était à son avis le Canada. On se réclamait de cette spécificité pour refuser des engagements extraterritoriaux du Canada dans l'après-guerre. Les deux guerres mondiales furent des occasions d'affrontements entre les Canadiens français et anglais à propos de la conscription militaire. La position des Canadiens français étaient que les guerres de la Grande-Bretagne n'étaient pas de leur responsabilité et qu'ils ne voulaient y être mêlés d'aucune façon. Ailleurs au Canada, la loyauté à la Grande-Bretagne était plus grande; bien que le gouvernement canadien ait innové en faisant sa propre déclaration de guerre en 1939, il n'y avait pas de doute que le Canada y serait aux côtés de l'Angleterre. La division profonde était révélée par le référendum tenu en 1942. Puisque le gouvernement libéral canadien avait promis aux Québécois lors de la campagne électorale québécoise de 1939 de ne pas recourir à la conscription, la conduite de la guerre l'amena à vouloir revenir sur le sujet. La question posée à tous les électeurs canadiens était donc de savoir si ceux-ci acceptaient de le libérer de cette promesse. Le résultat était 80 % en faveur ailleurs au Canada et 71 % contre au Québec. On a estimé que 85 % des Canadiens français étaient contre la proposition[19]. L'historien anglo-canadien Arthur Lower opinait que c'était là la pire situation qui pouvait arriver dans la vie publique canadienne, une rupture où les divisions selon la langue, l'ethnie et le parti se renforçaient[20].

Les différences se sont estompées par la suite. D'une part, les alliances contractées par le Canada dans l'après-guerre, notamment l'OTAN et le NORAD, constituaient des pactes de défense collective menée par les États-Unis, les isolationnistes de naguère. Aussi, la hiérarchie catholique appuyait la lutte contre le communisme. D'autre part, le Canada affirmait son autonomie face à la Grande-Bretagne, tout en restant membre du Commonwealth. La réaction du premier ministre Louis St-Laurent, en 1956, lors de l'invasion du Canal de Suez par des forces britanniques et françaises fut révélatrice. Le temps des surhommes d'Europe est révolu, disait-il. Par la suite, le Canada devint membre des commissions d'observation en Indochine, participa aux forces de paix de l'ONU et devint membre de la Francophonie.

Entre-temps, la petite puissance, le petit pays, est devenu pour de plus en plus de ses citoyens, le Québec. En peu de temps, les anciens Canadiens, devenus Canadiens français, se sont définis comme des Québécois. Depuis quelques années, la majorité de langue française tend à s'identifier au Québec,

---

18. Voir notre étude *Learning From Others*, Toronto, Institut d'administration publique du Canada, 1994.

19. Paul-André Linteau *et al.*, *Le Québec depuis 1930*, Montréal, Boréal, 1986, p.129-130.

20. A.R.M. Lower, *Colony to Nation. A History of Canada*, Toronto, Longmans Green, 1946, p. 466.

tandis que les anglophones et les allophones (20 % de la population) estiment qu'ils sont d'abord Canadiens. Plusieurs francophones sont cependant ambivalents, voulant plus d'autonomie sans aller jusqu'à la rupture complète avec le reste du Canada.

Quelle est l'incidence de cette évolution sur les institutions ? Nous la voyons dans un désir de consensus, qui relève selon André-J. Bélanger « d'une intention de supprimer les conflits internes sans le recours à la gouverne[21] ». Longtemps, l'Église se voyait dans le rôle de rassembleur et d'arbitre. Elle a essayé d'encadrer la société urbaine et industrielle par des relais catholiques : syndicats, coopératives, organisations de jeunes, etc. Un certain corporatisme reflète aussi cette tendance. Avant la guerre de 1939-1945, elle était catholique d'inspiration. Au cours des années 60, les gouvernements chercheront à faire participer les « forces vives » de la nation, celles qui ne sont pas toujours présentes dans les instances élues, mais c'est le Parti québécois qui a formalisé une approche corporatiste social-démocrate, en organisant un nombre inégalé de sommets économiques, globaux et sectoriels[22]. C'est une approche qui introduit une reconnaissance officielle et hiérarchisée des participants[23]. Le premier ministre libéral Robert Bourassa (1985-1994), bien que peu disposé à s'encombrer de telles structures, répond à l'échec de l'Accord constitutionnel du lac Meech par la création d'une commission visant à faire l'unité nationale, la commission Bélanger-Campeau. Le gouvernement de Jacques Parizeau prépare la voie au référendum de 1995 par une série de commissions sur l'avenir du Québec, sans pouvoir cependant les présenter comme faisant l'unanimité, car le Parti libéral et les principales forces fédéralistes les ont boudées. Enfin, dès sa nomination comme premier ministre, en 1996, Lucien Bouchard organise un sommet socio-économique dans le but de faire un consensus sur la nécessité d'éliminer le déficit budgétaire.

Pendant longtemps, le désir de dépolitisation soutenait la décentralisation au Québec. Bien que les systèmes municipaux et scolaires émergent tardivement (des législations générales remontent à 1855, à 1845 et à 1856, respectivement), les gouvernements québécois du dernier tiers du XIXe siècle, vantent les mérites de la décentralisation en cours dans une grande variété de domaines : municipal, scolaire, agricole, caritatif, etc. L'abolition du poste de ministre de l'Instruction publique en faveur d'un régime basé sur des comités catholique et protestant est salué comme un acte de dépolitisation. Les conseils de l'agriculture et de l'hygiène publique le sont également. La vie municipale est souvent présentée par la suite comme relevant de l'administration et non du politique. Ce n'est que tout récemment que les partis politiques sont admis à ce niveau.

L'inconvénient de cette attitude face à la décentralisation vient de l'éparpillement des instances décentralisées. Le Québec a trois réseaux distincts de

---

21. André-J. Bélanger, *L'apolitisme des idéologies québécoises. Le grand tournant de 1934-1936*, Québec, Les Presses de l'Université Laval, 1974, p. 356.

22. Clinton Archibald, *Un Québec corporatiste ?*, Hull, Les Éditions Asticou, 1983.

23. Guy Huot, *Analyse du processus décisionnel de la politique d'aide à l'exportation du gouvernement du Québec*, Montréal, mémoire de maîtrise en science politique, Université de Montréal, 1996.

décentralisation territoriale, à savoir : le municipal, le scolaire et celui de la santé et des services sociaux. Il s'ensuit une diminution croissante de la participation respective aux élections municipales, scolaires, ainsi qu'à celles des conseils d'administration d'hôpitaux, de centres locaux de services communautaires, de centres d'accueil, etc. Ces divisions empêchent la coopération entre réseaux, la formation de coalitions partisanes et la possibilité de négocier des arbitrages entre districts. De toute façon, le gouvernement de Québec semble craindre les forces politiques locales. S'il a réussi à rationaliser les structures scolaires au début des années 70, il n'a jamais réussi à faire la même chose pour le réseau municipal. Tout au plus a-t-il réussi à y ajouter un niveau additionnel, celui des communautés urbaines pour les grandes agglomérations, celui des municipalités régionales de comté pour les autres. Le Québec demeure avec trop de petites municipalités. Sur la seule île de Montréal, il y a 29 municipalités et, dans la région du grand Montréal, 102.

La conscience d'être un îlot de 6 millions de francophones dans une mer de 290 millions d'Anglo-Américains renforce ce désir de consensus et de solidarité[24]. Par moments, cependant, elle est une entrave à la libre expression des différences qui existent au sein de toute société contemporaine.

18.5 Conclusion : ce qui reste de la spécificité institutionnelle

Depuis le début des années 80, le Québec participe, à l'instar des autres sociétés occidentales, à une remise en question du modèle de l'État providence qu'il venait à peine de créer. Les déficits en sont la première cause, mais le public est frustré par le niveau de taxation et par les nombreuses grèves dans le secteur public au cours des années 70. Le discours managérial s'installe avec le premier gouvernement péquiste, tandis que la réduction du déficit devient le thème dominant à partir de 1981.

Les restrictions budgétaires mettent fin aux ministères d'État au développement des grands secteurs. Les superstructures administratives subissent à leur tour une cure d'amaigrissement. Après les ministères d'État, c'est le tour du ministère de la Fonction publique, de l'Office de planification et de développement, de plusieurs conseils consultatifs et, enfin, de l'Office des ressources humaines. Ceux qui restent en place et renforcés sont le Secrétariat général du gouvernement (y compris le Bureau du premier ministre) et le Conseil du trésor.

Que reste-t-il alors des institutions liées aux éléments qui ont façonné la spécificité québécoise ? Du passé catholique, peu de choses restent. Après les réseaux de la santé et des institutions d'enseignement post-secondaire, ce sera bientôt le tour des commissions scolaires d'être laïcisées. De la bureaucratie lourde et étendue qui est issue du ressac contre le passé catholique, beaucoup d'éléments demeurent. Cependant, entre les tentatives de décentralisation et les

24. En cela, le Québec se compare aux petits pays corporatistes de l'Europe, voir Peter J. Katzenstein, *Small States in World Markets*, Ithaca (NY), Cornell University Press, 1985.

mesures managériales de privatisation, de sous-traitance et de partenariat, on peut dire que le modèle bureaucratique est attaqué de toutes parts. Les organisations phares de la Révolution tranquille, Hydro-Québec et le ministère de l'Éducation sont vivement critiquées pour leur lourdeur bureaucratique et leurs pouvoirs technocratiques.

Des initiatives économiques des années 60, combinées au désir d'une concertation, il résulte une structure économique inhabituelle en Amérique du Nord. Les investissements de la Caisse de dépôts et de la Société générale de financement, les politiques d'achat du gouvernement et d'Hydro-Québec, ainsi que la francisation des entreprises sous l'empire de la Charte de la langue française, ont contribué au développement d'un capitalisme francophone fort qui, en alliance avec le secteur public, est appellé « Québec Inc.[25] ».

Ce qui en reste surtout, ce sont les institutions et les pratiques liées à la nature française de la majorité et à son sentiment bien ancré d'appartenir à un petit peuple entouré d'une population de langue anglaise. Les institutions pour la défense et la promotion du français et de la culture québécoise ne disparaîtront pas de sitôt. De même, du moins de côte du Parti québécois, la tendance à chercher le consensus par la voie des conférences au sommet ou autrement va demeurer. Pour le reste, dans des domaines comme la gestion des ressources humaines ou la réforme administrative, le Québec continuera de faire sa synthèse entre l'exemple américain qu'il a sous le nez, les « meilleures pratiques » qu'il pourra observer ailleurs dans le monde et le fond de sa façon de vivre et de penser, qui lui est propre.

25. Yves Bélanger, « Québec Inc. : la dérive d'un modèle ? », dans A-G. Gagnon, *op. cit.*, p. 443-459.

CHAPITRE 19

Le gouvernement du Québec, son Conseil exécutif et la production des politiques publiques

Vincent Lemieux

Professeur
Département de science politique
Université Laval

Je remercie Roch Bolduc et André Gélinas des commentaires et suggestions qu'ils ont faits sur une première version de ce chapitre.

Les responsables gouvernementaux et leurs principaux collaborateurs jouent souvent un rôle prépondérant dans l'élaboration et la mise en œuvre des politiques publiques (Lemieux, 1995). Dans le présent chapitre, nous ne chercherons pas à mesurer l'importance de ce rôle par rapport à ceux qui sont joués par les autres participants aux politiques publiques, mais plutôt à montrer comment ont évolué, au Québec, l'organisation et le fonctionnement de la direction centrale du gouvernement par rapport à la production des politiques publiques. Nous découperons pour cela un certain nombre de périodes, et nous en montrerons les principales caractéristiques. Ensuite, nous ferons quelques observations générales sur l'évolution de la direction centrale du gouvernement et sur la part qu'elle a prise à la production des politiques. En conclusion, nous présenterons les principaux défis que devra relever la direction centrale du gouvernement dans les années à venir.

Par la direction générale du gouvernement, nous entendons le premier ministre et ses conseillers ainsi que le Conseil des ministres et ses comités, assistés par le ministère du Conseil exécutif. Nous y ajoutons le Conseil du trésor et certains sous-ministres, dont celui des Finances, qui sont associés, à l'occasion, aux travaux de la direction centrale. L'organisation et le fonctionnement de cette direction centrale se sont transformés au cours des années. Il en a d'ailleurs été de même de la quantité et de la nature des politiques publiques. Quatre périodes peuvent être distinguées.

19.1 Avant 1960

Le Québec a été dirigé par le gouvernement du parti de l'Union nationale, de 1944 à 1960. Le premier ministre de l'époque, Maurice Duplessis, domine son Conseil des ministres (sur les politiques de Duplessis, voir Rumilly [1973] et Black [1977]). Aucune des politiques publiques de son gouvernement ne lui est étrangère. Il en discute avec les ministres concernés et souvent avec des sous-ministres. Il n'existe pas à cette époque de quorum ni de comités au Conseil des ministres, et le Conseil exécutif se réduit à un greffier et à un comité de législation qui rédige les lois. Les lois d'intérêt public adoptées chaque année par l'Assemblée législative ne sont pas moins nombreuses qu'au cours des périodes subséquentes, mais elles sont plus courtes et moins complexes (Lemieux, 1991 : 49-58).

Par rapport aux gouvernements qui suivront, celui de l'Union nationale, sous Maurice Duplessis, accorde une place très importante, dans ses lois, à l'organisation et au fonctionnement de l'appareil gouvernemental, par rapport à la mission économique, sociale et éducative et culturelle. Le tiers des lois s'inscrivent dans cette mission, alors que sous les gouvernements suivants, cette proportion ne dépassera jamais le quart de l'ensemble des lois (Lemieux, 1991 : 69).

19.2 De 1960 à 1976

Une nouvelle équipe prend en charge la direction du gouvernement, à l'été 1960, à la suite de la victoire du Parti libéral sur celui de l'Union nationale.

Le premier ministre, Jean Lesage, apporte quelques changements à l'organisation et au fonctionnement du Conseil des ministres (sur les politiques du gouvernement Lesage, voir Thomson, 1984). Des comités non officiels gravitent autour du premier ministre. Ils sont composés de quelques ministres et souvent de hauts fonctionnaires. Quant à l'organisation du Conseil exécutif, elle ne change guère. Elle consiste toujours en un greffier qui rédige les comptes rendus des réunions et décisions du Conseil des ministres et d'un comité de législation qui rédige les lois.

Trois changements importants se produisent dans la contribution de la direction centrale du gouvernement à la production des politiques publiques. D'abord, comme le note Gow (1986: 299), l'échéancier du gouvernement est déterminé, en grande partie, par les initiatives du gouvernement fédéral dans plusieurs domaines, dont celui de l'assurance-hospitalisation et de l'enseignement technique et professionnel. Le gouvernement du Québec collabore à ces initiatives, ce qui occupe une bonne part de son propre agenda. Ensuite, le Parti libéral, qui forme maintenant le gouvernement, s'est fait élire à partir d'un programme qu'il doit traduire en politiques publiques. Enfin, quelques ministres réformistes du gouvernement se font les champions de politiques publiques qui leur sont chères, contre la volonté, à l'origine tout au moins, du premier ministre et d'autres ministres. C'est ainsi qu'émergent et sont ensuite adoptées les politiques de nationalisation des entreprises privées d'électricité et de création d'un ministère de l'Éducation. Le gouvernement adopte également, à cette époque, le principe des soumissions publiques pour ses achats et contrats.

Ces changements expliquent que le gouvernement libéral accorde dans ses lois plus de place aux missions économique, sociale, éducative et culturelle, plus substantielles que la mission gouvernementale. Cette dernière mission n'est plus visée que par le sixième des lois, soit deux fois moins que sous le gouvernement précédent, alors que les autres missions, et surtout la mission économique, font l'objet d'une proportion beaucoup plus grande des lois d'intérêt public.

En 1966, un gouvernement formé par le parti de l'Union nationale succède au gouvernement libéral. Le premier ministre, Daniel Johnson, est le chef d'un parti dont les engagements programmatiques sont peu définis, si on les compare avec ceux du gouvernement libéral précédent. Beaucoup de politiques publiques se situent dans le prolongement de la « Révolution tranquille », commencée par le gouvernement libéral, dont la création des collèges d'enseignement général et professionnel (cégeps) et celle de l'Université du Québec. L'équipe ministérielle est relativement faible par rapport à celle des libéraux, tellement que le premier ministre va chercher à l'extérieur quelques personnes compétentes, à qui sont attribués des portefeuilles ministériels. Des conseillers sont aussi nommés au bureau du premier ministre. Cette démarche est d'autant plus nécessaire que les sous-ministres et leur entourage administratif sont, eux, de plus en plus compétents, ce qui menace l'autonomie des ministres.

Comme sous le gouvernement précédent, il y a des comités non officiels, sans plus, à l'intérieur du Conseil des ministres, mais il n'y a pas de ministres qui font valoir publiquement leurs propres projets contre d'autres ministres.

Après la mort subite de Daniel Johnson, en septembre 1968, Jean-Jacques Bertrand devient premier ministre. C'est en 1969 que le poste de secrétaire général du Conseil exécutif est créé. Le premier titulaire est Julien Chouinard, auparavant greffier du même Conseil, après avoir été sous-ministre de la Justice. C'est le seul changement important dans la direction du gouvernement qui se produit au cours du mandat de quatre ans de l'Union nationale.

Si on identifie les politiques publiques de ce gouvernement aux lois qu'il fait adopter, on constate qu'il ne se distingue guère du gouvernement libéral précédent, dont il poursuit à bien des égards l'action réformatrice. Cependant, les appareils administratifs et les organismes autonomes prennent de plus en plus de place dans les lois (Lemieux, 1991 : 102), ce qui traduit une certaine bureaucratisation de la « Révolution tranquille ». C'est d'ailleurs pourquoi le nouveau secrétaire général du Conseil exécutif consacre des efforts pour contrer les tendances centrifuges qui sont créées par la multiplication de ces appareils.

En 1970, le Parti libéral reprend la tête du gouvernement, avec Robert Bourassa comme premier ministre. Deux tendances, déjà présentes dans l'organisation et le fonctionnement du gouvernement, s'accentuent au cours des six années du gouvernement libéral. Premièrement, le Conseil du trésor devient plus important et des comités ministériels permanents sont mis en place, ce qui fait que le Secrétariat du Conseil exécutif, dirigé par Guy Coulombe, prend de l'ampleur. Deuxièmement, la haute fonction publique continue d'occuper une place importante dans l'apport de la direction centrale du gouvernement à la production des politiques, mais les équipes politiques qui se trouvent au bureau du premier ministre leur font contrepoids.

Le gouvernement libéral de 1970 à 1976 n'a pas un caractère aussi programmatique que celui de 1960 à 1966. Il y a bien quelques grandes politiques dans le secteur de la santé et dans celui du développement des ressources hydroélectriques, mais souvent le gouvernement doit agir en fonction de conjonctures de crise, que ce soit dans les relations avec des terroristes, dans les relations fédérales-provinciales ou dans les relations patronales-syndicales. Ces situations de crise accentuent le caractère présidentiel de l'action du premier ministre et minimisent le rôle des ministres. De plus, l'inflation contribue à détériorer les finances de l'État qui avaient été saines jusque-là.

Le gouvernement Bourassa ressemble au gouvernement libéral précédent par l'importance qu'il accorde dans ses lois à la mission économique, surtout au cours de son deuxième mandat, de 1973 à 1976. Au cours du premier mandat, la mission sociale prend de la proéminence avec les grandes lois sur l'assurance-maladie et sur les services de santé et les services sociaux.

19.3 De 1976 à 1985

Les changements apportés à la direction centrale du gouvernement par le Parti québécois, élu en 1976, se situent dans le prolongement de certains développements antérieurs, mais ils se font aussi en réaction contre d'autres aménagements qui se sont produits dans l'appareil gouvernemental.

Le gouvernement, dirigé par René Lévesque, nomme cinq ministres d'État, ou super-ministres, qui coordonnent les ministres sectoriels s'occupant du développement économique, social et culturel, ainsi que de l'aménagement et de la réforme électorale et parlementaire. C'est là une consécration officielle des comités ministériels permanents, créés en 1975, sous le gouvernement précédent, mais c'est aussi un geste visant à contrer le pouvoir des hauts fonctionnaires, jugé excessif. On soupçonne certains d'entre eux d'avoir trop d'affinités avec le gouvernement libéral sortant et de manquer de loyauté à l'idéal souverainiste du nouveau gouvernement. Un comité des priorités, présidé par le premier ministre, regroupe les ministres d'État ainsi que le ministre des Finances et celui des Affaires intergouvernementales. Le Secrétariat général du Conseil exécutif dessert le tout.

Comme le Parti libéral, élu en 1960, le Parti québécois est un parti programmatique, ce qui exige qu'il ait bien en main l'appareil administratif. Les comités du Conseil des ministres qui sont présidés par les ministres d'État visent justement à assurer cette prépondérance du politique sur l'administratif (sur le pouvoir des hauts fonctionnaires à cette époque, voir Bourgault, 1983). Ils sont assistés, au Conseil exécutif, par des secrétaires généraux associés. Les cabinets politiques des ministres sont renforcés et jouent un rôle important dans la préparation des politiques.

Louis Bernard, qui devient secrétaire général du Conseil exécutif, en 1978, a traité de l'interdépendance entre le politique et l'administratif (sur ce point voir aussi Rocher, 1980). Dans son livre (Bernard, 1987), il écrit ceci (p. 94) :

> Pour mieux faire comprendre cette relation d'interdépendance, on peut la comparer à celle qui existe entre l'architecte et l'ingénieur. En effet, s'il revient au premier de définir l'œuvre à réaliser et au second de déterminer les moyens d'y parvenir, l'un et l'autre doivent agir de concert [...] Il n'en va pas autrement dans la gestion de l'État où les projets politiques ne peuvent être dissociés des contraintes concrètes de leur réalisation.

Le secrétaire général du Conseil exécutif est au cœur de cette problématique. Selon Louis Bernard (1987 : 86), il agit comme structure d'accueil et de soutien pour l'ensemble du mécanisme de coordination centrale, à l'exception du Conseil du trésor qui a son propre secrétariat autonome. Dans l'exercice de cette coordination centrale, les secrétaires généraux associés ainsi que les avis du Conseil du trésor et ceux du ministère des Finances sont des éléments importants.

En 1982, les ministères d'État sont abolis, mais les comités ministériels permanents demeurent. Des secrétariats spécialisés sont venus s'ajouter aux comités permanents, dont celui de la condition féminine, celui de la famille et celui des affaires autochtones. La réforme électorale et parlementaire est elle aussi confiée à un secrétariat.

En 1985, René Lévesque démissionne et est remplacé au poste de premier ministre par Pierre Marc Johnson, fils de l'ancien premier ministre Daniel Johnson. De tous les gouvernements qui ont dirigé le Québec, de 1944 à 1985, c'est celui du Parti québécois qui a eu l'activité législative la plus interventionniste. Les lois sont plus longues, en moyenne, que sous les gouvernements précédents, et surtout elles sont plus complexes. La proportion des lois qui se situent dans la mission gouvernementale augmente de façon notable par rapport au gouvernement libéral précédent, ce qui n'est pas étonnant de la part d'un parti souverainiste qui mise sur le développement de l'État québécois.

Le caractère programmatique du gouvernement et du parti qui le porte, ainsi que l'établissement de ministères d'État et de cabinets politiques importants font que la participation des ministres à la production des politiques publiques est plus intense que sous le gouvernement libéral précédent. Cela est tout particulièrement manifeste au cours du premier mandat, de 1976 à 1981, qui est marqué, en 1980, par la défaite du gouvernement lors du référendum sur la souveraineté du Québec.

19.4 De 1985 à aujourd'hui

Avec le retour des libéraux et de Robert Bourassa à la tête du gouvernement, l'organisation du Conseil exécutif est quelque peu modifiée. Le nouveau secrétaire général est Roch Bolduc, ancien sous-ministre, qui accepte le poste sur une base temporaire. Le gouvernement est à l'origine des premières initiatives qui sont prises en matière de réorganisation gouvernementale, de déréglementation et de privatisation. Il sera remplacé par Benoît Morin en 1986.

Trois comités permanents du Conseil des ministres subsistent : le comité du développement économique, le comité du développement social et culturel, qui fusionne deux comités précédents, et le comité de l'aménagement. En plus du comité de législation, seulement trois secrétariats sont maintenus : celui de la condition féminine, celui des affaires autochtones et celui des emplois supérieurs. Les autres unités qui s'étaient greffées avec le temps au Secrétariat du Conseil exécutif sont renvoyées dans différents ministères.

Il n'y a plus de comité des priorités du Conseil des ministres. Le premier ministre préfère transiger directement avec chacun de ses ministres. Cependant, les ministres qui président les trois grands comités du Conseil des ministres occupent une place privilégiée auprès du premier ministre. Ils exercent une grande influence au Conseil des ministres.

Nous ne disposons pas de données sur l'activité législative du gouvernement libéral de 1985 à 1994. Encore plus que de 1970 à 1976, la crise constitutionnelle occupe le gouvernement libéral, et en particulier le premier ministre Bourassa. Il y a aussi la crise autochtone de l'été 1990, qui entraîne l'intervention des forces policières et des forces armées. Au total, c'est la conjoncture plutôt que son programme qui commande les actions du gouvernement, si bien que la participation des ministres à la production des politiques publiques est moins répandue qu'au moment du premier mandat du gouvernement précédent.

En 1993, Robert Bourassa se retire et est remplacé par Daniel Johnson, le fils aîné du premier ministre du même nom. Un an plus tard, à la suite des élections générales, le Parti québécois forme le gouvernement, avec Jacques Parizeau comme premier ministre. Louis Bernard accepte de reprendre du service et redevient secrétaire général du Conseil exécutif. Les trois comités ministériels permanents du Conseil des ministres sont dissous, mais on recrée un comité des priorités, comme au temps du premier gouvernement du Parti québécois.

La fin de l'année 1994 et l'année 1995 sont surtout consacrées à la préparation par le gouvernement d'un référendum sur la souveraineté du Québec. À cette fin, le premier ministre se dote d'une équipe d'adjoints parlementaires devant agir comme délégués régionaux dans chacune des régions du Québec. Après la défaite référendaire, à la fin d'octobre 1995, le premier ministre Parizeau démissionne et est remplacé par Lucien Bouchard. Michel Carpentier succède à Louis Bernard comme secrétaire général du Conseil exécutif.

Le comité des priorités est maintenu et les comités ministériels permanents sont recréés, la culture et l'éducation étant cependant séparés du social. Un peu comme en 1985, plusieurs secrétariats qui s'étaient agglutinés avec le temps au Conseil exécutif sont renvoyés dans les ministères sectoriels. C'est le cas entre autres des secrétariats à la jeunesse, à la famille, à la condition féminine et aux affaires autochtones.

Les principales préoccupations du gouvernement Bouchard, à la fin de l'année 1996, portent sur la lutte au déficit dans le budget de l'État, et sur la recherche de la concertation entre les principaux intervenants économiques et sociaux.

19.5 La direction centrale du gouvernement depuis 1960

L'évolution de l'organisation et du fonctionnement de la direction centrale du gouvernement peut être étudiée en elle-même, mais il est sans doute plus important de l'étudier par rapport à son environnement pertinent, qu'il soit administratif, politique ou plus largement sociétal. C'est cette démarche que nous emprunterons pour résumer l'évolution qui a été présentée dans le présent chapitre.

Notons d'abord que l'organisation et le fonctionnement de la direction centrale du gouvernement évoluent selon leur logique propre (sur ce point, voir Bolduc, 1990 : 238-240). À des comités non officiels du Conseil des ministres succèdent des comités permanents, avec sous certains gouvernements un comité des priorités, qui a une vocation générale par rapport aux comités permanents. Au greffier du Conseil exécutif succède un secrétaire général, puis des secrétaires généraux associés s'ajoutent, qui sont attachés à des entreprises sectorielles ou intersectorielles particulières. À deux moments, au milieu des années 80, puis au milieu des années 90, le ministère du Conseil exécutif se déleste de vocations devenues trop nombreuses et trop encombrantes pour la direction centrale du gouvernement.

Dans cette évolution générale, les étapes marquantes ou encore les changements d'orientation ne sont pas sans rapport avec l'état de l'environnement administratif, politique ou sociétal du moment. C'est ainsi que la création du poste de secrétaire général du Conseil exécutif, en 1969, semble tenir à la fois à la conception hiérarchique de la direction centrale du gouvernement qu'avait le premier ministre Bertrand (O'Neill et Benjamin, 1978: 91), et au fait que le premier ministre cherchait à ce que son propre ministère soit doté d'un sous-ministre compétent face à des ministères où la haute fonction publique était elle-même de plus en plus compétente. Les deux étapes importantes que furent la création de comités non officiels du Conseil des ministres, puis la consolidation des comités permanents, sous la direction de ministres d'État ou de ministres supérieurs, sont survenues à la suite de l'arrivée au gouvernement de partis programmatiques et réformistes qui considéraient que l'État devait changer la société. Les changements provisoires apportés au Conseil exécutif, en 1994, ont été commandés par la préparation du référendum sur la souveraineté du Québec.

La nécessité de coordonner un appareil étatique en croissance et de contrebalancer ses tendances centrifuges a contribué au développement du Conseil exécutif. De plus, le caractère central du rôle du premier ministre, les attentes de plus en plus grandes envers lui dans les situations conflictuelles ou encore là où des actions intersectorielles étaient requises ont aussi contribué à ce développement et à celui de la direction centrale du gouvernement. La personnalité et les principales préoccupations des premiers ministres successifs doivent aussi être prises en considération. Sans faire une comparaison exhaustive entre les différents gouvernements et les premiers ministres qui les ont dirigés, on peut relever, à titre d'exemple, les principales différences entre les deux gouvernements réformistes, celui du Parti libéral, de 1960 à 1966, et celui du Parti québécois, de 1976 à 1985.

Les libéraux arrivent au gouvernement au moment où la haute fonction publique est restreinte. Les jeunes conseillers qui les assisteront dans la production des politiques publiques sont nommés à des postes dans les ministères sectoriels et sont souvent mêlés aux travaux des comités non officiels du Conseil des ministres. De multiples organismes autonomes sont créés (Gélinas, 1975), ce qui décharge d'autant l'organisation centrale du gouvernement. On n'est pas encore à l'heure des grands conflits en matière de relations fédérales-provinciales, de relations patronales-syndicales ou en d'autres matières ; si bien que le premier ministre, qui est aussi ministre des Finances, a le loisir de se préoccuper de questions de trésorerie, à côté de celles qui concernent le Conseil exécutif. Des conseillers importants du premier ministre se retrouvent ailleurs dans le parti, dans le gouvernement ou dans la société, si bien qu'il exerce des arbitrages ailleurs qu'au Conseil des ministres.

Vingt-cinq ans plus tard, le Parti québécois arrive au gouvernement dans un contexte bien différent. Il ne s'agit plus, comme en 1960, de se donner une haute fonction publique compétente, mais de se défendre contre une fonction publique qui est bien en place, de façon à s'assurer que le programme du parti sera réalisé. Le développement de l'administration, avec les cloisonnements sectoriels qu'il a entraînés, ainsi que la nécessité ressentie que le gouvernement s'occupe, à son plus haut niveau, de questions délicates, comme les affaires autochtones ou la condition féminine, contribuent à augmenter considérablement la coordination requise de la part du Conseil exécutif. On y retrouve d'ailleurs, autour du premier ministre, tous les principaux leaders du Parti québécois, dont le ministre des Finances et président du Conseil du trésor, qui est un élément important de coordination. Le personnel du Conseil, autour du secrétaire général, a gagné en nombre et en compétence depuis les années 60. Si on considère que les cabinets politiques du premier ministre et des ministres sont liés de près aux décisions prises au Conseil exécutif, on peut conclure que les orientations et les arbitrages venant de la direction centrale du gouvernement sont beaucoup plus complexes qu'ils ne l'étaient au début des années 60.

19.6 La direction centrale du gouvernement et les politiques publiques

Pour bien situer la contribution de la direction centrale du gouvernement à la production des politiques publiques, il est utile de distinguer des étapes à l'intérieur de cette production (à ce sujet, voir en particulier Brewer et de Leon, 1983) et, surtout, de considérer, à la suite de Kingdon (1984), que ces étapes sont traversées par des courants qui les alimentent. La division en processus est variable selon les auteurs, mais ils s'entendent pour distinguer au minimum trois étapes, soit l'émergence, l'élaboration et la mise en œuvre des politiques publiques. Quant aux trois courants que distingue Kingdon, ce sont ceux des problèmes, des solutions (ou des *policies*) et des priorités politiques (ou de la *politics*). Ces courants alimentent les politiques publiques et leurs différentes étapes. C'est là que sont définis les problèmes dont doivent s'occuper les politiques, les mesures pour les solutionner et les priorités auxquelles doivent obéir ces mesures. Selon Kingdon, ce sont surtout des entrepreneurs politiques, à l'intérieur de chacun des courants, qui alimentent les politiques des ingrédients requis pour que s'enclenchent et se réalisent l'émergence, l'élaboration et la mise en œuvre de celles-ci.

La direction centrale du gouvernement, au Québec comme ailleurs, joue un rôle plus actif dans l'émergence des politiques publiques que dans leur élaboration, et elle joue un rôle plus actif dans l'élaboration que dans la mise en œuvre. Le modèle conceptuel dominant pour l'étude de l'émergence est celui de la mise à l'agenda gouvernemental d'un projet de politique, qui se trouve dans l'agenda public ou sociétal. C'est généralement le Conseil des ministres et le Conseil exécutif qui sont les lieux où se fait ou non la mise à l'agenda gouvernemental.

Quand elles sont mises à l'agenda gouvernemental, les politiques ont commencé à être élaborées. Qu'il s'agisse d'élaboration ou d'émergence, c'est le courant des priorités politiques qui mobilise le plus la direction centrale du gouvernement, même si elle n'est pas absente du courant des problèmes ou même du courant des solutions. L'évolution que nous avons recensée dans ce chapitre semble le confirmer. Les priorités du parti, celles du premier ministre ainsi que celles qui sont définies face aux défis posés par la conjoncture politique expliquent les variations observées dans la production des politiques publiques. Si on s'en tient aux lois d'intérêt public adoptées par les différents gouvernements, il est clair que les deux premiers ministres les plus préoccupés d'économie, Jean Lesage et Robert Bourassa, tous deux du Parti libéral, ont dirigé les deux gouvernements qui ont produit la plus forte proportion de lois dans la mission économique. À l'inverse, les gouvernements de l'Union nationale et du Parti québécois, plus préoccupés que les gouvernements libéraux de la place du Québec dans la fédération canadienne, ont fait adopter une plus forte proportion de lois dans la mission gouvernementale.

19.7 Défis et perspectives

À deux occasions au cours des douze dernières années, le ministère du Conseil exécutif a été délesté d'entités qu'on lui avait rattachées au cours des années et qui avaient fini par lui imposer une trop grande charge. Plus généralement, l'organisation politico-administrative du Conseil des ministres et du ministère du Conseil exécutif a varié depuis vingt ans, comme si on n'arrivait pas à trouver une formule stable d'organisation.

Comme nous l'avons noté, cette instabilité est attribuable en partie aux priorités différentes des équipes gouvernementales et à la façon dont elles se définissent par rapport aux équipes précédentes. Elle est attribuable également au positionnement adopté par le gouvernement face à l'appareil administratif et plus particulièrement à la haute fonction publique. S'ajoute à cela la tendance, constante celle-là, à confier à la direction centrale du gouvernement et plus particulièrement au premier ministre des tâches dont l'importance politique est telle qu'elle exige une attention spéciale ou immédiate de sa part.

On peut prévoir que, dans l'avenir, l'organisation et le fonctionnement de la direction centrale du gouvernement, y compris le Conseil exécutif sur lequel elle s'appuie, continueront de manifester des équilibres variables entre ces trois exigences de nature partisane, administrative et politique. On peut estimer en effet que, pour être adéquate aux tâches qu'elle doit accomplir, la direction centrale du gouvernement doit être interdépendante et autonome à la fois par rapport aux influences venant du parti, aux compétences de la haute fonction publique et aux exigences politiques du moment. C'est parce que la combinaison de ces trois ingrédients est variable d'un gouvernement de parti à l'autre que l'organisation et le fonctionnement de la direction centrale du gouvernement se modifient. En dernière analyse, il semble bien que le moteur principal de ces modifications réside et continuera de résider dans le style personnel du premier ministre et dans son entourage proche, qu'il soit partisan, administratif ou plus proprement politique.

* * *

Ouvrages cités

BERNARD, Louis (1987), *Réflexions sur l'art de se gouverner. Essai d'un praticien*, Montréal, ENAP et Québec/Amérique.

BLACK, Conrad (1977), *Duplessis* (2 tomes), Montréal, Éditions de l'Homme.

BOLDUC, Roch (1990), « L'État, l'évolution de son rôle et l'avenir », dans LEMIEUX, Vincent (dir.), *Les institutions québécoises, leur rôle, leur avenir*, Québec, Les Presses de l'Université Laval, p. 231-255.

BOURGAULT, Jacques (1983), « Les hauts fonctionnaires québécois : Paramètres synergiques de puissance et de servitude », *Revue canadienne de science politique*, vol. 16, n° 2, p. 227-256.

BREWER, Gary D., et Peter DE LEON (1983), *The Foundations of Policy Analysis*, Chicago, The Dorsey Press.

GÉLINAS, André (1975), *Les organismes autonomes et centraux de l'administration québécoise*, Québec, Presses de l'Université du Québec.

GOW, J. Iain (1986), *Histoire de l'administration publique québécoise, 1867-1970*, Montréal, Les Presses de l'Université de Montréal.

KINGDON, John W. (1984), *Agendas, Alternatives and Public Policies*, Boston, Little Brown.

LEMIEUX, Vincent (1991), *Les relations de pouvoir dans les lois. Comparaison entre les gouvernements du Québec de 1944 à 1985*, Québec, Les Presses de l'Université Laval et Institut d'administration publique du Canada.

LEMIEUX, Vincent (1995), *L'étude des politiques publiques. Les acteurs et leur pouvoir*, Sainte-Foy, Les Presses de l'Université Laval.

O'NEILL, Pierre, et Jacques BENJAMIN (1978), *Les mandarins du pouvoir. L'exercice du pouvoir au Québec de Jean Lesage à René Lévesque*, Montréal, Québec/Amérique.

ROCHER, Guy (1980), « Le sociologue et la sociologie dans l'administration publique et l'exercice du pouvoir politique », *Sociologie et sociétés*, n° 12, p. 45-64.

RUMILLY, Robert (1973), *Maurice Duplessis et son temps* (2 tomes), Montréal, Fides.

THOMSON, Dale C. (1984), *Jean Lesage et la révolution tranquille*, Saint-Laurent, Éditions du Trécarré.

CHAPITRE 20

Le processus budgétaire au gouvernement du Québec

Pierre P. Tremblay
Professeur
Département de science politique
Université du Québec à Montréal

Pierre Roy
Secrétaire du Conseil du trésor
Gouvernement du Québec

20.1 Introduction

Le processus budgétaire actuel du gouvernement du Québec est le fruit d'une importante réforme mise en place au début des années 70 ainsi que des modifications apportées au cours des dernières années. Le but de ce chapitre est d'en tracer les origines et de décrire les temps forts de son développement, lesquels sont intimement liés au contexte historique et à l'évolution de l'économie québécoise[1].

La section 20.2 décrit le cadre institutionnel et administratif du processus budgétaire servant à l'allocation des ressources financières et au contrôle des dépenses de l'État québécois. Les principaux éléments du cadre actuel ont été mis en place au début des années 70 afin de moderniser la gestion financière et budgétaire tout en respectant l'héritage du parlementarisme britannique.

La section 20.3 montre l'évolution de la pratique de gestion dans les décennies qui ont suivi et décrit les ajustements apportés au processus budgétaire pour faire face aux défis des années 90, notamment l'assainissement des finances publiques et l'amélioration du rendement dans la gestion des services publics.

20.2 Le cadre institutionnel et administratif du processus budgétaire

20.2.1 Des principes fondés sur la tradition parlementaire britannique

Au Canada, comme dans la plupart des sociétés modernes, les gouvernements administrent les fonds publics en observant certains principes fondamentaux remontant au début même de la démocratie. La tradition canadienne tire ses origines du Régime britannique et c'est de cet héritage que proviennent les trois principes suivants à la base de l'administration financière des gouvernements canadiens. D'abord, le consentement parlementaire est une obligation formelle pour tout prélèvement et toute dépense de ressources pécuniaires. En contrepartie de cette prérogative du pouvoir législatif, la Constitution[2] accorde à l'exécutif un pouvoir exclusif d'initiative en matière financière. Ces deux principes, qui reconnaissent des pouvoirs distincts au législateur et au gouvernement, sont liés entre eux par un troisième principe selon lequel l'exécutif doit rendre compte de ses décisions de façon systématique.

Ces grands principes de répartition et d'équilibre des pouvoirs financiers entre le Parlement et le gouvernement se réalisent par l'application de règles formelles. Ainsi, dès 1868, la législature du Québec vote une loi qui consacre des

1. Le lecteur intéressé par l'histoire des principes et des règles de la gestion financière au Canada et au Québec pourra consulter le livre d'André Bernard, *Politique et gestion des finances publiques, Québec et Canada*, Sainte-Foy, Presses de l'Université du Québec, 1992.

2. L'Acte de l'Amérique du Nord britannique de 1867 et la Constitution du Canada du 1982.

institutions et des procédures, tel le Fonds consolidé du revenu, déjà en vigueur avant la confédération à l'époque de l'union du Haut-Canada et du Bas-Canada. Un peu plus tard, en 1878, on adopte une autre loi limitant à une année budgétaire la période de validité des crédits de dépenses. On ajoutera, par la suite, d'autres règles comme celle de l'unité du budget[3], ou encore l'interdiction de transférer les crédits.

Outre l'équilibre des pouvoirs, cet ensemble de principes et de règles de gestion financière visait à garantir un usage légitime et honnête des deniers publics.

Peu à peu, surtout depuis la crise économique des années 30, l'influence des théories keynésiennes et l'élargissement considérable du rôle de l'État durant la période d'après-guerre inciteront les administrations à considérer d'autres enjeux que ceux de la seule probité. C'est ainsi que la planification et la gestion rationnelle des ressources financières se posent au premier plan. Au Québec, après une décennie intense dite « de la Révolution tranquille », il était devenu impérieux de moderniser le système de gestion budgétaire. C'est ce que proposait la *Loi sur l'administration financière* adoptée en avril 1971.

20.2.2 La réforme de 1971

20.2.2.1 *Nouveau contexte, nouveaux besoins*

Le Québec était alors en pleine effervescence. L'économie se développait à un rythme accéléré, les grands travaux d'infrastructure étaient en plein essor et le gouvernement poursuivait l'implantation des réseaux de l'éducation et de la santé. Les autorités gouvernementales devaient trouver un mode de gestion permettant de gérer adéquatement l'expansion rapide du secteur public. Comme le rapportait le ministre des Finances du temps, Raymond Garneau[4], en dix ans, de 1960 à 1970, les dépenses du gouvernement du Québec avaient quintuplé et leur part du produit national brut était passée de 7,5 à 16,3 %. Il ajoutait que la main-d'œuvre de l'État représentait 13 % de la main-d'œuvre totale au Québec.

Le ministre défendait par ailleurs une vision de l'État comme facteur de progrès. Dans son discours de présentation à l'Assemblée nationale du projet de loi sur l'administration financière[5], il rappelle que : « Autrefois [...] simplement responsable du maintien de l'ordre public, l'État est désormais perçu comme l'artisan premier du progrès et du développement de notre société[6]. »

Désormais, l'ampleur des ressources du gouvernement requérait davantage qu'une gestion traditionnelle. Répondant à la situation, la Loi sur l'administration

---

3. L'unité du budget signifie que les votes des parlementaires portent sur la totalité des crédits budgétaires.

4. Le texte du discours de Raymond Garneau a été publié dans *Administration publique du Canada*, vol. 14, n° 2, été 1971, p. 256-270, sous le titre de « La réforme de l'administration financière au Québec ».

5. Ce projet de loi est devenu la Loi sur l'administration financière (L.R.Q., c. A-6, avril 1971).

6. Raymond Garneau, *op. cit.*, p. 257.

financière de 1971 constitue une véritable réforme de la gestion de l'État. Elle mettra sur pied un cadre institutionnel dont les éléments fondamentaux sont toujours en place.

Afin d'adapter la gestion de l'État au nouveau contexte, la réforme poursuivait deux buts. D'abord, elle introduisait une distinction entre la gouverne de l'État et l'administration du processus budgétaire[7]. Par la gouverne, le ministre Garneau entendait la tâche de déterminer les objectifs du gouvernement et celle de définir les programmes de dépenses. Il déclarait que c'étaient là des activités de nature politique qui devaient appartenir naturellement aux membres d'un gouvernement formé de représentants élus. En contrepartie, il fallait reconnaître une véritable autorité administrative aux gestionnaires professionnels de l'État en les chargeant de la direction et du contrôle du processus budgétaire.

En deuxième lieu, la réforme visait à séparer la fonction de contrôle de celle de la vérification, de façon à conférer au Parlement une autorité directe sur la vérification générale tout en permettant l'instauration d'un contrôle administratif assumé celui-là par les gestionnaires de la fonction publique.

Pour y arriver, les attributions des divers acteurs touchés par la budgétisation, par le contrôle et par la vérification ont été redéfinies afin de clarifier les rôles, la séparation des pouvoirs et faciliter l'exercice d'une gestion responsable. En outre, un nouveau mode de planification budgétaire inspiré du PPBS américain, le « budget-programme » a été instauré afin de favoriser l'exercice des choix budgétaires en fonction d'objectifs de programmes.

20.2.2.2 *Une nouvelle répartition des pouvoirs entre les acteurs budgétaires*

En plus de l'Assemblée nationale, qui intervient à la phase de l'autorisation des revenus et des dépenses, les principaux acteurs du processus budgétaire seront : le ministre des Finances, le Conseil du trésor, les différents ministères ainsi que les organismes dont le budget doit être voté par l'Assemblée nationale, le contrôleur des finances et le vérificateur général.

Le ministre des Finances

Depuis fort longtemps, le ministre chargé du portefeuille des finances avait la tâche de préparer les prévisions budgétaires et de contrôler le bien-fondé de toutes les dépenses des ministères et organismes. Ce partage des tâches convenait à une époque où l'appareil administratif était encore modeste. Toutefois, le contexte moderne exigeait qu'un ministre des Finances se consacre plutôt aux politiques économique, budgétaire et fiscale, les tâches d'administration et de contrôle de l'exécution du budget pouvant être dévolues aux gestionnaires de l'État. Enfin, le titulaire du ministère des Finances conserve les responsabilités de la gestion de l'encaisse et de la dette publique ainsi que de la préparation et du dépôt des comptes publics à l'Assemblée nationale.

---

7. *Ibid.*, p. 260.

Le Conseil du trésor et son secrétariat

À l'adoption de la Loi sur l'administration financière, l'ancien Conseil de la trésorerie devient le Conseil du trésor, comité statutaire du Conseil des ministres. Ce changement est beaucoup plus qu'une nouvelle dénomination ; il constitue la mesure organisationnelle la plus importante de toute la réforme. Les pouvoirs de consultation et de recommandation de l'ancien Conseil font place à de véritables pouvoirs de décision.

Le Conseil du trésor devient l'organisme central de budgétisation et de contrôle budgétaire[8]. En fait, la loi de 1971 fait passer du ministère des Finances au Conseil du trésor l'importante tâche de préparer et de présenter les prévisions annuelles de dépenses et de vérifier celles-ci. En outre, sur le plan de l'administration générale, le Conseil du trésor pourra désormais adopter des directives et prescrire des méthodes de gestion des ressources que les ministères et les organismes devront suivre.

Le Conseil du trésor compte cinq membres du Conseil des ministres. Le président du Conseil dispose d'un secrétariat permanent dont le mandat est de conseiller le gouvernement en matière d'allocation des ressources et de gestion des ressources humaines et d'élaborer et de mettre en œuvre des politiques de gestion efficaces. Le secrétaire du Conseil dirige l'organisme sous l'autorité du président et a le rang de sous-ministre.

Les ministères et les organismes gouvernementaux

Tel qu'il a été mentionné précédemment, les ministères et les organismes ont obtenu le pouvoir d'engager une dépense imputable sur un crédit voté à une fin particulière. La loi confère ce pouvoir à chacun des ministres, mais également aux sous-ministres et aux dirigeants d'organismes. Cela signifie que ceux-ci peuvent autoriser les dépenses et doivent répondre de leur pertinence.

L'intention était de passer d'un mode de contrôle *ad hoc* à une décentralisation de la fonction de contrôle pourvu qu'elle s'exerce dans le cadre de normes bien établies. Ainsi, le pouvoir d'engagement des ministères et des organismes sera soumis à des règles et des directives, notamment celles du Conseil du trésor, de façon à assurer la transparence générale du processus et à permettre l'approbation par des instances plus élevées dans les cas exceptionnels.

Par ailleurs, le pouvoir d'engagement des ministères et des organismes peut être limité ou suspendu par le Conseil du trésor, pour des raisons ayant trait aux nécessités du contrôle des dépenses.

Le contrôleur des finances

Selon la répartition de tâches de l'ancien système, un fonctionnaire était chargé du contrôle de la trésorerie sous la responsabilité du ministre des Finances. Il tenait un registre des engagements financiers et approuvait les

---

8. *Ibid.*, p. 266.

dépenses d'un montant inférieur à 25 000 $. La situation était potentiellement conflictuelle car la même instance pouvait à la fois engager des dépenses et en certifier la régularité.

La loi, inspirée en cela des recommandations d'une commission d'enquête fédérale[9], corrigeait cette situation en déléguant aux sous-ministres et dirigeants d'organismes (sauf pour les cas expressément réservés au gouvernement) le pouvoir d'engager une dépense imputable sur un crédit voté à une fin particulière. Quant au contrôle et à la certification, la loi donne des pouvoirs particuliers directement à un fonctionnaire, le contrôleur des finances. Celui-ci devient un véritable comptable en chef ayant le mandat de contrôler la régularité et la conformité des dépenses.

Le vérificateur général

En vertu des anciennes lois, l'auditeur de la province exerçait les fonctions de comptable et de vérificateur. D'une part, il contresignait les chèques émis par le gouvernement et, d'autre part, il effectuait la vérification des comptes après paiement. Plus qu'un accroc aux pratiques comptables usuelles, cela allait à l'encontre du principe de séparation des pouvoirs législatif et exécutif.

La réforme fit du vérificateur général un fonctionnaire exclusif du législateur, les fonctions proprement comptables étant attribuées au contrôleur des finances. Plus tard, en juin 1985, le mandat du vérificateur l'amènera à examiner non seulement la régularité des dépenses mais aussi l'économie, le rendement et l'efficacité de la gestion des deniers publics.

20.2.2.3 *L'adoption d'un nouveau mode budgétaire*

La budgétisation par programme

Dans l'ancien processus de budgétisation, les crédits se présentaient en un classement des postes budgétaires selon les structures organisationnelles et selon la nature de dépenses (salaires, transports, fournitures, etc.). Les dépenses de chaque poste étaient comparées à celles de l'exercice précédent. Ce processus dirigeait l'attention sur les montants comparés et sur la répartition des enveloppes entre ministères, organismes, institutions, etc. Cela ne convenait pas au cadre décentralisé de la réforme qui pour être viable, devait faire de la planification et de l'évaluation les instruments premiers de la prise de décision budgétaire.

La budgétisation par programme, implantée à compter de l'exercice 1973-1974, transformera la présentation des crédits budgétaires. Ce système de budgétisation reposait sur une définition des quatre missions premières de l'État québécois, (économique, sociale, éducative et culturelle, gouvernementale et

9. La Commission royale d'enquête sur l'organisation du gouvernement du Canada, connue sous le nom de « commission Glassco », dont le rapport final a été publié en 1963.

administrative), se subdivisant chacune en domaines, programmes et éléments de programmes. Chaque programme doit répondre à un objectif gouvernemental et s'inscrire dans une mission de l'État[10].

Ce type de processus devait permettre aux élus de disposer de l'information nécessaire pour traduire leur politique de gouvernement en termes budgétaires et financiers. Un autre avantage est de permettre aux administrateurs de gérer en fonction d'objectifs préalablement définis et de « programmer » les activités et les dépenses en conséquence.

Le cycle de préparation des prévisions budgétaires

Le cycle de préparation des prévisions budgétaires du gouvernement du Québec commence avec le Discours du budget prononcé devant l'Assemblée nationale par le ministre des Finances. C'est le moment que choisit le gouvernement pour faire part de ses objectifs financiers des prochaines années. Le cycle se divise en trois étapes : la prévision pluriannuelle, la revue de programmes et la prévision détaillée des crédits de dépenses.

À l'étape de la prévision pluriannuelle, le Secrétariat du Conseil du trésor établit en collaboration avec les ministères et les organismes une mise à jour globale du coût de reconduction des programmes pour l'année suivant le Discours du budget et pour les années subséquentes. Ensuite, le Conseil des ministres, sur avis du Conseil du trésor, décide des orientations budgétaires et des enveloppes de base[11] à transmettre aux ministères et organismes.

La deuxième étape du cycle est celle de la revue des programmes. Au cours de celle-ci, les ministères élaborent un plan des mesures qu'ils proposent en vue de rationaliser leurs dépenses et d'assurer le financement de programmes en croissance et, s'il y a lieu, de nouveaux programmes, tout en respectant leur enveloppe budgétaire[12]. Le Secrétariat du Conseil du trésor analyse les plans des ministères et des organismes et les soumet au gouvernement ou à un comité d'élus désigné à cette fin. Celui-ci déterminera les priorités et l'allocation des ressources qui en découle. L'étape de la revue des programmes se termine par l'adoption des enveloppes budgétaires ministérielles par le Conseil des ministres.

La dernière étape est celle de la prévision détaillée des crédits. Elle consiste essentiellement pour les ministères et les organismes à ventiler les ressources nécessaires selon la structure budgétaire retenue au Livre des crédits et à déposer leur plan de gestion des dépenses. C'est le Secrétariat du Conseil du trésor qui collige toute l'information et élabore le Livre des crédits et le budget de dépenses. Les crédits doivent impérativement être déposés à l'Assemblée nationale

---

10. « En plus de répondre aux deux questions des budgets classiques : Qui dépense ? et Combien cela coûte-t-il ? il (le budget) répond à la question : Que veut-on produire ? », Notes explicatives, *Crédits 1973-1974*, p. V.

11. On verra, en 20.3, qu'à cette étape les enveloppes de base ont été remplacées par des « cibles de réduction de dépenses ».

12. Ou pour atteindre leur « cible de réduction de dépenses », comme on le verra ci-après.

avant le dernier jour de l'exercice budgétaire, soit le 31 mars. L'Assemblée nationale en adoptera alors une fraction afin d'assurer la continuité des activités des ministères et en entreprendra l'étude détaillée en vue du vote final.

Calendrier du cycle budgétaire

- Mai-juin : prévision triennale du coût de reconduction des programmes
- Fin juin : approbation des cibles budgétaires
- Juillet-août : élaboration des propositions des ministères
- Septembre : dépôt des propositions des ministères
- Septembre-décembre : examen des propositions soumises par les ministères
- Janvier : détermination des enveloppes budgétaires et, depuis 1995-1996, préparation des plans ministériels à être publiés
- Février et mars : préparation des crédits détaillés
- Mars : dépôt des crédits à l'Assemblée nationale et, depuis 1995-1996, publication des plans ministériels de gestion des dépenses
- Mars ou avril : Discours sur le budget

20.3 Évolution et ajustements du processus budgétaire

La réforme de 1971 marque une étape en ce qu'elle consacre une vision de l'État comme premier levier de développement. L'évolution subséquente du processus budgétaire connaîtra deux phases : une première phase d'implantation et une deuxième phase où des adaptations ont été jugées nécessaires, tant pour réhabiliter le but initial de la réforme de 1971 qui est de responsabiliser les gestionnaires par une décentralisation des pouvoirs administratifs, que pour faire face à une crise des finances publiques ainsi qu'aux défis nouveaux de la mondialisation.

20.3.1 Éloignement graduel des buts initiaux du système budgétaire

La cause première de la réforme de 1971 a été, nous l'avons vu, l'expansion de l'État québécois et de ses structures administratives. Or, depuis cette réforme et jusqu'à la fin des années 80, l'expansion a continué de progresser. Par exemple, la main-d'œuvre employée par l'État représentait 20 % de la main-d'œuvre totale par rapport à 13 % en 1970[13].

13. Voir à ce sujet *Québec statistique*, édition de 1995.

L'appareil gouvernemental a réagi à cette évolution par la centralisation et, en corollaire, par une érosion du pouvoir de gestion des ministères et de leurs dirigeants, pouvoir que la réforme de 1971 avait pourtant reconnu comme nécessaire.

Dans un premier temps, l'expansion de l'État s'est traduite par des besoins toujours plus grands de coordination de l'ensemble. Cela a favorisé la multiplication d'organismes et de structures exerçant des responsabilités centrales et horizontales (comités ministériels sectoriels, condition féminine, jeunesse, affaires régionales...). Cette fragmentation des responsabilités a eu pour conséquences de multiplier les centres de décision et d'alourdir l'action des ministères. Parallèlement, de nombreux organismes publics ayant un statut particulier ont été créés et ont échappé aux contrôles prévus pour les ministères, y incluant le processus budgétaire instauré par la réforme de 1971.

Dans un deuxième temps, durant la décennie 1980, les resserrements budgétaires se sont traduit par une tendance à des contrôles accrus portant sur la gestion des ressources et sur les processus (suspensions successives du pouvoir d'engager des dépenses, approbation préalable de gestes administratifs...). De plus, en juin 1985, le Conseil du trésor se voit confier la responsabilité de la négociation de la rémunération de l'ensemble des employés, tant de la fonction publique que des réseaux du parapublic, principalement ceux de l'éducation, de la santé et des services sociaux.

Bref, face au contexte d'expansion de l'appareil d'État, suivi d'un contexte financier plus difficile, le gouvernement a réagi en privilégiant les contrôles centralisés des moyens. Il s'est éloigné en cela d'un but fondamental de la réforme de 1971, soit la décentralisation des pouvoirs de gestion en contrepartie d'objectifs à atteindre.

20.3.2 Nécessaires ajustements à la gestion financière et budgétaire

20.3.2.1 *Contexte appelant de nouveaux changements*

Depuis une dizaine d'années, l'ensemble des pays développés membres de l'OCDE font face, à des degrés divers, à une double conjoncture caractérisée par le poids de la dette publique et par la mondialisation des marchés. Cette conjoncture les oblige à entreprendre des réformes en profondeur de leur gestion des services publics[14].

Le Québec n'échappe pas à ce phénomène. Au Québec, la dette atteint 44 % du produit intérieur brut (PIB) comparativement à 11 % au début des années 70. Le service de la dette accapare 14 % du budget de dépenses.

Par ailleurs, la mondialisation des marchés influence directement les gouvernements. Plus que jamais, l'attraction des investissements dépend d'une

14. OCDE, *La gestion publique en mutation: les réformes dans les pays de l'OCDE*, 1995.

fiscalité compétitive ainsi que de la qualité des services publics, par exemple la qualité de la formation de la main-d'œuvre. Cela met en cause le rendement de la gestion des services publics. Le Québec est à cet égard particulièrement touché par la mondialisation puisque 50 % de son PIB dépend de son commerce extérieur. Cependant, la machine administrative a acquis des habitudes et une rigidité qui ne lui permettent pas de réagir rapidement et de s'adapter aux réalités changeantes de notre époque.

Devant cette situation, la stratégie du gouvernement porte sur deux plans : l'assainissement des finances publiques et un changement des règles du jeu qui président à la gestion des deniers publics.

20.3.2.2 *Une stratégie de changement misant sur la concertation, la solidarité et la préservation du rôle de l'État*

À l'instar des autres gouvernements occidentaux, de grandes réformes ont été entreprises dans les secteurs vitaux : santé, services sociaux, assistance sociale, éducation, fiscalité et, bientôt, la fiscalité des gouvernements locaux et la politique économique seront également révisés. Nous nous en tiendrons pour notre propos aux volets financier et budgétaire des changements.

Auparavant, il importe de souligner la stratégie générale adoptée par le gouvernement québécois. Cette stratégie mise sur la concertation, la solidarité et la préservation du rôle de l'État. Les grandes orientations, en effet, ont été définies par consensus entre les grands acteurs sociaux (patronat, syndicats, groupes communautaires, instances régionales, etc.). Chaque réforme sectorielle a fait l'objet de consultations et d'ajustements. Il en fut de même, notamment, en ce qui concerne les mesures de réduction récurrentes des coûts de main-d'œuvre, tant dans la fonction publique que dans les réseaux de la santé et de l'éducation.

La stratégie gouvernementale se caractérise par une autre dimension tenant celle-là à la valeur que les Québécois attribuent à l'État. Pour comprendre le sens particulier à donner à cette stratégie, il faut tenir compte d'un état de faits. Au début des années 60, l'État a été, pour les Québécois, un instrument d'émancipation et d'entrée dans la modernité. Il n'est pas exagéré de dire que c'est de cette « Révolution tranquille » qu'a émergé une classe d'affaires québécoise. L'État constitue toujours pour les Québécois à la fois un outil de développement économique et social, un rempart de protection culturelle dans un contexte nord-américain et une voie assurant son rayonnement international. C'est ce rôle stratégique de l'État québécois qui a conduit les principaux partenaires socio-économiques à privilégier une approche de concertation pour débattre des grands enjeux. C'est là une caractéristique qui distingue le Québec.

20.3.2.3 *L'assainissement des finances publiques*

Le gouvernement québécois s'est donné pour objectif ferme d'effacer le déficit budgétaire sur trois exercices conduisant à l'an 2000. Cet objectif découle d'un consensus de la Conférence sur le devenir social et économique du Québec, tenue en mars 1996. Cette conférence réunissait les principaux acteurs économiques et sociaux, notamment les représentants du patronat et des syndicats.

Cet objectif a par la suite été consigné dans une loi, la Loi sur l'élimination du déficit et l'équilibre budgétaire, adoptée en décembre 1996. Cette loi prévoit l'élimination du déficit budgétaire dès l'exercice 1999-2000 et le maintien de l'équilibre budgétaire au cours des années subséquentes. Elle prévoit également les montants que le déficit budgétaire ne pourra excéder pour les années 1996-1997 à 1999-2000.

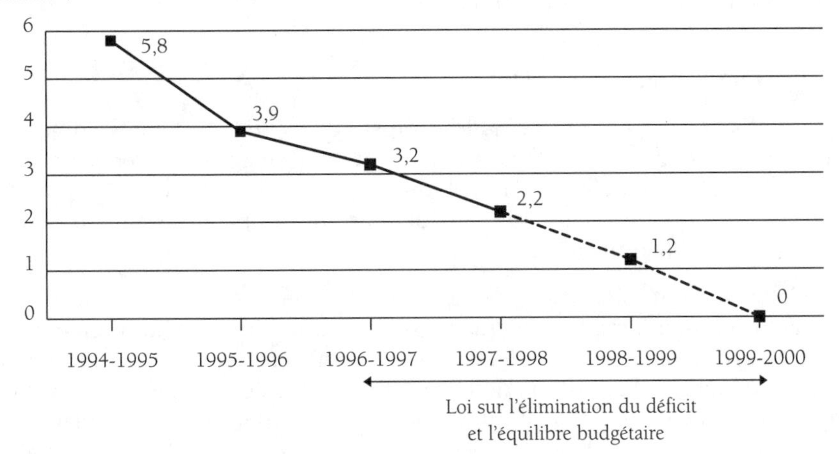

Évolution du déficit au gouvernement du Québec

20.3.3 Nouvelle approche de gestion axée sur les résultats

20.3.3.1 *Un virage culturel et un nouvel esprit*

L'assainissement des finances publiques est donc une priorité gouvernementale immédiate. Toutefois, les efforts immenses que cela exige n'auraient de sens que si le maintien à long terme de l'équilibre budgétaire est assuré.

En 1995, le Conseil du trésor a convié les gestionnaires des ministères à un virage culturel par le passage d'une gestion axée sur le contrôle des moyens à une gestion orientée vers les résultats. Pour prendre ce virage, le gouvernement estime essentiel de décentraliser le contrôle et la responsabilité des ressources. C'est ainsi que les contrôles centraux s'appliquant aux processus ont été allégés pour laisser une plus grande latitude de gestion aux ministères. En contrepartie, les ministères doivent s'engager à une reddition de comptes, laquelle sera rendue en résultats.

Ce changement important des règles du jeu est en quelque sorte un retour aux sources de la réforme de 1971, précisément en ce qui a trait à la décentralisation du pouvoir de gestion. Mais il s'agit aussi d'une adaptation au contexte des années 90, années marquées non plus par l'expansion de l'État mais par la nécessaire amélioration du rendement de la gestion. Il faut maintenant réviser systématiquement les programmes existants et en évaluer le coût et le rendement en résultats escomptés ou obtenus.

20.3.3.2 *Les ajustements au processus budgétaire*

En ce qui a trait au cadre décisionnel d'allocation des ressources budgétaires, les changements de 1995 se traduisent par la technique de l'enveloppe fermée, par l'élaboration par les ministères d'un plan de gestion de leurs dépenses et par un suivi des résultats obtenus.

L'enveloppe fermée

Depuis l'exercice 1995-1996, les ministères reçoivent une enveloppe budgétaire fermée, c'est-à-dire qu'elle ne peut fluctuer en cours d'exercice à moins d'imprévus exceptionnels. Les ministères disposent de plus de souplesse pour l'allocation des ressources à l'intérieur de leur enveloppe et de plus de stabilité pour asseoir leur planification.

Cette stabilité financière est cependant obtenue au prix d'une revue annuelle des programmes beaucoup plus importante. En effet, au moment de la préparation des prévisions budgétaires, les ministères se voient signifier une cible de réduction. L'attention doit être dirigée sur le respect de l'enveloppe budgétaire et sur les actions de rationalisation à privilégier. Il est demandé aux ministères d'une part d'absorber leurs facteurs de croissance, et d'autre part de réduire leur niveau de dépenses. Cela dit, le gouvernement conserve sa prérogative de procéder à des réallocations entre ministères.

Les ministères sont alors invités à soumettre des plans et des mesures permettant d'atteindre leur cible et d'en estimer l'impact sur un horizon de trois ans. Cet horizon leur permet d'envisager des mesures structurantes et de revoir plus en profondeur le fonctionnement des divers programmes. Il permet également au gouvernement d'apprécier l'impact à moyen terme des mesures et d'assurer la cohérence de l'ensemble des programmes au fil des exercices à venir. Par ailleurs, les ministères peuvent solutionner des impasses budgétaires notamment en allouant des ressources économisées dans l'un ou l'autre des programmes d'un même portefeuille ministériel.

Ce n'est donc qu'après l'approbation des plans et des mesures de réduction que le gouvernement fixe les enveloppes budgétaires annuelles de chacun des ministères.

Le Plan ministériel de gestion des dépenses

Le Plan ministériel de gestion des dépenses permet au ministère ou à l'organisme d'exposer la perspective d'ensemble dans laquelle s'inscrivent ses choix budgétaires. On y rappelle la mission du ministère ou de l'organisme, les grands enjeux et les orientations. L'ensemble des plans ministériels sont publiés simultanément au dépôt du budget de dépenses et des crédits budgétaires à l'Assemblée nationale et procurent de la sorte une information de premier plan au législateur.

L'énoncé de mission cible la raison d'être du ministère ou de l'organisme, ses principales caractéristiques et la définition de ses clientèles. Les grands enjeux décrivent, entre autres choses, les besoins de leur clientèle, l'impact économique recherché et la détermination des produits et services à offrir. Les orientations donnent les priorités d'action, les axes d'intervention privilégiés et les principes directeurs propres au ministère ou à l'organisme.

Le plan ministériel contient en outre un exposé des mesures qui permettront au ministère de respecter l'enveloppe budgétaire de chacun des programmes dont il est responsable.

Le suivi des résultats

Le suivi des résultats dresse le bilan de la réalisation du plan de gestion des dépenses de l'année précédente. Ce bilan est en fait contenu dans le plan ministériel de gestion des dépenses du nouvel exercice.

Un suivi de résultats ne saurait être efficace sans la présence d'indicateurs mesurables. Dans une optique d'imputabilité, les ministères doivent déterminer les indicateurs appropriés à leurs programmes. Parmi ces indicateurs, on trouve : la qualité ou le volume de services, ou encore le rendement ou l'efficacité des programmes. Ces indicateurs peuvent être mesurés en fonction de divers paramètres tels que leur évolution dans le temps ou l'atteinte de résultats ou d'un rendement, ou encore la comparaison avec d'autres compétences.

Le suivi d'année en année du plan ministériel et des indicateurs de résultats constitue un premier jalon au processus de reddition de comptes.

20.4 Conclusion

En conclusion, on retiendra que le processus budgétaire de l'État québécois repose sur des principes et des règles hérités de la tradition britannique. C'est cependant la réforme de 1971 qui a donné un cadre institutionnel moderne à ce processus qui a ensuite été complété par la mise en place du budget-programme.

La période de 25 ans qui a suivi a été marquée par un contexte financier faisant passer l'administration de l'abondance des ressources à celle de la rareté. La taille de l'État s'est accrue et sa coordination est devenue de plus en plus complexe. Devant le resserrement des finances, le gouvernement s'est éloigné peu à peu des principes de la réforme de 1971 en exerçant des contrôles centralisés portant sur les moyens.

Depuis le début des années 90, le contexte de crise des finances publiques conjugué à celui de la mondialisation des marchés favorisera de nouvelles tendances et de nouvelles pratiques comme la décentralisation, la responsabilisation et la reddition des comptes. En ce qui concerne la gestion budgétaire, les règles du jeu ont été modifiées en faveur d'une gestion axée sur les résultats par opposition à la seule conformité. La mise en place d'une telle dynamique mènera ce nouveau processus budgétaire encore plus loin car la culture administrative connaît une mutation. On peut prévoir par exemple que des rapports de rendement poussant plus avant l'utilisation d'indicateurs de résultats renforceront le volet d'imputabilité des gestionnaires.

CHAPITRE 21

La gestion des ressources humaines dans la fonction publique québécoise

Louis Côté

Conseiller spécial
Conseil du trésor
Gouvernement du Québec

La fonction publique québécoise a pris sa forme actuelle entre 1960 et 1980, période historique qu'on a coutume d'appeler la « Révolution tranquille ». Durant ces vingt années, en effet, le Québec a connu une profonde mutation et l'État s'est trouvé au cœur de ce bouleversement, à la fois sujet et objet des transformations. Ainsi a-t-on vu émerger un réel État de droit et démocratique, en même temps que se dessinaient les contours d'un État providence par l'élargissement de son champ d'intervention et sa position de chef de file dans les domaines économique, social et culturel. Afin de remplir ses nouveaux rôles, de mieux planifier, coordonner et gérer les activités de son administration et celles des secteurs décentralisés, l'État a modernisé son appareil administratif. De nouvelles structures ont été créées, de nouvelles techniques ont été implantées en matière de gestion des ressources et l'effectif a augmenté très rapidement. Un système de recrutement et de promotion reposant sur la règle du mérite a été mis en place, ce qui a permis la consolidation d'une fonction publique compétente et plus indépendante du pouvoir politique.

De façon plus précise, en gestion des ressources humaines, c'est en 1983, avec l'adoption de la Loi sur la fonction publique, qu'a été consolidé le cadre de gestion imposé depuis lors en la matière. Selon cette loi, le mode d'organisation des ressources humaines doit être de nature à favoriser l'efficacité de l'administration ainsi que l'utilisation optimale et le développement des ressources humaines, à faciliter l'exercice des pouvoirs de gestion des ressources humaines le plus près possible des personnes intéressées et l'application d'un régime selon lequel le fonctionnaire investi de ces pouvoirs doit en rendre compte, à préserver l'égalité d'accès à la fonction publique pour tous les citoyens et la contribution optimale des diverses composantes de la société québécoise, enfin, à renforcer l'impartialité et l'équité des décisions touchant les fonctionnaires.

Dans ce qui suit, nous présenterons tout d'abord le partage des rôles institué en 1983, pour traiter ensuite, et pour chacun des domaines traditionnellement distingués en gestion des ressources humaines, des principales caractéristiques et règles de fonctionnement. Enfin, nous aborderons les grands enjeux actuels et les transformations engagées pour y répondre.

2.1 Le partage des rôles

Au 31 mars 1996, la fonction publique était composée de 55 349 fonctionnaires permanents et de 11 343 occasionnels de tous niveaux répartis dans 17 ministères et 66 organismes. Ce nombre représente près de 13 % de l'ensemble de l'effectif de l'administration publique québécoise qui comprend, outre le secteur public, les secteurs parapublic (les réseaux de la santé et des services sociaux et de l'éducation) et péripublic (les sociétés d'État). Chaque ministère et organisme est placé sous l'autorité politique d'un ministre désigné par le premier ministre. La responsabilité administrative d'un ministère ou d'un organisme est confiée à un sous-ministre ou à un dirigeant d'organisme, membre de la haute direction nommé par le Conseil des ministres sur proposition du premier ministre.

La Loi sur la fonction publique confie la responsabilité première en gestion des ressources humaines à chaque sous-ministre ou dirigeant d'organisme. Celui-ci peut déléguer des responsabilités en ce domaine à son personnel d'encadrement, dont le directeur des ressources humaines, mais il doit s'assurer du respect de la politique générale du gouvernement en la matière.

Deux organismes centraux interviennent en gestion des ressources humaines : le Conseil du trésor et la Commission de la fonction publique. Comité permanent du Conseil des ministres et composé de cinq de ses membres, le Conseil du trésor a le mandat de planifier, encadrer et évaluer l'utilisation des ressources du gouvernement. Il s'appuie sur les services d'un organisme administratif de soutien technique et de consultation, le Secrétariat du Conseil du trésor. En matière de gestion des ressources humaines, le Conseil du trésor est chargé des responsabilités suivantes : établir, au nom du gouvernement, une politique générale de gestion des ressources humaines et en évaluer la réalisation ; fixer l'effectif maximal pour chaque ministère ou organisme ainsi que la classification des emplois et de leurs titulaires ; définir les modes de dotation pour combler des emplois et réglementer le recrutement et la promotion des fonctionnaires ; préciser les conditions et les modalités pour le recensement, la mise en disponibilité et le placement des fonctionnaires en surplus ; déterminer la rémunération, les avantages sociaux et les autres conditions de travail des fonctionnaires ; négocier les conventions collectives, en surveiller et en coordonner l'application ; établir des programmes d'accès à l'égalité ; fournir des conseils en matière de gestion et d'organisation administrative ; faire des recherches, études et enquêtes en matière de gestion des ressources humaines, les coordonner avec celles effectuées par les ministères et organismes, et en assurer la diffusion ; instaurer et maintenir, en collaboration avec les ministères et organismes, un système de planification et de développement de la carrière du personnel d'encadrement ; mettre sur pied et maintenir un système intégré d'information pour la gestion des ressources humaines.

Pour sa part, la Commission de la fonction publique entend les recours en appel des fonctionnaires, vérifie le caractère impartial et équitable des décisions qui touchent ces derniers et s'assure de l'observation de la loi et de ses règlements relativement au système de recrutement et de promotion des emlpoyés de l'État.

Deux autres instances interviennent également en gestion des ressources humaines : le Forum des sous-ministres et le Comité consultatif de la gestion du personnel. Le premier est un comité formé de l'ensemble des sous-ministres et présidé par le secrétaire général du gouvernement ; il est un lieu de partage de l'information et de précision des orientations et des objectifs gouvernementaux concernant la gestion et le développement des ressources humaines, la gestion des emplois supérieurs ainsi que l'établissement des politiques administrative et financière du gouvernement. Le second est un comité regroupant l'ensemble des directeurs des ressources humaines des ministères et organismes ; ses principaux objectifs sont d'encourager l'échange d'information entre les intervenants en gestion des ressources humaines, de stimuler l'innovation et de fournir aux organismes centraux des avis et des conseils relevant du champ de compétence de ses membres.

21.2 Les caractéristiques et les règles de fonctionnement

Avant de décrire les caractéristiques et les règles applicables à la très grande majorité des fonctionnaires, apportons quelques précisions sur les administrateurs d'État. Ce corps regroupe les titulaires d'emplois supérieurs qui sont nommés à la prérogative du gouvernement, pour des termes ne dépassant pas cinq ans, mais qui peuvent être renouvelés : la haute direction, soit essentiellement les sous-ministres, les dirigeants d'organisme, les sous-ministres associés et les sous-ministres adjoints. Faisant partie du ministère du Conseil exécutif, le Secrétariat aux emplois supérieurs assure leur recrutement – sélection et recommandation de candidatures –, la formulation et l'application de la politique concernant leur rémunération et leurs autres conditions de travail, l'évaluation de leur rendement et la gestion de leur carrière. Alors que la plupart des administrateurs d'État proviennent de la fonction publique et y font carrière, quelques-uns sont engagés par contrat.

21.2.1 La classification des emplois

Exclue du champ de la négociation, la classification des emplois est établie par le Conseil du trésor. Les emplois sont regroupés et hiérarchisés en catégories (niveaux hiérarchisés de fonctions administratives), corps (ensemble de fonctions voisines par leur nature et dont l'exercice exige une compétence de base équivalente) et classes (regroupement, à l'intérieur d'un corps d'emploi, de fonctions d'un niveau de complexité similaire).

Il existe sept catégories d'emploi : les administrateurs d'État, le personnel d'encadrement (fonctions de gestion), le personnel professionnel (fonctions d'élaboration et d'application), le personnel enseignant, le personnel de bureau et les techniciens (tâches d'exécution courantes ou spécialisées), le personnel ouvrier et les agents de la paix.

Le personnel d'encadrement est pourvu d'un système de classification dit à « emplois spécifiques », c'est-à-dire qu'il y a identité entre l'emploi et son titulaire, chaque emploi constituant par conséquent une entité distincte et possédant une évaluation propre. C'est ainsi que deux emplois de directeur des ressources humaines peuvent avoir des attributions distinctes d'un ministère à un autre et recevoir un classement différent. On peut distinguer les cadres supérieurs (cinq classes d'emploi) et les cadres intermédiaires (onze classes d'emploi), chaque classe d'emploi comportant des conditions particulières d'admission liées à la scolarité et à l'expérience de travail.

Dans le respect de la classification, qui assure une cohérence ministérielle et interministérielle, les sous-ministres et les dirigeants d'organisme évaluent les emplois en fonction des tâches à effectuer et non des connaissances ou des compétences des employés.

Au 31 mars 1995, selon les plus récentes données statistiques officielles, l'effectif régulier de la fonction publique était, par catégorie ou sous-catégorie d'emploi, le suivant :

Catégorie ou sous-catégorie d'emploi	Nombre	%	Âge moyen
Haute direction	253	0,5	51,4
Cadres supérieurs	2 173	4,1	49,7
Cadres intermédiaires	2 261	3,9	48,1
Professionnels	15 576	28,1	43,9
Enseignants	408	0,7	49,5
Techniciens	13 116	23,7	42,3
Personnel de bureau	16 548	29,9	43,0
Ouvriers	2 664	4,8	48,3
Agents de la paix	2 350	4,2	43,4
Ensemble	**55 349**	**100**	

Source : Office des ressources humaines (Gouvernement du Québec), *Portrait statistique des effectifs régulier et occasionnel de la fonction publique du Québec*, 1995.

21.2.2 L'organisation administrative et la gestion de l'effectif

L'organisation administrative est sous la responsabilité des sous-ministres et des dirigeants d'organisme. Ceux-ci définissent la structure administrative, précisent le partage des responsabilités et la répartition de l'effectif entre les différentes unités. Ils doivent par ailleurs respecter l'enveloppe globale de l'effectif d'encadrement supérieur autorisée par le Conseil du trésor. Ce dernier s'assure ainsi que l'évolution de l'effectif d'encadrement supérieur est ajustée au rythme de celle de l'effectif global autorisé et qu'il y a équité et cohérence dans la détermination du niveau des emplois supérieurs.

En matière de gestion de l'effectif, le Conseil du trésor fixe chaque année la masse salariale et l'effectif total autorisé (employés réguliers et employés occasionnels). Il faut toutefois signaler que, depuis 1995, et en vue de favoriser la responsabilisation des gestionnaires et l'implantation d'une gestion axée sur les résultats, le Conseil accorde plus de souplesse aux sous-ministres et aux dirigeants d'organisme à l'intérieur d'une enveloppe budgétaire qui est dorénavant fermée.

21.2.3 Le recrutement et le cheminement de carrière

Les fonctionnaires sont recrutés en vue de l'occupation d'un emploi déterminé, mais ils ont droit à la carrière puisqu'ils appartiennent à un corps d'emploi et qu'ils ont la sécurité d'emploi. Il s'agit d'un régime mixte, qui tient à la fois de la fonction publique d'emploi et de la fonction publique de carrière.

Le recrutement en vue de pourvoir aux postes permanents et la promotion – autre que la promotion sans concours qui permet à un fonctionnaire d'être promu à son propre emploi lorsque celui-ci est réévalué à la hausse – sont soumis à une procédure légale de concours. Celle-ci exige notamment : un comité d'évaluation compétent, impartial et représentatif dont un membre doit venir d'une unité autre que celle à l'origine du concours et dont tous doivent être hiérarchiquement indépendants les uns par rapport aux autres ; des conditions d'admission réalistes et justifiées et respectant l'application de la politique d'accès à l'égalité ; une publicité adéquate sur les postes à pourvoir ; une évaluation basée uniquement sur les aptitudes et la compétence requises pour l'emploi ; la constitution d'une liste de déclaration d'aptitudes sur la base des résultats obtenus – les noms des candidats déclarés aptes sont regroupés par niveau et la nomination d'un fonctionnaire est faite, selon l'ordre des niveaux, au choix parmi les personnes de même niveau. Le Conseil du trésor est responsable de la tenue des concours de recrutement et de promotion, mais il délègue habituellement l'exercice de cette fonction aux sous-ministres et aux dirigeants d'organisme. Notons qu'un candidat à un concours de promotion peut interjeter appel devant la Commission de la fonction publique s'il estime que la procédure d'admission ou d'évaluation a été entachée d'une irrégularité ou d'une illégalité.

Une période de 24 mois est requise pour l'obtention du statut de fonctionnaire permanent. Un classement est attribué à l'entrée en fonction et la progression dans les échelles de traitement et l'avancement de classe sont par la suite fonction du cumul d'années d'expérience et du mérite.

Dans le contexte actuel marqué par de fortes compressions budgétaires et une réduction de l'effectif, la dotation des emplois est davantage axée sur le redéploiement du personnel que sur le recrutement ou la promotion. En 1984-1985, il y a eu 368 concours de recrutement qui ont donné lieu à 1 038 entrées en fonction et 431 concours de promotion avec 509 personnes promues. En 1994-1995, il y a eu 14 concours de recrutement qui ont donné lieu à 191 entrées en fonction et 34 concours de promotion avec 193 fonctionnaires promus. Ce phénomène explique en partie la faible efficacité des mesures d'accès à l'égalité pour les femmes, les membres des communautés culturelles, les personnes handicapées et les autochtones, mesures mises en place au moment même où le nombre de recrutements et de promotions commençait à décliner.

21.2.4 L'évaluation du rendement et le développement

Basée sur des attentes signifiées, l'évaluation porte sur les résultats obtenus et, s'il y a lieu, sur les comportements afférents à l'atteinte de ces résultats et non sur les caractéristiques personnelles. Chaque sous-ministre ou dirigeant d'organisme doit élaborer une politique ministérielle assurant qu'il y a, de la part des supérieurs hiérarchiques, une communication à l'employé des contributions attendues au cours d'une période déterminée, une définition *a priori* des critères d'appréciation, un suivi continu du rendement et une appréciation officielle en fin de période. Notons ici l'existence de programmes d'aide aux employés dans la plupart des ministères et organismes, programmes qui visent à soutenir les fonctionnaires qui rencontrent des difficultés de tous ordres : travail et carrière, relations interpersonnelles, famille et couple, alcoolisme et toxicomanie, etc.

Les sous-ministres et les dirigeants d'organisme sont les premiers responsables du développement, c'est-à-dire de la formation en cours d'emploi, puisque la formation initiale préalable à l'occupation d'un premier emploi dans la fonction publique doit être acquise au moment du recrutement. Cette responsabilité s'exerce dans le cadre des politiques adoptées par le Conseil du trésor, des ententes incluses dans certaines conventions collectives et d'une loi provinciale obligeant les entreprises du secteur privé et les ministères et organismes gouvernementaux à consacrer au moins 1 % de leur masse salariale à des activités de formation.

Les principes directeurs assignés au développement par le Conseil du trésor sont: amener les fonctionnaires à satisfaire aux exigences inhérentes à l'exercice et à l'évolution de leur emploi, en considérant leurs besoins et en respectant les priorités de l'organisation; faciliter leur mobilité et les préparer à l'exercice d'un nouvel emploi dans la fonction publique; les aider à s'adapter aux changements qui touchent leur environnement de travail et à partager les orientations et les valeurs de l'organisation. Chaque cadre doit participer à un programme d'intégration à la gestion et être pourvu d'un plan personnalisé de développement et de carrière.

Les ministères et organismes peuvent avoir recours à des ressources internes (ministérielles ou gouvernementales) ou externes (institutions de formation et firmes privées) pour combler les besoins de formation. Le Secrétariat du Conseil du trésor leur offre par ailleurs des mesures d'appui à l'implantation des politiques gouvernementales: sessions de sensibilisation et de formation, ateliers d'échange, cercles de gestion, guides pour la détermination des besoins et l'évaluation de la formation, regroupement d'achats en formation et perfectionnement, réseau de soutien composé des conseillers ministériels en développement, gestion d'un programme intensif de préparation de la relève du personnel d'encadrement supérieur, etc. En ce qui concerne la formation des administrateurs d'État et des cadres, on doit souligner l'apport de l'École nationale d'administration publique qui, liée au gouvernement par un protocole d'entente, offre des services de vigie en administration publique et des programmes de formation à l'intention des gestionnaires en exercice et les futurs gestionnaires de la fonction publique.

21.2.5 Les relations de travail

La plupart des fonctionnaires québécois sont syndiqués. C'est dans les conventions collectives, d'une durée habituelle de trois ans, ou dans ce qui en tient lieu pour le personnel non syndiqué (le personnel d'encadrement, par exemple), que sont consignées, après négociation, les dispositions qui régissent la rémunération, les conditions de travail et les avantages sociaux. Les intervenants dans le processus de négociation sont les représentants des syndicats d'employés et des associations de cadres, le Comité patronal de négociation de la fonction publique, les comités ministériels et sous-ministériels de coordination des négociations ainsi que le Forum des sous-ministres et le Comité consultatif de la gestion du personnel.

En matière de rémunération, le gouvernement cherche depuis une vingtaine d'années à rendre comparable la rémunération globale (salaire et avantages sociaux) des employés du secteur public à celle du marché privé québécois. Dans les faits, la différence en faveur du secteur public sur le secteur privé est passée de 16 % en 1976 à 11,8 % en 1982 pour atteindre 5 % en 1994. On pense parvenir à la parité en 1998. Soulignons enfin que, depuis 1989, le gouvernement a ajouté à sa politique salariale un volet d'équité interne, volet qui vise à assurer une rémunération égale pour des emplois de valeur équivalente. Cette valeur est mesurée à partir des critères suivants : la compétence exigée, l'effort demandé, les responsabilités confiées et les conditions de travail imposées.

21.3 Les enjeux actuels et les transformations engagées

21.3.1 Les principaux facteurs conditionnant l'évolution de l'État québécois et de sa fonction publique

Un certain nombre de facteurs conditionnent fortement l'évolution actuelle et prévisible de l'État québécois et de sa fonction publique et constituent autant de défis auxquels ils ont à faire face. Nous soulignerons ici ceux qui concernent la population, la situation économique et sociale et le contexte politique.

21.3.1.1 *Des citoyens portant de nouvelles exigences*

Au cours des 30 dernières années, la population québécoise a beaucoup changé dans sa composition, dans sa façon d'être et dans ses attentes. On a assisté à un vieillissement rapide de la population attribuable à la réduction du taux de natalité, vieillissement qui a déjà et aura dans l'avenir une influence considérable sur certains programmes de dépenses gouvernementales, particulièrement dans les domaines de la santé et de la sécurité du revenu des personnes âgées. On doit également noter la diversité ethnique et culturelle qui pose plus que jamais la question du dialogue nécessaire entre la majorité d'origine française, d'une part, et la communauté de langue anglaise, les nombreuses communautés culturelles et les communautés autochtones, d'autre part. Il faut enfin souligner le fait qu'un fort mouvement d'affirmation individuelle, ajouté à l'influence des médias et d'un marché omniprésent qui tend à privilégier les attentes de la clientèle, a conduit à l'émergence de citoyens de plus en plus informés et exigeants à l'égard des services publics mais qui, par ailleurs, ne veulent pas payer plus de taxes ni d'impôts pour les services reçus.

21.3.1.2 *Une situation économique et sociale complexe*

L'économie québécoise est particulièrement sensible aux effets de la mondialisation des marchés et de la production, puisque le Québec exporte environ la moitié de sa production de biens et de services dans les autres provinces canadiennes et à l'étranger. L'État québécois doit donc soutenir l'amélioration de la compétitivité de l'économie de la province et accroître sa propre efficacité (niveau des finances publiques, qualité des infrastructures, recherche, formation de la main-d'œuvre, etc.).

Le marché de l'emploi québécois s'est considérablement transformé au cours des dernières années : forte progression de la participation des femmes, augmentation de la proportion des emplois à temps partiel et de ceux de courte durée, etc. Le taux de chômage demeure très élevé (autour de 11 %). On assiste à une marginalisation de certaines régions et de certains quartiers urbains et d'une partie importante de la population : en octobre 1995, près de 800 000 personnes bénéficiaient de l'assistance sociale, dont 441 000 adultes aptes au travail. L'État a ici un rôle important à jouer afin de maintenir l'intégrité du tissu social et de réduire non seulement l'exclusion des individus, mais également celle des communautés.

21.3.1.3 *Un contexte politique exigeant*

Aux débats constitutionnel et linguistique qui perdurent au Québec, depuis quelques décennies déjà, s'est récemment ajoutée une crise des finances publiques, qui contraint fortement l'action gouvernementale. Elle est liée à plusieurs facteurs. En ce qui concerne les revenus, on doit noter une marge de manœuvre relativement réduite sur le plan fiscal (compte tenu du niveau plus faible de la ponction fiscale en Ontario et aux États-Unis, principaux partenaires commerciaux du Québec), une baisse importante des transferts fédéraux en faveur du Québec et le développement d'une économie souterraine et de l'évasion fiscale. En ce qui a trait aux dépenses, il faut souligner la croissance structurelle soutenue et difficile à contenir dans des domaines tels que la santé et les services sociaux et la sécurité du revenu. À ces problèmes s'ajoutent les difficultés inhérentes au haut degré atteint par l'endettement : en 1995-1996, 14 % des dépenses budgétaires gouvernementales ont été consacrés au service de la dette.

21.3.2 Les principaux changements en ce qui concerne les contenus et les modalités d'intervention de l'État québécois

Compte tenu du nouvel environnement interne et externe dans lequel il évolue et des contraintes auxquelles il doit faire face, l'État québécois a amorcé une réflexion sur ses missions et une révision de ses modes d'intervention. Pour le gouvernement, les changements envisagés ne visent pas un désengagement de l'État, mais bien la transformation de son rapport avec la société.

On doit tout d'abord mentionner les efforts pour adapter les trois principaux programmes de services publics que sont la santé et les services sociaux, l'éducation et la sécurité du revenu. Ces trois programmes accaparent près de 75 % de l'ensemble des dépenses de programmes du gouvernement. Dans le domaine de la santé et des services sociaux, la transformation est déjà engagée : redéploiement des ressources humaines et financières (vers le maintien à domicile, la prévention et la promotion de la santé, etc.), changement des pratiques, réorganisation et décentralisation des services. Dans le secteur de la sécurité du revenu, une réforme est attendue dont les objectifs sont de rendre le système plus incitatif au travail, d'assurer un meilleur soutien aux personnes dans leur démarche d'intégration à l'emploi, de simplifier le régime et son administration, d'harmoniser les diverses formes de soutien du revenu et de conduire une lutte plus efficace contre la pauvreté, la dépendance sociale et le travail au noir. En ce qui concerne l'éducation, une vaste consultation publique a été récemment menée par la Commission des états généraux sur l'éducation et les recommandations ont été déposées à l'automne 1996.

En dehors des transformations particulières à ces grands domaines, deux changements horizontaux profonds s'annoncent: la dévolution de certaines responsabilités à des instances infra-étatiques, à des associations, aux secteurs corporatif et privé et la modulation de politiques et de programmes permettant de passer des mesures universelles et des approches standardisées à des mesures et des approches individualisées. Ces deux tendances ne sont pas sans susciter un certain nombre d'interrogations. Comment, par exemple, conjuguer la prise en considération de la complexité et de l'hétérogénéité des situations concrètes et la recherche d'égalité qui demeure l'une des principales assises de notre démocratie?

21.3.3 Les principaux éléments de la réforme administrative actuelle

Au cours des dernières années, la volonté gouvernementale de réduire les coûts, d'alléger la bureaucratie et d'améliorer la qualité des services aux citoyens s'est principalement traduite par des compressions budgétaires répétées – compressions qui ont entraîné des gels et des réductions de salaire et des baisses successives d'effectif –, une réduction du nombre de ministères et d'organismes, la limitation du nombre de paliers de gestion et la diminution du poids des unités de soutien au profit des unités opérationnelles. Compte tenu de la complexité des dossiers et des nombreuses interrelations à gérer, l'allégement des structures est allé de pair avec, d'une part, une certaine recentralisation – à titre d'exemple, en matière de gestion des ressources, toutes les responsabilités centrales ont été confiées au Conseil du trésor – et, d'autre part, la mise en place de nouveaux mécanismes devant assurer une meilleure concertation interministérielle: quatre comités ministériels permanents ont été créés au ministère du Conseil exécutif, soit le Comité ministériel de l'emploi et du développement économique, le Comité ministériel des affaires régionales et territoriales, le Comité ministériel de l'éducation et de la culture et le Comité ministériel du développement social.

Une autre voie, empruntée celle-là depuis l'automne 1994, concerne la responsabilisation des gestionnaires. Elle comporte les trois volets suivants: un nouveau processus d'allocation des ressources, l'allégement des contrôles centraux et un cadre de gestion axé sur les résultats.

Le *nouveau processus d'allocation des ressources* consiste à attribuer à chaque ministre, pour l'ensemble de son secteur, une enveloppe budgétaire fermée pour l'année financière à venir. Cette enveloppe s'inscrit dans un cadre triennal qui permet d'envisager des orientations pluriannuelles et d'établir un plan stratégique pour le secteur. Désormais, le ministre ne peut plus espérer des crédits supplémentaires pour financer de nouveaux projets ou pour combler d'éventuels dépassements en cours d'année. En contrepartie, il peut réaménager son enveloppe pour répondre à des besoins prioritaires et réaffecter tout surplus susceptible de se dégager en cours d'année.

L'*allégement des contrôles centraux* vise à fournir aux gestionnaires le maximum de flexibilité dans leurs opérations courantes, tout en conservant la transparence et l'équité des processus. On a déjà éliminé un bon nombre de contrôles *a priori* non nécessaires, que ce soit en matière d'attribution de contrats, en haussant plusieurs seuils d'autorisation de dépenses, ou en matière de gestion des ressources, les ressources humaines par exemple. L'analyse de la réglementation se poursuit actuellement.

Le *cadre de gestion axé sur les résultats* repose sur une approche de contractualisation des rapports entre des entités administratives et leur ministère ou organisme d'appartenance. À l'instar des agences britanniques et des Centres de responsabilité français, les *unités autonomes de service* se voient fixer des objectifs précis concernant la qualité du service, le rendement et la productivité. Les objectifs doivent être rendus publics et les gestionnaires ont à rendre compte des résultats atteints. Ils bénéficient par ailleurs d'une plus grande marge de manœuvre dans la gestion de leurs ressources. On compte actuellement six unités de ce type dans la fonction publique, et dix autres sont en voie d'être constituées.

Un dernier élément à souligner concerne l'*accord-cadre sur l'organisation du travail*, intervenu en février 1995 entre le gouvernement et dix organisations syndicales regroupant la quasi-totalité des fonctionnaires québécois. Ses objectifs sont : la révision en profondeur de l'organisation du travail, des règles de travail et des façons d'assurer les services publics afin de réaliser des économies ; l'amélioration de l'efficacité des services à la population ; le maintien de la qualité de vie au travail des employés. Un comité sectoriel composé de six représentants des organisations syndicales, de deux représentants des associations de cadres, de trois sous-ministres désignés par le secrétaire général du gouvernement et de trois représentants du Secrétariat du Conseil du trésor a pour mandat de suivre le déroulement de l'implantation de l'entente et d'observer les changements qu'elle entraînera, directement ou indirectement. Il traite de sujets comme la structure et les frontières des tâches, la classification des emplois, l'organisation de la carrière, l'exclusivité de service, la dotation des emplois et ses règles de gestion, la précarité et les mécanismes de gestion et d'application de la sécurité d'emploi, le redéploiement d'effectif, l'absentéisme, la durée et l'aménagement du temps de travail. Des comités ministériels, regroupant des représentants des autorités et du personnel de l'organisation, abordent pour leur part des questions telles que le niveau d'emploi optimal, la sous-traitance, l'aménagement du temps de travail et la structure hiérarchique. Une soixantaine de comités ministériels ont été créés jusqu'à présent.

21.3.4 Les défis que pose cette évolution de la gestion des ressources humaines

La Loi sur la fonction publique, déterminante en matière de gestion des ressources humaines, s'inscrit bien dans le mouvement amorcé par le gouvernement, en ce sens qu'elle repose sur des principes de déconcentration et de responsabilisation. On peut imaginer que l'État va poursuivre l'allégement des règles en matière de gestion des ressources humaines afin d'accroître l'autonomie des organisations. Toutefois, des efforts sont encore nécessaires pour que la préoccupation ressources humaines pénètre toutes les couches de la culture organisationnelle. Dans un contexte de turbulence, il est impératif de s'assurer que les efforts nécessaires sont déployés pour bien gérer les répercussions des changements sur les personnes. De plus, il faut veiller à la cohérence entre la gestion de l'évolution de la fonction publique, les changements dans l'organisation du travail et la gestion des personnes et des compétences.

Du fait de la diminution d'effectif, liée aux compressions budgétaires et à l'implantation de la nouvelle technologie, et, compte tenu de la sécurité d'emploi, le redéploiement du personnel en surplus demeure sans aucun doute une priorité et ce, malgré les efforts actuels pour aménager le temps de travail et encourager les départs à la retraite. Si les cadres reconnus comme étant en transition de carrière (320 cadres supérieurs depuis décembre 1990 et 289 cadres intermédiaires depuis mars 1992) et les fonctionnaires mis en disponibilité (1 148 depuis avril 1993) ont été dans leur très grande majorité replacés, les difficultés de replacement vont en grandissant. Cela exige une plus grande collaboration interministérielle et le développement d'un partenariat avec les syndicats, notamment en ce qui concerne la question de la hiérarchisation des droits. Certains n'hésitent pas à affirmer qu'il s'agit là d'un véritable test pour la sécurité d'emploi.

Une autre priorité a trait aux programmes de formation et aux autres interventions visant la mobilisation des personnes et leur adaptation aux changements. On doit souligner ici l'importance d'informer correctement les acteurs. Un certain vide en cette matière a été récemment comblé par le bulletin *Autrement*, publication conjointe du Secrétariat du Conseil du trésor et du Secrétariat à la réforme administrative du ministère du Conseil exécutif, et que l'on veut en quelque sorte le journal de la réforme administrative. On doit également mentionner le rôle des sessions de formation et des colloques organisés par l'État à l'intention des gestionnaires et de leurs conseillers en gestion. À titre d'exemple, une session touchant la gestion des départs et dont les trois modules portent respectivement sur l'accompagnement du personnel excédentaire, la gestion des « survivants » et l'accueil et l'intégration des personnes replacées a été donnée, en 1996, à plus de 500 gestionnaires et conseillers. Un autre exemple est la formation à la négociation raisonnée qui a été offerte, au printemps 1996, aux membres des comités ministériels sur l'organisation du travail. Fait à noter, cette formation a été élaborée et assurée conjointement par les parties patronale et syndicale, ce qui ne peut que renforcer le partenariat.

Quelques mots enfin en ce qui concerne le partage des rôles entre les acteurs. Nous pouvons ici nous appuyer sur une étude menée récemment par Marcel Proulx, professeur à l'École nationale d'administration publique, étude qui visait à recueillir les perceptions sur les rôles actuels des organismes centraux, des directions des ressources humaines et des gestionnaires en matière de gestion des ressources humaines. Il existe un large consensus selon lequel le cadre normatif de la gestion du personnel doit être considérablement allégé et que les organismes centraux doivent dorénavant exercer un rôle subsidiaire. En matière de régulation, on attend d'eux qu'ils n'interviennent que pour faire respecter les valeurs générales (équité et intégrité, par exemple) et garantir l'atteinte des objectifs à caractère interministériel (la gestion du personnel excédentaire, par exemple) en laissant aux ministères le soin de gérer leur personnel. Cela suppose, bien sûr, et tous le reconnaissent, la mise en place d'un système de contrôle *a posteriori* et d'un régime d'imputabilité effectif. En matière de soutien, on souhaite que les interventions des organismes centraux soient davantage complémentaires de celles des directions des ressources humaines et menées en partenariat avec elles. À ce sujet, la récente décision gouvernementale concernant l'intégration de toutes les fonctions centrales en matière de gestion des ressources humaines au Conseil du trésor – en juin 1996, l'Office des ressources humaines, organisme central intervenant en matière de dotation, d'information de gestion et de soutien aux ministères et organismes dans l'implantation des politiques et des programmes, a été fusionné au Secrétariat du Conseil du trésor – peut soulever certaines inquiétudes. Jusqu'où un organisme exerçant traditionnellement des fonctions de réglementation et de contrôle, essentiellement en matière budgétaire, saura-t-il devenir un pivot capable d'appuyer les ministères et organismes dans la gestion de leurs ressources humaines en leur fournissant les modèles de référence et les conseils appropriés et en assurant la synergie des différents intervenants ?

Sur le plan ministériel, tous sont d'avis que les gestionnaires sectoriels doivent être les premiers responsables de la gestion de leur personnel et que les directions des ressources humaines sont appelées à remplir une fonction de soutien en ce domaine. Un allégement marqué du cadre de gestion pourrait d'ailleurs impliquer une forte remise en question de la mission de ces dernières : elles devront passer d'un rôle d'expert des normes à un rôle de conseiller en gestion. Elles devront faire la preuve qu'elles peuvent effectivement jouer ce nouveau rôle. En effet, si les gestionnaires éprouvent le besoin d'être conseillés sur la manière de mobiliser leur personnel et d'organiser le travail dans un contexte de pénurie des ressources, ils ne perçoivent pas les directions des ressources humaines comme disposant de l'expertise et du temps nécessaires pour le faire.

Au fond, le plus grand défi qui s'annonce en matière de gestion des ressources humaines réside selon nous dans le maintien et le développement de la capacité et de la volonté de coopération des employés. Il s'agit d'un capital social qui, long à constituer, peut s'effriter très rapidement. Sans lui, le capital financier tout autant que le capital humain (la compétence des individus) sont inefficaces. De là l'importance pour les dirigeants gouvernementaux, habituellement peu sensibles à ce qu'ils considèrent comme de simples moyens de leur action et relevant par conséquent de la gestion opérationnelle, de s'éveiller à la nécessité de le préserver.

CHAPITRE 22

Les réseaux dits décentralisés

Jacques Léveillée
Professeur
Département de science politique
Université du Québec à Montréal

Richard Marceau
Professeur
École nationale d'administration publique

Jean Turgeon
Professeur
École nationale d'administration publique

Dans le présent chapitre, J. Léveillée a assumé la rédaction de la section sur le système municipal, R. Marceau, celle relative à l'éducation et J. Turgeon, la section traitant du réseau sociosanitaire.

22.1 Introduction

Au cours des 30 dernières années, le gouvernement du Québec a connu des transformations profondes à la suite de pressions politiques et économiques, tant intérieures qu'extérieures. Au début des années 60, ces transformations ont contribué à la croissance de l'appareil étatique. Depuis le milieu des années 70, cependant, les modifications apportées au modèle de relations entre les divers paliers d'intervention obéissent à des impératifs de décroissance et de rééquilibrage des responsabilités.

Il est clair que la révision du modèle ne s'est pas effectuée au même rythme ni avec la même ampleur dans les trois réseaux qui font l'objet du présent chapitre. Le système scolaire a vécu une étatisation poussée durant les années 60 mais, depuis, n'a guère été l'objet de transformations importantes. Pour sa part, le réseau de la santé et des services sociaux est actuellement engagé dans la deuxième révolution de son mode de fonctionnement en moins de vingt ans. Enfin, le système municipal est en mutation depuis une vingtaine d'années, mais n'a pas encore été contraint de se transformer de façon aussi radicale que les deux autres secteurs.

Le présent chapitre propose de brosser, pour chacun des trois réseaux, un tableau succinct de leurs principales caractéristiques, de leur évolution, de même que des perspectives qui, selon nous, se dessinent. Nous serons ainsi mieux à même d'apprécier la variété de modèles coexistants autour du thème de la décentralisation des pouvoirs, allant de la véritable dévolution à la simple déconcentration territoriale.

22.2 Le système municipal québécois

22.2.1 Nature et évolution du système d'administration locale au Québec

Le système d'administration locale et régionale du Québec se met en place entre 1840 et 1855. Pas moins de quatre essais législatifs seront réalisés entre ces deux périodes avant de parvenir au « compromis historique » reconnaissant la double structure que nous connaissons encore aujourd'hui et ce, même si elle a été substantiellement modifiée au tournant des années 80. Il s'agit, d'une part, des unités de base, soit les municipalités rurales et urbaines, et, d'autre part, des municipalités régionales de comté (MRC) ou des communautés urbaines (CU).

La majorité des autres facteurs qui vont marquer l'évolution du système d'administration locale au Québec sont dessinés au moment de la naissance de l'institution municipale québécoise.

Ainsi, le gouvernement central, en dépit de ses intentions, ne sera pas représenté directement ni au sein des municipalités ni au sein des conseils de comté (prédécesseurs des MRC). Le principe électif est intact. Cette victoire permet encore aujourd'hui aux populations locales d'utiliser ce « pouvoir politique » pour résister, comme à cette époque, aux tentatives d'encerclement qui jalonneront l'histoire des administrations locales.

Toutefois, à défaut d'être physiquement présent dans les instances locales, le gouvernement central utilisera son « pouvoir législatif » pour surveiller, superviser et encadrer la gestion des questions locales par les municipalités. Ce pouvoir législatif exclusif lui est effectivement attribué par l'article 92(8) de la loi fondamentale canadienne, soit l'Acte de l'Amérique du Nord britannique. En vertu de cet article, ce sont les provinces qui sont responsables des « questions locales » ; ou bien elles les administrent par leurs propres moyens, ou bien, comme c'est le cas au Québec, elles en confient la responsabilité à des instances auxquelles elles délèguent des compétences par l'adoption de lois-cadres. Ainsi donc, les municipalités et autres instances locales sont des créatures du gouvernement provincial, lequel détient un pouvoir général de tutelle sur ses créatures à l'intérieur du régime de décentralisation qu'il a institué.

Depuis la création du ministère des Affaires municipales (1918) et de la Commission municipale (1932), le gouvernement de tutelle a perfectionné ses instruments d'information, de supervision et de contrôle des administrations locales. Pour leur part, les administrations locales se sont « professionnalisées ». Elles sont, de ce fait, mieux en mesure d'occuper l'espace que les divers projets de décentralisation conçoivent pour elles.

Le défi est évidemment de retrouver le point d'équilibre entre les dispensateurs centraux et locaux de services publics dans un contexte de déclin de l'ancien État providence.

22.2.2 Aménagement du système d'administration locale, métropolitaine et régionale

Les décisions concernant les communautés urbaines et les municipalités régionales de comté, tout comme les autres interventions en vue de réformer le système québécois d'administration locale, ont été élaborées dans l'espoir de remédier à certaines lacunes de ce système. L'énumération de ces dernières a été faite par plusieurs auteurs et a été consignée dans divers documents au cours des années 60 et 70. Elle traite à la fois des faiblesses financières, techniques et humaines d'un bon nombre de municipalités et des insuffisances du gouvernement provincial dans l'encadrement législatif et organisationnel de son système de décentralisation municipal.

Pour combler ces lacunes, la principale préoccupation des responsables provinciaux du système d'administration locale a été, tout au long des 30 dernières années, de rendre les unités de base plus efficaces et mieux adaptées aux besoins changeants et aux attentes exigeantes de la société québécoise. Les trois lois adoptées en vue de réduire le nombre des municipalités, la Loi de la fusion volontaire des municipalités (1965), la Loi favorisant le regroupement des municipalités (1971) et la Loi sur l'organisation territoriale municipale (1989), tout comme les modifications législatives visant à faciliter la gestion commune de certains services par ententes intermunicipales, sont au nombre des moyens mis en œuvre pour contrer les faiblesses observées dans le fonctionnement du système. Enfin, la constitution d'instances supra-municipales de concertation et de décision dans certains domaines d'intérêt métropolitain ou régional complète le tableau des initiatives destinées à donner plus de capacité d'intervention aux administrations locales.

Tout au long de ces étapes, que plusieurs auteurs ont fort bien décrites, les notions d'autonomie municipale, de démocratisation du processus décisionnel et de revalorisation du pouvoir local sont promues au titre d'antidotes essentiels à la lutte contre les « déficits démocratiques » observés dans la gestion municipale et dans les relations provinciales-municipales. Ces référents donnent consistance aux discours des réformateurs provinciaux et inspirent les intervenants locaux. Toutefois, au terme de la démarche, plusieurs s'interrogent encore sur les acquis véritables en matière d'autonomie municipale.

Les impatiences du monde municipal à ce sujet s'expriment avec une certaine inquiétude depuis le début des années 90. Les signaux en provenance de Québec sont parfois difficiles à décoder.

D'un côté, le discours en faveur d'une plus grande décentralisation se fait plus insistant. Les mises en garde municipales à l'encontre d'une décentralisation tronquée, décentralisation de responsabilités sans décentralisation de nouvelles sources de revenus, semblent toutefois avoir été comprises. D'un autre côté, la confusion quant au choix des instances susceptibles de gérer cette volonté décentralisatrice est alimentée par certaines décisions dont les conséquences prévisibles et conflictuelles sont très importantes. Au nombre de ces décisions, il importe de retenir la création des régies régionales de santé, l'institution de régies régionales sur la formation professionnelle, la constitution de conseils régionaux de développement et l'intention d'utiliser ces derniers à des fins de décentralisation du budget provincial. À ce chapitre, les messages discordants sur l'avenir des commissions scolaires locales rappellent que le sort de ces institutions est encore moins clair que celui des institutions municipales et supramunicipales.

Les références aux régions, à la régionalisation et à la nécessité de promouvoir de nouvelles façons de concevoir, de produire et de distribuer les services publics ne peuvent manquer de soulever des interrogations sur la place qui est réservée, dans un futur plus ou moins immédiat, aux municipalités régionales de comté ou même aux communautés urbaines. Il en va de même pour ce qui est du principe électif qui est à la base du système d'administration locale. Ce principe stipule que les responsables des décisions concernant le financement et le fonctionnement des services publics sont garants de leurs gestes devant l'électorat. Aussi, en confiant la gestion de budgets importants et de responsabilités étendues à des instances répondant à des modes de représentation différents et diversifiés, qui doivent désormais coexister sans trop savoir comment, le gouvernement provincial contribue à modifier substantiellement les termes du débat sur le réaménagement du système d'administration locale.

La section suivante reprendra cette question puisqu'elle est, avec les discussions sur la privatisation, au centre des enjeux et des défis qui confrontent la société québécoise.

22.2.3 Des instances locales multiples et diversifiées

Le système d'administration locale québécois comprend 1400 municipalités, 3 communautés urbaines, 96 municipalités régionales de comté, en plus des gouvernements provincial et fédéral. Même si leur statut est différent, nous incorporons les 16 régions administratives au système, parce qu'elles participent de plus en plus à la problématique du système d'administration locale, bien qu'elles s'inscrivent encore dans une logique de déconcentration plutôt que dans une logique de décentralisation.

Les 1400 municipalités constituent véritablement les unités de base du système. Ce sont les représentantes et les représentants élus de ces municipalités que l'on retrouve aux conseils et aux comités exécutifs des communautés urbaines et des municipalités régionales de comté, puisque ces deux dernières instances ne bénéficient pas d'un mécanisme de représentation directe. Ce sont encore ces élus locaux qui font pression sur les décideurs provinciaux et qui les obligent à adapter leurs interventions législatives et réglementaires régissant l'exercice du pouvoir dans les municipalités, les communautés urbaines et les municipalités régionales de comté du Québec.

Cette nécessité d'adaptation est commandée par la diversité du monde municipal, diversité dont les données suivantes transmettent une partie de la complexité et de la dynamique :

- 1037 des 1474 municipalités québécoises (1991), soit 70,35 % des municipalités comptent moins de 2 000 personnes ; ensemble, elles représentent 12,7 % de la population du Québec ; en contrepartie, les municipalités de plus de 2 000 personnes ne comptent que 29,65 % des municipalités, mais accueillent 87,3 % de la population québécoise ;
- le recensement de 1991 dénombre 6 régions métropolitaines de recensement de 100000 personnes et plus (Montréal, Québec, Hull, Chicoutimi, Sherbrooke, Trois-Rivières) et 25 agglomérations de recensement, dont 9 de 40000 à 100000 personnes, 8 de 25000 à 40000 personnes et 8 de 10000 à 25000 personnes ; le premier groupe rassemble 189 municipalités et 4436070 personnes, soit 64,3 % de la population du Québec ; le second groupe rassemble 116 municipalités et 904892 personnes, soit 13,1 % de la population québécoise : ensemble, ils représentent 77,4 % de la population québécoise ; 93 % de la croissance démographique du Québec a été enregistrée dans ces agglomérations entre 1986 et 1991 ; l'ensemble des autres municipalités, soit 1169 municipalités, représentent 1555001 personnes, soit 22,5 % de la population québécoise ;
- les municipalités rurales (moins de 2000 personnes) sont régies par le Code municipal, les municipalités urbaines (plus de 2000 personnes) obéissent à la Loi sur les cités et villes, deux lois-cadres que le législateur québécois a entrepris de fusionner depuis 1985 ;
- les dépenses des municipalités du Québec furent de 7,7 milliards de dollars, en 1992, et atteignent près de 10 milliards, en 1995, et les municipalités urbaines assument le plus lourd fardeau de ces dépenses ;
- les villes centres du Québec, soit les 305 municipalités regroupées dans les six régions métropolitaines de recensement et les 25 agglomérations de

recensement, présentent un écart de dépenses de 1,10 $ pour 100 $ de richesse foncière uniformisée avec les municipalités de leur périphérie ; cet écart s'élève à 1,35 $ lorsque la comparaison des dépenses est faite avec l'ensemble des municipalités du Québec.

L'ensemble de ces données laisse à entendre que les services fournis aux populations locales par les municipalités sont substantiellement plus nombreux et plus développés dans les milieux urbains que dans les territoires ruraux. Ainsi, la majorité des municipalités offrent un minimum de services « matériels », tels que la voirie, l'approvisionnement en eau, l'évacuation des eaux usées. Par contre, les services tenant compte des dimensions à la fois moins techniques (développement communautaire), plus prospectives (promotion économique) et plus près de l'épanouissement des personnes (développement culturel) ne sont généralement assumés que par les villes présentant une hétérogénéité sur les plans social, économique et culturel.

Bien qu'elles soient les premières responsables de la gestion de ces services anciens et nouveaux, les municipalités locales ne détiennent plus l'exclusivité d'intervention en ces matières. Depuis 1970, trois communautés urbaines ont été mises sur pied par volonté du législateur québécois. Ce dernier leur a confié la gestion de quelques services publics sur une partie des agglomérations urbaines de Montréal, Québec et Hull. Aujourd'hui, ces communautés englobent 47 municipalités et administrent des budgets de 1,3 milliard[1].

Toutes les autres municipalités du Québec ont une structure apparentée à la communauté urbaine, soit la municipalité régionale de comté (MRC). Comme la communauté urbaine, la MRC est une instance de concertation des municipalités membres, en particulier dans le domaine de l'aménagement du territoire et de l'urbanisme. En effet, c'est à l'occasion de l'adoption d'une loi sur l'aménagement et l'urbanisme (loi 125) que le gouvernement provincial décidait, en 1979, d'introduire un article qui devait conduire à la constitution de 96 MRC[2].

1. La Communauté urbaine de Montréal comprend 29 municipalités qui représentent 1 783 653 personnes (1991). La ville principale, Montréal, compte 1 000 000 de personnes ; aucune autre ville n'atteint 100 000 personnes. Les compétences exercées par la CUM sont : assainissement de l'eau et de l'air, évaluation foncière, confection du schéma d'aménagement, établissement de parcs régionaux, inspection des aliments, transport en commun, promotion économique, sécurité publique. Son budget était de 1,3 milliard en 1993. Il est en décroissance depuis.

   La Communauté urbaine de Québec fédère 13 municipalités qui accueillent 484 100 personnes (1991). La ville principale, Québec compte 168 000 personnes ; par ailleurs, trois autres villes approchent ou dépassent le chiffre de 70 000, soit Sainte-Foy (71 700), Charlesbourg (71 700), Beauport (67 600). Les compétences exercées par la CUQ sont : assainissement des eaux, évaluation foncière, récupération et recyclage des déchets, schéma d'aménagement, transport en commun, facturation et envoi des comptes de taxes, promotion touristique, uniformisation de la réglementation sur la circulation. Son budget était de 118,6 millions en 1993.

   La Communauté urbaine de l'Outaouais a porté le nom de Communauté régionale de l'Outaouais jusqu'en 1990. Elle regroupe 5 municipalités qui représentent, ensemble, 192 600 personnes (1991). Hull n'est pas la ville la plus populeuse (60 900). Gatineau lui a ravi ce titre (85 100). La CUO exerce ses compétences dans les domaines suivants : assainissement des eaux, évaluation foncière, récupération et recyclage des déchets, schéma d'aménagement, transport en commun, alimentation en eau potable, facturation et envoi des comptes de taxes. Son budget était de 41,2 millions en 1993.

2. Des 96 MRC, 63, soit 66 %, représentent moins de 40 000 personnes ; 25 de ces dernières représentent moins de 20 000 personnes.

Les MRC ne sont pas parvenues au stade des communautés urbaines ni sur le plan des compétences exercées, ni sur celui des budgets disponibles. Le législateur a toujours été plus énigmatique au sujet des MRC qu'il ne l'a été à l'endroit des communautés urbaines.

Les plus récentes interventions du gouvernement provincial quant à l'aménagement des responsabilités dans la gestion des services publics locaux perpétuent la période de transition entamée par l'instauration des communautés urbaines et amplifiée par la mise sur pied de municipalités régionales de comté.

22.2.4 Perspectives pour le système municipal québécois

Les derniers paragraphes introduisent bien les principaux enjeux qui seront ceux du système municipal québécois au cours des prochaines années. De la solution apportée à ces derniers dépendent l'ampleur et la qualité de l'adaptation du système aux conditions actuelles de la gestion des services publics au Québec. Quatre défis balisent les perspectives ouvertes aux divers intervenants.

Le premier défi pose tout le problème de la concertation de l'ensemble des acteurs du système. Ce dernier, nous l'avons noté, est peuplé d'un grand nombre d'intervenants locaux. Or, au lieu de diminuer le nombre des structures d'intervention, ces dernières ont proliféré au cours des dernières années. Aussi, la capacité de coordination et de concertation du secteur municipal avec lui-même, et avec les autres secteurs gouvernementaux, dont l'éducation et les services sociaux, semble évoluer de façon inversement proportionnelle à l'apparition de nouveaux joueurs.

Chacun des intervenants étant jaloux des responsabilités anciennes ou nouvelles qui lui ont été confiées, l'éternel problème de la délimitation des compétences entre les structures provinciales, locales et supralocales de gestion a été transformé en un défi de taille. Plutôt que d'être consacrées à la distribution des services sur le terrain, beaucoup d'énergies sont dépensées dans la protection ou dans la promotion d'un espace d'intervention.

Toute cette effervescence se manifeste dans un contexte marqué par la rareté des ressources financières. Ce troisième défi de la rareté est un déterminant important pour tout ce qui concerne l'avenir de la gestion des services publics. En effet, le financement étant plus réduit que jamais et le nombre d'unités susceptibles de recourir aux mêmes sources de financement étant toujours aussi important, des décisions contraignantes devront être prises. Or, le nerf de la guerre est tendu, et donc très sensible, pour chacun des intervenants.

Cette question du financement soulève à sa façon le projet de société qui est sous-jacent à toute la réflexion du présent chapitre sur la décentralisation. Doit-on revoir, à la lumière du débat sur la privatisation, les responsabilités respectives du secteur privé et du secteur public dans le financement et la gestion d'un ensemble de services d'utilité publique ? Quant aux services publics qui sont, ou demeureront, dans le secteur public, ne conviendrait-il pas de redire, en les adaptant si nécessaire, les principes démocratiques qui président à la définition des objectifs et à la gestion des fonds publics en matière d'administration des services publics ?

22.3 Le réseau de l'éducation

Parler de réseau décentralisé d'éducation au Québec tient du paradoxe. Dans cette province, le concept de réseau en éducation doit plus son existence à des éléments structurels que fonctionnels. Exception faite des provinces maritimes, le système d'éducation québécois est le système le plus centralisé au Canada, malgré une déconcentration territoriale des activités. La véritable « fonction de production » scolaire aux niveaux élémentaire et secondaire est définie, d'abord et avant tout, par le ministère de l'Éducation grâce à une série de règles dont l'application lui est garantie par un financement fortement centralisé et par l'imposition d'une limite aux revenus locaux. Un réseau privé d'éducation, à demi financé par des fonds publics, entame à peine le caractère monopolistique du secteur, étant sujet à la même réglementation.

22.3.1 Un monopole public d'éducation

Si, avant l'Acte constitutionnel de 1791, l'initiative privée est à l'origine de la totalité des écoles du Québec, l'imposition d'un régime parlementaire a engendré une monopolisation prononcée de l'éducation. Au fil des ans, l'instruction s'est généralisée au Québec surtout par un financement intégral, du côté de l'école publique, et par l'imposition de la fréquentation scolaire obligatoire.

En effet, dans nos démocraties, l'administration publique de l'éducation est, de toutes époques, la résultante de la dynamique engendrée par les pressions des divers groupes d'intérêts. Qu'il s'agisse de l'école royale (surtout protestante) de 1801, de l'école de fabrique (surtout catholique) de 1824, de l'école de syndics (non confessionnelle) de 1829, remplacée par l'école de communautés religieuses en 1837 suite à l'arrêt des subventions à l'école de syndics, ou de l'école publique de 1845 à aujourd'hui, supervisée par des commissions scolaires[3], toutes ont été convoitées par les intérêts économiques et idéologiques du moment. La résultante fut une croissance soutenue du système public d'éducation. Même si les structures actuelles conservent la marque d'intérêts passés, comme ceux du clergé, le système d'éducation actuel reflète plutôt, par sa fonction de production, les intérêts politiques, bureaucratiques et corporatifs du secteur de l'éducation.

De nos jours, la caractéristique principale du système d'éducation au Québec est sa grande centralisation : financement par les impôts provinciaux, définition centrale des contenus et des règles administratives, consolidation des commissions scolaires, conventions collectives contraignantes, monopole local de la commission scolaire. Il s'agit d'un régime « moderne » au sens où il a emprunté à l'idéologie éducative centralisatrice du monde occidental des années 60. Par ailleurs, la confessionnalité des écoles demeure toujours un enjeu, non pas parce que la pratique religieuse s'est amplifiée, bien au contraire, mais parce que les contenus religieux ont été définis centralement suite aux pressions historiques de groupes sociaux dominants (surtout catholiques et protestants) et

3. M. Després-Poirier, *Le système d'éducation au Québec*, Montréal, Gaëtan Morin Éditeur, 2e édition, 324 p.

ont ainsi laissé peu de place à la diversité des contenus religieux. Ce constat d'uniformité de l'enseignement vaut d'ailleurs pour tous les autres contenus scolaires.

Malgré les discours actuels cherchant à renforcer le rôle de l'école, la marge de manœuvre réelle de l'école publique demeure mince. La participation des parents y est faible, l'innovation rare et l'uniformité dominante.

22.3.2 L'organisation de la production scolaire

Les composantes structurelles du secteur de l'éducation ne sont que les éléments statiques, certes facilement repérables, mais peu représentatifs de la véritable dynamique du système d'éducation. Ces composantes structurelles sont, au même titre que la motivation des élèves, la participation des parents et la productivité des maîtres et des administrateurs scolaires, la résultante des aménagements institutionnels, en particulier des mécanismes de réglementation et des pratiques de financement. L'organisation scolaire se définit d'abord par ses aménagements réglementaires, ensuite financiers et, enfin, par ses composantes structurelles, conséquence des premiers.

22.3.2.1 *La réglementation*

C'est d'abord par une vaste réglementation de la production scolaire que le gouvernement québécois homogénéise la fonction de production scolaire. Entre autres, par la Loi sur l'instruction publique, par les régimes pédagogiques, par les conventions collectives et par les programmes scolaires, l'État instaure un monopole réglementaire en dictant en grand partie « ce qui doit être fait » en enseignement primaire et secondaire.

La fréquentation de l'école est obligatoire entre 6 et 16 ans[4]. Sont dispensés certains élèves handicapés, expulsés, recevant un enseignement à la maison jugé adéquat ou fréquentant une école privée[5]. Là réside le fondement, théorique tout au moins, du choix de l'école. S'ajoute à cela la possibilité théorique, puisque tout de même sujette à des critères définis par les commissions scolaires, de choisir à chaque année, parmi les écoles publiques de la commission scolaire dont ils relèvent, l'école qu'ils préfèrent[6].

Le contenu de la grille horaire est fortement contraint par les réglementations du gouvernement provincial qui suggèrent aux commissions scolaires et aux écoles privées le nombre d'heures par matière[7]. La commission scolaire est

4. *Loi sur l'instruction publique,* L.R.Q., c. 1-13.3, art.14.

5. *Loi sur l'instruction publique,* L.R.Q., c. 1-13.3, art.14 et 15.

6. *Loi sur l'instruction publique,* L.R.Q., c. 1-13.3, art. 4.

7. Ministère de l'Éducation, *Régime pédagogique de l'éducation préscolaire et de l'enseignement primaire,* Décret 73-90 (1990) G.O., 569; Ministère de l'Éducation, *Régime pédagogique de l'enseignement secondaire,* chapitre I-13.3, (règlement 4) modifié par le décret gouvernemental 586-94.

chargée de déterminer la répartition du temps[8] et les comités d'école ont un rôle limité aux amendements à l'horaire habituel[9].

C'est le ministère qui conçoit les programmes d'études et rend leur application obligatoire. Si le ministère se défend bien dans ces programmes de choisir les méthodes pédagogiques, même si l'on reconnaît à l'occasion la difficulté de s'en empêcher, il impose de longues listes de comportements et d'habiletés souhaitables (par exemple, des centaines en français à la fin du primaire[10]). Le résultat est clair : le ministère impose l'essentiel du contenu et réduit ainsi la participation des parents et des écoles dans la définition des matières enseignées et dans la manière de l'enseigner. Enfin, le ministère veille à définir lui-même les manuels scolaires pouvant être utilisés par les écoles.

La langue d'enseignement n'échappe pas à la réglementation provinciale. L'enseignement s'offre en français ou en anglais. Cependant, l'anglais n'est une option que pour les enfants dont un des parents a reçu l'enseignement primaire au Canada[11].

22.3.2.2 *Le financement*

Si la réglementation traite les régimes public et privé d'éducation sur le même pied, en instaurant une monopolisation et une homogénéisation de la production, les pratiques de financement creusent un écart profond entre les deux régimes d'enseignement. Il définit, pour le secteur public, deux sources de financement : d'abord, un financement central basé sur des conditions d'enseignement définies à partir des conventions collectives telles que le ratio maître-élèves et les conditions salariales, sur le type de clientèle étudiante (élèves ordinaires, handicapés, en difficulté d'apprentissage...)[12] ; et ensuite, un financement local par les commissions scolaires dont le montant maximal est fixé par la Loi sur l'instruction publique[13]. Ce type de financement du régime public est le plus centralisateur que l'on connaisse au Canada : la taxation locale compte pour seulement 10 % au Québec, alors qu'elle varie entre 35 % et 55 % pour les autres province canadiennes, exception faite des provinces maritimes.

Au secteur privé, le financement provient en partie du ministère et en partie des parents, dont la contribution est déterminée par le ministre[14]. Ainsi, la subvention publique à l'élève ordinaire au secteur privé correspond à 39 % de celle de l'élève au public pour le niveau primaire et à 51 % au niveau secondaire.

---

8. *Loi sur l'Instruction publique,* L.R.Q., c. 1-13.3, art. 237.

9. *Loi sur l'instruction publique,* L.R.Q., c. 1-13.3, art. 89.

10. Ministère de l'Éducation, *Programmes d'études. Le français : enseignement primaire,* Gouvernement du Québec, 1994.

11. Ministère de l'Éducation, *Les coûts et les résultats de l'éducation,* Les Publications du Québec, 1996.

12. Voir par exemple « Entente intervenue entre le comité patronal de négociation pour les commissions scolaires pour catholiques, les commissions scolaires confessionnelles catholiques et les commissions scolaires dissidentes pour catholiques et la Centrale de l'enseignement du Québec pour le compte des syndicats d'enseignantes et d'enseignants qu'elle représente, 1995-1998 ».

13. *Loi sur l'instruction publique,* L.R.Q., c. 1-13.3, art. 308.

Considérée comme la province la plus généreuse au pays à l'égard du secteur privé, il est clair maintenant que plusieurs provinces canadiennes se sont rapprochées de la politique québécoise de financement des écoles privées. Sauf pour l'Ontario et les Maritimes, qui ont peu participé dans le financement des écoles privées, toutes les autres provinces canadiennes ont eu tendance à se rapprocher du financement québécois.

22.3.2.3 *Les composantes du système de l'éducation*

Le ministère de l'Éducation chapeaute tout naturellement le système d'éducation. Ses fonctions sont de réguler l'ensemble du système sans offrir de services éducatifs directs à la population. De plus, le Conseil supérieur de l'éducation est chargé de conseiller le ministre sur les règlements qu'on lui soumet.

La réglementation instaure deux régimes d'enseignement : le régime public et le régime privé. Le régime public se caractérise par un niveau intermédiaire de gestion fortement encadré dont les dirigeants sont élus : les commissions scolaires. Depuis plusieurs décennies, le gouvernement a réduit considérablement le nombre de ces commissions scolaires qui n'est que de 157 en 1996[15]. Elles coordonnent les activités scolaires de 2671 écoles. Les commissions scolaires comptaient, en 1993-1994, l'équivalent de 66601 enseignants, 19 833 employés de soutien, 4800 professionnels, 2653 cadres et 3563 directeurs d'écoles[16]. La Loi sur l'enseignement privé et les diverses réglementations d'ouverture des écoles autorisaient, en 1996, l'ouverture de 273 établissements privés, dont 162 subventionnés[17].

Fait notable, bien qu'il existe des examens standardisés à la fin des études secondaires, le Ministère ne dispose pas de moyens pour contrôler véritablement la qualité de l'éducation : en effet, il n'est prévu aucun mécanisme pour sanctionner ou récompenser la mauvaise ou le bon rendement des unités de son réseau.

22.3.3 La clientèle étudiante

Plus d'un million d'élèves fréquentent à temps complet et à temps partiel les écoles publiques et privées au Québec. On y distingue couramment la clientèle du secteur général des jeunes, le secteur des adultes et le secteur professionnel.

Les jeunes au secteur public composent 90,6 % de l'effectif total. L'évolution des effectifs est frappant ; alors que les commissions scolaires perdent 4,3 % de leur effectif, entre 1982 et 1995, la clientèle du secteur privé s'accroît

---

14. *Loi sur l'enseignement privé,* L.R.Q., c. E-9, art. 93.

15. Ministère de l'Éducation, *Les coûts et les résultats de l'éducation,* Les publications du Québec, 1996, p. 5.

16. *Ibid.*, p. 9-10.

17. *Ibid.*, p. 5. Le ministère ne révèle pas les informations sur les ressources humaines engagées dans les établissements privés.

de 21%. La clientèle des commissions scolaires vient à 61% du niveau préscolaire/primaire en 1995 alors que, fait notable, elle ne compose que 29% de l'effectif des établissements privés d'enseignement. La clientèle de niveau secondaire compose 71% de l'effectif du secteur privé, conséquence naturelle du financement moindre du niveau élémentaire.

Le secteur des adultes est complètement dominé par le secteur public avec 144934 élèves en 1995, et 99,7% de l'effectif. Enfin, le secteur professionnel, en perte de 17% de son effectif entre 1990 et 1994, représente 86516 élèves, en 1994. Le secteur privé n'accapare que 0,8% de l'effectif total du secteur professionnel.

22.3.4 Les coûts de l'éducation

Plus de sept milliards de dollars sont consentis à l'éducation pour les niveaux élémentaire et secondaire en 1994-1995; les commissions scolaires dépensaient cette année-là 6,4 milliards de dollars et le secteur privé, quant à lui, dépensait près de 580 millions de dollars[18].

En moyenne, en 1993-1994, un étudiant ordinaire au secteur public coûtait 2874$ en dépenses d'enseignement, 1498$ en dépenses de soutien, et 1868$ en autres dépenses, pour un total de 6241$. Un élève handicapé ou en difficulté d'acquisition ou d'apprentissage occasionne une dépense totale de 8077$, mais ce montant varie de façon importante selon le niveau scolaire à la suite des grandes variations au chapitre des dépenses d'enseignement: 9442$ au préscolaire/primaire par rapport à 3346$ au secondaire. En comparaison, l'enseignement professionnel coûte plus de 10000$ au total et les adultes, à peine plus qu'un étudiant ordinaire. Dans l'ensemble, toute clientèle confondue, un étudiant au secteur public coûte 6632$[19].

L'éducation préscolaire et l'enseignement primaire coûtent moins que les études secondaires. Les écoles privées coûtent également moins cher, conséquence inévitable d'une subvention inférieure et du choix de l'école. L'écart est environ de 12% en faveur du secteur privé au primaire et de 4% au secondaire. Seulement pour les étudiants ordinaires et pour les dépenses d'enseignement et de soutien, l'économie sociale engendrée par la présence d'un choix d'école est estimée à 20,7 millions de dollars sur la base, rappelons-le, du dixième de l'effectif total. En économie budgétaire pour les contribuables, le réseau privé contribue pour un minimum de 288 millions de dollars cette même année.

22.3.5 Les résultats scolaires

En juin 1994, les élèves de 4e et 5e secondaire ont subi quelques épreuves uniques du ministère de l'Éducation, en vue de sanctionner leurs études, comme à chaque année. Pour la première fois dans l'histoire de ces examens provin-

18. Ministère de l'Éducation, *Les coûts et les résultats de l'éducation*, Les Publications du Québec, 1996, p. 19.

19. R. Marceau, et S. Couture, *Conséquences du choix de l'école: effectifs, financement, dépenses par élèves et résultats scolaires au primaire et au secondaire*, avril 1996, 44 p.

ciaux, les résultats aux épreuves ont été dévoilés par école publique plutôt que par commission scolaire[20].

La moyenne des résultats pour l'ensemble des épreuves uniques de juin 1994 est de 70,4 % pour les écoles publiques, alors qu'elle est de 78,6 % pour les écoles privées. Dans l'ensemble, il existe un écart d'environ 8,2 % entre les secteurs public et privé[21]. Par ailleurs, la dispersion des résultats aux épreuves de juin 1994 n'est pas la même pour les écoles privées que pour les écoles publiques. La variance des résultats du secteur privé est le double de celle des résultats du secteur public. Cet aplatissement des résultats au secteur public tend à confirmer l'hypothèse que la réglementation scolaire et les conventions collectives ont concouru à la définition d'une seule grande manière de procéder au secteur public, ce qui a eu comme effet d'homogénéiser les résultats.

La sélection des élèves par les écoles privées est souvent évoquée pour expliquer une partie ou même la totalité de l'écart de résultats entre les deux réseaux ; certains arrivent même à la conclusion que l'école privée n'est pas meilleure que l'école publique. Il est vrai que les coûts très élevés de la formation pour les clientèles difficiles freinent les ardeurs d'un secteur subventionné à environ 50 % du coût de son concurrent public. On pourrait même concevoir, puisqu'il est moins coûteux de former un bon élève qu'un élève médiocre, que le secteur privé a avantage à filtrer sa clientèle. Cela est certes possible s'il existe une « file d'attente », ce qui n'est peut-être pas cependant le lot de beaucoup d'écoles privées. Néanmoins, cette sélection ne saurait expliquer totalement cet écart. Il faudrait admettre en effet que les parents de 100 000 enfants sont victimes d'une illusion.

22.3.6 Perspectives pour le réseau de l'éducation

À l'heure où le rapport final de la Commission des États généraux sur l'éducation, mandatée pour examiner l'ensemble de l'administration de l'éducation au Québec, cherche à renforcer le monopole public en abolissant le financement public de l'école privée, à homogénéiser encore plus la fonction de production scolaire en interdisant le développement d'écoles pour l'élite intellectuelle et à étendre son emprise sur les enfants de 5 ans et même de 4 ans, par l'ajout de services scolaires complets, le Québec s'est retrouvé momentanément dans une polémique anachronique.

L'augmentation de la qualité de l'enseignement pour toutes les catégories d'élèves, l'amélioration de la valeur ajoutée par la scolarisation au capital humain des élèves devraient être la préoccupation constante, explicite et affichée de tout exercice de réflexion sur l'éducation. Le rapport de la Commission des États généraux a suscité une levée de boucliers qui a refroidi rapidement toute volon-

---

20. Les résultats aux épreuves sont exprimés, en ce qui concerne l'école, par la moyenne obtenue par tous les élèves pour l'ensemble des épreuves uniques.

21. Notons que cette moyenne tient compte du nombre d'épreuves par école et qu'elle constitue une moyenne pondérée par le nombre d'épreuves qu'ont subies les élèves et donne ainsi une meilleure mesure de l'écart entre les effectifs des deux secteurs.

té gouvernementale de poursuivre le « projet monopolisateur » des années 60 au Québec.

Le défi posé au réseau de l'éducation est sur sa nature même : la centralisation des décisions qui le caractérise ne doit-elle pas être entièrement revue ? Cette centralisation n'a-t-elle pas joué le rôle d'un frein au développement de la capacité du réseau à innover et à devenir plus efficace ? La capacité des écoles à satisfaire les exigences bien compréhensibles des parents n'a-t-elle pas été sous-estimée ? La démonstration du rendement du secteur privé, géré au niveau de l'école, n'est-elle pas une preuve que le système scolaire peut être renversé et être constitué d'abord et avant tout d'écoles, appuyées si elles le désirent de certains services communs ? Le choix de l'école n'est-il pas un incitatif bien légitime à susciter le rendement maximal de la part de tous les acteurs du système scolaire.

En particulier, plusieurs croient aujourd'hui que ce n'est pas le maintien de l'école privée qu'il faut souhaiter. C'est la généralisation du mécanisme de concurrence associé au choix des parents qu'il faut espérer. Les voies de la concurrence sont mieux connues aujourd'hui et de plus en plus en vogue dans le monde entier : bons d'éducation, écoles publiques spécialisées, écoles à charte, choix de l'école à l'intérieur et à l'extérieur de la commission scolaire. Avec le dépôt du rapport final de la Commission des États généraux sur l'éducation et le tollé qui s'en est suivi, le débat sur le choix en éducation peut maintenant s'engager au Québec.

22.4 Le réseau de la santé et des services sociaux

22.4.1 La situation avant 1991

Jusqu'à la fin des années 60, la politique sociale du Québec forme une mosaïque de mesures disparates que les différents tomes du rapport de la Commission d'enquête sur la santé et le bien-être social (commission Castonguay-Nepveu, 1967-1972) vont diagnostiquer avec force détails. Au terme des travaux de cette commission, le Québec adoptera une politique globale de développement social, basée sur une conception d'ensemble des services sociaux, des services de santé et de la sécurité du revenu[22].

En 1970, sera créé le ministère des Affaires sociales responsable de l'administration des établissements de santé et de services sociaux, du régime d'assurance-maladie, du régime de rentes et de l'aide sociale. Ces deux derniers secteurs lui seront retirés durant les années 80. En 1971, l'adoption de la Loi sur les services de santé et les services sociaux vint fixer les grands paramètres du système public de santé et de services sociaux québécois. Ce dernier se caractérise, rappelons-le, par un financement centralisé provenant de la fiscalité

---

22. Pierre Bergeron et France Gagnon, « La prise en charge étatique de la santé au Québec », dans Vincent Lemieux *et al.*, *Le système de santé au Québec : Organisations, acteurs et enjeux*, Presses de l'Université Laval, Sainte-Foy, 1994, p. 17.

générale des paliers provincial et fédéral de gouvernement, une participation de la population aux instances décisionnelles et une délégation de compétences au profit de douze régions sociosanitaires.

Participation populaire et délégation sont alors perçues comme des moyens essentiels en vue d'améliorer la qualité et l'efficacité des services. Néanmoins, comme le mentionnait, en 1988, le rapport d'une seconde Commission d'enquête sur les services de santé et les services sociaux (commission Rochon), cette délégation demeure timide :

> le système étant devenu prisonnier des innombrables groupes d'intérêt qui le traversent et les conseils régionaux de la santé et des services sociaux (CRSSS) étant passés graduellement du statut d'organisme consultatif à celui d'organisme de gestion[23].

C'est, entre autres, pour modifier cette situation que sera entreprise une importante réforme à partir du début des années 90. L'adoption de la nouvelle Loi sur les services de santé et les services sociaux, en 1991, et de la Politique de la santé et du bien-être en 1992, établiront les balises de cette réforme en profondeur du réseau sociosanitaire québécois, la seconde en vingt ans.

22.4.2 Les principes organisateurs du réseau de la santé et des services sociaux

Pour tenter d'en améliorer l'efficacité et le rendement et de manière à répondre aux impératifs financiers du gouvernement du Québec, le réseau est actuellement réorganisé en fonction des principes suivants :

- une participation plus active de la population, soit à la gestion des établissements, par exemple, par une présence accrue de personnes élues au suffrage universel au sein du conseil d'administration des établissements, soit par l'engagement de la population dans la prestation directe des soins et services par l'entremise des organismes bénévoles dont l'État assure un financement de plus en plus important[24] ;
- une délégation plus prononcée au profit d'organismes régionaux, les régies régionales de la santé et des services sociaux (RRSSS) ;
- une reconfiguration des services, par exemple, le « virage ambulatoire », l'accent sur la prévention et le maintien de la personne dans son milieu de vie ;
- une reconfiguration des établissements eux-mêmes par des formes de regroupements intercentres plus ou moins contraignantes (fusions ou ententes de services) sur une base territoriale, régionale ou sous-régionale ;

23. Commision d'enquête sur les services de santé et les services sociaux, *Rapport de la Commision d'enquête sur les services de santé et les services sociaux*, Québec, Les Publications du Québec, 1988, p. 169, 407.

24. Pour l'exercice financier 1996-1997, les organismes bénévoles œuvrant dans le secteur sociosanitaire se sont vus attribuer des crédits de l'ordre de 123 millions de dollars, une hausse de 25 % sur l'exercice précédent.

- un financement qui demeure centralisé mais qui, grâce à des modalités d'application, comme un budget régional global, devrait permettre une certaine marge de manœuvre aux RRSSS.

22.4.3 Le réseau aujourd'hui

Le ministère de la Santé et des Services sociaux (MSSS) du Québec, de concert avec la Régie de l'assurance-maladie du Québec (RAMQ) et les organismes décentralisés que sont les régies régionales assurent la gestion d'un réseau dont les crédits atteignent 12,9 milliards $[25], et qui compte 172 000 postes équivalent temps complet (ETC)[26] [27]. Les effectifs du MSSS et de la RAMQ étaient, en 1995-1996, respectivement d'environ 850 et 1 100 postes ETC. La RAMQ est responsable du paiement des professionnels de la santé[28] et de la gestion de programmes particuliers destinés, par exemple, aux prestataires de la sécurité du revenu et aux personnes de plus de 65 ans.

Le réseau comptait, en août 1996, outre les cabinets, polycliniques médicales et RRSSS, 514 établissements, auxquels il faut ajouter 153 établissements privés. À noter toutefois que, en ce qui a trait aux soins de santé, les établissements privés occupent une place marginale au Québec : moins de 3 % des lits de soins généraux et spécialisés et moins de 20 % des lits d'hébergement et de soins de longue durée appartiennent à des intérêts privés.

22.4.3.1 *Les régies régionales de la santé et des services sociaux (RRSSS)*

Dans 17 des 18 nouvelles régions sociosanitaires, régions dont la population varie de 100 000 à 1 000 000, la loi institue une régie régionale de la santé et des services sociaux qui prend le relais du conseil régional. Cet organisme est dirigé par un conseil d'administration formé de 24 personnes élues par différents collèges électoraux.

Les RRSSS sont chargées de « planifier, d'organiser, de mettre en œuvre et d'évaluer, dans la région, les programmes de santé et de services sociaux élaborés par le ministre[29] ». Elles doivent rendre des comptes au ministre et à l'Assemblée nationale : une fois l'an, elles fournissent au ministre un rapport d'activités et un

25. Ministère de la Santé et des Services sociaux, *Oser choisir ensemble – Le coût et l'efficacité des services de santé et des services sociaux*, Québec, Les publications du Québec, 1996, p. 31.

26. L'effectif, calculé en équivalent temps complet, inclut toutes les catégories d'emploi (cadres et syndiqués) du réseau sociosanitaire du Québec.

27. Les données quant au nombre d'établissements, aux ressources humaines et matérielles proviennent de : Marc-André St-Pierre, *INFO-SÉRHUM, Bulletin d'information concernant les ressources humaines et matérielles du système sociosanitaire québécois*, Service de l'analyse statistique, Ministère de la Santé et des Services sociaux, n°s 96-1 (janvier) et 96-2 (août).

28. Le Québec comptait, en 1995, 7 250 omnipraticiens et résidents et 7 000 spécialistes rémunérés par les fonds publics. La pratique médicale privée constitue un phénomène marginal au Québec. Régie de l'assurance-maladie, *Rapport annuel*, Québec, 1995.

29. *Loi sur les services de santé et les services sociaux*, L.R.Q., c. S-4.2, art. 340.

compte rendu de l'état d'avancement de leur plan d'action. Tous les trois ans, elles se présentent devant la Commission parlementaire des affaires sociales de l'Assemblée nationale.

22.4.3.2 *Les centres locaux de services communautaires (CLSC)*

Les CLSC avaient été conçus initialement par la commission Castonguay-Nepveu pour jouer le rôle de « porte d'entrée » principale au réseau de la santé et des services sociaux. Cet objectif ne fut jamais réalisé. Une implantation s'étendant sur près de quinze ans et dépendante de transferts de personnels et de budgets d'autres catégories d'établissements, la très vive concurrence qu'ils ont eu à subir de la part des cabinets de médecins et des polycliniques médicales, le fait que les médecins y sont rémunérés à salaire plutôt qu'à l'acte et que leurs heures d'ouverture soient limitées représentent quelques-uns des facteurs qui ont empêché les CLSC de jouer ce rôle. Aujourd'hui, le Québec compte 156 CLSC pour 170 territoires de CLSC. Ce sont maintenant des établissements de première ligne qui offrent des services de santé et des services sociaux courants, de nature préventive ou curative, de réadaptation ou de réinsertion.

22.4.3.3 *Les centres d'hébergement de soins de longue durée (CHSLD)*

Les CHSLD, créés en 1991, regroupent deux anciennes catégories d'établissements : les centres d'accueil d'hébergement (CAH) et les centres hospitaliers de soins prolongés (CHSP). Ce regroupement est apparu impératif du fait qu'au fil des années les clientèles des deux types d'établissements, distinctes en 1971, étaient devenues similaires. En effet, durant les années 60, les CAH hébergeaient une clientèle la plupart du temps autonome, en pleine possession de ses facultés. Le vieillissement de cette clientèle, de même que l'arrivée de personnes moins autonomes, compte tenu du resserrement des critères d'admission du ministère suite à un financement de plus en plus important de sa part, ont fait en sorte que leur clientèle est devenu semblable à celle des CHSP. En 1994-1995, le Québec comptait 283 centres d'hébergement : 155 publics, 128 privés.

22.4.3.4 *Les centres de réadaptation (CR)*

L'évolution des centres d'accueil de réadaptation (CAR) est intimement liée aux tendances sociales. Ainsi, après une augmentation de ce type de ressources jusqu'à la fin des années 70, le mouvement de « désinstitutionnalisation », qui s'est notamment traduit par la multiplication de foyers et résidences de groupe externes et par des expériences d'intégration au marché du travail, a contribué à diminuer sensiblement le nombre et la fréquentation de ces établissements.

Le Québec distingue aujourd'hui, selon leur clientèle, cinq catégories de centres d'accueil de réadaptation. Le réseau des CR comptait, en août 1996, 70 établissements publics et 17 privés.

22.4.3.5 *Les centres de protection de l'enfance et de la jeunesse (CPEJ)*

Les actuels CPEJ sont issus des anciens centres de services sociaux (CSS), qui regroupaient eux-mêmes le personnel de 42 agences de service social en place avant 1971. Peu à peu, les CSS ont été amenés à concentrer leur action sur la clientèle des jeunes. Cette mission a été confirmée dans la loi de 1991 et leur nom modifié en conséquence. À l'exception de la région métropolitaine de Montréal qui en compte trois, chacune des régions sociosanitaires compte un CPEJ.

22.4.3.6 *Les centres hospitaliers (CH)*

Les hôpitaux ont toujours occupé une place importante non seulement dans le réseau de la santé, mais également dans les communautés où ils sont implantés. Présentement, l'ensemble des centres hospitaliers publics sont regroupés en deux grandes catégories : d'une part, les centres hospitaliers de soins généraux et spécialisés (CHSGS), incluant les centres hospitaliers universitaires (CHU), et les instituts universitaires et, d'autre part, les centres hospitaliers de soins psychiatriques (CHSP). Il y avait, au Québec, au 15 août 1996, 126 CH publics et 7 CH privés.

22.4.4 Perspectives pour le réseau de la santé et des services sociaux

Les principaux défis qui attendent le réseau sociosanitaire québécois sont nombreux. Premièrement, le financement demeurant centralisé, les pressions à la régulation centralisée et hiérarchisée restent omniprésentes dans le système. Les régies restent soumises à l'autorité du ministre sous plusieurs plans selon la loi (art. 346 à 394). Ce dernier, ou le gouvernement, peut également intervenir par simple réglementation. Cet élément fait dire à certains qu'une épée de Damoclès est suspendue au-dessus de la tête des régies[30]. Deuxièmement, l'actuelle vague de fusion peut faire craindre que certains modèles, l'hospitalo-curatif entre autres, n'en supplantent d'autres plus fragiles, tout aussi légitimes, mais mis en veilleuse, quand ce n'est pas carrément écarté, par cette promiscuité. Troisièmement, jusqu'à quel point est-il acceptable que le panier de services accessible à une population régionale diffère de celui offert dans une autre région, compte tenu du fait que ce sont des personnes non élues, en l'occurrence les autorités régionales, qui le détermineront ? Cela pose les limites d'une délégation qui n'aborde que l'aspect administratif. Quatrièmement, il faudra trouver un moyen d'intéresser certaines municipalités, regroupées ou non, à prendre en charge les services de première ligne dispensés actuellement par les CLSC de leur territoire. Au-delà de ce rapprochement, c'est aux modalités possibles de l'intersectorialité que renvoie ce défi. Cinquièmement, il faut faire en sorte que les organismes bénévoles soient toujours considérés comme des partenaires qui choisissent librement d'unir leur force à celles du réseau public et non, comme il arrive quelquefois, comme des mercenaires de qui l'on exige une concertation

30. Luciano Bozzini et Jacques Bourgault, « La décentralisation après la loi de 1991 sur les services de santé et les services sociaux », *Service social*, vol. 41, n° 2, 1992, p. 87-114.

forcée en échange d'un financement adéquat. Il ne faudrait pas oublier que, par leur présence et leur action, ces organismes continuent d'orienter plusieurs politiques et incitent constamment le système public à innover, à s'adapter pour mieux répondre aux besoins des collectivités. Enfin, sixièmement, il faut souhaiter la mise en place de mécanismes offrant au citoyen un véritable choix. Par exemple, des modèles de coopératives de santé comme il en existe au Japon ou l'introduction de la concurrence interne (*managed competition*) dans le secteur public est une piste inexplorée au Québec. En somme, une ouverture de nature davantage politique, par opposition à administrative, semble le prochain pas à faire dans le secteur sociosanitaire, l'« élastique » de la démarche administrative ayant été étiré au maximum.

22.5 Conclusion : l'avenir des réseaux

L'État québécois s'est permis plusieurs variations sur le thème de la décentralisation. Le réseau municipal, plus que les autres, a expérimenté la responsabilité politique que confère la vraie décentralisation. À l'heure où les pressions de la mondialisation sur les divers paliers de gouvernement poussent à un rééquilibrage de l'État, l'option de la décentralisation retrouve tout son attrait. Il semble cependant encore difficile pour les paliers supérieurs de gouvernement de céder tous les pouvoirs nécessaires à l'autonomie locale.

Cette attitude ambiguë se confirme dans la manière dont les règles du jeu ont été définies pour le réseau de l'éducation et le réseau sociosanitaire. Dans ces deux cas, les tentatives de décentralisation ne peuvent guère être qualifiées d'autre chose qu'une déconcentration territoriale, les pouvoirs déterminants étant toujours conservés au niveau provincial. La voie pour la décentralisation apparaît maintenant dégagée, mais on réfléchit toujours à l'idée de l'emprunter.

Les enjeux liés à l'aménagement des trois réseaux doivent s'interpréter sur le plan de la démocratie et de l'efficacité. Ils concernent de fait la mise en place de mécanismes offrant de véritables choix aux citoyens et aux consommateurs de services publics et renvoient, pour cette raison, à la question, opérationnelle, certes, du fonctionnement de la démocratie et de la représentation des idées, des préférences et des valeurs des citoyens. Ils concernent également l'efficacité car la décentralisation politique, par la constitution de paliers inférieurs de décision, autant que la décentralisation économique, par la prise en charge de l'offre de services par le secteur privé ou l'introduction de la concurrence dans le secteur public, rapproche les offreurs de services des préférences et des contraintes des consommateurs ; elle place également les offreurs de services, qu'ils soient des paliers de gouvernement ou des entreprises, en situation de concurrence, stimulant universel à la recherche de l'efficacité.

Le législateur provincial semble tiraillé : il pose quelques gestes, encore timides il est vrai, de décentralisation tout en recherchant la consolidation par la fusion des municipalités, des commissions scolaires et des établissements offrant des services sociaux et de santé. C'est un véritable paradoxe car logiquement, la consolidation se justifie par l'économie d'échelle, alors que la décentralisation se justifie par l'absence de telles économies d'échelles. Au-delà de la dynamique entourant la recherche de pouvoirs politiques, l'avenir de la décentralisation réside dans la réponse franche à la question suivante : les économies d'échelle sont-elles ou ne sont-elles pas des illusions dans le secteur municipal, le secteur éducatif et le secteur sociosanitaire ?

CHAPITRE 23

Les relations intergouvernementales du Québec

Christian Dufour
Professeur
École nationale d'administration publique

On peut diviser les relations intergouvernementales du Québec en deux catégories : les relations intergouvernementales canadiennes et les relations internationales.

Les premières, qui ont pris de l'importance autour de la Seconde Guerre mondiale, sont plus anciennes et plus substantielles que les secondes. Elles sont de nature fédérale-provinciale, interprovinciale ou bilatérale. Le niveau municipal, qui relève exclusivement des provinces au Canada, n'a jamais pu se constituer en ordre autonome de gouvernement, comme c'est en grande partie le cas aux États-Unis.

Par ailleurs, si elles sont plus récentes et moins développées, les relations internationales du Québec n'en constituent pas moins les plus complexes de tout État membre d'une fédération dans le monde, qui n'a pas accès à la souveraineté sur le plan international. À partir de la relation privilégiée du Québec avec la France, acteur majeur sur la scène internationale, ces relations se sont articulées principalement autour de deux pôles : la francophonie et les liens de nature économique avec le voisin et géant américain.

Les relations intergouvernementales du Québec ont pris une ampleur toute particulière au début des années 60, qui marquèrent le réveil politique du Québec moderne, cette grande et rapide mutation généralement connue sous le nom de « Révolution tranquille ». Dans la foulée du nouveau nationalisme québécois issu des années 60, elles ont été fortement marquées par le caractère distinct du Québec au sein du Canada, de même que par sa volonté d'accéder à un statut politique reconnaissant cette réalité, sinon à l'indépendance pleine et entière. Les relations intergouvernementales canadiennes et les relations internationales du Québec restent fortement dépendantes de cette quête politique qui n'a pas encore trouvé, en 1997, son aboutissement, que ce soit à l'intérieur ou à l'extérieur du Canada.

Sur le plan administratif et politique, les deux types de relations ont été gérés au sein du même organisme, à compter du début des années 60. Le ministère des Relations fédérales-provinciales, qui fut créé en 1961, deviendra, en 1967, le ministère des Affaires intergouvernementales, jusqu'à sa division en deux parties, en 1984.

23.1 Historique

Pour comprendre la dynamique canadienne, il est important de se rappeler que ce sont les ancêtres des Québécois d'aujourd'hui qui furent les premiers habitants du pays à se considérer comme Canadiens, il y a plus de trois cents ans, au XVIIe siècle. Les premiers occupants du Canada, les Amérindiens, commencent maintenant à se désigner parfois comme Canadiens, alors que le processus de canadianisation sur le plan de l'identité n'affecte les Canadiens anglais que depuis la fin du siècle dernier.

Par ailleurs, le Québec est l'une des quatre provinces fondatrices du Canada moderne. Celui-ci fut doté en 1867 d'une constitution de type fédéral, avec un système parlementaire de tradition britannique. L'appellation de « confédération », que l'on donne encore souvent aujourd'hui à ce régime, rend bien compte de l'ambiguïté qui le caractérisa depuis le début. Au Québec, on le considéra en général comme un pacte entre Canadiens français et Canadiens anglais. Dans le reste du pays, où l'on aurait souvent préféré un régime unitaire, on le perçut davantage comme une entente entre quatre provinces, sanctionnée par une loi britannique.

Le Canada évolua graduellement vers l'indépendance de la Grande-Bretagne qu'il acquit pour l'essentiel en 1931, avec le Statut de Westminster adopté par le gouvernement de Londres. Pendant plus de 60 ans, le gouvernement impérial britannique assuma donc l'essentiel de la responsabilité des affaires extérieures du Canada. Si le rôle du gouvernement fédéral lui-même fut relativement mineur en matière internationale durant la plus grande partie de cette période, celui du gouvernement du Québec fut, lui, extrêmement limité jusqu'au début de la Révolution tranquille. Le Québec eut bien, pendant de brèves périodes, des bureaux à Paris, Londres, Bruxelles et New York, mais seul ce dernier, ouvert en 1943, subsistait encore en 1960.

Si les relations intergouvernementales canadiennes du Québec ont été dès le départ plus importantes que ses relations internationales, ces relations ont été également limitées pour un certain nombre de raisons. Tout d'abord, dans les débuts de la Confédération, les divers gouvernements occupaient dans la société une place beaucoup moins importante que ce n'est le cas aujourd'hui. Par ailleurs, les compétences originelles du fédéral et des provinces, telles que fixées par la Constitution de 1867, étaient relativement étanches et séparées. Il faut également tenir compte du caractère très centralisateur du texte de 1867 : ce dernier faisait du gouvernement québécois une administration provinciale relativement mineure.

Contrairement à la situation dominante au départ aux États-Unis, au Canada les compétences non prévues proprement par la constitution – les pouvoirs résiduaires – étaient attribuées en principe au gouvernement fédéral. Étaient également dévolus à ce dernier la plupart des pouvoirs importants, de l'époque, entre autres en matière de taxation. Enfin, le besoin de relations intergouvernementales était au départ peu important parce que le chef de l'État québécois et détenteur du pouvoir exécutif était un lieutenant-gouverneur nommé par le gouvernement fédéral et disposant encore de pouvoirs substantiels, qui sont tombés depuis en désuétude, dont celui d'assurer une bonne partie des relations entre les deux ordres de gouvernement.

Le fédéralisme canadien évolua à l'opposé de son homologue américain, qui devint avec le temps plus centralisé que cela n'était prévu à l'origine. Au Canada, un régime qui était sur papier à peine fédéral en 1867 évolua en ce qui devint dans les années 30 l'une des fédérations les plus décentralisées au monde. Cela se fit graduellement, à la suite, notamment, d'une série de décisions judiciaires favorisant clairement les provinces, par le plus haut tribunal de l'époque, le Comité judiciaire du Conseil privé à Londres.

Pour sortir du marasme économique résultant de la grande crise, la commission fédérale d'enquête Rowell-Sirois recommanda en 1940 une centralisation du système fédéral canadien. Celle-ci se réalisera de façon temporaire durant la Seconde Guerre mondiale, sous l'autorité des pouvoirs exceptionnels dont disposait le gouvernement fédéral en vertu de la constitution pour parer à ce genre de situation. Après la guerre, dans la foulée des grandes « conférences de la reconstruction », Ottawa entreprit de mettre sur pied un État providence « à la canadienne », sans qu'on ait à modifier formellement la constitution et ce, malgré que la plupart des gestes et activités requis aient été de la compétence des provinces, responsables, par exemple, de l'éducation, de la santé et des affaires municipales.

On mit plutôt à profit l'esprit de coopération fédérale-provinciale qui avait prévalu durant la guerre pour amener les provinces à consentir à toute une série de programmes à frais partagés dans leurs secteurs de compétence. Ottawa défrayait 50 % des coûts de ces programmes en vertu de son pouvoir de dépenser et en fixait les paramètres généraux et particuliers. Ce « fédéralisme coopératif » se poursuivit jusqu'au début des années 60, avec l'appui du reste du Canada.

Durant cette période, le Québec fit le plus souvent bande à part, refusant de participer à des programmes fédéraux qui ne respectaient pas, à son avis, les champs de compétence que lui réservait la constitution. Durant l'après-guerre et jusqu'en 1960, les relations intergouvernementales canadiennes au pays se firent sous la ferme direction du gouvernement fédéral, le secteur le plus touché étant celui de la taxation et de la fiscalité.

23.2 Les principaux principes organisateurs

Afin de coordonner les relations croissantes entre les différents gouvernements au pays, dans un contexte où les champs de compétence devenaient de plus en plus enchevêtrés, se développa graduellement à compter de 1940 un phénomène typiquement canadien qui sera connu sous le nom de « fédéralisme exécutif ». Ce dernier, qui prendra considérablement d'ampleur dans les années 60, est né de la multiplication des échanges intergouvernementaux de toutes sortes – fédéraux-provinciaux, interprovinciaux, incluant parfois les dirigeants territoriaux et autochtones. Les participants étant tous des membres du pouvoir exécutif, ils sont en position de prendre des décisions, qu'ils soient ministres, sous-ministres ou fonctionnaires. Ce complexe et continuel système de conférences, d'ententes et d'échanges dans la presque totalité des secteurs d'activités gouvernementales en est venu, de facto, à constituer un niveau particulier et important de décisions au pays.

Par ailleurs, à partir de 1960, l'État québécois devient le principal véhicule d'un nouveau nationalisme résolument politique et centré sur le Québec, par opposition au nationalisme conservateur canadien-français d'antan. En quelques années, cela transformera profondément la façon dont le gouvernement québécois conçoit ses relations intergouvernementales, à l'extérieur comme à l'intérieur du Canada, de même que le fédéralisme exécutif lui-même.

À l'instigation du Québec, on passe en quelques années du fédéralisme coopératif au fédéralisme compétitif. La seule province en majorité francophone entend exercer l'ensemble de ses compétences constitutionnelles, ce qui l'amène rapidement à contester la place qu'en est venu à prendre le gouvernement fédéral depuis 1940 et la hiérarchisation des rôles au profit d'Ottawa, qui était inhérente au fédéralisme coopératif. De façon dynamique, le Québec travaille à rattraper le retard qu'il a pris sur le reste du pays, en mettant sur pied sa propre version de l'État providence.

Au surplus, pour assurer le développement de la seule société majoritairement de langue française en Amérique du Nord, l'État québécois entend non seulement exercer les compétences que lui assure la constitution de 1867, telle qu'interprétée par le Conseil privé, mais acquérir de nouvelles compétences, entre autres en ce qui a trait aux relations internationales. Se basant sur la vision proprement québécoise du Canada comme un pacte entre deux peuples fondateurs et sur ce qu'on en est venu à qualifier de « positions traditionnelles du Québec », ce dernier demande, de façon générale et dans un certain nombre de secteurs précis, dont la culture et les communications, la reconnaissance de son statut particulier au sein du Canada.

Pour atteindre ces buts, le Québec se dote donc d'une structure administrative et d'une loi visant à encadrer l'ensemble de ses relations intergouvernementales de façon cohérente et efficace. L'action du Québec en ce domaine fera école dans le reste du pays. C'est ainsi que de grosses provinces comme l'Ontario, l'Alberta et la Colombie-Britannique se donneront une organisation présentant certaines analogies avec l'organisation québécoise, sans aller cependant aussi loin.

Au Québec, on crée, en 1961, un mécanisme interne de coordination intergouvernementale, le ministère des Relations fédérales-provinciales, qui deviendra, en 1967, le ministère des Affaires intergouvernementales. Cet organisme gérera, jusqu'à la séparation des relations canadiennes des relations internationales en 1984, l'ensemble des relations intergouvernementales du Québec. La mise en place d'une telle institution doit être replacée dans le contexte de la popularité, dans les années 60, d'organismes administratifs de nature horizontale coordonnant tel ou tel aspect particulier de la machine bureaucratique, comme le Conseil du trésor ou le ministère de la Fonction publique. La loi contributive du ministère des Affaires intergouvernementales fut considérablement renforcée en 1974 et constitue la législation la plus avancée en ce domaine au Canada.

Le Québec assume la cohérence et l'efficacité de ses relations intergouvernementales de différentes manières. L'organisme responsable de la coordination de ces relations, que ce soit dans le secteur canadien ou international, est le conseiller du gouvernement en ces domaines. Il planifie, organise et dirige l'action de celui-ci à l'extérieur du Québec et recueille pour ce faire l'information pertinente de la part des autres gouvernements, étrangers et canadiens, de même que des ministères sectoriels québécois concernés. L'organisme participe également aux réunions intergouvernementales qui se tiennent dans les différents domaines d'activité, notamment en y déléguant des représentants. Il est enfin engagé dans la négociation des ententes intergouvernementales qui ne peuvent être valides sans la signature du ministre sectoriel, mais aussi du ministre responsable de la coordination intergouvernementale.

Le Québec exerce un contrôle net sur les activités intergouvernementales des institutions locales relevant de sa compétence constitutionnelle : sont spécifiquement prohibées, sauf dans la mesure prévue expressément par la loi, les ententes entre le gouvernement fédéral et toute corporation municipale ou commission scolaire. Pour leur part, les organismes publics, dont le gouvernement nomme la majorité des membres ou dont les revenus proviennent majoritairement du gouvernement québécois, doivent obtenir une autorisation préalable pour conclure une entente avec Ottawa.

Sur le plan canadien, l'organisme de coordination est depuis 1984 le Secrétariat aux Affaires intergouvernementales canadiennes (SAIC), rattaché au ministère du Conseil exécutif sous la responsabilité d'un ministre délégué. Relèvent du SAIC les représentants du Québec en Ontario, dans l'Ouest, dans les provinces de l'Atlantique et dans la capitale fédérale. Le SAIC est également le responsable de la coopération avec les organismes francophones hors Québec, principalement avec les deux provinces limitrophes, l'Ontario et le Nouveau-Brunswick. Enfin, avec le ministère de la Justice, il est le principal responsable du dossier constitutionnel.

23.3 Les relations internationales

Sur le plan de l'encadrement législatif, les mêmes dispositions s'appliquent, à peu de modifications près, aux affaires internationales comme aux affaires canadiennes, même si elles ne sont plus gérées par le même organisme depuis 1984. Le ministère des Affaires internationales, qui est devenu, en 1996, le ministère des Relations internationales, a pris la relève de la section internationale de l'ancien ministère des Affaires intergouvernementales. L'une des responsabilités du ministre des Affaires internationales est d'élaborer, en collaboration avec les ministères concernés, une politique en matière internationale, de la proposer au gouvernement et de s'assurer de sa mise en œuvre. Le développement de relations internationales propres au Québec a sans nul doute constitué l'une des manifestations les plus importantes de la Révolution tranquille dans le domaine politique, au début des années 60. Ce secteur rend éminemment compte du caractère, à beaucoup d'égards unique et hybride, du phénomène politique québécois, entre l'État disposant de la souveraineté internationale dans sa totalité et le membre habituel d'une fédération classique.

Rappelons à cet égard que la formulation de la politique internationale du Québec a souvent accompagné plutôt que précédé la mise en œuvre de celle-ci, à partir d'événements ponctuels québécois ou en réaction à des gestes ou à des attitudes ailleurs, au Canada ou à l'étranger. Comme le rappelle fort justement Luc Bernier de l'École nationale d'administration publique dans son livre intitulé *De Paris à Washington : la politique internationale du Québec* (Presses de l'Université du Québec, 1996, p. 38), « la doctrine juridique concernant les activités internationales du Québec tient en une expression : le prolongement international des compétences internes du Québec ». Elle résume la thèse d'un discours prononcé par le ministre québécois de l'Éducation, M. Paul Gérin-Lajoie, le 12 avril 1965, devant le corps consulaire à Montréal :

> Le Québec n'est pas souverain dans tous les domaines : il est membre d'une fédération. Mais il forme, au point de vue politique, un État. Il en possède tous les éléments : territoire, population, gouvernement autonome. Il est, en outre, l'expression politique d'un peuple qui se distingue, à nombre d'égards, des communautés anglophones habitant l'Amérique du Nord.
>
> J'irai jusqu'à dire que le Québec commence seulement à utiliser pleinement les pouvoirs qu'il détient. Ce n'est pas parce qu'il a négligé dans le passé d'utiliser ces pouvoirs, qu'ils ont cessé d'exister. Dans tous les domaines qui sont complètement ou partiellement de sa compétence, le Québec entend désormais jouer un rôle direct, conforme à sa personnalité et à la mesure de ses droits.
>
> [...] la détermination du Québec de prendre dans le monde contemporain la place qui lui revient et de s'assurer, à l'extérieur autant qu'à l'intérieur, tous les moyens nécessaires pour réaliser les aspirations de la société qu'il représente.

Depuis 30 ans, cette doctrine a été rappelée à plusieurs reprises par les différents ministres responsables du secteur. Par ailleurs, le gouvernement québécois a rendu public en 1991 un énoncé de politique en matière internationale intitulé : *Le Québec et l'interdépendance*.

Tenant compte de la place centrale qu'occupe le caractère français du Québec dans le nouveau nationalisme issu de la Révolution tranquille, il n'est pas étonnant que l'un des premiers gestes marquants du Québec moderne dans le domaine international ait été l'ouverture de la Délégation générale du Québec à Paris, en octobre 1961, par le premier ministre québécois Jean Lesage. À cette occasion, et ultérieurement dans d'autres, le gouvernement français appuya fermement et clairement l'entrée du Québec sur la scène internationale, en utilisant toutes les ressources de la diplomatie et du protocole dont pouvait disposer une vieille puissance européenne et mondiale comme la France. Le Québec put également bénéficier du soutien personnel du président français Charles De Gaulle, alors à son apogée comme dernier géant politique de la Deuxième Guerre mondiale qui était encore au pouvoir dans les années 60. À l'été 1967, le général De Gaulle ne craignit pas de lancer « Vive le Québec libre ! » à la foule réunie devant l'hôtel de ville de Montréal, au grand déplaisir du gouvernement fédéral. La question du Québec est reconnue depuis cette période en France comme faisant partie intégrante de l'héritage gaulliste.

Le gouvernement fédéral consentait traditionnellement des montants très faibles à l'aide au développement des pays francophones – autour de 4 % du budget fédéral dans ce domaine entre 1950 et 1964. Par ailleurs, la représentation canadienne à l'étranger, sous la responsabilité du ministère fédéral des Affaires extérieures, présentait un caractère presque exclusivement anglophone. Ces deux lacunes donnèrent une bonne légitimité politique à la volonté du gouvernement du Québec de se doter d'une représentation proprement québécoise à l'étranger. Au départ, la francophonie constitua l'axe de loin le plus important de la politique internationale du Québec ; elle demeure encore aujourd'hui l'un des deux pôles majeurs de ses relations internationales avec les États-Unis.

Cela n'a rien d'étonnant si l'on se souvient que l'une des premières initiatives québécoises en matière internationale fut la participation à la mise sur pied de l'Association des universités partiellement ou entièrement de langue française, en 1961. Par la suite, l'action internationale du Québec passa pour une grande part par la France, dans des domaines intimement liés à la compétence exclusive du Québec en matière d'éducation. C'est ainsi qu'en 1965 un accord franco-québécois fut signé sur les échanges d'étudiants et de professeurs, de même que sur la coopération en matière d'éducation. Sur le plan institutionnel, on créa, en 1968, un organisme de coopération voué à un avenir particulièrement fructueux : l'Office franco-québécois de la jeunesse.

L'action québécoise sur le plan international déborda tout naturellement dans toute la francophonie mondiale. Après des péripéties politiques qui transportèrent à l'étranger le différend Canada-Québec sur le rôle international de ce dernier, le Québec devint finalement en 1971, pour une grande part avec l'appui de la France et avec l'acceptation du Canada, « gouvernement participant » au sein de l'Agence de coopération culturelle et technique (ACCT), lors de la deuxième conférence de Niamey. Le mandat de l'ACCT était de développer la coopération multilatérale en matière d'éducation, de formation, de culture, de science et de formation professionnelle et technique, entre pays francophones. Non sans difficultés, ce statut fut confirmé à un niveau plus élevé par la participation du Québec au premier Sommet de la francophonie en février 1986. L'entente, convenue en novembre 1985 entre Ottawa et Québec, prévoit que le Québec sera invité directement aux sommets francophones, mais fera partie de la délégation canadienne, tout en pouvant intervenir librement sur les questions relevant de sa compétence.

Au début des années 70, le projet politique majeur du premier ministre libéral Robert Bourassa fut le développement des ressources hydroélectriques de la région de la Baie-James, qui impliquait des ventes importantes d'énergie sur le marché américain. En matière internationale, le Québec commença donc à s'attaquer plus vigoureusement au secteur des relations économiques, en particulier avec un pays très différent de la France et vital pour le Québec : les États-Unis. Le gouvernement québécois y ouvrira quatre nouvelles délégations – Boston, Los Angeles, Atlanta, Chicago – s'ajoutant à celle qui existait depuis les années 40 à New York. Le fait qu'aucune délégation n'ait jamais été ouverte dans la capitale américaine, Washington, est révélateur de la difficulté de nouer des relations plus proprement politiques avec un pays où le pouvoir est souvent éclaté et où n'existe pas la sympathie pour les aspirations québécoises que l'on peut trouver en France.

Le Québec s'est doté d'un vaste réseau de délégations à l'étranger qui, jusqu'au début de l'année 1996, couvraient les États-Unis et le monde francophone, de même que les pays latins et asiatiques. Leur nombre ira jusqu'à 25, avec un statut de délégation générale, de délégation ou de représentation du Québec à l'étranger. Leur importance variera beaucoup en budget et en personnel. Une attention toute particulière fut apportée à la délégation générale de Paris (environ 80 employés) et à celle de New York (une quarantaine d'employés). Les représentations en dehors de l'Europe et de l'Amérique du Nord étaient pour une grande part symboliques en ce qui regarde le budget et le personnel.

Parallèlement à la création du réseau de délégations, le Québec a convenu un nombre important d'ententes avec des États étrangers. Notons enfin que le budget total que le Québec consacrait à ses affaires intergouvernementales était en 1994-1995 de 110 millions de dollars.

23.4 Le fonctionnement de l'institution aujourd'hui

Ces dernières années, la scène politique canadienne et québécoise a été tout particulièrement affectée dans le secteur des relations intergouvernementales par le pourrissement de plus en plus évident de la question Canada-Québec auquel on a assisté dans la foulée de l'Accord du lac Meech. À cet égard, il est important de replacer brièvement l'affaire dans son contexte.

Au référendum québécois de 1980, le gouvernement du Parti québécois se vit refuser à 40 % contre 60 % le mandat qu'il sollicitait de négocier une entente de souveraineté-association avec le reste du Canada. Par la suite, le gouvernement fédéral du premier ministre libéral Pierre Elliot Trudeau interpréta les promesses préréférendaires qu'il avait faites aux Québécois, en changeant de façon substantielle la constitution canadienne. Deux modifications furent principalement apportées : l'adoption d'une formule canadienne d'amendement constitutionnel ne reconnaissant pas le traditionnel veto du Québec et la constitutionnalisation d'une Charte canadienne des droits et libertés diminuant les compétences législatives de l'Assemblée nationale du Québec, entre autres en matière de langue. Pour ces raisons, le Québec refusa de donner son assentiment à la loi constitutionnelle de 1982 qui, de façon générale, affaiblissait le caractère fédéral du pays. Adoptée par le fédéral et les autres provinces, la nouvelle constitution canadienne s'applique toujours à la province majoritairement francophone, en dépit de son opposition.

Pour remédier à ce manque de légitimité politique au Québec de la loi fondamentale du pays, le successeur de M. Trudeau au poste de premier ministre fédéral, le conservateur Brian Mulroney, s'entendit, en 1987, avec le gouvernement fédéraliste québécois du premier ministre libéral Robert Bourassa et tous les autres gouvernements provinciaux sur l'« entente du lac Meech ». Dans le cadre de la constitution de 1982, cette entente reconnaissait le Québec comme société distincte au sein du Canada, en lui accordant un droit de veto sur la réforme des institutions fédérales. Après de multiples et émotives péripéties, l'Accord du lac Meech ne fut pas ratifié comme prévu en 1990, à la suite d'un revirement de l'opinion publique canadienne-anglaise. Ce changement entraîna l'opposition ultime de deux provinces – Terre-Neuve et le Manitoba – et celle des dirigeants autochtones. Un autre projet de réforme constitutionnelle qui faisait une place plus grande aux préoccupations autochtones, l'entente de Charlottetown, fut rejeté par le Québec et le reste du Canada au référendum de 1992.

Un an après son élection, le gouvernement québécois souverainiste du premier ministre Jacques Parizeau soumit, en octobre 1995, à l'approbation de la population québécoise un projet de souveraineté-partenariat avec le reste du Canada. Ce dernier fut rejeté de justesse, obtenant l'appui de plus de 49 % de la population et de la majorité des Québécois francophones. Toutes ces péripéties politiques, et d'autres qu'il serait trop long d'énumérer ici, ne purent que profondément affecter la façon dont le Québec menait ses relations intergouvernementales, en particulier dans le secteur des affaires canadiennes. Force est de constater que l'on y a consacré énormément d'énergie au dossier constitutionnel, pour l'essentiel en vain jusqu'à présent.

Déjà, à la suite de l'adoption sans son consentement de la loi constitutionnelle de 1982, le gouvernement du Parti québécois de M. René Lévesque avait boycotté les réunions intergouvernementales canadiennes qui ne présentaient pas un intérêt économique clair pour le Québec. Une attitude encore plus draconnienne fut prise par le gouvernement du Parti libéral de M. Robert Bourassa, à la suite de l'échec de l'Accord du lac Meech en 1990 : pendant deux ans, jusqu'au référendum sur l'entente de Charlottetown, le Québec se retira des forums fédéraux-provinciaux pour se concentrer au maximum sur ses relations bilatérales avec le gouvernement fédéral. Par ailleurs, depuis le retour au pouvoir en 1995 du Parti québécois, le gouvernement du Québec a tendance à limiter sa participation aux conférences intergouvernementales canadiennes où ses intérêts économiques sont en cause.

Les contacts avec les interlocuteurs du reste du Canada ont donc eu tendance à être moins fréquents depuis l'échec de l'Accord du lac Meech. Certaines indications portent à croire que l'un des résultats de cette situation a été la bureaucratisation de l'organisation administrative québécoise chargée des relations avec le reste du Canada. Alors que l'agressivité du reste du pays à l'égard du Québec a augmenté dans la foulée du résultat serré du référendum de 1996, on peut craindre que le Québec ne soit prisonnier d'une situation où il doit dans les faits défrayer une bonne partie des coûts de la souveraineté, sans pouvoir bénéficier de ses avantages.

Par ailleurs, le pourrissement du dossier Canada-Québec affecte l'ensemble des relations intergouvernementales au Canada, depuis l'échec de l'Accord du lac Meech. Ce dernier a rendu plus difficile le bon fonctionnement du fédéralisme exécutif. Le fait que cet accord ait été solennellement signé en 1987 par les onze chefs de gouvernement au pays équivalait, selon les usages du fédéralisme exécutif, à un amendement constitutionnel ultérieur certain. L'échec de l'Accord, du fait de sa non-ratification par certaines assemblées législatives provinciales, marqua clairement un affaiblissement de ce système spécifiquement canadien. C'est ainsi que, si l'on excepte une brève réunion de nature technique, il n'y eut aucune conférence fédérale-provinciale des premiers ministres au Canada entre 1992 et 1996. Cet événement, au moins annuel en principe, constitue le symbole même du fédéralisme exécutif.

Il est révélateur que, pour le Québec, les dossiers le plus importants qui ont fait des progrès ces dernières années dans le secteur des affaires intergouvernementales canadiennes aient été bilatéraux. On pense tout d'abord à l'entente Québec-Ottawa en matière d'immigration, convenue à l'époque de l'Accord du lac Meech ; on y tire les conclusions de la reconnaissance du Québec comme société distincte. Il y a eu également des accords avec les provinces de l'Ontario et du Nouveau-Brunswick en ce qui a trait à l'accès aux marchés publics.

On peut penser que la crédibilité de la politique québécoise en matière de relations internationales a été également affectée par l'impossibilité du Québec, jusqu'à présent, à accéder à un statut politique qui rende compte de façon satisfaisante de sa réalité spécifique. Ce facteur a été jusqu'à un certain point compensé par le résultat extrêmement serré du référendum de 1995 sur la souveraineté, dont a pris note l'opinion publique internationale. Par ailleurs, ces dernières années, le secteur de la politique internationale du Québec semble avoir été négativement affecté moins par des changements politiques que par des soubresauts administratifs et financiers de nature interne. Ceux-ci rendent plus difficile l'institutionnalisation du capital accumulé dans ce domaine à compter des années 60, à partir des relations avec la France. Rappelons que les relations internationales du Québec sont les plus élaborées de tout État membre d'une fédération dans le monde qui n'a pas accès à la souveraineté sur le plan international.

Le bilan reste partagé en ce qui a trait à un facteur important pour juger de l'institutionnalisation de la politique québécoise : la création d'une bureaucratie spécialisée. À cet égard, la difficulté à intégrer les aspects politiques et économiques des relations internationales a joué un rôle néfaste, en particulier quand elle s'est concrétisée dans une série de fusions et de séparations des unités ministérielles responsables des deux aspects fondamentaux de la politique québécoise. Déjà, en 1982, on avait rattaché au ministère du Commerce extérieur les unités responsables de la coopération économique et technique franco-québécoise, de même que de la promotion des échanges commerciaux avec l'extérieur.

Après bien des péripéties, on en était arrivé, en 1988, à la reconstitution d'un organisme unifié, le ministère des Affaires internationales, mais le problème réapparut dans toute son acuité lors du remaniement ministériel du printemps 1996. On décida alors, encore une fois, de scinder en deux le ministère des Affaires internationales, en dissociant pour une bonne part les aspects politiques et économiques des relations internationales du Québec.

À l'occasion du budget québécois, rendu public ce même printemps 1996, les sommes consacrées aux représentations à l'étranger furent réduites de 49 à 39 millions de dollars, alors que le budget affecté à la promotion et au développement des affaires internationales passait de 97 à 88 millions. Le ministère prit alors une décision qui ne manqua pas de semer l'émoi dans les milieux intéressés : la fermeture des trois quarts des représentations québécoises à l'étranger. Le Québec a désormais six délégations dans le monde : Paris, Bruxelles, Londres, New York, Tokyo et Mexico. Des bureaux d'immigration seront maintenus dans les ambassades canadiennes de Vienne, de Hong Kong, d'Abidjan et de Damas.

23.5 Défis et perspectives

Les relations intergouvernementales du Québec, que ce soit sur le plan canadien ou international, partagent un dénominateur commun: elles ont acquis la plus grande partie de leurs caractéristiques fondamentales dans les années 60. Formalisées dans des dispositions législatives qui n'ont pas substantiellement changé depuis 1974, ces relations sont le fruit de l'exceptionnel dynamisme québécois associé à la Révolution tranquille. Sur le plan politique, elles constituent l'un des principaux véhicules des préoccupations du Québec relatives à ses rapports avec le Canada et à sa place dans le monde. Depuis plus de 35 ans, le Québec constitue, particulièrement dans le domaine des relations intergouvernementales, un phénomène proprement unique et hybride, entre l'État dépositaire de la pleine souveraineté sur le plan international et l'État membre d'une fédération classique, comme les États-Unis ou l'Australie. Il n'est cependant pas évident qu'un état d'équilibre ait été atteint à cet égard et que la situation actuelle puisse se maintenir indéfiniment.

Certains penseront que le Québec évoluera inéluctablement vers la souveraineté internationale complète, dans la foulée du référendum de 1995 où, pour la première fois, l'appui à la souveraineté est devenu nettement majoritaire chez les francophones. Le développement de vigoureuses relations intergouvernementales canadiennes et internationales à partir des années 60 aura été alors le prélude à une indépendance du Québec qui sera reconnue par la communauté internationale et le reste du Canada actuel. Au contraire, d'autres prétendront que le nationalisme québécois de la fin de ce siècle n'est plus assez dynamique pour mener le Québec jusqu'à un statut d'État souverain sur le plan international. La période actuelle de piétinement des relations intergouvernementales du Québec annonce pour eux la normalisation de son statut au sein du Canada.

Les coûts de l'indécision apparaissant de plus en plus élevés, le besoin d'une clarification de la situation est évident. Si l'opinion publique francophone continue à évoluer dans le même sens qu'elle l'a fait depuis 1960, la balance pourrait pencher du côté de la souveraineté du Québec et du dépassement de certaines séquelles coloniales qui minent encore la relation Canada-Québec. Quoi qu'il arrive, il est improbable que la normalisation de la situation, dans un sens ou dans un autre, aille aussi loin que certains le désirent. Au-delà des options classiques d'indépendance ou de fédéralisme, le contexte de la mondialisation, avec l'éclatement des diverses entités politiques traditionnelles qu'il suppose, se prête bien à la diffusion d'un modèle hybride comme celui que le Québec a promu depuis 35 ans. Ce dernier l'a fait en matière de relations internationales, mais aussi sur le plan canadien, où le projet souverainiste est assorti d'une offre de partenariat économique et politique avec le Canada.

Un peu partout dans le monde, de plus en plus de villes, de régions et d'États, qui ne possèdent pas la personnalité internationale complète, sont amenés à nouer des relations internationales de tout ordre. Dans ce contexte, le cas proprement unique du Québec constitue un utile point de référence à considérer et un précieux capital à préserver, en l'adaptant à un contexte nouveau. Cela ne saurait empêcher de noter que le modèle québécois manifeste des signes de fatigue et que la transition vers un but qui n'est pas encore clair est difficile.

CHAPITRE 24

Les innovations manageriales au Québec

Luc Bernier

Professeur
École nationale d'administration publique

Éric Hufty

Gouvernement du Québec

L'administration publique québécoise a véritablement pris forme après ce qu'il est convenu d'appeler, au Québec, la « Révolution tranquille », c'est-à-dire la phase rapide de modernisation démarrée au début des années 60. C'est à cette époque de développement accéléré que les grandes structures, dont il est question dans les autres chapitres de la présente section, ont été mises en place. La réforme du système de santé et la constitution de réseaux modernes d'enseignement en sont des exemples. Les modes d'organisation, les valeurs et les comportements de l'administration publique québécoise ont été forgés dans le feu de l'action de cette période de grands chantiers.

Depuis le début des années 80, et plus particulièrement au cours des dernières années, l'administration publique québécoise vit une profonde remise en question tant en ce qui a trait à son rôle, à ses structures qu'à son fonctionnement. Le présent chapitre vise à décrire les innovations managériales récentes de l'administration publique québécoise, après en avoir présenté l'évolution, et à définir les défis qu'elle devra relever au cours des prochaines années.

La période qui a suivi la Révolution tranquille a été marquée par un important changement qualitatif, celui d'une intervention directe plus grande de l'État dans tous les secteurs de la société. La régulation sociale, jusque-là locale, est devenue l'affaire de l'État, à la grandeur du territoire. Celui-ci a graduellement remplacé les institutions civiles et religieuses pour offrir les services de santé, les services sociaux et d'éducation. Du début des années 60 jusqu'au début des années 80, l'appareil administratif s'est rapidement développé, créant de nouveaux ministères, en plus d'une centaine d'organismes de tout genre. Le nombre d'employés du secteur public et parapublic[1] a augmenté rapidement jusqu'au début des années 1980 et a crû, par la suite, au même rythme que la croissance de la population pour diminuer progressivement depuis quatre ans. De 350 000 équivalents temps complet (ETC) ou années-personnes en 1981-1982, le nombre total d'employés a augmenté à 379 000 ETC en 1992-1993, dont 65 000 ETC pour la seule fonction publique. En 1996-1997, l'effectif a baissé à 356 500 ETC et à 54 000 ETC dans la fonction publique.

Alors que, dans les statistiques officielles du gouvernement du Québec, on considère que 18 organismes publics ont été créés entre 1867 et 1959, on en compte 34 de plus de 1960 à 1969. De 1970 à 1976, 32 organismes s'ajoutent, puis 32 autres de 1977 à 1981, et encore 32 jusqu'en 1985 à la fin du mandat du gouvernement du Parti québécois. Il n'y en aura que cinq nouveaux de 1986 à 1988, alors que l'État est sérieusement remis en cause. Depuis ce temps, le nombre d'organismes est relativement stable. Il devrait baisser dans les prochaines semaines, puisque le présent gouvernement a clairement exprimé sa volonté d'en réduire le nombre.

Une des réformes importantes de l'époque de la Révolution tranquille a été la révision complète, dès 1960, de l'encadrement et des pratiques relatives à la gestion des employés de la fonction publique en instituant, par exemple, un

1. L'effectif du secteur public et parapublic québécois est rémunéré à même les crédits votés par l'Assemblée nationale et comprend globalement les employés de la fonction publique, du réseau de la santé et des services sociaux ainsi que des réseaux primaire et secondaire en éducation.

régime d'embauche et de promotion au mérite. La Loi sur la fonction publique, sanctionnée en août 1965, encadrait dorénavant le travail des fonctionnaires. Cette loi prévoyait la reconnaissance syndicale, la négociation collective et le droit de grève aux fonctionnaires, et leur garantissait la sécurité d'emploi. Ce nouveau régime, très progressiste pour l'époque, allait marquer l'évolution de l'administration publique québécoise par ses nombreux conflits souvent très durs, et plus récemment par des débats publics sur la sécurité d'emploi ou, tout au moins, sur ses modalités d'application.

La phase d'expansion de l'administration publique québécoise s'est terminée au début des années 80. La récession économique de 1981-1982 a marqué la fin de la récréation, en soulignant que les perspectives de croissance économique et démographique qui assumaient les coûts des programmes n'étaient plus au rendez-vous. La crise des finances publiques qui va suivre a été aggravée par un faisceau de causes étroitement liées : mondialisation, changement de l'idéologie des gouvernants, aliénation de la population à l'égard des gouvernements et changements technologiques (Dobell et Bernier, 1997). On peut aussi mentionner : la transformation de la population, qui est à la fois vieillissante et plus éduquée, ainsi que la prolifération des groupes d'intérêt spécialisés, qui transforment la demande pour les politiques gouvernementales et la prestation de services. Cette crise va provoquer des transformations importantes au sein de l'administration publique. De la nécessité de se sortir de la crise financière vient la recherche de nouvelles solutions aux problèmes qui la hantent. Ces solutions seront d'abord strictement budgétaires mais, graduellement, les préoccupations pour la qualité des services et leur efficacité prendront de l'importance. L'administration publique québécoise a voulu profiter de ce changement de perspective pour diminuer ses coûts et améliorer sa gestion plutôt que pour remettre en question sa pertinence.

La mondialisation de l'économie a provoqué une redéfinition du rôle des gouvernements. Si, à long terme, selon ce que disent certains, les économies nationales devraient en bénéficier, pour l'instant, les États subissent les soubresauts de cette période de restructuration.

Dès le début des années 80, le gouvernement québécois, comme plusieurs gouvernements occidentaux, était entré en conflit avec ses employés pour des raisons budgétaires. Il leur impose, en juin 1982, une importante compression salariale. Il revoit, à cette époque, la base de sa politique, en l'alignant sur la rémunération globale payée dans l'ensemble de l'économie et, plus récemment, sur sa capacité budgétaire. Les conditions de travail des employés du secteur public font l'objet d'intenses discussions, qui vont jusqu'à remettre en question les coûts et les modalités d'application de la sécurité d'emploi. Le gouvernement du Québec n'ira cependant jamais aussi loin que d'autres gouvernements, qui entretenaient un préjugé défavorable envers leur administration publique. Ne serait-ce que parce qu'ils sont demeurés longtemps au pouvoir, les gouvernements Reagan, Thatcher et Mulroney[2] ont réussi à transformer le fonctionnement de leur administration publique. Dans un contexte où l'État n'a guère la

2. Voir Peter Aucoin (1995) ; aussi Donald Savoie (1994).

cote, une nouvelle façon de voir s'est développée, connue sous le vocable de « nouveau management public », et a gagné en popularité. Ce courant de pensée peut être caractérisé par une tentative de transposer dans le secteur public les techniques du secteur privé. On peut voir un lien entre les agences gouvernementales et les tentatives de générer l'« intrapreneurship » dans les grandes entreprises privées. On peut aussi y voir un lien avec la réingénierie des processus, laquelle propose une transformation radicale des façons de faire et prépare le terrain à des transformations structurelles lorsque appliquée au secteur public.

C'est dans ce contexte difficile, mais intellectuellement stimulant pour ceux qui y travaillent, que de nouvelles solutions font leur apparition. Parallèlement aux compressions budgétaires paramétriques, certaines initiatives sont mises en place pour améliorer la gestion. Un petit groupe de hauts fonctionnaires réunis autour de Louis Bernard, alors secrétaire général du Conseil exécutif et, à ce titre, premier fonctionnaire, accordent une grande importance à l'amélioration de la gestion. Ils proposent une révision de la Loi sur la fonction publique qui se concrétise en décembre 1983 par l'adoption du projet de loi 51. Les modifications apportées à la Loi sur la fonction publique, inspirées des recommandations de la commission Bisaillon, visent à mettre fin à la centralisation des décisions et à la prolifération des contrôles, en mettant l'accent sur la responsabilisation des employés de l'État et sur la qualité des services aux citoyens. La nouvelle loi cherchait à marquer un changement radical dans la gestion des ministères et organismes, en remplaçant la réglementation par des politiques générales, plus souples de par leur nature, et en diminuant les contrôles *a priori*. En contrepartie, elle introduisait l'obligation de rendre compte des résultats, sans toutefois en préciser les modalités. Dans la même foulée, Roland Arpin, alors secrétaire du Conseil du trésor, publiait en 1985 *Pour une rénovation de l'administration publique*. Ce document sera suivi, l'année suivante, d'un plan d'action.

Une évaluation de la réforme, que supposait la nouvelle Loi sur la fonction publique, se trouve dans le rapport de la commission Lemieux[3], déposé en décembre 1990. Cette évaluation peut être résumée simplement : tout reste à faire. Au-delà d'un manque de leadership pour faire avancer la réforme et d'une augmentation paradoxale des contrôles et des normes, la commission suggérait que la réforme supposait un changement des mentalités et des valeurs beaucoup plus difficiles à implanter qu'il n'avait été prévu.

En 1985, le nouveau gouvernement libéral créa trois comités qui se penchèrent sur ce qui était considérée comme la nécessaire remise en cause de l'appareil administratif développé depuis 25 ans. Le comité présidé par Paul Gobeil remit un rapport qui concluait à une sédimentation importante des programmes et à l'opportunité d'abolir plusieurs organismes autonomes, d'en fusionner ou d'en céder d'autres à l'entreprise privée. Un autre comité, dirigé par le député Reed Scowen proposait de diminuer la réglementation sur les activités de la société, alors que son expansion semblait impossible à endiguer. Un troisième comité, présidé par le ministre Pierre Fortier, proposait la privatisation de certaines

3. Voir : Québec (Gouvernement) (1990).

entreprises publiques en fonction d'une liste de six critères qu'il disait pragmatiques.

Bien que, initialement, le rapport Gobeil n'ait pas mené à de grandes modifications de l'administration publique québécoise, il constituait le premier effort global pour en revoir l'étendue et continue d'être une référence importante. Il offrait aussi au gouvernement la possibilité de reprendre, symboliquement, le leadership sur l'administration. Les efforts de déréglementation, proposés par le comité Scowen, dans la lignée de ce qui se fait ailleurs en Amérique du Nord, n'ont pas encore donné tous les résultats escomptés. Il est par ailleurs significatif que le premier ministre Bouchard ait estimé nécessaire d'annoncer la création d'un Secrétariat à la déréglementation au sein du ministère du Conseil exécutif, au cours du sommet socio-économique de l'automne 1996, reprenant à cette occasion la volonté exprimée par ses prédécesseurs.

Le rapport du ministre Fortier mettait l'accent sur une autre des transformations importantes de l'administration québécoise depuis 35 ans : le développement d'un réseau d'entreprises publiques. À la mort de Maurice Duplessis, en 1959, l'intervention directe de l'État québécois dans l'économie était négligeable, autant en quantité qu'en qualité. Les fonctionnaires provinciaux étaient peu nombreux, mal formés et mal rémunérés. Hydro-Québec ne distribuait de l'électricité que dans la région montréalaise, Radio-Québec n'était qu'une fiction légale datant déjà de 1944 et la Régie des alcools devait plus aux ligues lacordaires qu'à la planification des activités gouvernementales. Les sociétés d'État travaillent aujourd'hui dans les domaines de l'énergie, de la finance, de l'industrie, de la télévision, des mines, du transport et de la forêt. Outils d'un rattrapage jugés nécessaires, ces entreprises constituent le réseau de sociétés d'État le plus important de toutes les provinces canadiennes. Les sociétés d'État du Québec ont souvent été les instruments de politiques qui n'étaient pas encore conçues. Pour le Québec, cette autonomie relative de l'État garantissait aussi qu'une partie de la croissance économique serait assurée par des entreprises dont les centres de décision n'étaient pas à Toronto ni à New York, mais au Québec.

Face à une situation financière difficile, et dans la foulée des expériences de privatisation tentées ailleurs, en particulier en Grande-Bretagne, le gouvernement du Parti québécois avait commencé certaines privatisations au début des années 80. La victoire électorale des libéraux, en 1985, a mené à un effort plus vigoureux en ce sens. Pierre Fortier devait, en 1988, publier un rapport pour expliquer que l'opération de privatisation avait été un franc succès et qu'il n'était plus utile de poursuivre dans cette direction. Le gouvernement libéral devait toutefois effectuer une seconde vague de privatisation à la veille de sa défaite électorale de 1994. Ces privatisations n'ont cependant pas eu l'ampleur de ce qui fut fait en Grande-Bretagne. En dépit du fait que le gouvernement libéral élu en 1985 ait manifesté son désir de liquider plusieurs sociétés d'État, elles ont, pour l'essentiel, survécu à cet effort de privatisation. Des dix entreprises qui étaient pressenties pour la privatisation en 1986, seule la plus petite, Madelipêche, a été vendue dans sa totalité. La Raffinerie de sucre du Québec a également été vendue pour être fermée. Puis, SIDBEC, qui avait été un grand désastre financier au sein du réseau des sociétés d'État, a été vendue pour une somme très modeste, en 1994, avec le parc du Mont-Ste-Anne, centre de ski réputé, et la Société nationale de l'amiante. Ces privatisations complètent les divers efforts de rationalisation tentée depuis la fin des années 70 pour corriger ce que certains considèrent comme le résultat d'un processus de développement trop rapide.

Par sa politique de privatisation, le gouvernement québécois a réussi à stabiliser son réseau de sociétés d'État. Parce que ces entreprises sont trop importantes en tant qu'instruments de politique, au-delà de l'idéologie du parti au pouvoir, elles ont été conservées et leur gestion resserrée. Dans un contexte d'internationalisation croissante de l'économie, les instruments disponibles pour mettre en œuvre une politique quelconque sont limités. Les accords de libre-échange et le GATT limitent l'utilisation de tarifs douaniers ou des subventions. Les sociétés d'État demeurent donc un des rares instruments disponibles qui permettent d'« internaliser », sinon légalement du moins techniquement, certains coûts de recherche et de développer une certaine compétitivité internationale. Cette utilisation intelligente d'un réseau rationalisé d'entreprises publiques est un progrès marqué dans la gestion de l'État québécois.

À compter de la fin des années 80, les efforts de l'administration publique québécoise pour intégrer les innovations technologiques et améliorer la qualité des services publics se multiplient. Ces efforts sont cependant variés et reposent sur des initiatives particulières de ministères ou d'organismes gouvernementaux. Certaines tentatives voient le jour pour tenter d'améliorer la gestion de l'ensemble de la fonction publique. Citons, par exemple, la directive du Conseil du trésor, adoptée en 1989, pour encadrer les développements technologiques et la politique gouvernementale concernant l'amélioration de la qualité des services aux citoyens, adoptée par le Conseil du trésor en 1991, qui malgré leur pertinence ne donneront guère de résultats. Ces tentatives, bien que louables, marquent la fin d'une époque où les organismes centraux règlent les problèmes de gestion par de grandes directives universelles comportant une multitude de contrôles et s'appliquant à tous. Avec le recul, il est possible de comprendre que ces directives ne pouvaient fonctionner, parce que conçues dans une optique centralisatrice, mal adaptée à des réalités opérationnelles multiples, complexes et évoluant rapidement. Elles marquent ou réitèrent cependant l'importance accordée par le gouvernement pour ces grands enjeux.

En 1992, le gouvernement lançait l'opération de réalignement de l'administration publique (ORAP), par laquelle il cherchait à améliorer la qualité des services à la population, tout en augmentant la productivité de l'administration publique. Au regard de ce dernier objectif, l'opération constituait la première tentative sérieuse pour remplacer les réductions budgétaires paramétriques qui étaient à la base, depuis le début des années 80, de la réduction des dépenses de programme. Des techniques comme le PPBS, le budget base zéro (BBZ) et l'évaluation de programme avaient bien été essayées, mais n'avaient pas donné de résultats probants. La réingénierie souhaitée de l'administration publique cherchait à améliorer son fonctionnement et faisait le pari qu'il s'en suivrait des économies importantes. L'effort était mis pour donner plus de flexibilité à des structures correspondant à celles des grandes bureaucraties datant de l'ère industrielle et qui n'avaient guère été dépoussiérées.

L'axe trois de l'opération de réalignement, qui concernait plus proprement les opérations, a donné lieu à un certain nombre d'innovations en matière de gestion : le plan d'action annuel par lequel chaque ministre titulaire approuve les orientations et le niveau des ressources de son ministère et des organismes sous sa responsabilité ; la désignation des produits et services, et le développement d'indicateurs de productivité et de qualité propres à chacun d'entre eux ; l'intégration des démarches d'amélioration de la qualité des services et de réingénierie des processus. Ces innovations reposaient sur trois concepts : le remplacement des programmes par les produits et services ; la définition des processus comme base d'analyse ; et l'intégration de la préoccupation de la productivité avec celle de la qualité. Les programmes étaient, d'une part, trop agrégés pour permettre une analyse fine et, d'autre part, mettaient l'accent sur une vision interne du fonctionnement des unités opérationnelles, alors que les produits et services représentent la finalité de leur fonctionnement ou ce qu'obtient le citoyen qui s'adresse à l'administration publique. La connaissance du processus, et donc de chacune des activités concourant à la livraison d'un produit ou d'un service, permet d'obtenir l'ensemble de l'information requise pour prendre une décision quant aux interventions appropriées, que ce soit en ce qui regarde l'analyse de pertinence ou d'amélioration. La productivité et la qualité des services sont deux préoccupations qui doivent être indissociables dans une perspective de résultats. Un des éléments de base de la productivité est le coût de production total du produit ou du service. Des efforts importants ont été investis par l'opération à l'élaboration et à l'implantation d'une méthode de coût de production adaptée au secteur public.

Une des caractéristiques importantes de l'opération a été de mettre l'accent sur l'action et d'exercer un leadership soutenu pour provoquer le changement souhaité. Toutes les études nécessaires ayant déjà été réalisées au cours des années précédentes, il s'agissait pour l'équipe de coordination de l'opération de faire en sorte que la transformation se fasse. Certaines critiques formulées envers cette démarche semblent indiquer que tous n'ont pas compris ce choix.

L'autre axe principal de l'opération de réalignement marquait la volonté de baser le changement sur la responsabilisation des gestionnaires. Faute d'un cadre conceptuel qui aurait permis de clarifier et d'opérationnaliser le concept et de vaincre la résistance énorme au sein des organismes centraux envers la responsabilisation des gestionnaires, ce volet de l'opération s'est arrêté à la disparition des irritants les plus visibles des très nombreuses directives administratives.

Ce raté important quant à la responsabilisation a créé beaucoup de désillusions dans les ministères et les organismes. Si on ajoute à cela la résistance au changement et le climat tendu entre le gouvernement et les syndicats représentant ses employés, qui rendaient difficile tout changement important, la table était mise pour qu'il ne reste de l'opération que l'aspect budgétaire. Cette situation était d'autant plus paradoxale que les instaurateurs de cette démarche gouvernementale voulaient s'attaquer à la gestion et de façon induite contribuer à la réduction des budgets de dépense. Le nom même de l'opération avait acquis, avec le temps, une connotation négative et avait fini par être un boulet dans tout effort de réforme administrative.

Le changement de gouvernement, en 1994, a amené une réorientation de la réforme administrative en mettant l'accent sur la responsabilisation et sur la gestion par résultats. Le document intitulé *Les unités autonomes de service: application du concept de la gestion par résultats dans la fonction publique québécoise*, publié par la Direction de la réforme administrative du ministère du Conseil exécutif, présente ces deux concepts étroitement liés. La présente section s'en inspire largement.

La démarche de responsabilisation se compose de quatre éléments: le nouveau processus d'allocation des ressources, les accords sur l'organisation du travail, l'allégement des contrôles centraux et la gestion par résultats. Le nouveau processus d'allocation des ressources se caractérise par l'établissement d'enveloppes budgétaires globales et fermées qui permettent à chaque ministre de répartir ses ressources en fonction de ses priorités, telles que les définit le plan stratégique annuel. Ces enveloppes fermées assurent la stabilité du cadre budgétaire et favorisent le sérieux de la planification au sein des ministères et des organismes.

Les ententes sur l'organisation du travail ont été signées avec les syndicats et les associations de cadres pour créer une table gouvernementale et des tables ministérielles dans le but de revoir en profondeur l'organisation du travail. L'objectif étant que les employés participent à l'atteinte des objectifs gouvernementaux relatifs au cadre budgétaire et à l'amélioration des services aux citoyens.

L'allégement des contrôles centraux s'est réalisé en plusieurs étapes. La première, à l'automne 1994, avait permis d'éliminer plusieurs irritants et de relever un certain nombre de seuils d'autorisation. La deuxième étape a permis de revoir les directives administratives par secteur d'activités. C'est ainsi qu'ont été examinés les domaines de la gestion immobilière, de la gestion financière, de la gestion des ressources informationnelles et, dans une moindre mesure, de la gestion des ressources humaines.

L'objectif poursuivi par ces révisions, qui ne sont pas terminées, est de limiter les contrôles de moyens pour insister sur les grands enjeux. La mise en place d'un cadre de gestion plus souple devrait laisser plus d'autonomie aux gestionnaires dans leurs opérations courantes.

Les trois premiers éléments de la démarche visent à améliorer le cadre de gestion en responsabilisant les gestionnaires et les employés. Mais il n'en demeure pas moins que les contrôles restent axés sur les moyens et les gestes administratifs. Le quatrième et dernier élément de la démarche, la gestion par résultats, marque un changement plus radical par l'implantation d'un nouveau cadre de gestion. Celui-ci met l'accent sur les résultats en donnant aux gestionnaires le contrôle des moyens pour y parvenir par la mise en place d'unités autonomes de service. La gestion par résultats n'est pas un concept nouveau dans l'administration publique du Québec. Ce qui est nouveau, c'est son intégration dans une démarche gouvernementale structurée.

La démarche de responsabilisation s'inscrit dans la continuité des réformes de la gestion entreprises par l'administration publique québécoise depuis quelques années. Elle s'inspire également des expériences récentes d'autres pays de l'OCDE. C'est ainsi que le cadre de la gestion par résultats s'inspire de l'expérience britannique *next steps*, plus précisément de la mise en place d'agences.

La création d'agences n'est pas exclusive au Québec. Ce nouveau cadre de gestion est censé favoriser, selon ceux qui proposent cette formule ailleurs au Canada, la prise en compte des besoins des clients, l'« intrapreneurship » des gestionnaires, la prise de risques, la gestion par résultats, les mesures de rendement, etc. Les agences sont des unités opérationnelles distinctes au sein des ministères, à qui l'on confère une plus grande souplesse en matière de gestion et une plus grande responsabilité quant aux résultats[4]. Elles fonctionnent en vertu d'ententes négociées ou de « contrats ». Elles sont aussi tenues de faire état de leurs résultats en fonction d'objectifs préalablement établis.

Les Britanniques ont donné l'exemple pour la création d'agences comme ils l'avaient fait pour la privatisation. *Next steps* a débuté en 1988 et visait à implanter des agences pour les 75 % d'activités gouvernementales reconnues comme opérationnelles ; moins de dix ans plus tard, autour de 70 % de la fonction publique est regroupée en un peu plus d'une centaine d'agences. Les résultats sont tels que même le Parti travailliste, qui pourrait former le prochain gouvernement britannique, ne remet pas en question leur existence. Le secrétaire général associé à la réforme administrative à Québec, Pierre Sarault, ainsi que Jean-Claude Deschênes, ancien sous-ministre, alors professeur invité à l'ENAP, sont allés en Grande-Bretagne étudier l'expérience *next steps*. La lecture qu'ils faisaient de l'expérience britannique était que, mis à part l'élaboration de politiques et de programmes qui se prêtent difficilement à la mesure, la plus grande partie des activités gouvernementales a un caractère opérationnel et peut être gérée sur une base de résultats. Jean-Claude Deschênes (1996 : 30) cite Sarault pour qui 70 % des activités du gouvernement du Québec pourraient être réalisées par des agences. Ils voient dans l'importation du modèle britannique, transposé au Québec, de nombreux avantages. Les Néo-Zélandais ont procédé à des réformes similaires, en séparant conseil et prestation de services par la création de petits ministères consacrés aux politiques et de nombreuses agences pour assurer les services de ce qui reste de l'État dans ce pays. En Australie, comme au Canada, on a opté pour une approche plus pragmatique, et on a fait du cas par cas. Un certain nombre d'agences ont été créées, mais ces expériences ne s'inscrivent pas dans une réforme généralisée du secteur public comme ce fut le cas au Royaume-Uni et en Nouvelle-Zélande. Singapour et le Ghana tentent

4. Définition tirée de J. David Wright et Grame Waymark, *Organismes de service spéciaux : vue d'ensemble du projet, résumé*, Ottawa, Centre canadien de gestion, page 1. Le CCG a consacré une série d'études à ces organismes du gouvernement fédéral, ce qui a donné lieu à la publication de dix documents sur le sujet. Luc Bernier tient à remercier Maurice Demers, qui lui a facilité l'accès à ces documents, ainsi que Daniel Maltais, de l'ENAP, et John Wilkins et Herb Robertson du gouvernement du Manitoba, qui lui ont fourni les documents pertinents pour leur province. John a aussi répondu avec grâce aux nombreuses questions de Luc après sa présentation au congrès de l'IAPC à Victoria en août 1996. Ce chapitre n'aurait pas été possible sans leur aide. Merci également à Mohamed Charih pour les commentaires qu'il a faits sur les diverses versions de ce texte.

l'expérience des agences[5]. La Suède a adopté la formule, il y a de nombreuses années.

La mise en place d'unités autonomes de service, au Québec, répond à une préoccupation présente dans toutes les réflexions des dernières années sur la responsabilisation et la reddition de comptes. Il est en effet illusoire de penser qu'un ministre, ou même un sous-ministre, puisse répondre directement et être tenu responsable de la qualité de chacun des produits et services ou de l'efficacité de chacune des unités opérationnelles relevant de son portefeuille. Il se situe à un niveau stratégique souvent éloigné, par la force des choses, du produit ou du service particulier que reçoit le citoyen. La situation quant à la responsabilisation des gestionnaires n'est pas plus claire parce que l'objet de leur responsabilité en situation de reddition de comptes publique n'est pas définie. Pour les puristes du système de responsabilité ministérielle, elle est même inexistante. La gestion par résultats permet de clarifier les responsabilités du ministre, du sous-ministre et du responsable de l'unité autonome et rend donc possible la responsabilisation. En résumé, le ministre détermine les grandes orientations, le sous-ministre appuie son ministre et détermine les résultats que doivent atteindre les unités opérationnelles; et le responsable de l'unité autonome la gère de façon à obtenir les résultats attendus.

La mise en place de la gestion par résultats part de ce constat. En gros, il s'agit de désigner les unités opérationnelles et les produits et services dont elles sont responsables, de leur fixer des objectifs à atteindre, de leur donner l'autonomie requise et de leur demander de rendre compte annuellement de leurs résultats. Les objectifs de résultats varient selon la nature des produits et services. Ils portent sur la qualité de ceux-ci et la productivité de l'unité. Ces deux composantes du rendement sont intimement liées et doivent être examinées en tenant compte l'une de l'autre. L'autonomie accordée aux unités par rapport aux règles et aux directives permet d'augmenter leur rendement et varient selon leurs besoins propres.

L'unité où est mise en place la gestion par résultats se voit donner le nom d'« unité autonome de service » (UAS). Le modèle est formalisé de façon particulière à chaque UAS par trois documents : l'entente de gestion, le plan d'action et le rapport de gestion. Ces trois documents sont rendus publics pour assurer la transparence du processus.

L'entente de gestion constitue le « contrat » entre le sous-ministre et le dirigeant de l'unité autonome de service. Elle décrit le rôle et les responsabilités du dirigeant de l'unité, ses relations avec le ministre et le sous-ministre et le rôle du comité aviseur. Y sont également présentés les indicateurs qui permettront de rendre compte des résultats atteints et les marges de manœuvre dont bénéficie l'unité pour améliorer son rendement. L'entente de gestion décrit également les services de soutien reçus par l'unité et leurs coûts. Elle est modifiée, au besoin, par les parties signataires.

5. Pour une perspective mondiale sur les agences, voir Sanford Borins et Edward Warrington (1996), *The New Public Administration : Global Challenges, Local Solutions*, a Report on the Second Biennal Conference of the Commonwealth Association for Public Administration and Management, Malta, juin.

Le plan d'action annuel s'inscrit à l'intérieur des orientations ministérielles. Il décrit les enjeux et les perspectives de moyen terme ainsi que les objectifs de résultats fixés à l'unité pour l'année. Ces objectifs portent sur le rendement de l'unité quant à chacun des produits et services tant du point de vue de leur qualité que de la productivité. Finalement, le plan d'action précise les ressources dont bénéficie l'unité pour remplir son mandat.

Le rapport de gestion constitue le document par lequel l'unité autonome de service rend publiquement compte de son administration et des résultats atteints. Il est présenté très tôt à la fin de chaque année. Il décrit les résultats atteints, établit la comparaison entre ces résultats, certifiés par un service indépendant de l'unité, et les objectifs du plan d'action et en explique les écarts. Le rapport de gestion compare, si possible, les résultats de l'unité avec ceux d'organismes semblables, du secteur public ou du secteur privé, au Québec ou ailleurs.

En plus de la clarification des responsabilités, la mise en place des unités autonomes comporte plusieurs avantages[6] :

- *Accent mis sur le service à la clientèle*: la mise en place d'une unité autonome concrétise l'accent mis sur le service à la population comme raison d'être des unités opérationnelles. Les gestionnaires et les employés sont mobilisés par des cibles publiques de résultats à atteindre. Ces cibles, approuvées par les autorités ministérielles, portent sur la qualité et la productivité, et tiennent compte des attentes et des besoins de la clientèle.
- *Respect du cadre public*: l'implantation de la gestion par résultats se fait à l'intérieur de l'administration publique. Le personnel demeurant dans la fonction publique, il y a là un jugement implicite selon lequel il est capable de relever le défi de l'efficacité, si on lui fournit le cadre approprié. Les principes de transparence et d'équité visant à éviter le favoritisme, les conflits d'intérêts et à assurer une chance égale à chacun sont respectés. Le maintien de ces principes constitue une garantie importante pour la population.
- *Crédibilité et continuité*: l'entente de gestion, le plan d'action et le rapport de gestion sont tous rendus publics. Cette transparence assure la crédibilité du processus et permet une reddition de comptes complète de la gestion ; reddition de compte interne, mais aussi devant l'Assemblée nationale et la population qui pourront prendre connaissance des responsabilités de chacun, des cibles fixées et des résultats obtenus. Ils disposeront ainsi de tous les éléments pour juger correctement de l'évolution de la qualité du service et de l'amélioration de la productivité de l'unité autonome de service. L'exigence de rendre publics les trois documents amène une certaine formalisation du processus qui ne peut que favoriser la continuité du modèle par delà les changements à la direction.

---

6. E. Hufty, « Notes pour une présentation à un groupe de gestionnaires de la fonction publique québécoise », non publié, Québec, 1996.

- *Valorisation des unités opérationnelles*: la mesure du rendement des unités opérationnelles et la publication de leurs résultats permet de mettre en valeur le secteur de l'administration publique responsable de livrer les services à la population. Ces unités détenant l'autonomie nécessaire peuvent se permettre de mettre en place de véritables plans d'affaires portant sur leurs enjeux particuliers. La relation qu'elles entretiennent avec leur clientèle gagne en sérieux et permet de procéder aux véritables remises en question.
- *Flexibilité et facilité*: la mise en place d'une unité autonome ne requiert aucune législation. L'entente de gestion et le premier plan d'action permettent la reconnaissance de l'unité. L'entente de gestion doit comprendre un certain nombre d'éléments, mais leur contenu peut être adapté à chacune des situations, ce qui rend le modèle flexible et relativement simple à implanter.

Il existe dans la fonction publique du Québec, fin 1996, huit unités autonomes de services et leur nombre devrait être d'une quinzaine au début de l'année budgétaire 1997-1998. Les quatre premières unités ont présenté leur rapport de gestion pour l'année 1995-1996. Elles en sont à leur première année, mais déjà un certain nombre de constatations ont été tirées. Tel qu'on l'a prévu, une augmentation de la motivation du personnel a été notée de même qu'une augmentation du sentiment d'appartenance. Le rendement a été généralement amélioré tant sur le plan de la productivité que de la qualité des services. L'évolution des résultats observés est qualifiée de très encourageante. La prochaine année devrait permettre d'établir un bilan plus complet. Il est d'ailleurs prévu qu'un bilan annuel global sera réalisé par la Direction de la réforme administrative, pour mesurer et rendre compte de la progression des résultats des unités autonomes de service.

Bien que les principaux intervenants dans l'implantation de la gestion par résultats semblent positifs quant au rythme des travaux, certains auteurs émettent des bémols. Ils soulignent qu'il manque au Québec, ce que déplorent aussi les fonctionnaires du gouvernement fédéral, un nécessaire leadership fort. Les politiciens, autant québécois que canadiens, semblent peu portés à investir temps et énergie à améliorer le fonctionnement des administrations publiques. Comme Metcalfe (1993) l'avait aussi souligné dans le cas anglais, c'est moins la formule qui fut originale que l'opiniâtreté de Margaret Thatcher qui, année après année, a continué sur sa lancée idéologique. Sir Derek Rayner, qui a démarré le programme sous Thatcher, venait du secteur privé, de la très britannique compagnie Marks and Spencer, après avoir aussi travaillé dans le secteur public, et personnifiait le transfert des méthodes du privé vers le public (Metcalfe et Richards, 1990). On doit aussi retenir de cet exemple la durée au pouvoir du même parti et la suite dans les idées des gouvernants qui se sont assurés que leurs transformations ne seraient pas temporaires.

Outre la question du leadership politique, qui est crucial dans l'implantation et la permanence de la réforme, un certain nombre de questions surgissent quant au nouveau cadre de gestion lui-même. Ces questions sont propres à la situation de l'administration publique du Québec et peuvent être regroupées par thèmes.

- *La volonté et la capacité des organismes centraux d'appuyer la réforme*: l'adhésion des directions des organismes centraux du gouvernement semble acquise envers la réforme en cours. Dans certains dossiers reliés à la gestion par résultats, les organismes centraux exercent d'ailleurs déjà le leadership. Le rapport de la commission Lemieux et certaines évaluations de l'opération de réalignement soulignent que ça n'a pas toujours été le cas lors des réformes administratives antérieures. Le changement de culture que suppose le nouveau cadre de gestion est cependant sous-estimé. Pour obtenir une réforme durable, les organismes centraux devront accepter et soutenir le fait que la réglementation administrative doit être adaptée aux besoins de chaque unité autonome de service. La gestion de la diversité des règles et des normes ne figure pas dans la culture gouvernementale, surtout quand le modèle mis en place touche des éléments essentiels du cadre de gestion gouvernemental comme le financement et la budgétisation, la gestion des contrats, la gestion des immeubles et les règles concernant le personnel. La théorie risque de se heurter à la pratique lorsque certaines UAS demanderont d'être exemptées de politiques générales importantes en démontrant leurs conséquences graves sur les résultats. Il n'est par ailleurs pas exclus que la gestion par résultats provoque une révision de certains rôles et certaines responsabilités des organismes centraux.
- *L'élargissement de la gestion par résultats aux réseaux*: pour l'instant, la gestion par résultats n'est implantée que dans la fonction publique. Les réseaux de la santé et des services sociaux et de l'éducation, qui représentent pourtant une très large part des services publics à la population ne sont pas couverts. La tendance semble cependant irréversible et il est envisageable de penser que les pressions vont augmenter pour que soient rendus publics les résultats des établissements de santé et d'éducation, principalement en ce qui a trait à la qualité des services. La gestion par résultats représente un important changement culturel dans ces réseaux hautement professionnalisés, elle ne pourra y être implantée qu'après l'adaptation du modèle à leurs réalités propres.

- *Le maintien et le développement de l'expertise*: l'ampleur des départs de la fonction publique, accélérés pour des raisons budgétaires, doit être mise en relation avec le peu de recrutement réalisé depuis le début des années 80. Le problème d'expertise existe déjà dans certaines unités opérationnelles, engagées dans une démarche de gestion par résultats, qui doivent vivre le départ en bloc de leurs spécialistes d'expérience. Faute de pouvoir offrir une rémunération concurrentielle pour recruter des candidats de haut niveau ou de pouvoir préparer adéquatement la relève, elles sont condamnées à voir leurs résultats en souffrir. La relève fait d'autant plus défaut qu'on passe d'une gestion basée sur le respect des règles administratives à une gestion par résultats. Le recrutement et la formation des recrues sera primordial dans une société où les perspectives d'emploi dans le secteur public en avaient découragé plus d'un. Sans compter que la réputation du secteur public est à la baisse et que, contrairement à la tradition européenne, devenir fonctionnaire n'est pas au Québec, comme en Amérique du Nord, un choix de carrière prestigieux. Pour encourager des candidats de fort calibre à s'intéresser au secteur public, il faut revoir son mode de fonctionnement et encourager le bon rendement et l'entrepreneurship au lieu de les décourager.

- *Le risque de la transparence*: la nécessaire transparence que suppose la gestion par résultats est très exigeante et doit être encouragée. Plusieurs gestionnaires et employés des premières UAS ont rapporté, tout en approuvant l'exercice, avoir l'impression de prendre un risque en étalant leurs résultats sur la place publique. Le fardeau devra reposer sur les unités opérationnelles qui n'ont pas encore adopté la gestion par résultats plutôt que l'inverse.
- *La gestion des revenus*: les ministères et organismes budgétaires ont toujours fonctionné à partir de crédits votés par l'Assemblée nationale. La règle générale veut que lorsqu'une unité perçoit des revenus, ils soient versés au Fonds consolidé du gouvernement. Dans un contexte budgétaire très difficile, on peut comprendre que ces unités n'ont pas toujours mis la priorité sur la gestion de revenus ou le développement de nouveaux revenus qui ne lui reviennent pas. Les compressions budgétaires ont d'ailleurs conduit, dans certains cas, à priver le gouvernement de revenus supérieurs aux coûts épargnés. Une des demandes fréquentes des nouvelles UAS est de pouvoir conserver les revenus de la vente de produits et services pour financer leurs activités. Cet allégement, quoique souhaitable d'un point de vue de la responsabilisation, requiert la mise en place d'une infrastructure inexistante et soulève certaines interrogations. Ainsi, avant de commercialiser les produits et services de l'unité, il est important de savoir qui va approuver les prix facturés au citoyen ou au client, de connaître les coûts totaux de production et de les comparer avec les revenus, de quantifier les coûts de développement et de commercialisation, d'établir les limites quant au développement de nouveaux produits et services, de définir le marché cible, de limiter le risque qui peut être encouru à même les fonds publics et d'encadrer la possible concurrence que l'unité pourrait faire à d'autres organismes publics ou même privées.
- *Les ententes de partenariat*: la création d'UAS facilite la mise en place d'ententes de partenariat avec d'autres organisations, souvent du secteur privé. Plusieurs de ces ententes se sont développées dernièrement et le mouvement semble prendre de l'ampleur. Ces ententes sont bénéfiques, parce qu'elles permettent de tirer avantage des forces de chacune des organisations. Elles devront cependant faire l'objet d'analyses rigoureuses quant aux responsabilités gouvernementales, au respect des règles d'équité et d'éthique régissant l'administration publique, à la nécessaire transparence et aux risques encourus.
- *La régionalisation des services gouvernementaux*: la gestion par résultats devra s'adapter à la régionalisation des services publics qui sera mise en place dans les prochains mois. Cette nouvelle réalité obligera les UAS à concilier les objectifs ministériels avec les priorités régionales. Cela sera vrai tout autant pour les structures que pour la détermination des cibles de

résultats. Le processus de reddition de comptes devra tenir compte de cette réalité et prévoir une forme à définir de reddition de compte régionale.

La mise en place de la gestion par résultats constitue un défi important pour l'administration publique québécoise. Le changement de sa culture vers l'efficacité et la qualité des services dans une démarche totalement transparente est exigeant. Le nouveau cadre de gestion évolue et exige des gestionnaires de performer dans un contexte difficile et où ils ne peuvent avoir les réponses à toutes leurs interrogations. La création d'unités autonomes de service, qui peut être liée à une volonté de répondre aux besoins des citoyens, change le sens de la responsabilité ministérielle. L'imputabilité face aux citoyens et aux clients constitue un mécanisme direct de contrôle des fonctionnaires dont les conséquences ne sont pas encore bien éclaircies. De nouveaux arbitrages sont à prévoir. L'administration québécoise a encore des défis à surmonter pour être à la hauteur des espoirs mis en elle.

* * *

Références

AUCOIN, Peter (1995). *The New Public Management: Canada in Comparative Perspective*, Montréal, Institute for Research on Public Policy.

BERNIER, Luc (1989). *Soldiers of Fortune: State-Owned Enterprises as Instruments of Public Policy*, thèse de doctorat, Nortwestern University, Evanston, Illinois.

BERNIER, Luc (1994). *Privatization in Quebec*, dans Robert Bernier et James Iain Gow (dir.), *Un État réduit ?*, Sainte-Foy, Presses de l'Université du Québec, p. 221-246.

BERNIER, Luc (1996). *De Paris à Washington, la politique internationale du Québec*, Sainte-Foy, Presses de l'Université du Québec.

COHEN, Michael D., James G. MARCH et P. JOHAN (1972). « A Garbage Can Model of Organizational Choice », *Administrative Science Quaterly*, vol. 17, p. 1-25.

CURRAS, Luis (1995). *Application de l'Opération Réalignement de l'administration publique à certains organismes du Gouvernement du Québec*, projet d'intervention, ENAP.

DESCHÊNES, Jean-Claude (1996). « Les agences britanniques, source d'inspiration des modernisations administratives », *Choix/Gestion de l'État*, vol. 2, n° 3, Montréal, IRPP.

DOBELL, Rod, et Luc BERNIER (1997). « Citizen-Centered Governance : Intergovernemental and Inter-Institutional Dimensions of Alternative Service Delivery », dans Robin Ford et David Zussman, *Alternative Service Delivery*, Toronto, IAPC/KPMG (à paraître).

GOUVERNEMENT DU QUÉBEC, ministère du Conseil exécutif, Secrétariat à la réforme administrative (1995). *La gestion par résultats : application du concept dans la fonction publique québécoise.*

GOUVERNEMENT DU QUÉBEC, ministère du Conseil exécutif, Direction de la réforme administrative (1996). *Les unités autonomes de service : application du concept à la gestion par résultats dans la fonction publique québécoise.*

HAFSI, Taieb, et Christian KOENIG (1988). « The State-SOE Relationship : some patterns », *Journal of Management Studies*, vol. 25, p. 235-249.

HALLIGAN, John (1995). *Le rôle-conseil de la fonction publique*, dans B. Guy PETERS et J. Donald SAVOIE (dir.), *Les nouveaux défis de la gouvernance*, Ottawa, Centre canadien de gestion, p. 121-151.

HUFTY, Éric (1996). « La gestion par résultats dans la fonction publique du Québec », dans Conférence des juristes de l'État, *Actes de la XIIe Conférence des juristes de l'État*, Éditions Yvon Blais inc., p. 19-33.

HUFTY, Eric (1997). *Les unités autonomes de services*, dans Robin Ford, et David Zussman, *Alternative Service Delivery*, Toronto ; IAPC/KPMG (à paraître).

JULIEN, Germain, et Marcel PROULX (1992). « Le chevauchement des programmes fédéraux et provinciaux : un bilan », *Administration publique du Canada*, vol. 35, n° 3, p. 402-420.

KINGDOM, John W. (1995). *Agendas, Alternatives and Public Policies*, 2e édition, New York, Harper, Collins.

MAZMANIAN, Daniel A., et Paul SABATIER (1989). *Implementation and Public Policy*, Lanham, University Press of America.

METCALFE, Les (1993). « Conviction Politics and Dynamic Conservatism : Mrs. Tatcher's managerial revolution », *International Political Science Review*, vol. 14, p. 351-371.

METCALF, Les, et Sue RICHARDS (1990). *Improving Public Management*, mise à jour, London, Sage.

O'TOOLE, Laurence J. Jr. et Robert S. MONTJOY (1984). « Interorganizational Policy Implementation : A Theorical Perspective », *Public Administration Review*, vol. 44, p. 491-503.

PADGETT, John F. (1980). « Managing Garbage Can Hierarchies », *Administrative Science Quarterly*, vol. 25, p. 583-604.

PRESSMAN, Jeffrey L., et Aaron WILDAVSKY (1984). *Implementation*, 3e édition, Berkeley, University of California Press.

QUÉBEC (GOUVERNEMENT) (1990). *Au service des citoyens, la raison d'être de la fonction publique du Québec*, Québec, Commission du budgt et de l'administration, Secrétariat des commissions, décembre.

RICHER, Jules (1996). « La fonction publique maigrit au rythme prévu : en un an seulement, plus de 17 000 fonctionnaires fédéraux ont quitté leur emploi », *Le Devoir*, 3 août, page A-4.

RITTI, R. Richard et Jonathan H. SILVER (1986). « Early Processes of Institutionalization : The Dramaturgy of Exchange in Interorganisational Relations », *Administrative Science Quarterly*, vol. 31, p. 25-42.

SABATIER, Paul A. (1993). « Policy Change over a Decade or More », dans P.A. SABATIER et H.C. JENKINS-SMITH (dir.), *Policy Change and Learning : an Advocacy Coalition Approach*, Boulder, Wesview, p. 13-39.

SAVOIE, Donald (1994). *Thatcher, Reagan, Mulroney : in search of a new bureaucracy*, Toronto, University of Toronto Press.

SEIDLE, F. Leslie (1995). *Rethinking the Delivery of Public Services to Citizens*, Montréal, IRPP.

SECTION

D

L’enseignement et la reconnaissance professionnelle

CHAPITRE 25

L'Association canadienne des programmes d'administration publique : promotion de l'enseignement de l'administration publique au Canada

Paul Pross

Professeur retraité
École d'administration publique
Université de Dalhousie

Ken Rasmussen

Professeur
Faculté de management
Université de Regina
Président de l'ACPAP

Au cours des 25 dernières années, l'Association canadienne des programmes d'administration publique (ACPAP) a été le chef de file pour ceux et celles qui s'intéressent à l'enseignement de l'administration publique. Il s'agit d'une association de membres-organismes composée de 45 groupes affiliés à la grandeur du pays. Ils s'occupent tous d'une façon quelconque d'éducation en administration publique. On y compte des écoles, des programmes et des départements engagés dans l'enseignement de l'administration publique, depuis l'étape de l'éducation permanente jusqu'à celle du doctorat. Elle comprend aussi des organismes gouvernementaux qui s'occupent de l'enseignement de l'administration publique, tel le Centre canadien de gestion. Tous ses organismes membres se consacrent à la promotion de l'enseignement de l'administration publique et souhaitent travailler constamment pour améliorer la qualité de leur enseignement dans ce domaine au Canada. Le travail de l'ACPAP est effectué par des comités car, dans une large mesure, c'est un organisme bénévole, dont les employés ne reçoivent aucun salaire ; il faut toutefois signaler que l'Association peut obtenir le concours du personnel de l'Institut d'administration publique du Canada (IAPC).

L'histoire de l'ACPAP remonte au début des années 70. À ce moment-là, elle était connue sous le nom de Comité des écoles et des programmes pour l'administration publique (CEPAP), alors que la plupart des programmes de niveau universitaire en administration publique au Canada en étaient à la phase initiale de leur développement. Mis à part l'École nationale d'administration publique, on y trouvait relativement peu d'étudiants et quelques enseignants. Néanmoins, ces écoles et ces programmes se trouvaient intégrés à la mise en place des activités du secteur public du Canada, et elles tenaient vivement à y jouer un rôle important.

Il y avait deux grandes raisons de mettre sur pied ce comité. D'abord, plusieurs de ceux qui dirigeaient les programmes de niveau universitaire en administration publique sentaient qu'ils devaient échanger des idées et de l'information sur leurs programmes, le perfectionnement des programmes d'études et le placement des diplômés. Ensuite, ils croyaient aussi que les responsables des programmes, surtout ceux du niveau de la maîtrise, devaient harmoniser leurs relations avec le gouvernement fédéral. Bien que les directions des programmes aient en fait eu des liens avec le gouvernement de leur province, la plupart éprouvaient de la frustration dans leurs rapports avec Ottawa. Pour ce qui est de la Commission de la fonction publique fédérale et du Conseil du Trésor, ils étaient déroutés par la diversité des points de vue des écoles par rapport à l'administration publique et par les offres contradictoires que celles-ci faisaient en vue du recrutement, de la formation, etc. À la suggestion de Donald Gow (de l'Université Queen) et de Paul Pross (de l'Université Dalhousie), des représentants des programmes se sont rencontrés à Toronto et ont accepté de créer, sous l'égide de l'IAPC, le Comité des écoles et des programmes pour l'administration publique.

À la suite d'une série de réunions, ce comité a pu améliorer les relations avec le président de la Commission de la fonction publique, le secrétaire du Conseil du Trésor et le greffier du Conseil privé. Ces séances ont mené à une meilleure compréhension, chez les universitaires, des besoins en personnel de la fonction publique fédérale et leur ont fourni l'occasion de faire un peu de pression pour que la maîtrise en administration publique (MAP) soit reconnue comme une formation particulièrement appropriée pour occuper un poste dans la fonction publique.

Le Comité s'est aussi montré utile comme moyen d'aborder l'absence de curriculums types pour les programmes de maîtrise en administration publique ou de maîtrise ès arts, avec concentration en administration. Les gouvernements voulaient que les diplômés ayant une MAP soient des gestionnaires compétents plutôt que des spécialistes politiques ou institutionnels comme en avaient produit les anciens programmes en administration publique. Plusieurs universités ont répondu à ce premier élan vers la nouvelle gestion publique en créant une première année commune pour leurs programmes de maîtrise en administration des affaires (MBA) et de MAP. D'autres prétendaient que l'administration publique avait son propre milieu organisationnel, qui avait profité du rôle spécial de l'État et que, par conséquent, les programmes professionnels dans ce domaine devaient correspondre à un programme d'études qui abordait les problèmes de gestion conformément au point de vue du secteur public.

Ces vues divergentes ont abouti à une variété considérable dans les programmes offerts par les écoles canadiennes. Certains continuent de présenter les programmes de MAP et de MBA ; d'autres tentent d'offrir de solides études en gestion, mais en fonction du point de vue du secteur public ; d'autres, encore, s'intéressent surtout à l'aspect politique du domaine. Une telle diversité frustre souvent les employeurs, les étudiants et, bien entendu, les professeurs, qui aimeraient que la MAP soient plus reconnue. Par ailleurs, la grande variété de postes offerts aux diplômés à divers échelons du gouvernement, dans les organismes non gouvernementaux et à l'interface entre les secteurs publics et privés, justifie probablement la résistance à la normalisation des programmes concurrents. On a crié à l'anathème lorsque certains ont suggéré que les écoles et les programmes imitent leurs équivalents américains en adoptant l'accréditation.

L'ACPAP s'est trouvée au milieu d'une autre controverse, celle des écoles. Certaines offraient un niveau de formation professionnelle de deuxième cycle ; d'autres, un programme plus théorique de premier cycle. Pendant un certain temps a existé, durant les années 80, un organisme distinct, appelé l'Association des programmes de second cycle en administration publique (APSCAP), qui comprenait les directeurs de diverses écoles d'études supérieures en administration publique. La principale inquiétude à l'égard des programmes d'études supérieures était que le CEPAP n'était pas en mesure de fournir le soutien institutionnel nécessaire pour la formation professionnelle en administration publique. On croyait, non sans raisons, que ceux qui enseignaient l'administration publique au premier cycle étaient moins intéressés par la formation et le perfectionnement professionnels. Toutefois, il devint évident que le nombre de programmes d'études supérieures en administration publique était trop bas et que leurs ressources étaient trop limitées pour être complètement autonomes, surtout si cette autonomie ne jouissait pas de l'appui et de l'influence de l'IAPC dans les cercles gouvernementaux et auprès des écoles d'administration publiques elles-mêmes.

L'idée derrière l'APSCAP était de créer un organisme qui aurait des rapports plus formels avec les responsables des programmes d'études supérieures en administration publique et ceux des organismes fédéraux que touchaient particulièrement la gestion. Ces rapports devaient faciliter : 1) la circulation, vers les écoles professionnelles, de l'information relative aux changements dans les techniques de gestion ; 2) l'organisation d'échanges entre les écoles et les organismes fédéraux ; 3) la reconnaissance de la compétence professionnelle des diplômés des programmes en administration publique. L'APSCAP a connu un certain succès avec son premier objectif, persuadant la présidente de la Commission de la fonction publique d'alors, madame Huguette Labelle, d'organiser une assemblée annuelle entre les universitaires et les hauts fonctionnaires au centre de formation du CCG, à Touraine. Cette réunion, qui a attiré des universitaires des programmes de premier et de second cycle, ainsi que des programmes en administration des affaires, a été une source valable d'information sur les nouveautés dans la gestion du secteur public fédéral.

À d'autres égards, toutefois, l'expérience de l'APSCAP a été un échec. Les intérêts des écoles étaient si différents qu'un front commun ne pouvait résister ; cette association ne réussissait même pas à exécuter un plan de rencontres périodiques distinctes des directeurs des écoles pour discuter d'affaires institutionnelles. Les discussions entre le CEPAP et l'APSCAP ont finalement permis à l'ACPAP de voir le jour, en août 1987. Pendant qu'on se disputait, d'un côté comme de l'autre, pour décider si l'APSCAP et le CEPAP seraient tous deux des comités distincts de l'IAPC, on oubliait que, dans les faits, chaque organisme avait besoin de l'autre pour avoir une masse critique d'établissements membres. Le nouvel organisme a alors reconnu la diversité des possibilités éducationnelles en administration publique.

Finalement, quelle qu'ait été la configuration de l'ACPAP, elle demeurait un organisme hybride. De lien institutionnel qu'elle était, elle devint le principal lieu de rencontre des universitaires qui participaient aux activités de l'IAPC. Les réunions de l'ACPAP ont presque toujours eu lieu juste avant le congrès annuel de l'IAPC, et elles continuent de porter sur les questions de pédagogie et de recherche en administration publique. On a fait remarquer que certains intérêts du début pour le programme d'études et les rapports des programmes avec le gouvernement, qui étaient à la base de la création de l'organisme, sont passés au second plan ; on discute plutôt des méthodes d'enseignement, des nouveautés dans l'organisation et la gestion gouvernementales et de stratégies de recherche. De temps en temps, les représentants des écoles et des programmes protestaient devant cette subversion de leur ordre du jour, mais avaient peu de succès. Certes, tout ce qui reste de ces premières initiatives est le nom du groupe : l'Association canadienne des programmes d'administration publique.

La question des programmes d'études est compliquée parce que l'administration publique a souvent été vue par les politicologues comme une affaire de citoyens de deuxième classe. Pour les critiques, le programme d'études en administration publique est trop pratique et manque de la rigueur théorique qui lui assurerait un place prestigieuse au sein de la discipline. Évidemment, cela a beaucoup à voir avec les hiérarchies immuables et historiques des universités ; le théorique et l'abstrait y sont toujours vus comme supérieurs à la pratique et à l'immédiat. Ce n'est pas un reflet de la valeur intrinsèque de l'administration publique en tant qu'activité savante ou de sa valeur pour les étudiants qui optent pour ce circuit. L'ACPAP continue de combattre certaines de ces critiques, tout en encourageant les activités de recherche qui prennent de l'ampleur et ce, en se joignant surtout à d'autres parties intéressées à exercer des pressions auprès d'organismes de financement afin d'obtenir plus de fonds pour la recherche en administration publique.

Certes, il est vrai que ceux qui s'occupent de l'enseignement de l'administration publique au Canada n'ont jamais joui d'une période de supériorité intellectuelle et institutionnelle par rapport aux sciences politiques, comme ce fut le cas aux États-Unis durant les années 30 et 40. Le champ d'activité n'a pas davantage réussi à se séparer de la science politique, comme son homologue des États-Unis. L'administration publique au Canada est donc bel et bien une sous-discipline de la science politique et ce, même en devenant plus interdisciplinaire. Bien qu'il y ait un certain nombre d'écoles d'administration publique indépendantes, la majorité des universitaires sont des politicologues, et même les économistes qui sont embauchés tentent d'éviter l'analyse quantitative et sont surtout intéressés par les études politiques. Bref, l'administration publique n'est pas encore un champ d'activité professionnelle distinct de ses origines en science politique. Deux écoles d'administration publique (Carleton et l'ENAP) offrent des doctorats en administration publique ; ailleurs, les diplômes en recherche avancée dans le domaine ne peuvent être obtenus que dans les départements de science politique. On ne sait trop si cela est bon ou mauvais mais, dans le climat actuel, il est peu probable que nous assistions à beaucoup de changements dans la formation supérieure des professeurs d'administration publique ou qu'apparaissent de nouvelles écoles d'administration publique dans les diverses universités. La structure institutionnelle de la formation en administration publique au Canada est, pour le moment, figée.

Le fait que la formation en administration publique soit dominée par les politicologues a freiné l'intérêt des universitaires pour les sujets portant sur l'administration. À cause de leur penchant professionnel et du processus éducatif qui le sous-tend, les politicologues ont généralement peu d'intérêt pour les problèmes de gestion et d'organisation ; ils sont beaucoup plus portés à s'occuper de domaines politiques importants ou de questions à la croisée de l'administratif et du politique. Les chercheurs canadiens dans ce domaine ont, par conséquent, été plus lents que leurs homologues d'Australie et de la Nouvelle-Zélande à comprendre et à aborder pleinement les problèmes qui entourent la nouvelle administration publique. Les programmes en administration publique n'ont pas tout à fait abandonné les sujets administratifs – on trouve quelques spécialistes en relations industrielles, en sociologie et en économie dans la plupart des programmes professionnels –, mais les étudiants doivent faire concorder leurs intérêts avec les offres des divers établissements. À vrai dire, la notion de spécialisation institutionnelle que cela laisse entrevoir occupera vraisemblablement plus de place dans les écoles de la MAP, tout comme ce fut le cas dans les écoles d'administration des affaires.

Nous avons ici quelque chose qui ressemble à un cercle vicieux dans la mesure où l'orientation organisationnelle ou administrative de la discipline est limitée par la structure institutionnelle de l'enseignement de l'administration publique au Canada. En tout cas, ce n'est pas une question de soit/ou, mais davantage une question de combinaison pertinente. Mais, quelles que soient les différences, il est clair qu'elles ne sont pas tragiques et qu'elles permettent vraiment aux étudiants d'allier leurs points forts à leurs intérêts pour ce qui est offert par les différents établissements dans ce domaine. De plus, toute la notion de spécialisation a pris beaucoup d'importance dans les programmes de la MBA ; ceux-ci tentent de se distinguer les uns des autres dans un marché de plus en plus concurrentiel et en quête d'étudiants. La même tendance se manifestera probablement dans les écoles offrant la MAP, puisqu'elles essaient d'offrir aux étudiants une formation plus intense dans un domaine particulier ou comportant une approche particulière.

Les programmes de premier cycle en administration publique sont quelque peu différents et tendent à se retrouver dans les départements de science politique ; il y a relativement peu d'aspects quantitatifs et les cours qui y sont donnés dépendent des professeurs en cause, et c'est plutôt une affaire d'idiosyncrasie. On s'interroge dans certains départements de science politique : puisqu'il y a tellement de réduction des activités et tant de fonctionnaires renvoyés, n'est-il pas superflu d'offrir une formation en administration publique ? Cette question est pertinente. Bien que l'administration publique soit beaucoup plus orientée par la pratique que par le théorique, elle n'a jamais été enseignée au Canada comme un simple ensemble de formation professionnelle. La plupart des chercheurs dans le domaine insistent sur le fait que la compréhension des bureaucraties gouvernementales est un élément essentiel dans l'étude de la vie politique.

En dépit des controverses et des problèmes du milieu, et dans lequel l'enseignement de l'administration publique existe, il est facile d'affirmer que l'ACPAP a de solides réalisations à son actif. Elle est reconnue par les gouvernements comme un point de contact avec la communauté universitaire dans le domaine de l'administration publique. Elle a réussi à obtenir qu'on accorde du poids à la MAP dans les programmes de recrutement. Elle a assuré une meilleure place aux universitaires au sein de l'IAPC. L'ACPAP a également réussi à effectuer des sondages sur les diplômés des programmes en administration publique, créé un répertoire des programmes en administration publique, dressé des listes de sommaires de cours et fait beaucoup d'autres choses qui aident de façon pratique à l'enseignement de l'administration publique.

Une des activités les plus importantes défendue par l'ACPAP a été la mise à jour annuelle du Centre canadien de gestion pour les professeurs d'universités dans laquelle les hauts fonctionnaires exposent les développements en cours dans l'administration du gouvernement fédéral et les problèmes politiques. Les colloques annuels jouent un rôle vital dans l'amélioration de la qualité des programmes parce qu'ils tiennent les universitaires au courant des toutes dernières nouveautés. C'est devenu une rencontre annuelle importante pour le CCG, coïncidant avec la conférence John Manion, et ces colloques sont maintenant complètement administrés par le CCG, qui en fait aussi la promotion.

L'ACPAP a de plus essayé de pousser plus loin l'échange de praticiens et d'universitaires, en cherchant plusieurs fois à concevoir des programmes de stages avec le gouvernement fédéral. À différents moments, l'ACPAP a mis sur pied des programmes non institutionnalisés de stages, certains impliquant des déplacements de fonctionnaires, afin qu'ils occupent des postes d'enseignants dans des écoles d'administration publique, ou d'autres, impliquant des universitaires, afin qu'ils occupent des postes dans les ministères gouvernementaux ou dans les organismes centraux. Il s'agissait de cas spéciaux, mais on espère en venir à un système plus institutionnalisé.

Sur le plan international, l'ACPAP a fait moins qu'on l'aurait espéré. Elle vient tout juste de prendre de l'expansion dans le domaine des activités internationales, en aidant à mettre sur pied un organisme de fonctionnaires professionnels en Ukraine. Malgré tout, l'ACPAP demeure plutôt à l'écart. Les relations avec l'AIEIA n'ont jamais été aussi bonnes qu'elles devaient l'être et, bien que des établissements membres de l'ACPAP et des personnes participent aux activités de l'IIAS et de l'AIEIA, l'ACPAP est sans liens organisationnels permanents avec l'AIEIA, et c'est là un point qui devra être abordé prochainement.

Heureusement, les relations avec l'IAPC ont été beaucoup plus suivies. Depuis le commencement, le CEPAP a entretenu des rapports très étroits avec l'Institut, pour un certain nombre d'excellentes raisons. L'IAPC a l'avantage d'offrir de nombreuses ressources. En outre, de nombreux universitaires qui font partie de la communauté liée à l'administration publique s'identifient beaucoup à l'IAPC. L'engagement de l'IAPC en matière de formation professionnelle et pour les problèmes de perfectionnement a varié, mais ce groupe poursuit vigoureusement son programme de recherche, lequel a beaucoup attiré les universitaires. À un moment donné, vers la fin des années 80, l'IAPC avait même un comité sur l'éducation, la formation et le perfectionnement, au sein duquel l'ACPAP avait un délégué. Les rapports institutionnels de l'ACPAP avec l'IAPC sont étroits et l'ACPAP a un statut d'office au comité de recherche, au comité international et au conseil d'administration de l'IAPC.

La principale tension, si on peut l'appeler ainsi, entre l'IAPC et l'ACPAP, porterait sur la question de la pratique contre le théorique. Ces options ont, à différents endroits et périodiquement, poussé certains à demander à l'ACPAP de couper les liens avec l'IAPC. Mais les relations avec un plus grand organisme financé par des membres tels que l'IAPC a toujours profité à l'ACPAP. Bien que beaucoup d'universitaires préféreraient s'éloigner de l'IAPC, où ils se sentent une minorité menacée, il y en a beaucoup plus qui reconnaissent les avantages d'une affiliation avec un plus grand organisme qui a des liens étroits avec les fonctionnaires actifs.

La partie la plus importante des activités de l'ACPAP demeure peut-être sa détermination à améliorer la qualité de l'enseignement de l'administration publique. Un objectif qui définit l'ACPAP a toujours été l'amélioration de l'enseignement et le développement d'une meilleure compréhension du processus d'apprentissage. L'engagement de l'ACPAP dans le perfectionnement de l'enseignement peut se manifester, par exemple, dans l'organisation d'un minicolloque sur l'enseignement, de même que dans le parrainage de séances occasionnelles aux réunions annuelles de l'Association canadienne de science politique. Depuis 1984, le CEPAP et l'ACPAP ont organisé un minicolloque sur l'enseignement de l'administration publique, qui a lieu au moment de la réunion annuelle de l'ACPAP. C'est devenu un lieu important de diffusion des nouvelles techniques d'enseignement ainsi que des façons d'intégrer de nouveaux sujets dans le programme d'études en administration publique. Voici des sujets traités à ces minicolloques : enseignement du droit en administration publique, enseignement de la gestion des ressources humaines, utilisation de la technologie, méthode des études de cas, enseignement de l'administration publique provinciale, enseignement de la recherche dans les documents publics, postmodernisme, valeur du théorique contre la pratique.

La faiblesse principale d'un organisme tel que l'ACPAP est qu'il ne cesse d'avoir des problèmes de continuité et qu'il rencontre d'année en année certains obstacles pour le soutien des projets. Cela signifie aussi que l'organisme n'a pas une bonne mémoire institutionnelle, ce qui ralentit donc le développement de rapports solides avec d'autres organismes. Un autre problème est tout simplement que l'ACPAP n'a qu'une rencontre annuelle, au congrès national de l'IAPC. Il a été clair que la réunion annuelle de l'Association canadienne de science politique était une deuxième bonne occasion dans les années 90, mais le fait demeure que les membres ne peuvent soutenir deux réunions par année.

Il semble évident que l'ACPAP a trouvé une niche importante dans la promotion de l'enseignement de l'administration publique au Canada. Elle continuera de veiller à ce que les programmes d'administration publique au Canada conservent une grande rigueur académique et que la promotion de la MAP soit efficace auprès des commissions de la fonction publique et d'autres employeurs du secteur public. Dans le grand débat canadien concernant la nécessité de mettre l'accent sur les problèmes politiques ou sur les compétences administratives, l'ACPAP ne prend pas position. Contrairement à son homologue américain, l'ACPAP n'a pas préparé de programme d'études définitif ou d'autres critères d'accréditation ; elle demeure plutôt un forum pour les discussions et les débats qui ont cours sur certaines questions. L'ACPAP continuera vraisemblablement d'exister en tant que centre exclusif d'information sur les programmes et sur les changements dans l'enseignement de l'administration publique au Canada ; elle continuera aussi d'encourager l'excellence dans le domaine de la formation en administration publique, si varié que soit le contenu du programme d'études.

CHAPITRE 26

Les nouvelles orientations du Centre canadien de gestion

Janet Smith
Directrice
Centre canadien de gestion

26.1 Introduction

Le Centre canadien de gestion (CCG) est l'institut de formation et de perfectionnement des cadres du gouvernement fédéral canadien. Il a un rôle essentiel à jouer dans l'accroissement des compétences personnelles et de capacités organisationnelles nécessaires au renouvellement de la fonction publique. L'objectif du gouvernement était de mettre sur pied un centre d'excellence national et de réputation mondiale en formation et en recherche sur la gestion du secteur public. Bien que son histoire soit encore bien courte, il représente une importante ressource dans le domaine de l'administration publique au Canada.

Le moment est bien opportun de parler du CCG, car nous nous sommes engagés dans de nouvelles directions, au moment où notre conseil d'administration vient de déposer son premier rapport sur les activités et l'organisation du Centre pour la période du 1er décembre 1991 au 30 novembre 1996, tel que l'exige, tous les cinq ans, la Loi sur le Centre canadien de gestion. La préparation du rapport a permis de revoir les activités et l'organisation du CCG. à la lumière des objectifs qui constituent sa raison d'être et de constater comment les nouvelles pratiques, au chapitre de la formation des cadres, et, plus particulièrement, les changements dans les rôles du gouvernement et de la fonction publique, nous amènent à repenser le rôle du CCG. Le conseil d'administration s'est laissé guider, dans son examen, par trois questions fondamentales :

1. Le CCG s'est-il bien acquitté du mandat que lui avait confié le Parlement ?
2. Le CCG est-il pertinent et nécessaire ?
3. Le CCG est-il en position de répondre aux priorités du gouvernement et de la fonction publique ?

Avant de vous présenter nos conclusions quant à ces questions, je veux d'abord rappeler le mandat et la structure de gouvernance du Centre. Je terminerai avec la vision et les orientations qu'entend adopter le CCG pour les cinq prochaines années, et qui serviront de référence pour mieux évaluer le rendement du Centre dans les années à venir.

26.2 Mandat et gouvernance

Au cours des années 80, on a reconnu que l'excellence en matière de leadership dans la fonction publique fédérale était essentielle à la capacité du gouvernement de mener efficacement les affaires du pays. Des études poussées et des discussions animées ont porté sur cette question et ont ouvert la voie à l'annonce faite par le premier ministre en avril 1988 de la décision de créer le Centre canadien d'études en gestion (rebaptisé Centre canadien de gestion). L'objectif du gouvernement était de mettre sur pied un centre d'excellence national et de réputation mondiale en formation et en recherche sur la gestion du secteur public.

26.2.1 Mandat

Le mandat confié au CCG par le Parlement (voir annexe en fin de chapitre) est à la fois éloquent et durable. Il a bien servi le CCG et il est suffisamment souple pour permettre à celui-ci de s'adapter aux besoins changeants de la fonction publique, même dans un avenir lointain. Les deux objectifs principaux qui avaient été confiés au CCG étaient d'améliorer les capacités de gestion du secteur public et de promouvoir une forte culture corporative au sein de la fonction publique fédérale. En 1992-1993, le CCG a procédé à un important exercice de planification en vue de déterminer les besoins des clients par rapport à l'orientation du gouvernement à ce moment-là. Cela a abouti aux nouvelles orientations suivantes: « engendrer la fierté et l'excellence dans la fonction publique [...] en favorisant activement la croissance continue et la formation des gestionnaires du secteur public pour qu'ils puissent répondre adéquatement aux besoins du Canada, des Canadiens et des Canadiennes ».

26.2.2 Gouvernance

Depuis l'annonce de sa création, en 1988, jusqu'à sa constitution légale en 1991, le CCG a fonctionné par décrets. Le projet de loi C-34, qui obtenait la sanction royale le 1er décembre 1991, instituait le CCG en tant qu'établissement public sous la gouverne d'un directeur remplissant les fonctions de fonctionnaire administratif en chef et détenant le rang de sous-ministre. Le Centre est administré par un conseil d'administration qui, aux termes de l'article 12 de la Loi, « [...] est chargé de la conduite des travaux et des activités du Centre ». Comme dans d'autres organismes publics, le conseil d'administration du CCG et son directeur sont nommés par le gouverneur en conseil. Les membres du conseil d'administration sont également choisis parmi le secteur public et dans l'ensemble des autres secteurs. Le greffier du Conseil privé préside le conseil d'administration et le secrétaire du Conseil du Trésor, le président de la Commission de la fonction publique et le directeur du CCG sont membres d'office du conseil d'administration. Aux termes de la Loi, le ministre responsable du CCG est le premier ministre.

26.2.3 Programmes

Au cours de la période visée, le CCG a offert des programmes de recherche et de perfectionnement des cadres visant la réalisation des objectifs corporatifs du gouvernement et du programme de gestion de la fonction publique du Canada.

Les programmes de perfectionnement du CCG ont été axés sur l'orientation, la formation et le perfectionnement des cadres supérieurs de la fonction publique fédérale. La principale clientèle de ces programmes comprend tous les membres du groupe de la direction (EX), les gestionnaires nommés par le gouverneur en conseil, les équivalents de cadres, les groupes d'équité en matière d'emploi occupant un niveau inférieur à celui des cadres de direction, les personnes choisies dans le cadre du Programme d'affectations de carrière, du

Programme des stagiaires en gestion ou du Programme d'échange de cadres, ainsi que les gestionnaires régionaux occupant un poste au niveau Ex-moins-un. Les programmes du Centre s'adressent également à un nombre restreint de cadres supérieurs du secteur public et du secteur privé provenant d'autres secteurs de compétence ainsi qu'aux membres d'établissements d'enseignement de niveau post-secondaire. Les programmes du CCG sont une combinaison de programmes-cadres réservés à certaines clientèles et de programmes ouverts à toute personne désireuse de s'y inscrire.

Parallèlement à ces activités, le programme de recherche du CCG, axé sur une prise de conscience accrue des questions liées à la gestion du secteur public et aux rôles et fonctions du gouvernement, a été mené en collaboration avec le milieu de la recherche au Canada et à l'étranger et avec des partenaires du secteur public.

26.3 Les trois questions

Le conseil d'administration a répondu aux trois questions fondamentales et nos conclusions sont donc maintenant du domaine public.

26.3.1 Remplir le mandat

- Au cours des cinq dernières années, le CCG a fait des progrès constants dans l'accomplissement de son mandat :
  - Évoluant au rythme des méthodes pratiquées dans le domaine de la formation des cadres, et au cours d'une période où la fonction publique est caractérisée par le changement, la restructuration et la réduction de son effectif, le CCG a continuellement adapté ses activités et sa structure, de façon financièrement responsable, afin d'offrir à ses clients des programmes et des services qui répondent à leurs besoins. Ce point de vue a été renforcé par une analyse autonome menée pour le compte du conseil d'administration par une société d'experts-conseils de l'extérieur.
  - Le CCG a appris par l'expérience. En cherchant à innover et à expérimenter, le Centre a appris à distinguer les stratégies efficaces et celles qui le sont moins. Il a recueilli conseils et commentaires sur ses programmes et services et a entrepris, lorsque cela s'avérait nécessaire, de réorienter et de recentrer ses efforts ou de mettre fin à certaines activités.
  - Nous croyons que, pour la période visée, le gouvernement a obtenu un bon rendement de son investissement pour trois raisons : sur le plan des nouvelles connaissances et compétences immédiates pour les apprenants à titre individuel ; des avantages à long terme pour leur organisme et l'ensemble de la fonction publique au chapitre d'une meilleure capacité organisationnelle ; et de l'accroissement de la capacité et de l'efficacité du CCG.

26.3.2 Pertinent et nécessaire

- La réorientation du rôle du gouvernement, une conception nouvelle du service au public et l'environnement mouvant du secteur privé sont autant de facteurs qui rendent nécessaire l'adoption d'un ambitieux programme de changements pour la fonction publique. Le succès de cette entreprise dépendra de la capacité des cadres de direction à saisir les changements qui touchent le monde, la société, l'économie et la technologie. Il sera fonction également de la capacité de chaque cadre de direction à contribuer de façon constructive à l'élaboration d'une culture commune et à l'établissement de stratégies, de structures et de systèmes intégrés. Le CCG aura à jouer un rôle déterminant au cours des cinq prochaines années:
  - En tant qu'institut de formation et de perfectionnement des cadres du gouvernement, le CCG doit jouer un rôle essentiel dans l'accroissement des compétences personnelles et de capacités organisationnelles nécessaires au renouvellement de la fonction publique. Le Centre continue de servir d'outil de changement au sein de la fonction publique et d'agir comme ressource corporative contribuant à l'atteinte de buts corporatifs. Afin de s'acquitter de cette tâche, le Centre a entrepris de réorienter ses programmes d'apprentissage et de recherche pour les adapter aux objectifs du gouvernement actuel et aux priorités établies par le greffier du Conseil privé, qui a le rôle dirigeant de la fonction publique.
  - Les changements qui touchent l'apprentissage et le perfectionnement des cadres de la fonction publique constituent une réponse aux pressions exercées sur les dirigeants de la fonction publique pour qu'ils trouvent et appliquent des approches innovatrices permettant d'améliorer l'élaboration des politiques et la prestation des services. Pour demeurer le chef de file, le Centre doit continuer à appliquer les pratiques exemplaires d'apprentissage et de perfectionnement des cadres dans la conception et la prestation de ses programmes et services d'apprentissage.

26.3.3 En excellente position de répondre aux priorités du gouvernement

- Nous sommes d'avis que le CCG est en bonne position de continuer à s'acquitter de son mandat dans les années à venir. Le Centre a entrepris de réorienter ses programmes et services pour qu'ils soient plus pertinents et qu'ils favorisent les changements d'attitude souhaités dans la fonction publique. Le CCG a adopté une nouvelle structure organisationnelle et en a entrepris la mise en œuvre.
- Le principal objectif du CCG consistera à offrir des programmes de formation et de perfectionnement des membres du groupe EX et des groupes de relève, conformément aux directives et aux priorités touchant la fonction publique. Celles-ci sont d'ailleurs énoncées par le greffier du Conseil privé. Pour s'acquitter de son rôle, le CCG améliorera ses programmes et services afin d'offrir aux participants un ordre progressif mieux intégré d'activités de recherche, un cheminement continu d'apprentissage et un éventail complet de formation pour chaque niveau de direction. Le Centre constituera

un outil stratégique aux fins de la formation, de la divulgation et de la mise en œuvre des stratégies corporatives.

26.4 Un aperçu de l'avenir : les nouveaux principes du CCG

Voici les principes qui guident actuellement les activités du CCG :

- les sous-ministres sont responsables du perfectionnement de leur personnel ;
- les activités du Centre sont liées aux priorités corporatives, telles qu'elles sont déterminées par le greffier, en tant que chef de la fonction publique, et s'appuient sur les avis fournis par la Commission de la fonction publique relativement aux compétences des cadres ;
- les grandes priorités du CCG sont : le développement du leadership corporatif et le développement de l'équipe corporative ;
- tous les programmes et les services sont établis le long d'une échelle de formation, en fonction des stratégies de développement corporatif ;
- les programmes d'apprentissage sont complétés par des activités continues d'appui de l'apprentissage, telles que l'encadrement sur place qui permet de renforcer la responsabilité individuelle en matière d'apprentissage et qui sera offert à 80 % des participants aux programmes de formation du CCG ;
- la mise sur pied de réseaux d'apprentissage est un processus clé qui vise à atteindre les objectifs corporatifs et à régler des questions à facettes multiples ;
- le CCG constituera un modèle organisationnel exemplaire en incarnant les notions qu'il enseigne ;
- le CCG participe, en collaboration avec d'autres organismes centraux, à la planification de la relève pour le groupe de la direction ;
- la technologie moderne est utilisée à grande échelle pour divulguer les recherches, appuyer les réseaux et les programmes d'apprentissage ainsi que les communications bilatérales avec nos clients ;
- le Centre s'engage à évaluer constamment les résultats de ses programmes et services, à faire des percées dans le domaine de l'évaluation et à collaborer avec d'autres instituts de formation pour assurer une coordination des efforts.

Le conseil d'administration est d'avis qu'il s'agit là de principes valables, et il s'engage à assurer leur mise en œuvre. Comme le Centre continue de d'affermir sa contribution au renouvellement du service public par l'apprentissage et le perfectionnement des leaders du service public, il va :

- dans ses programmes de formation des cadres :
  - concentrer son attention sur les programmes de base et viser les connaissances et les compétences de base sur une échelle allant du niveau d'entrée au niveau des sous-ministres ;

- tenir compte des priorités du greffier du Conseil privé et du gouvernement en matière de conception des programmes ;
- s'assurer que chaque programme permet l'acquisition des niveaux de compétence établis par la Commission de la fonction publique ;
- élaborer les meilleurs modules d'apprentissage possible ;
- fonder la conception et la mise au point des programmes sur des recherches connexes et, le cas échéant, utiliser la sous-traitance dans le développement et dans l'exécution ;
- offrir diverses méthodes de prestation, conformément aux objectifs de la hiérarchie des programmes au fur et à mesure que les apprenants passent à un niveau supérieur ;
- être dirigé par un comité, présidé par le directeur, et composé de représentants de la fonction publique de l'extérieur du CCG, notamment de sous-ministres clients et de cadres responsables des ressources humaines qui s'occuperont également de contrôler la structure des programmes du Centre, d'évaluer les programmes pour déterminer s'ils ont encore de la pertinence et de la valeur et de gérer les futurs changements apportés aux programmes.

• dans ses recherches :
  - accentuer la recherche opportune et pertinente – ce faisant, accélérer le délai de réaction en conseillant les décideurs en matière de gestion des questions pressantes ;
  - entreprendre des projets en collaboration avec le Bureau du Conseil privé, le Secrétariat du Conseil du Trésor et la Commission de la fonction publique ;
  - partager les résultats des recherches à grande échelle et chercher à s'allier des partenaires qui pourraient « ajouter de la valeur » ;
  - être dirigé par les processus de planification des organismes centraux et ceux qui visent l'ensemble du secteur, lesquels définiront le contenu du programme corporatif de recherche, ainsi que le rôle du CCG à cet égard.

Pour que le CCG continue de connaître le succès, il lui faut encourager le changement dans le fonctionnement de la fonction publique. Le Centre accueille volontiers les défis proposés par ses nouvelles orientations. Il envisage avec plaisir d'apporter une contribution importante au renouvellement de la fonction publique du Canada et à l'amélioration des services gouvernementaux offerts à tous les Canadiens et Canadiennes.

Annexe

Les objectifs du CCG sont les suivants :

a) inciter à la fierté et à la qualité dans la gestion de la fonction publique et stimuler chez les gestionnaires de celle-ci le sens de la finalité, des valeurs et des traditions la caractérisant ;

b) contribuer à ce que ces gestionnaires aient la compétence, la créativité et les connaissances en gestion – notamment en matière d'analyse, de conseils et d'administration – nécessaires à l'élaboration et à la mise en œuvre des grandes orientations, à l'adaptation au changement, y compris en ce qui touche le caractère social, culturel, racial et linguistique de la société canadienne, et à une gestion efficace et équitable des programmes et des services de l'État ainsi que de son personnel ;

c) aider les gestionnaires de la fonction publique à établir des relations de collaboration fructueuses avec les membres du personnel de tous les niveaux par leur leadership, leur motivation, l'efficacité de leurs communications internes et l'incitation à l'innovation, à la fourniture au public de services de haute qualité et au développement des compétences personnelles ;

d) former dans la fonction publique et y attirer par ses programmes et études, des personnalités de premier ordre qui reflètent la diversité de la société canadienne et les appuyer dans la progression d'une carrière de gestionnaires voués, au sein du secteur public, au service du Canada ;

e) élaborer et mettre en œuvre, à l'intention des gestionnaires du secteur public, et plus particulièrement des cadres supérieurs de la fonction publique, des programmes de formation, d'orientation et de perfectionnement ;

f) mener des études et des recherches sur la théorie et la pratique de la gestion dans le secteur public ;

g) sensibiliser la population canadienne aux questions relatives à la gestion du secteur public et à l'ensemble du processus gouvernemental et faire participer à son idéal de perfection dans l'administration publique.

CHAPITRE 27

L'École nationale d'administration publique, carrefour universitaire de l'administration publique au Québec

Pierre De Celles
Président-directeur général
École nationale d'administration publique

Rédigé avec la collaboration d'André Chénier.

Au Québec, l'École nationale d'administration publique (ENAP) est le point de convergence de l'enseignement universitaire, de la recherche et des pratiques aussi bien québécoises qu'internationales en administration publique. Au cœur de ses préoccupations: la formation et le perfectionnement des gestionnaires publics ainsi que la recherche en administration publique.

Le siège social de l'ENAP se trouve à Québec. Son enseignement est offert dans plusieurs villes du Québec, dont Montréal, Hull, Trois-Rivières, Chicoutimi, Rimouski, Québec et ponctuellement à l'étranger. La plupart des étudiants inscrits à l'ENAP occupent déjà un poste de gestionnaire dans l'administration publique ou parapublique, disposent de plusieurs années d'expérience de gestion et poursuivent leurs études à temps partiel.

L'École s'appuie sur un corps professoral permanent qui se consacre depuis de nombreuses années à l'enseignement, à la recherche et au perfectionnement en administration publique. Cette équipe universitaire d'une quarantaine de professeurs est complétée par quelques conseillers en administration publique, par des professeurs invités, par plus de cinquante chargés de cours et par une dizaine de hauts fonctionnaires québécois, en détachement dans le cadre de la Mission gouvernementale auprès de l'ENAP.

Les programmes d'études créditées et de formation continue offerts par l'ENAP sont adaptés à la fois aux besoins individuels des gestionnaires et à ceux des organisations publiques, et ils répondent à des objectifs universitaires et professionnels. Les cadres supérieurs et les administrateurs d'État se retrouvent à l'ENAP dans le cadre des sessions offertes par le Centre de développement des cadres supérieurs et à l'occasion des rencontres du Forum ENAP et du Cercle ENAP, lieux de réflexion pour les sous-ministres et sous-ministres adjoints et associés du gouvernement du Québec.

Au fil des années, l'enseignement universitaire de l'ENAP s'est diversifié et étendu à six programmes de 3e et de 2e cycle: le doctorat en administration publique, la maîtrise en administration publique, la maîtrise en analyse et gestion urbaines, le diplôme en administration publique, le diplôme en administration publique régionale et le diplôme en administration internationale. L'ENAP a ajouté récemment à son enseignement plusieurs programmes courts d'études avancées.

Membre d'un réseau mondial d'institutions d'enseignement et de recherche en administration publique, l'ENAP intègre la dimension internationale à l'ensemble de ses activités. Alors que certains programmes d'enseignement sont orientés vers la formation en administration publique internationale, d'autres s'enrichissent d'études et d'analyses comparatives, ou sont conçus particulièrement à l'intention de participants étrangers. Récemment, l'ENAP s'est aussi dotée d'une antenne de détection des grands changements porteurs d'avenir: l'Observatoire de l'administration publique. De plus, l'ENAP a créé une Didacthèque internationale en management public afin de favoriser le développement de l'enseignement du management public.

Formation, perfectionnement, recherche en administration publique et présence internationale constituent les grands volets de la mission de l'ENAP.

Les retombées de ses interventions dans chacun de ces domaines se rejoignent et se fécondent mutuellement pour alimenter le nécessaire renouveau de l'administration publique.

27.1 L'ENAP, école de management public

Fondée en 1969, l'ENAP est membre du réseau de l'Université du Québec. Ce réseau comprend douze établissements : six universités régionales à vocation générale, une université qui offre une formation à distance, deux instituts de recherche, deux grandes écoles, dont l'ENAP, et un siège social qui regroupe les instances centrales de coordination.

L'ENAP constitue une entité autonome, pourvue de son propre conseil d'administration et de sa commission des études. Le conseil d'administration est présidé par le directeur général de l'École et ses membres sont nommés par le Conseil des ministres du gouvernement du Québec. Nanti des pouvoirs qui lui sont conférés par le conseil d'administration, le comité exécutif gère les affaires courantes de l'École. Les membres de la commission des études, présidée par le directeur général de l'École, sont nommés par le conseil d'administration, et celle-ci constitue le principal organisme responsable de l'enseignement et de la recherche.

Conformément à son statut d'établissement universitaire et à son mandat institutionnel de recherche, de formation et de perfectionnement, l'ENAP participe de façon active au développement de l'administration publique au Québec. À cette fin, elle répond aux besoins des gestionnaires et des organisations de l'administration publique, et elle cherche à exercer une influence sur les chefs de file en ce domaine. Plus particulièrement, l'ENAP se définit comme un lieu d'échanges professionnels et de réflexion critique où s'associent les praticiens de niveau supérieur et les spécialistes de l'administration publique.

27.2 L'harmonisation de l'ENAP avec le gouvernement du Québec

L'École nationale d'administration publique et le gouvernement du Québec partagent une même préoccupation d'assurer la prestation de services de qualité aux citoyens par une fonction publique compétente, notamment grâce à des gestionnaires capables de mieux comprendre les enjeux et les défis de la société contemporaine.

Afin de faciliter la réalisation de la mission de l'École et la poursuite des objectifs du gouvernement du Québec au chapitre de la formation et du perfectionnement de ses cadres, l'ENAP et le gouvernement sont convenus d'un protocole d'entente. En vertu de ce protocole, qui vise à favoriser une meilleure adéquation des programmes de l'École aux besoins de formation des gestionnaires publics, les deux parties collaborent dans la conception et la réalisation de programmes de développement des cadres de l'administration publique.

27.3 La Mission gouvernementale auprès de l'ENAP

Le gouvernement du Québec reconnaît la contribution de l'ENAP au développement de l'administration publique et il appuie la volonté de l'École d'assurer aux cadres supérieurs de la fonction publique une formation adéquate, qui reflète à la fois les dimensions didactique et professionnelle de l'administration publique. Cette reconnaissance explique l'existence de la Mission gouvernementale.

La mission gouvernementale auprès de l'ENAP permet d'associer, au cœur des activités d'enseignement et de recherche de l'École, des professeurs de carrière et des praticiens expérimentés du management public. Ce jumelage favorise la conciliation des dimensions théorique et pratique du management public. Les membres de la Mission sont des hauts fonctionnaires du gouvernement québécois en détachement à l'ENAP. Selon leurs intérêts et leur expérience, ils participent à temps complet aux activités régulières d'enseignement et de recherche de l'École.

27.4 Une formation sur mesure pour les gestionnaires publics

Les programmes offerts par l'ENAP visent l'acquisition des connaissances de base en administration publique et le développement des habiletés et des attitudes indispensables à la pratique du management public. Les programmes d'enseignement et de recherche de l'École mettent l'accent sur le fonctionnement des organisations publiques, la mise en œuvre des politiques publiques, la production de services aux citoyens, la recherche et le développement des moyens d'assurer cette mise en œuvre, la maîtrise des processus de gestion de ces moyens (planification, prise de décision, évaluation des résultats, amélioration de la performance organisationnelle), les rôles et les responsabilités des gestionnaires publics ainsi que l'analyse et la compréhension de l'environnement des organisations publiques. L'École offre à sa clientèle des programmes d'études créditées et des programmes de formation continue.

27.5 Les études créditées

L'ENAP offre aux gestionnaires publics des programmes d'études créditées (un crédit correspond à quinze heures d'enseignement). Ces programmes conduisent à l'obtention de diplômes universitaires de 2e ou de 3e cycle et ils peuvent être poursuivis à temps partiel ou à temps complet dans plusieurs villes du Québec.

Les études poursuivies à l'ENAP peuvent mener à l'obtention des diplômes suivants : le doctorat en administration publique, la maîtrise en administration publique (option A et option B), les diplômes en administration publique, en administration internationale ou en administration publique régionale.

Le programme de *doctorat en administration publique*, qui a débuté à l'automne 1996, comporte 90 crédits et offre actuellement deux champs d'études: d'une part, la théorie des organisations et le management public et, d'autre part, l'analyse et la gestion des politiques publiques. Il a pour objectif de fournir aux étudiants l'occasion d'approfondir leurs connaissances en administration publique et de réaliser des recherches importantes. Il est offert aux personnes qui sont titulaires d'une maîtrise en administration publique ou dans une discipline connexe et qui souhaitent poursuivre une carrière dans un établissement universitaire ou de recherche ou qui veulent continuer de travailler dans l'administration publique. Pour l'année scolaire 1996-1997, douze personnes sont inscrites au doctorat en administration publique.

La *maîtrise en administration publique (option A)* offre deux champs d'études: management public et management international. Elle comporte 60 crédits, répartis en cours obligatoires, à choix limité ou optionnel. Ce programme vise à optimiser la capacité des étudiants à répondre aux exigences de l'administration publique contemporaine, à diriger et à gérer avec efficacité les organisations, les programmes et les ressources. En outre, les étudiants doivent présenter, en fin de scolarité, un projet d'intervention: cette activité individuelle d'intégration consiste à analyser une problématique existante dans une organisation publique ou un organisme international et à formuler des propositions concrètes pour la résoudre.

Le programme de maîtrise en administration publique (option A) fut le premier mis sur pied à l'École dès sa fondation en 1969. Il est destiné à des personnes titulaires d'un diplôme de 1er cycle universitaire ou qui ont les connaissances reconnues équivalentes et qui possèdent une expérience appropriée de gestion, de préférence au sein de l'administration publique. Depuis la fondation de l'École, 1937 personnes ont obtenu leur diplôme de maîtrise en administration publique, option A. À la session d'automne 1996, 330 personnes étaient inscrites à ce programme.

La *maîtrise en administration publique (option B)*, ouverte à l'automne 1991, comporte elle aussi 60 crédits, répartis en activités obligatoires, optionnelles ou particulières au champ de spécialisation. Elle offre deux profils: l'un, avec mémoire: l'étudiant doit rédiger un rapport présentant la démarche et les résultats d'une recherche particulière; l'autre, avec stage ou travail dirigé: l'étudiant peut mesurer ses connaissances et ses habiletés en effectuant un stage dans un organisme public. Parmi les champs d'études proposés, on trouve l'analyse et le développement des organisations, l'évaluation de programmes et la gestion des ressources humaines. Ce programme, qui a pour objectif de former des personnes destinées à exercer des fonctions d'analyste, de conseiller ou de chercheur dans un domaine particulier de l'administration publique, met l'accent sur la connaissance et la compréhension des phénomènes qui touchent l'environnement de l'administration publique, et accorde une importance particulière aux méthodes de base en recherche et intervention auprès des organisations et en consultation.

Il est destiné aux personnes qui travaillent au sein d'un organisme public comme analystes ou conseillers dans un des champs de spécialisation offerts ou encore à des diplômés du 1er cycle universitaire intéressés par cette formation. Les premiers diplômés de la maîtrise en administration publique option B ont été reconnus à l'automne 1993 ; depuis lors, 168 personnes ont reçu ce diplôme. À la session d'automne 1996, 159 personnes étaient inscrites à ce programme.

La *maîtrise en analyse et gestion urbaines* est offerte par l'ENAP, conjointement avec l'Institut national de la recherche scientifique et l'Université du Québec à Montréal. Elle vise à former des cadres et des professionnels de la gestion urbaine et à accroître le niveau de compétence des gestionnaires urbains (municipaux et paramunicipaux), en faisant appel aux sciences de la gestion. Ce programme favorise l'étude multidisciplinaire des affaires urbaines, tant sur le plan des activités courantes que sur celui des décisions stratégiques, et il développe une conception de la gestion urbaine qui intègre l'analyse économique, politique et sociologique. Il est orienté vers la recherche de solutions opérationnelles s'appliquant à des situations concrètes. En fin de scolarité, les étudiants doivent présenter un rapport d'activité et s'inscrire à un séminaire de synthèse.

Ce programme, qui comporte 45 crédits, s'adresse aux gestionnaires occupant des fonctions administratives, aux professionnels ayant une expérience des affaires urbaines et aux personnes intéressées, de par leur fonction, aux problèmes urbains. Depuis sa création en 1985, 98 étudiants ont reçu le diplôme de maîtrise en analyse et gestion urbaines ; à l'automne 1996, 105 personnes étaient inscrites à ce programme conjoint.

En plus des programmes de maîtrise, l'ENAP offre aussi des *diplômes d'études avancées de 2e cycle*, spécialisés en administration publique, en administration internationale et en administration publique régionale. Les diplômes d'études avancées sont des programmes de 30 crédits permettant d'accéder ultérieurement aux programmes de maîtrise en administration publique. Ces programmes offrent aux professionnels et aux gestionnaires publics, ayant ou non une expérience de gestion, la possibilité d'acquérir une formation de base en gestion publique, d'élargir leur champ de compétences et d'accroître leurs possibilités de carrière.

Le *diplôme en administration publique* a pour objectif de développer la compréhension des structures, du fonctionnement, de la gestion et de l'environnement de l'administration publique. Ce programme s'adresse aux professionnels et aux gestionnaires des secteurs public et parapublic désireux de parfaire leur connaissance de l'administration publique, d'accroître leur efficacité et d'élargir leurs possibilités de carrière. Il s'adresse également à des personnes qui travaillent dans le secteur privé, en étroite collaboration avec des organismes publics. Depuis l'ouverture de ce programme en 1989, 713 personnes ont reçu ce diplôme et 205 personnes y étaient inscrites à l'automne 1996.

Le *diplôme en administration internationale* vise à procurer une formation professionnelle, à la fois théorique et pratique dans ce domaine et à préparer à la gestion internationale. Créé en 1988, il s'adresse aux personnes, de formation ou d'expérience diverses, provenant des secteurs public, privé ou associatif, qui travaillent dans le domaine international ou qui souhaitent y travailler. L'aspect management du programme a été renforcé de façon à faciliter ultérieurement le passage à la maîtrise en administration publique option A, où l'on trouve une concentration en management international. Depuis sa création, 281 personnes ont reçu ce diplôme et, à l'automne 1996, 71 y étaient inscrites.

Le *diplôme en administration publique régionale* est offert depuis l'hiver 1996, conjointement avec l'Université du Québec à Rimouski. Il vise à former des gestionnaires dans la perspective du management public appliqué à l'administration et au développement régional, en leur fournissant les principaux concepts, techniques et outils d'analyse appropriés pour gérer les processus de changement et d'adaptation que commandent les problématiques de l'administration publique en région. À l'automne 1996, 14 étudiants poursuivaient leurs études à Rimouski dans le cadre de ce diplôme.

Les *programmes courts d'études avancées* complètent la formation universitaire en administration publique offerte par l'ENAP. Depuis l'hiver 1995, ces programmes de 15 crédits, qui cherchent à répondre à des besoins particuliers de formation, sont soumis à des conditions d'admission plus souples et proposent des cheminements qui sont mieux adaptés aux contraintes des étudiants. Les programmes offerts portent sur les thèmes suivants : le management public, l'évaluation de programmes publics, la didactique du management public, la gestion des ressources humaines, la gestion financière, les systèmes et les technologies de l'information, l'administration gouvernementale, l'administration locale ou régionale, et le management international. Ils s'adressent aux personnes titulaires d'un diplôme de 1er cycle universitaire, avec ou sans expérience de travail, qui désirent accroître leurs connaissances ou leurs habiletés dans des domaines particuliers de la gestion. À la session d'automne 1996, 300 personnes étaient inscrites à ces programmes.

27.6 La formation continue : les programmes de perfectionnement

Au chapitre de la formation continue, l'ENAP offre aux gestionnaires publics des programmes conçus et développés avec eux et leurs organisations, orientés vers la pratique du management public, avec une préoccupation de performance améliorée, appuyés sur une pédagogie adaptée et des méthodes d'intervention modernes. L'ENAP contribue activement au développement du management des organisations publiques, au Québec et dans le monde. L'objectif ici est non seulement de soutenir les praticiens dans l'exercice de leurs responsabilités et dans leur cheminement professionnel, mais aussi de répondre aux besoins ponctuels ou à plus long terme de l'État et des organisations publiques.

Le *Centre de développement des cadres supérieurs* se veut une réponse à la volonté de l'ENAP d'être un lieu d'échanges professionnels et de réflexion critique pour les praticiens de niveau supérieur et les spécialistes de l'administration publique. Il permet aux gestionnaires de niveau supérieur de la fonction publique du Québec, en particulier ceux qui sont nouvellement nommés, d'actualiser leurs connaissances et leurs habiletés de gestion. Parmi les programmes offerts par le Centre, soulignons le programme des gestionnaires formateurs et le programme de formation intégrée pour les gestionnaires gouvernementaux.

Les *programmes de formation continue* de l'École, quant à eux, sont directement liés aux préoccupations des gestionnaires publics. Ils traitent de thèmes tels que les habiletés de gestion, le changement et l'adaptation, le service à la clientèle, les processus et outils de gestion, l'environnement et l'évaluation des compétences et le développement de carrière. Parmi les clients de ces programmes se trouvent des administrateurs scolaires, des gestionnaires du réseau de la santé et des services sociaux, des gestionnaires municipaux, des professionnels et des cadres des ministères et organismes gouvernementaux ainsi que des cadres en provenance d'autres pays. À la croisée des connaissances universitaires, de la réflexion et des pratiques en administration publique, l'ENAP mise donc sur la formation continue des gestionnaires de tous niveaux pour soutenir la fonction publique face à ses nouveaux défis. L'ENAP offre aux gestionnaires des secteurs public et parapublic des programmes de courte durée (de un à cinq jours) ainsi que des programmes de longue durée (de douze à trente jours) s'échelonnant sur plusieurs mois. Chaque année, quelque 3500 gestionnaires publics participent aux activités de formation continue offertes par l'ENAP.

Quant aux *programmes organisationnels de formation sur mesure*, ils répondent aux besoins particuliers d'une organisation. Élaboré de concert avec ses dirigeants à l'intention des gestionnaires de cette organisation, ce type de programme s'attache à des problématiques propres à une organisation ou adapte à son contexte particulier l'un ou l'autre des programmes de formation continue de l'École.

En complément et en appui à ces programmes, l'École a mis sur pied, il y a quelques années, le *Service d'évaluation des compétences et de développement de carrière* dans le but d'aider les personnes et les organisations dans le domaine du diagnostic des compétences et du développement de carrière. Dans le cadre de plusieurs activités pédagogiques de l'ENAP, les participants se prévalent d'instruments qui leur permettent non seulement de mieux connaître leurs forces et leurs faiblesses professionnelles, mais aussi d'optimiser leurs aptitudes et de mieux cerner leurs aspirations. Ces instruments, offerts en sessions distinctes ou dans le cadre d'autres activités de formation, sont l'Appréciation par simulation, la Planification de vie et de carrière, le Profil de compétence en gestion et l'Indicateur de tempéraments de Myers-Briggs. En plus des particuliers, des organismes des secteurs public et privé font appel à ce service, soit pour gérer avec plus d'efficacité leurs ressources humaines, soit dans le cadre de leurs processus de recrutement et de promotion de cadres supérieurs.

Le *Forum ENAP*, pour les sous-ministres, et le *Cercle ENAP*, pour les sous-ministres adjoints et associés, sont des points de rencontre pour les plus hauts responsables de l'État québécois. Les administrateurs d'État et les sous-ministres de l'administration publique vivent avec une acuité particulière les défis des États modernes. En effet, parallèlement à leurs importantes fonctions de gestion, ils assument souvent la responsabilité d'animer le processus d'intégration des changements sociaux et économiques. L'actualisation des compétences de ces personnes clés de l'État québécois s'impose donc comme une nécessité aussi bien personnelle qu'organisationnelle. L'ENAP reconnaît comme prioritaire ce mandat particulier à l'égard de la haute fonction publique gouvernementale. Les activités du Forum et du Cercle prennent la forme de séminaires, de symposiums ou de colloques. Maîtres d'œuvre de leur développement, les participants à ces rencontres choisissent de traiter de sujets proches de leurs préoccupations quotidiennes ou de thèmes utiles à l'orientation future de l'administration publique. Ces deux types d'activités de haut niveau sont sous la responsabilité d'un comité conjoint qui regroupe des représentants du gouvernement du Québec et de l'ENAP et qui coordonne l'ensemble des activités offertes par l'École à l'organisation gouvernementale.

27.7 La recherche en administration publique

Mieux connaître les appareils administratifs des États, évaluer ces appareils et leurs pratiques de gestion, analyser de nouveaux concepts et de nouvelles approches de management, évaluer des politiques publiques, analyser et évaluer de façon comparée des théories et des pratiques de gestion prônées dans différents pays, voilà quelques-uns des pôles de la recherche effectuée à l'ENAP, en amont et en aval des activités d'enseignement et de perfectionnement. Que ce soit dans un contexte national, comparé ou international, la recherche en administration publique est un vaste domaine interdisciplinaire où se conjuguent des approches juridique, politique, économique, psychologique, sociologique et managériale, en vue de développer le savoir dans ce champ.

Les recherches conduites à l'ENAP prennent différentes formes : recherches libres, recherches subventionnées, recherches financées par des organismes externes ou commanditées, projets et rapports d'intervention ou mémoires des étudiants de la maîtrise et thèses de doctorat. Les résultats de ces recherches sont diffusés sous forme d'ouvrages, de manuels universitaires ou d'articles dans des revues scientifiques.

Fondé en 1993, l'*Observatoire de l'administration publique* se définit comme un point de convergence et de comparaison des expériences et du savoir-faire en matière d'administration publique. L'Observatoire est une antenne d'information et de documentation en administration publique. Au confluent de plusieurs réseaux de recherche, il répond aux besoins de partage des connaissances et des expériences qui découlent de la mondialisation des problématiques et de l'interdépendance des États. La mission de l'Observatoire comporte trois volets : l'analyse de la portée des principales tendances de l'administration publique sur le plan international, la confrontation des idées et des modèles de gestion et, enfin, la mise en lumière de nouvelles solutions. Trois thèmes ont jusqu'à maintenant été privilégiés : l'évolution du rôle de l'État et les stratégies adoptées par les gouvernements pour réajuster les structures et les politiques, les stratégies de lutte contre la crise des finances publiques, la gestion des ressources humaines en période de bouleversements. Les travaux de l'Observatoire de l'administration publique s'appuient sur le concours du personnel d'enseignement et de recherche de l'École ainsi que sur la participation d'acteurs gouvernementaux de tous niveaux. À ce noyau se greffe un réseau extérieur de chercheurs, d'experts et d'administrateurs. Des moyens de communication et des technologies de pointe sont mis en œuvre pour donner accès à des ressources documentaires de qualité. L'Observatoire se situe à la jonction des fonctions de recherche et de rayonnement international de l'ENAP.

27.8 Le rayonnement international de l'ENAP

Carrefour universitaire de l'administration publique au Québec, l'ENAP est aussi au confluent des savoirs et des pratiques internationales dans ce domaine. En toile de fond à cette ouverture : la préoccupation d'accroître la compétence en management public international des administrateurs québécois, présents et futurs; le désir de contribuer au progrès des connaissances et des pratiques en administration publique ; la volonté de collaborer avec d'autres partenaires au soutien de certaines initiatives, notamment de formation, dans les pays en développement ; le souci de servir les intérêts et le rayonnement du Québec.

Les interventions internationales de l'ENAP sont caractérisées par une approche universitaire et professionnelle, axée sur la pratique du management public, et elles se manifestent de plusieurs façons : par l'enseignement et la recherche en administration internationale ; par la formation en management offerte à une clientèle internationale, notamment par le programme intégré de management pour les cadres étrangers ; par des relations universitaires internationales, par des ententes de coopération et des accords avec des pays ou avec des écoles ou instituts d'administration publique, en Afrique, en Amérique latine, en Asie du Sud-Est, en Europe, au Moyen-Orient. En corollaire, l'ENAP offre des programmes d'études créditées en didactique du management public pour les enseignants ou les gestionnaires formateurs et elle apporte appui et conseil à l'amélioration de la gestion publique dans des pays de traditions et de cultures différentes.

Récemment, l'ENAP créait une *Didacthèque en management public* à des fins de développement et de diffusion d'outils et de matériel propres à l'enseignement du management public. La Didacthèque est constituée d'un laboratoire, lieu de réflexion permettant à l'ENAP d'expérimenter des formules pédagogiques ; d'un Centre de ressources didactiques, ayant pour principale fonction la conception, la production et le regroupement d'outils d'enseignement en management public ; d'un Service d'expertise offrant des services spécialisés et des conseils en matière de développement institutionnel, de conception et d'évaluation de programmes et en formation de personnel d'enseignement.

Souhaitant ajouter une vocation internationale à la Didacthèque en management public, l'ENAP a obtenu l'appui du gouvernement canadien pour la mise en réseau d'un nombre d'établissements de formation issus de cultures différentes et intéressés par la didactique du management public. L'ENAP a ainsi mis sur pied la *Didacthèque internationale en management public*, laquelle donne à ses membres l'accès à son Centre de ressources et à son Service d'expertise, tout en leur permettant de l'enrichir de leurs acquis respectifs.

Sur le plan de la formation internationale, l'ENAP a mis sur pied plusieurs activités de formation continue qui sont offertes à des cadres supérieurs, au Québec ou dans les pays des participants. Parmi ces activités, le *Programme intégré de management pour les cadres étrangers* est offert une fois l'an à Québec, à un groupe de hauts gestionnaires provenant de différents pays. Il comprend une formation en management public, une appréciation des compétences de gestion de chaque participant et un projet organisationnel qui permet l'analyse d'une préoccupation particulière de gestion. L'ENAP offre aussi une session intensive en management public, accessible autant dans les pays d'origine des participants qu'à Québec et qui regroupe généralement des gestionnaires d'une même organisation, et un séminaire d'introduction au management public offert uniquement dans le pays d'origine des participants et qui permet un premier contact avec le management public tel qu'il est enseigné à l'ENAP.

27.9 L'ENAP, institution vivante

En 1969, alors même que l'État québécois se modernisait et vivait un profond remodelage, la création d'une école nationale d'administration publique s'imposait. Au cœur des changements sociaux et structurels, les gestionnaires publics devaient, en effet, compter sur l'appui d'une institution à la fois universitaire et professionnelle.

Au cours des années 90, les relations de l'ENAP avec la fonction publique se sont intensifiées, solidifiées et accélérées. En corollaire à l'entente déjà en vigueur avec le gouvernement du Québec, une Mission gouvernementale fut détachée à l'École, permettant notamment la présence active de plusieurs hauts fonctionnaires chevronnés au sein du personnel d'enseignement et de recherche de l'École. L'enseignement universitaire, amorcé en 1969 avec la maîtrise en administration publique de type A, s'est diversifié et étendu à plusieurs programmes de 2e et 3e cycles. Les programmes de formation continue ont aussi évolué avec les besoins de l'administration publique. Ces dernières années se caractérisent aussi par l'optimisation de la structure réticulaire de l'ENAP, par le déploiement de l'Observatoire de l'administration publique et de la Didacthèque internationale en management public. Du succès de la mise en réseau des champs d'action de l'École découle sa reconnaissance comme véritable carrefour universitaire de l'administration publique au Québec.

Au seuil du XXIe siècle, l'ENAP compte poursuivre son œuvre d'animation du milieu universitaire et professionnel de l'administration publique. Elle souhaite accroître son leadership et son utilité, et elle cherche à devenir une référence sur le plan international en matière d'enseignement, de recherche et de services universitaires en management public.

CHAPITRE 28

L'Institut d'administration publique du Canada

Laura Freeman

Sous-ministre adjointe, Administration et Finance
Ministère de la Santé et des Services communautaires
de Nouveau-Brunswick

Joseph Galimberti

Directeur général
Institut d'administration publique du Canada

L'Institut d'administration publique du Canada (IAPC) fête son cinquantième anniversaire en 1997. Le thème de ses noces d'or est « Réflexion, vision ».

L'IAPC est un organisme privé, sans but lucratif, composé de fonctionnaires, d'universitaires et d'autres personnes qui se consacrent à l'amélioration de la qualité de l'administration publique au Canada. Ses membres partagent leurs expériences et leurs idées par des activités de ses 22 groupes régionaux établis dans les diverses régions du Canada, par la recherche, des publications, des prix pour gestion innovatrice, des congrès et colloques nationaux et des activités internationales. L'Institut offre un réseau qui est régional, national et international. C'est un organisme qui se consacre à l'excellence dans la fonction publique, en préconisant l'apprentissage, les activités de développement (« réseautage ») et la reconnaissance. Mais, il lui a fallu 50 ans pour atteindre ce point, 50 ans d'efforts et de dévouement de la part de ses membres bénévoles, qui voulaient contribuer à la profession dans l'administration publique.

28.1 Les premières années

L'Institut d'administration publique du Canada a été officiellement incorporé le 15 décembre 1947. L'idée d'un institut est née de la camaraderie qu'ont développée des hauts fonctionnaires lors de réunions fédérales-provinciales vers la fin des années 30 et le début des années 40 et, en particulier, lors de la Conférence du Dominion et des provinces sur la reconstruction. Le gouvernement fédéral et neuf (à l'époque) gouvernements provinciaux offraient des laboratoires uniques permettant de partager les expériences et d'éviter « une réinvention de la roue ». À la même époque, l'esquisse d'une société d'administration publique commençait à prendre forme au sein de la province de l'Ontario, tel que le révèle la correspondance, en 1944 et 1945, entre la première ministre Leslie Frost et le haut fonctionnaire Herbert O. Frind. Leur idée de créer une organisation bénévole qui puisse effectuer de la recherche, s'engager dans des activités de développement (réseautage) et offrir un lien international ressemble beaucoup à l'Institut d'aujourd'hui. Mais en fin de compte, ce fut deux hauts fonctionnaires du ministère des Finances de l'Ontario qui prirent l'initiative de fonder un organisme national : Chester Walters, trésorier adjoint provincial et contrôleur général des finances, et Philip T. Clar, contrôleur adjoint des recettes au Département du Trésor. Ils recherchèrent également l'assistance d'autres personnes ou intervenants dans la fondation de l'IAPC, y compris Georges Shink, contrôleur des recettes du Québec, E.R.C. Bower, commissaire des finances de la ville d'Hamilton et James H. Lowther, directeur du Bureau fédéral de la statistique à Ottawa.

La pratique d'être inclusif a été établie dès le début de la création de l'Institut. Le Conseil de gestion initial se composait de représentants de toutes les régions et de tous les ordres de gouvernement, ainsi que de la composante universitaire et d'un vice-président de chacune des provinces. Le congrès annuel inaugural s'est tenu à Québec, en 1949, et Robert B. Bryce, alors sous-ministre adjoint des finances au gouvernement fédéral, en était le conférencier d'honneur.

Lors du congrès, le premier président, Chester Walters, a fièrement fait l'appel des participants, montrant ainsi qu'ils venaient de toutes les régions du pays et que l'IAPC était rapidement vraiment devenu un organisme national. Peu après, l'Institut a commencé la rotation de la présidence annuelle parmi les régions et les catégories de membres. L'IAPC avait des moyens très modestes au cours des premières années de son existence, mais il faisait tout son possible pour communiquer dans les deux langues officielles.

Lors de ce premier congrès, Jean-Marie Martin, de l'Université Laval, George T. Jackson, de la Commission de la fonction publique du Canada, et Keith Callard, de l'Université McGill, ont proposé que l'Institut : a) établisse un comité de recherche et coordonne des activités de recherche ; b) publie une revue annuelle ; c) entreprenne une étude du système de l'éducation dans les divers provinces, en vue de vérifier les moyens en vigueur offerts aux fonctionnaires en matière de formation ; et d) établisse une bibliothèque centrale et un registre. La proposition a été adoptée à l'unanimité. Cependant, sans secrétariat, et avec des recettes qui dépendaient des dons de sociétés et des cotisations des membres, il n'était pas possible de réaliser tous ces objectifs dans les premières années de l'Institut. Toutefois, l'IAPC a pu accueillir un congrès annuel et en publier les actes, imprimer un bulletin d'information comprenant des critiques de livres et des articles et établir des groupes régionaux, tel qu'il était stipulé dans sa constitution. Les groupes régionaux étaient perçus comme l'équivalent régional de l'organisme national, une occasion pour les personnes intéressées de se réunir de façon spontanée et amicale dans le but d'échanger des idées et des expériences et d'établir une relation plus étroite entre la théorie et la pratique administratives. En 1951, Victoria devenait le premier groupe régional, suivi d'Ottawa, au cours de la même année. Toronto était établi en 1953 et Vancouver, en 1956.

Au milieu des années 50, l'IAPC a commencé à solliciter et à recevoir des subventions gouvernementales pour le financement de ses opérations. C'est alors qu'il a pu engager son premier employé, Frank J. McGilly, et, en 1958, commencer à publier sa revue vedette, *Administration publique du Canada*, sous la direction de Malcolm Taylor. Mais l'incertitude des subventions gouvernementales et des dons de sociétés ont poussé le président de 1962-1963, A.W. Johnson, sous-ministre des Finances de la Saskatchewan, à concevoir une méthode de financement basée sur une proportion des dépenses publiques provinciales. Lors de la conférence des premiers ministres, en 1962, Al Johnson a approché le premier ministre Lesage, de la province de Québec, qui était un fervent partisan de l'IAPC. Le premier ministre a appuyé l'idée et l'a vendue à ses collègues premiers ministres. Le gouvernement du Canada a accepté de doubler les subventions provinciales. Ainsi, les subventions publiques représentaient la moitié du budget de l'IAPC jusqu'au début des années 90.

28.2 Une documentation sur l'administration publique du Canada

Disposant d'un financement stable, l'IAPC était maintenant prêt à s'attaquer à plusieurs de ses premiers objectifs. Le point de concentration était la recherche et le besoin de créer une documentation dans le domaine de l'administration publique au Canada. Vers la fin des années 60 et le début des années 70, l'Institut était en mesure d'établir une série de nouveaux programmes susceptibles d'apporter une contribution notable à cette documentation. Des colloques nationaux et internationaux ont été lancés. Ils consistaient en une série de symposiums spéciaux, dans le domaine de la politique et du management public, avec des actes publiés. Ces symposiums se sont révélés un excellent moyen pour obtenir la contribution de praticiens de haut niveau à la documentation. Les premiers volumes de la collection Administration publique du Canada sont parus en 1972, une collection d'ouvrages élémentaires en politique et management public comptant à présent plus de 30 volumes. Ces initiatives ont été suivies par le lancement d'une bibliographie comprenant des suppléments, tous les deux ans. Un programme d'études de cas en administration publique (comptant actuellement plus de 200 études) et une collection de monographie (plus de vingt publications) ont été élaborés plus tard, au cours de cette décennie. Il y avait également les publications spéciales hors série, comme celle de Kenneth Kernaghan, *Comportement professionnel: directives à l'intention des fonctionnaires*, publiée en 1974.

28.3 Une focalisation sur la gestion publique

Dans les années 80, les dirigeants de l'IAPC, sous le poids des membres, ont commencé à orienter davantage l'objectif de l'organisme vers la gestion publique et les préoccupations des praticiens. L'Institut a élaboré une *Déclaration de principes concernant la conduite des employés publics* qui a été distribuée à tous les membres et qui, dans un vote par correspondance, a reçu l'appui de 90 %. Cette initiative a été suivie par la publication de *The Responsible Public Servant*, dont l'un des chapitres est consacré à chacun des principes. L'ouvrage a été réimprimé trois fois depuis sa parution en 1990. Ces dernières années, l'Institut a étendu son intérêt dans le domaine des valeurs de la fonction publique.

Avec une nouvelle orientation vers la gestion publique venait également un changement dans la façon dont l'IAPC menait ses activités de recherche. On a renoncé aux subventions de recherche et aux programmes de boursiers de recherche pour adopter une méthode consistant en l'établissement de groupes de travail en recherche. Des équipes, composées de praticiens et d'universitaires, ont été formées pour examiner des sujets d'actualité et d'intérêt pratique, tels que la budgétisation, la transition des gouvernements, la loi et la pratique du congédiement des hauts fonctionnaires, et les organismes, conseils et commissions au sein du gouvernement local. La recherche était d'une nature comparative et considérait encore les nombreux gouvernements dans tout le Canada comme des laboratoires uniques d'administration publique. Ces équipes d'études ont évolué graduellement vers ce qui est devenu la recherche-action centrée sur le groupe, susceptible de donner lieu à des partenariats avec le gouvernement, le secteur privé et d'autres organismes sans but lucratif. La recherche est conduite par la concertation d'agents de changement chevronnés au sein du secteur public, d'universitaires et d'experts du secteur privé, au cours de tables rondes, de forums ou de colloques tenus dans différentes régions du pays. Un bon exemple du résultat de ce type de travail est l'ouvrage intitulé *La prestation rechange des services: le partage des pouvoirs au Canada*, publié conjointement avec la Fondation du Centre KPMG pour administrations publiques et appuyé par divers ministères du gouvernement fédéral.

Toujours sur le thème de la gestion publique, l'IAPC, en 1990, a publié le premier numéro du magazine *Management et Secteur public* et a lancé son prix de la gestion innovatrice. Ce prix, actuellement commandité par IBM, reconnaît les réalisations organisationnelles et complète les divers prix nationaux et provinciaux de l'IAPC, décernés en reconnaissance de réalisations individuelles, dont la prestigieuse médaille d'or Vanier, ainsi nommée en l'honneur d'un ancien gouverneur général. Le Prix IAPC de la gestion innovatrice reçoit une centaine de candidatures chaque année. Parce qu'il permet de partager de nouvelles idées et des pratiques exemplaires parmi les diverses compétences, ainsi que de reconnaître des personnes et des organismes créatifs et innovateurs, ce prix est devenu l'un des programmes les plus populaires de l'IAPC. De plus, il s'est révélé un terrain fertile pour les chercheurs et sert de toile de fond à de nombreux articles publiés dans des journaux, des magazines et des revues, ainsi que dans plusieurs ouvrages traitant d'administration publique.

28.4 Les activités internationales

Deux éléments distincts ont conduit à l'élaboration d'un programme international important au cours des années 90. D'une part, les membres n'ignoraient pas que de nombreuses nouvelles idées et pratiques prenaient naissance dans le secteur public à l'extérieur de la « forteresse nord-américaine « et étaient susceptibles d'intéresser le Canada. D'autre part, les dirigeants de l'IAPC étaient désireux de partager les connaissances qu'ils avaient accumulées avec d'autres et ont suggéré que l'I.A.P.C. fasse quelque chose à ce sujet. Ainsi, le Congrès annuel de l'IAPC tenu en 1990, à Québec, portait sur le thème de « l'impact de l'internationalisation sur l'administration publique » ; l'IAPC s'est engagé davantage dans les activités de l'Institut international des sciences administratives (IISA) et a accueilli un colloque international, « La gestion publique dans une économie sans frontières », avec l'appui de l'Agence canadienne de développement international (ACDI). Depuis 1993, l'IAPC a élaboré une série de programmes, avec l'assistance de l'ACDI, en Europe de l'Est, en Asie, en Afrique et aux Amériques, afin d'établir des liens entre les gouvernements du Canada et les pays en voie de développement, essentiellement par des échanges de fonctionnaires de contrepartie. Par ailleurs, l'IAPC collabore avec des organismes à vocations analogues, comme l'Association africaine pour l'administration et le management publics (AAPAM). Plusieurs de ces programmes sont réalisés en partenariat avec d'autres organismes sans but lucratif ou le secteur privé.

28.5 L'examen des questions prioritaires en administration publique

Comme d'autres organismes au cours des années 80, l'IAPC a entrepris un processus de réexamen. L'organisme a élaboré de nouveaux énoncés de vision et de mission et a élaboré un processus de planification stratégique qui comprend un examen biennal de questions clés en administration publique, servant à façonner son plan triennal continu. Par suite des résultats de son dernier examen, à l'automne 1996, lesquels étaient basés sur les réactions et commentaires d'environ 80 sous-ministres provinciaux et fédéraux, l'IAPC a décidé d'intensifier ses efforts sur les nouveaux modes de prestation de service et de se concentrer sur la mesure du rendement et l'ensemble des compétences requises dans la nouvelle fonction publique. L'IAPC conduit cet examen tous les deux ans pour s'assurer que ses activités continuent d'être utiles.

28.6 La direction

Le système de direction initial était un conseil composé de membres venant de toutes les régions Canada et de toutes les catégories de membres, certains élus à l'échelle nationale et d'autres cooptés afin d'établir une représentation équilibrée. Au cours des années 60 et des années 70, les groupes régionaux ont considérablement augmenté et commencé à manifester le désir de participer davantage à la gestion de l'Institut. Le système de direction à deux niveaux, se composant d'un conseil d'une quarantaine de membres et d'un comité exécutif d'une douzaine de membres, ne fonctionnait pas aussi efficacement qu'il aurait pu. Les réformes des années 70 avaient conduit à l'établissement d'un organe directeur à un niveau, un comité exécutif comprenant un plus grand nombre de membres, dont une moitié était élue à l'échelle nationale et l'autre moitié se composait de représentants de chacun des groupes régionaux. Dans les années 90, à l'instar des secteurs public et privé qui constituent son réseau, l'Institut a utilisé une part de son énergie organisationnelle à comprimer son effectif afin de renforcer sa raison d'être, de maximiser ses services aux membres et d'améliorer sa gestion interne. Cette initiative s'est traduite par l'établissement d'une structure rationalisée de l'exécutif et de ses comités et l'adoption d'un processus affiné de son plan de travail, qui comprend une définition des projets et leur échéance, ainsi qu'une ligne claire de responsabilité. Le Grand Comité exécutif a été remplacé par un nouvel organe directeur, le Conseil d'administration, qui se compose essentiellement des représentants des groupes régionaux. Ces changements importants dans la structure de la direction placent l'IAPC de manière à l'appuyer sur ses groupes régionaux, et à poursuivre sa vision en accroissant la participation active des fonctionnaires et des universitaires dans chaque région du Canada.

28.7 L'avenir

Avant sa création, en 1947, on caressait le rêve d'avoir un jour une organisation bénévole du secteur public, comme le reflète la correspondance de la première ministre de l'Ontario, qui effectuerait de la recherche importante en administration publique, offrirait des possibilités d'activités de développement aux fonctionnaires et d'autres et s'engagerait dans des activités internationales. Que ce rêve soit devenu l'Institut d'administration publique du Canada est vraiment l'histoire de membres bénévoles qui, d'une façon désintéressée, ont consacré une grande partie de leur temps à l'amélioration de leur profession et du bon gouvernement du Canada. Ils sont trop nombreux pour mentionner ici leur nom, mais ces noms paraîtront dans une histoire de l'IAPC qui sera publiée en août 1997. Il est important de réfléchir sur le passé, mais il est également important de se concentrer sur l'avenir. La vision de l'avenir de l'IAPC est orientée vers l'action, sensible aux besoins des membres et attentive aux possibilités de partenariats. Elle est également dirigée de façon à aborder, de concert avec le cadre international de fonctionnaires et d'universitaires, les problèmes mondiaux en matière de politique et de gestion publique. Les membres bénévoles ont déjà fait un pas en avant pour commencer à nous diriger dans les 50 prochaines années. Nous serons heureux d'accueillir ceux qui, comme nous, se dévoueront pour l'excellence dans la fonction publique.

Conclusion

Jacques Bourgault
Professeur
Département de science politique, UQAM
Professeur associé, ENAP

Maurice Demers
Coordonnateur du Réseau international
sur la gouvernance
Centre canadien de gestion

Cynthia Williams
Directrice générale
Direction générale de la politique
et des programmes socio-économiques
Ministère des Affaires indiennes
et du Nord

Pays de rêve, défis concrets

L'appartenance de notre jeune pays au prestigieux Groupe des sept pays les plus riches, sa reconnaissance comme premier pays du monde au palmarès des Nations Unies pour la qualité de vie, la reconnaissance de la ville de Québec comme partie du patrimoine mondial et la reconnaissance récente de la métropole de Toronto comme la meilleure ville au monde sont toutes des sources de grande fierté pour nos concitoyens. Ces grands succès valent au gouvernement du Canada et à ceux de ses provinces et territoires, comme aux gérants des villes, une réputation internationale d'excellence et l'attention de ceux qui cherchent des conseils et des modèles.

Si, en effet, cette vision un peu idyllique du Canada, comme un jeune pays riche, avec peu de problèmes, subsiste dans le monde, nous croyons que cet ouvrage aura contribué à fournir un portrait plus nuancé d'un pays qui a certes mérité l'admiration dont il fait l'objet, mais qui atteint plutôt l'adolescence, traverse des crises, vit de profondes transformations et se prépare, comme nous le rappelle Mallory, à faire face à des menaces et des défis importants. Il ne faut donc pas tenir ses réussites pour acquises, et des événements récents ont rappelé aux Canadiennes et Canadiens que le pays n'est jamais achevé et qu'ils doivent toujours le parfaire. Le Canada n'échappe pas non plus au besoin de faire face aux grands défis qui guettent les pays du monde à l'aube du prochain millénaire : la mondialisation, l'intégration des développements technologiques, les crises dans les finances publiques, les progrès de la démocratisation, le nouveau partage des rôles entre les partenaires sociaux.

La spécificité canadienne

L'histoire de l'administration publique canadienne révèle bien sûr des racines européennes, britanniques et françaises, mais aussi des influences nord-américaines. N'oublions pas non plus que ses premiers habitants, les peuples autochtones, avaient déjà, à l'arrivée des Européens, des institutions politiques et administratives propres. Certaines peuvent même être une source d'inspiration aujourd'hui pour les autres Canadiens : les Inuit songent, dans leur nouveau territoire, le Nunavut, à faire élire à chaque siège de député à la fois un homme et une femme. Mais après plus d'un siècle d'existence, et au-delà du fédéralisme et du bilinguisme, peut-on distinguer des institutions, des problématiques, des personnalités et des valeurs typiquement canadiennes dans ce domaine ? Ou y a-t-il un angle typiquement canadien sous lequel nous abordons les questions auxquelles doivent s'attaquer tous les pays ?

Le lecteur aura d'abord découvert la grande « biodiversité » des *institutions* attribuable à la variété des ordres de gouvernement et des régions dans cette fédération qui continue de se définir et de chercher à mieux partager les responsabilités dans un esprit de plus grande subsidiarité et de solidarité. On en veut pour preuve nos systèmes de soutien aux personnes âgées et aux personnes qui vivent des difficultés économiques, des difficultés liées à l'emploi ou des problèmes de santé. C'est aussi le cas des programmes particuliers d'appui à de nombreuses régions du Canada, à des communautés particulières et à des secteurs industriels en transition. Que dire aussi de nos programmes de péréquation, qui favorisent un plus grand accès des provinces les plus pauvres au produit fiscal réalisé dans celles qui sont les plus riches. Mentionnons enfin les nombreux programmes nationaux d'aide à des groupes particuliers de la population. Les Canadiens sont fiers de tous ces programmes, car ils croient fermement qu'ils caractérisent la spécificité du contrat social canadien.

Nous avons, dans l'ouvrage, accordé une place particulière à la province hôte du congrès de l'IISA, le Québec, mais chacune des provinces et des régions a ses particularités. Comme le soulignent les chapitres de Mallory et Hurley, au Canada, le fédéralisme accompagne d'une façon originale un régime parlementaire de style britannique. Ce fédéralisme, et le partage des compétences sur lequel il est fondé, a aussi permis à la créativité et à l'innovation de prendre un grand essor dans les provinces et les territoires. Sans surprise, le lecteur aura constaté que les fonctions publiques au Canada ont été appelées à maîtriser de nombreux domaines de connaissance et à acquérir des compétences et habiletés de pointe, au fur et à mesure que se développait la jeune nation à côté du géant mondial que devenait son voisin du sud. Cette présence au sud, les besoins de développement d'un jeune pays et les impératifs de l'après-guerre expliquent en grande partie le recours fréquent à des entreprises publiques pour assurer la présence et l'influence canadiennes dans des grands secteurs industriels. La confiance dans le secteur public a toujours été beaucoup plus élevée au Canada qu'aux États-Unis et la culture politique voulait ici un État qui s'engageait dans la société civile.

Les *grands débats de l'administration publique canadienne* sont souvent liés aux valeurs (dont il sera question ci-dessous), à des luttes de compétences intergouvernementales et aux contraintes de développement des grands secteurs dans lesquels sont élaborées les politiques. Des *personnalités* de premier plan ont travaillé dans la haute fonction publique, laquelle a joué un rôle central dans le développement de notre pays. De grands commis, très instruits, expérimentés et totalement dévoués à l'État, exerçaient une influence énorme sur la planification et l'édification de nos régimes gouvernementaux, tout en respectant les principes démocratiques. Le Canada peut s'enorgueillir sur le plan du respect des *valeurs* (voir Kernaghan) fondamentales du secteur public telles que l'intégrité, la loyauté, la neutralité, le dévouement et le sens de l'intérêt général. Au fur et à mesure que se dessine le besoin d'intégrer les valeurs qui sous-tendent la Nouvelle Gestion publique (NGP), les fonctions publiques canadiennes s'adaptent et ne craignent pas d'innover tout en conservant les valeurs essentielles du secteur public. Sur le plan social, la riche diversité canadienne tend à concilier l'intégration nationale et la préservation des particularités ethniques, religieuses, culturelles et linguistiques : le caractère très affirmé des communautés francophones et anglophones, mais aussi celui des nations autochtones et des multiples autres minorités ethniques qui se sont ajoutées au cours des ans.

En général le Canada s'est montré ouvert aux innovations (voir les chapitres de Bernier et Hufty, Paquin, Borins et Jauvin), mais le radicalisme n'est pas sa marque de commerce. Il fait preuve de prudence en s'inspirant des réformes d'ailleurs, en les adaptant à ses propres réalités et en les introduisant très progressivement. Mais quelles sont les véritables innovations canadiennes? Nous avons recouru très tôt aux entreprises publiques puissantes pour développer le pays; nous avons un système très intégré d'organismes centraux au sommet de l'administration; au fédéral, on a confié au greffier (l'équivalent du secrétaire général du gouvernement) le rôle officiel de chef de la fonction publique et l'obligation de présenter un rapport annuel; le système de gestion des dépenses PEMS (par enveloppe ministérielle) était très novateur pour l'Amérique du Nord, nous avons confié à des groupes de travail de sous-ministres fédéraux des recherches ponctuelles sur les grands dossiers administratifs de l'avenir; nous avons développé un système raffiné de péréquation pour répartir la richesse entre les diverses régions du pays; nous avons fait de réels progrès en matière d'équité en emploi, de façon que la fonction publique reflète la diversité de la société canadienne, en particulier à l'égard des personnes handicapées, des membres des minorités visibles, des femmes et des autochtones; nous avons mis sur pied des programmes favorisant la promotion et le respect des deux langues officielles.

Les nouveaux défis

Les nouveaux défis de nos gouvernements apparaissent de plus en plus complexes. Le changement est rapide et vertigineux, entraînant les gouvernements et les fonctions publiques vers des réalités probablement bien différentes de celle que nous avons connue. Comme le soulignent Sutherland et Mitchell, le paradoxe est qu'un pays aussi moderne et avancé sur le plan technologique que le Canada doive encore trouver des réponses adaptées aux besoins du jour, pour résoudre des ambiguïtés qui touchent certains principes fondamentaux du fonctionnement de l'État, par exemple, la mise à jour du principe de la responsabilité ministérielle, le juste équilibre entre les contrôles centraux et l'habilitation des fonctionnaires, le rôle crucial des parlementaires et le maintien de la stabilité gouvernementale. Au dernier congrès de l'IISA, à Beijing, le rapporteur concluait que les deux grands défis peuvent se résumer au besoin d'assurer deux capacités essentielles: la capacité de se renouveler et la capacité de bien répondre aux besoins changeants des citoyens. Les fonctions publiques devront toujours faire face au besoin de gérer des paradoxes et de trouver un juste équilibre entre des pôles opposés entre lesquels oscillent nos sociétés.

Au fédéral, on vient de réussir un vaste Examen des programmes, qui a conduit le gouvernement à établir quelles seraient les activités essentielles auxquelles il se limiterait et qui a permis de redonner au pays sa « souveraineté fiscale », c'est-à-dire une moins grande dépendance face aux marchés financiers étrangers. Dans toutes les provinces, on procède aussi à l'assainissement radical des finances publiques et à de nouveaux partages des responsabilités avec les instances territoriales. Le besoin de renouvellement dans les fonctions publiques au Canada est aussi lié à celui d'assurer la relève, le développement des ressources humaines et la promotion du leadership. À cause de facteurs démographiques comme l'arrivée à l'âge de la retraite de toute la cohorte de l'après-guerre, les fonctions publiques doivent adopter des mesures rapides et bien ciblées. Aux Nations Unies, en février 1996, les pays en voie de développement et de démocratisation et les pays nouvellement industrialisés ont souligné qu'une fonction publique efficace est essentielle à la prospérité économique. La contribution experte des fonctions publiques n'est pas étrangère au succès canadien, mais même ici on a senti le besoin de revaloriser le rôle de la fonction publique et de stimuler la fierté de ceux et celles qui y travaillent, ainsi que le respect de ceux et celles qui en reçoivent les services.

Les réformes administratives comportent une dimension politique dont l'importance s'accroît au moment où les rôles respectifs des intervenants de l'État (citoyens, fonctionnaires, groupes non gouvernementaux et élus) sont en pleine redéfinition. Nous passons de l'État providence à l'État partenaire. Il n'est pas évident que, dans l'avenir, l'administration publique sera le seul instrument privilégié pour accomplir les réformes sociales et promouvoir le changement dans la société. D'autres frontières ou distinctions s'amenuisent : entre le secteur public et le secteur privé, entre le national et le global, entre l'autorité politique et les citoyens. Quelle sera la spécificité ou le domaine réservé au secteur public ? Il est probable que l'administration publique se verra attribuer un rôle plus circonscrit, alors que s'accroîtra celui des citoyens et des groupes sociaux. Les multiples formes de partenariat entre le secteur public et le secteur privé créent une nouvelle zone grise où il est difficile de distinguer l'intérêt de l'un de celui de l'autre, ce qui entraîne de nombreuses questions concernant la légitimité des décisions et des modes de gestion, ainsi que des conflits d'imputabilité. Les critères issus de la gestion privée (service à la clientèle, frais à l'usager, rentabilité, rapport valeur/coût) servent de plus en plus à déterminer le succès des programmes et services publics.

De la diminution de l'effectif et des champs d'intervention de l'État s'ensuivra une concentration de l'action et de l'administration sur ce que le gouvernement est le seul à pouvoir faire. Il faudra, pour réussir la démocratie de demain et assurer une plus grande cohésion sociale, un effort constant d'éducation sociale et de responsabilisation des citoyens et des politiciens. Nous devrons de plus en plus répondre au besoin d'apprendre et de s'adapter continuellement. Si la fonction publique doit appuyer le gouvernement dans son effort pour servir de gouvernail à notre société, les efforts de l'administration iront de plus en plus à l'élaboration des politiques et la facilitation des processus démocratiques pour réduire les frictions entre les différentes composantes de la société civile.

Il est aussi impératif de redéfinir les valeurs fondamentales qui soustendent notre système de gouvernement que de leur donner de solides assises. Les valeurs sont centrales dans tout effort de réforme en profondeur de nos gouvernements.

Le Canada et le monde

Cet ouvrage a voulu relever le défi de faire le point sur l'administration publique au Canada, en cette fin de XXe siècle et nous espérons que les lecteurs partageront notre propre sentiment d'avoir vraiment approfondi notre connaissance de ce pays, en faisant ce grand survol. Il faudra créer des occasions, comme les réunions de l'IISA, de l'AIEIA et de l'AIIDAP à Québec en juillet 1997 et pour lesquelles cet ouvrage a été en partie préparé, pour poursuivre les réflexions amorcées et continuer à apprendre les uns des autres. Nous espérons qu'il aura mis en lumière les succès et les défis canadiens ainsi que les caractères particuliers de son expérience.

Les auteurs

Luc Bernier est professeur à l'École nationale d'administration publique depuis 1991. Il a auparavant enseigné à l'Université Concordia après avoir terminé, en 1989, son doctorat en science politique à l'Université Northwestern. Il a publié en 1996 *De Paris à Washington, la politique internationale du Québec*. Il a participé à de nombreux ouvrages portant sur l'administration publique québécoise en général et sur les sociétés d'État en particulier. Il est coauteur de *The Quebec Democracy* et de *L'administration publique*. Ses sujets de recherche sont les entreprises publiques, leur privatisation, l'analyse des politiques gouvernementales, les réformes administratives et la transformation de l'État.

Louis Borgeat, professeur titulaire à l'École nationale d'administration publique, est juriste de formation. D'abord fonctionnaire au gouvernement du Québec, il est à l'ENAP depuis 1980. Professeur de droit administratif, il est à ce titre l'auteur de plusieurs articles et ouvrages, dont le plus important est le *Traité de droit administratif*, publié avec René Dussault ; cet ouvrage comporte trois tomes et a été traduit en anglais. Il est aussi l'auteur d'un essai controversé intitulé *La sécurité d'emploi dans le secteur public*. Il s'intéresse à la fonction publique québécoise et aux réformes administratives. Il occupe depuis septembre 1996 le poste de directeur de l'Observatoire de l'administration publique à l'ENAP.

Sandford Borins est professeur de management public et directeur de la Division de management et d'économie à l'Université de Toronto à Scarborough. Il mène actuellement des recherches sur l'innovation en management public aux États-Unis et au Canada. Il préside le jury de l'Amethyst Award for Excellence in the Ontario Public Service et il est un des directeurs de l'Ontario Transportation Capital Corporation.

Docteur d'État de La Sorbonne (I.E.P.) en administration publique, *Jacques Bourgault* est aussi avocat ; il est professeur au Département de science politique de l'UQAM et professeur associé à l'ENAP. Il a aussi enseigné au doctorat à l'Université de Montréal et à la maîtrise à l'École des Hautes Études commerciales. Il mène des recherches et des consultations, et a publié dans les domaines de l'évaluation du rendement, de la haute fonction publique et de la réforme de la gestion. Il a siégé à de nombreux conseils d'administration (UQAM, CCG) et présidera, en 1997-1998, l'IAPC après en avoir présidé ses comités de la recherche et des activités internationales.

Barbara Wake Carroll, Ph.D., est professeure associée de science politique à l'Université McMaster à Hamilton, au Canada, après avoir été cadre dans le secteur public. Elle a publié plusieurs ouvrages et monographies sur la gestion publique, l'implantation des politiques et la politique du logement ; elle a publié des articles dans *Administration publique du Canada, Revue internationale de sciences administratives, Governance, Journal of Development Studies et Organization Studies*. Elle mène actuellement des recherches sur le rôle des bureaucraties et des réseaux de la société civile dans le cheminement démocratique vers le développement.

Louis Côté travaille depuis 1972 dans l'administration publique québécoise. Il exerce actuellement des fonctions de conseil et de recherche au Secrétariat du Conseil du trésor. Ses recherches portent sur le positionnement de l'État et sur les changements en gestion des ressources humaines. Il prépare actuellement une thèse de doctorat en science politique à l'Université Laval qui a pour objet l'importance du capital social pour la performance institutionnelle. Il collabore depuis 1990 avec l'ENAP dans la formation des cadres supérieurs en matière de réforme administrative.

Pierre De Celles est président du conseil d'administration et directeur général de l'École nationale d'administration publique depuis 1989. Après des études en mathématiques et en sciences de l'éducation à l'Université Laval, à l'Université McGill et à l'Université de Montréal, il a travaillé, de 1970 à 1978, à l'Université du Québec à Trois-Rivières, notamment à titre de vice-recteur à l'enseignement et à la recherche. De 1979 à 1982, il a occupé les fonctions de vice-président à la planification et aux communications au siège social de l'Université du Québec. En 1982, il retournait à l'Université Laval pour occuper le poste de vice-recteur aux affaires professorales et étudiantes, et devenir, à compter de 1987, vice-recteur exécutif de l'Université. Depuis plusieurs années, Pierre De Celles est membre de divers conseils d'administration et comités professionnels; il est notamment président de l'Institut canadien de Québec.

Maurice Demers est membre du corps professoral au Groupe de la recherche du Centre canadien de gestion. Il est le coordonnateur du réseau international du CCG sur la gouvernance. Avant de se joindre au CCG, en 1994, il a travaillé à la fonction publique au gouvernement provincial de l'Ontario comme coordonnateur provincial du Forum des citoyens sur l'avenir du Canada et comme conseiller auprès du ministre des Affaires francophones de l'Ontario. Pendant plusieurs années, il a été le directeur général adjoint de l'Institut d'administration publique du Canada où il a coordonné de nombreux projets de recherche, de colloques et de publications. Il a fait des présentations récentes au congrès de l'AEIEA à Dubayye sur la formation des cadres dans les centres gouvernementaux et aux assises francophones de l'administration publique à Paris sur la gouvernance.

Rod Dobell est titulaire de la chaire Winspear en politiques publiques à l'Université de Victoria depuis 1991. Il a été membre du corps professoral aux universités Harvard, Toronto et Queen's, et sous-secrétaire du Conseil du Trésor du Canada et directeur de la Direction des politiques économiques générales à l'OCDE. Il a été, de 1984 à 1991, président de l'Institut de recherche sur les politiques publiques.

Le docteur *Audrey Doerr*, auparavant directeur général, région de l'Ontario, pour le ministère des Affaires indiennes et du Nord, est une politologue qui a été haut fonctionnaire au gouvernement fédéral et professeur d'administration publique et de politiques publiques. Elle a publié des études dans plusieurs domaines, notamment les politiques face aux autochtones et les affaires constitutionnelles.

Christian Dufour est avocat. Il est actuellement membre à Montréal de l'Observatoire de l'École nationale d'administration publique où il donne des cours sur les grandes réformes de l'État dans le contexte de la mondialisation et de la crise des finances publiques. Outre plusieurs articles, il a publié, en 1989, un ouvrage sur la problématique identitaire québécoise et canadienne, *Le Défi québécois*, traduit en anglais sous le titre *A Canadian Challenge – Le Défi québécois*. Il a aussi publié, en 1992, *La Rupture tranquille*.

David Elton est professeur émérite au Département de science politique de l'Université de Lethbridge et président de la Canada West Foundation.

Laura Freeman est sous-ministre de l'administration et des finances au ministère de la Santé et des Services communautaires du Nouveau-Brunswick. Elle a été présidente de l'IAPC en 1995-1996. Elle a enseigné à l'Université de Waterloo et à l'Université du Nouveau-Brunswick pendant qu'elle poursuivait des études avancées sur la critique littéraire et sur Shakespeare. Elle est titulaire d'une maîtrise ès arts de l'Université de Waterloo.

Joseph Galimberti est devenu directeur général de l'Institut d'administration publique du Canada en 1976. Auparavant, il était employé dans le domaine des relations industrielles du secteur public. M. Galimberti est titulaire d'une maîtrise en économie de l'Université de Toronto et a été chargé de cours à la Division des sciences sociales de l'Université de Toronto pendant plus de dix ans.

Isabelle Giroux est stagiaire en droit à l'École nationale d'administration publique. Elle est diplômée en droit de l'Université de Montréal et est titulaire d'un baccalauréat en science politique et en sciences de la communication. Elle a obtenu le prix d'excellence pour le concours de dissertation juridique 1994-1995 de la Société de droit administratif du Québec.

James Iain Gow est professeur de science politique à l'Université de Montréal. Formé aux universités Queen's (M.Sc.) et Laval (Ph.D.), ses recherches ont porté sur l'histoire de l'administration publique québécoise, la fonction publique du Québec, l'innovation administrative, les relations politiques et administratives ainsi que la culture administrative.

V. Peter Harder est secrétaire du Conseil du Trésor et contrôleur général du Canada. Au gouvernement du Canada, il a occupé plusieurs postes, dont celui de directeur exécutif de la Commission de l'immigration et du statut de réfugié avant de devenir sous-solliciteur général et sous-ministre du ministère de la Citoyenneté et de l'Immigration.

Ralph Heintzman est directeur de la recherche au Centre canadien de gestion du gouvernement du Canada. Récemment, il a été vice-président du Groupe de travail des sous-ministres sur les valeurs et l'éthique dans la fonction publique. Il a été notamment directeur général du Conseil de recherche en sciences sociales et humaines du Canada, et secrétaire adjoint du Cabinet pour les relations fédérales-provinciales.

Éric Hufty est conseiller à la réforme administrative au ministère du Conseil exécutif du gouvernement du Québec où il est responsable de l'implantation des unités autonomes de services (UAS). Il a été conseiller principal au sein d'une grande entreprise de consultation après avoir travaillé au Conseil du trésor. Il a été chargé d'enseignement pendant plusieurs années à l'Université Laval et à l'Université du Québec à Rimouski. Auteur de plusieurs articles et communications, il s'intéresse au rendement des organisations et aux réformes du secteur public.

James Ross Hurley. Professeur à l'Université d'Ottawa de 1967 à 1975, il a été le directeur fondateur du Programme de stage parlementaire à la Chambre des communes en 1969. Il a été président de la Fondation pour l'étude des processus du gouvernement au Canada de 1983 à 1985. Conseiller constitutionnel auprès du gouvernement du Canada depuis 1975, il est l'auteur de *La modification de la Constitution du Canada*.

Nicole Jauvin est actuellement secrétaire adjointe du Cabinet, Appareil gouvernemental, au Bureau du Conseil privé. Dans ces fonctions elle appuie le premier ministre et le greffier du Conseil privé dans les questions de structures gouvernementales et d'attributions ministérielles. Diplômée de l'Université d'Ottawa, avec une licence en droit civil, elle est membre du barreau du Québec. Elle travaille dans la fonction publique canadienne depuis 1980, au Bureau du Conseil privé et au ministère du Solliciteur général.

Silvana Kocovski est diplômée du Cooperative Programme in Administration de l'Université de Toronto à Scarborough où ses études portent sur le management et le marketing. Elle travaille actuellement pour AC Neilsen, firme internationale de recherches en mise en marché.

Kenneth Kernaghan est professeur de science politique et de management à la Brock University. Bachelier ès arts de MacMaster, il a obtenu sa maîtrise et son doctorat à Duke. Ses recherches portent actuellement sur les valeurs, l'éthique et les réformes. De 1979 à 1987, il a été directeur de la revue *Administration publique du Canada*, et depuis 1989 il dirige la *Revue internationale des sciences administratives*. En 1996, il s'est vu attribuer la médaille Vanier par l'Institut d'administration publique du Canada.

Vincent Lemieux est professeur de science politique à l'Université Laval. Il a écrit plusieurs articles sur l'administration publique et a publié *Les relations de pouvoir dans les lois* (1991) ainsi que *L'Étude des politiques publiques* (1995). Il est aussi l'auteur de plusieurs ouvrages sur les partis politiques et sur la théorie politique. Ses recherches portent actuellement sur les politiques gouvernementales, sur la décentralisation et sur la théorie des réseaux et des coalitions. Il a été président de la section de Québec de l'Institut d'administration publique du Canada.

Jacques Léveillée est professeur d'administration publique au Département de science politique de l'Université du Québec à Montréal depuis 1972. Son enseignement et ses recherches sont essentiellement dans le champ des études urbaines et régionales dans une perspective comparative. Ses intérêts actuels en matière de recherche sont centrés sur Montréal et sa région et sur les enjeux fiscaux et budgétaires actuels des villes québécoises.

Evert A. Lindquist est professeur associé au Département de science politique de l'Université de Toronto où il supervise le programme de maîtrise. Docteur de l'Université de Californie à Berkeley (politiques gouvernementales), il a été visiteur au Conseil du Trésor du Canada (1992-1994) et sera le prochain président du comité de la recherche de l'IAPC. Il a récemment terminé des recherches sur l'évolution du Secrétariat du Conseil du Trésor, les consultations de 1994 sur la réforme de la sécurité sociale et la création du ministère du Patrimoine, et mène actuellement des recherches sur les « think tanks », l'adoption des plans d'affaires pour les ministères fédéraux et les stratégies de recrutement pour accroître les ressources gouvernementales en développement des politiques.

James Mallory, qui a enseigné pendant 46 ans à l'Université McGill, est le professeur émérite de science politique (chaire R.B. Angus). Il a publié, au cours des 50 dernières années, plusieurs articles et ouvrages sur les institutions politiques canadiennes et la constitution au Canada, au Royaume-Uni et en Australie.

Richard Marceau est professeur et directeur du programme de doctorat à l'École nationale d'administration publique. Il est également professeur invité à l'Institut national de la recherche scientifique. Il est titulaire d'un Ph.D. en science politique de l'Université Laval. Ses enseignements et ses recherches sont spécialisés en analyse de politiques publiques et en évaluation de programmes gouvernementaux. Il a publié en particulier dans le secteur des politiques de l'environnement et des politiques d'éducation.

Peter McCormick enseigne et est directeur du Département de science politique à l'Université Lethbridge, associé de recherche à la Canada West Foundation et membre du comité aviseur du premier ministre Klein sur la question du Québec. Ses intérêts de recherche sont la politique provinciale, les systèmes des partis, le changement constitutionnel et le système décisionnel de la cour d'appel. Parmi ses récentes publications, on trouve *Canada's Courts* et des articles dans les plus grandes revues scientifiques.

Darcy Mitchell termine son doctorat en administration publique à l'Université de Victoria ; sa thèse est consacrée aux nouvelles ententes institutionnelles en matière de gestion des pêcheries. Madame Mitchell est titulaire d'une maîtrise en administration publique de l'Université Queen's ainsi que d'une maîtrise en science politique et d'un baccalauréat en sociologie de l'Université de la Colombie-Britannique. Les intérêts de madame Mitchell manifestés dans son enseignement, sa recherche et ses travaux de consultation portent sur l'analyse des politiques gouvernementales et la gestion des ressources naturelles.

James R. Mitchell est un partenaire fondateur de Sussex Circle inc., une firme de consultants à Ottawa qui conseille le gouvernement et les entreprises en matière de politiques, de stratégie et d'organisation. Il est docteur en philosophie de l'Université du Colorado. Il a été professeur de philosophie dans plusieurs universités canadiennes et américaines. Sa carrière de fonctionnaire a commencé en 1978 au ministère des Affaires extérieures ; après avoir travaillé au Bureau du Conseil privé et au Secrétariat du Conseil du Trésor, il a été secrétaire adjoint du Cabinet (Appareil gouvernemental). Il a été conseiller principal pour la réorganisation du gouvernement fédéral en 1993.

Michel Paquin a d'abord fait carrière comme professeur de management public à l'École nationale d'administration publique de l'Université du Québec. Il est depuis peu vice-président de Cogito Conseil, cabinet d'experts spécialisé dans le diagnostic et l'intervention en organisation. Ses domaines d'intérêt sont le nouveau management public, la réingénierie des processus et la réorganisation du travail.

A. Paul Pross a conçu et mis sur pied les programmes d'administration publique à l'Université Dalhousie. Il a publié plusieurs ouvrages et articles sur les processus des politiques gouvernementales au Canada, la gestion des ressources naturelles et les publications gouvernementales; son ouvrage le plus largement diffusé est *Group Politics and Public Policy*. Il est coéditeur de *Canadian Public Administration Series* publié par l'IAPC et McGill-Queen's University Press.

Ken Rasmussen est professeur associé d'administration publique à la Faculté d'administration de l'Université de Regina. Docteur en science politique de l'Université de Toronto, il enseigne à l'Université de Regina depuis 1987. Ses domaines de recherche sont l'administration publique et les politiques gouvernementales. Il a cosigné *Privatizing a Province: The New Right in Saskatchewan*, et a publié plusieurs études sur l'administration et les politiques gouvernementales en Saskatchewan, particulièrement en matière d'administration de la santé, de gouvernement autonome autochtone, de réforme de l'administration et de politique économique.

Pierre Roy est secrétaire du Conseil du trésor au gouvernement du Québec depuis 1996. Diplômé en science politique de l'Université Laval, il travaille au sein de la fonction publique québécoise depuis 1977 et a occupé divers postes de direction, en particulier ceux de sous-ministre adjoint au budget et à l'administration au ministère de la Santé et des Services sociaux, et de secrétaire associé aux politiques budgétaires et aux programmes au Conseil du trésor.

Donald J. Savoie est titulaire de la chaire Clément-Cormier en développement économique à l'Université de Moncton. Auteur de plusieurs œuvres, M. Savoie a publié dans des revues d'administration publique et de science politique à l'échelle nationale et internationale. Il a reçu le prix Smiley (1992) pour le livre *The Politics of Public Spending in Canada*, décerné par l'Association canadienne de science politique. Il a également reçu le prix France-Acadie pour l'ouvrage *Les défis de l'industrie des pêches au Nouveau-Brunswick* et le prix Mosher par le Public Administration Review (É.-U.) pour le meilleur article en 1994 portant sur l'administration publique. M. Savoie a été nommé officier de l'Ordre du Canada (1993) et a été élu membre de la Société royale du Canada (1992).

David Siegel est vice-président associé et professeur associé à l'Université Brock. Il est titulaire d'une maîtrise en administration publique de l'Université Carleton et d'un doctorat en science politique, et est en outre comptable général agréé. Il a été président de l'Association canadienne des écoles et programmes en administration publique, et a occupé plusieurs postes à l'Institut d'administration publique du Canada ainsi qu'à l'Institut pour la gestion municipale en Ontario.

Janet Smith est directrice du Centre canadien de gestion. Docteur en administration des affaires de l'Université de la Californie à Berkeley, elle a occupé plusieurs postes de direction dans la haute fonction publique canadienne, notamment sous-ministre au ministère de la Diversification de l'économie de l'Ouest canadien, au ministère des Consommateurs, des Corporations et de la Privatisation ainsi qu'aux Affaires réglementaires. Elle a été directrice exécutive à la Commission royale d'enquête sur le transport des passagers et présidente du Groupe de travail sur les modèles alternatifs de livraison des services publics.

S.L. (Sharon) Sutherland est professeure de science politique à l'Université Carleton à Ottawa. Elle est docteur de l'Université d'Essex, en Angleterre. Elle a travaillé dans plusieurs ministères du gouvernement fédéral. Elle a publié un ouvrage sur la bureaucratie et plusieurs articles sur la responsabilité ministérielle et sur les implications politiques de l'évaluation par des « experts » de l'administration et des processus décisionnels. Elle a été élue membre de la Société royale du Canada en 1995. En 1988, ses étudiants ont présenté avec succès sa candidature pour le prix de l'excellence en enseignement attribué par l'Ontario Confederation of University Faculty Associations (OCUFA).

Pierre P. Tremblay est professeur au Département de science politique de l'Université du Québec à Montréal. Il a travaillé pendant quinze ans dans le secteur public avant d'entreprendre une carrière dans l'enseignement et la recherche dont le champ privilégié est la politique budgétaire et fiscale. Monsieur Tremblay a publié plusieurs livres et articles sur le sujet dont un, *La politique fiscale : à la recherche du compromis*, lui a valu le prix Coopers Lybrand 1996 pour le livre d'affaires.

Jean Turgeon est professeur à l'École nationale d'administration publique à Québec depuis 1991. Durant les années 80, il a travaillé au ministère de la Santé et des Services sociaux du Québec tout en terminant ses études de doctorat en science politique à l'Université Laval. L'analyse de politiques gouvernementales dans le secteur de la santé de même que l'évaluation des programmes et les méthodes qualitatives de recherche constituent ses principaux champs d'intérêt et de publication.

Graham White est professeur de science politique à l'Université de Toronto à Mississauga. Il a publié sur les Parlements, les gouvernements et les administrations au niveau provincial, ainsi que sur le développement politique et les institutions gouvernementales des Territoires du Nord-Ouest. Ses plus récents ouvrages sont *Northern Governments in Transition* (avec Kirk Cameron) et *Government and Politics of Ontario* (5e éd.).

Cynthia Williams est actuellement directrice générale de la politique socio-économique et de la programmation au ministère des Affaires indiennes et du Développement du Nord. Elle a occupé plusieurs postes de cadre supérieur dans la fonction publique fédérale, notamment au ministère des Ressources humaines, au Bureau du Conseil privé et au Centre canadien de gestion. Elle est membre du conseil d'administration, du comité exécutif et présidente du comité de la recherche de l'IAPC. Elle est diplômée des universités de Victoria et Queen's, et est l'auteur ou le coauteur de plusieurs publications en administration publique et sur le gouvernement canadien.

À propos de la traduction

Les services de traduction ont été assurés par plusieurs auteurs ; le Centre canadien de gestion a coordonné la traduction de la moitié des textes, et l'Observatoire de l'administration publique a permis la traduction de trois chapitres. Trois traducteurs bénévoles se sont chargés d'autant de chapitres : monsieur Éric Manseau, étudiant au doctorat de science politique à l'Université du Québec à Montréal, et mesdames Carole Urbain, diplômée de maîtrise à l'École nationale d'administration publique et directrice des acquisitions à la Bibliothèque nationale du Québec, et Diane Vanasse, chercheure indépendante et étudiante à la maîtrise de l'École nationale d'administration publique. Les directeurs de la publication les en remercient.

Table des matières

Remerciements ... V

Note des directeurs ... VII

Avertissement ... VIII

Introduction ... 1

SECTION A

Institutions fédérales

CHAPITRE 1
Le système du gouvernement et ses particularités ... 17

CHAPITRE 2
L'Administration et le Parlement ... 27

2.1 Introduction ... 28

2.2 Les maximes d'un gouvernement du modèle de Westminster ... 28

2.3 Le Parlement et l'Administration à l'étape de l'élaboration de politiques ... 31

2.4 L'application de la responsabilité ministérielle dans l'administration fédérale : défaire la responsabilité du gouvernement ... 34

2.5 Conclusion ... 40

CHAPITRE 3
Gouvernement, ministres, macro-organigramme et réseaux ... 43

3.1 Introduction ... 44

3.2 Principe organisateur : la responsabilité ministérielle ... 44

3.3 Fonctionnement de l'exécutif politique contemporain ... 47

3.4 Défis actuels ... 56

Chapitre 4
Le rôle des organismes centraux au sein du gouvernement du Canada ... 59

4.1 Regard sur l'histoire ... 60

4.2 Regard vers le centre ... 63

4.3 Regard vers l'avenir ... 67

Chapitre 5
Gestion et déclaration des dépenses au gouvernement du Canada : évolution récente et contexte ... 71

5.1 Introduction ... 72

5.2 Évolution historique des assises législatives des pouvoirs de gestion des finances publiques et de l'obligation d'en faire rapport ... 73

5.3 Grandes étapes de l'évolution contemporaine de la budgétisation, de la gestion des finances publiques et des rapports pertinents ... 75

5.4 Recherche de nouveaux cadres de budgétisation et de gestion financière (1984-1994) ... 81

5.5 Budgétisation et mesures de contrôle financier dans les années 90 ... 84

5.6 Conclusion ... 92

Chapitre 6
La haute fonction publique canadienne : derniers vestiges du modèle de Whitehall ? ... 95

6.1 Les fonctions ... 96

6.2 Le statut ... 97

6.3 Le rôle : les attentes du ministre ... 98

6.4 La politisation ... 99

6.5 Le profil ... 99

6.6 L'entourage des sous-ministres : Cabinet, associés et adjoints 101

6.7 La communauté des sous-ministres : les communications horizontales 102

6.8 La nouvelle gestion publique (NGP) et ses effets sur le modèle de Whitehall à la canadienne 103

6.9 Conclusion 104

Références 104

CHAPITRE 7
Valeurs, éthique et fonction publique 107

7.1 Valeurs de la fonction publique 108

7.2 Valeurs traditionnelles et nouvelles valeurs 109

7.3 Éthique de la fonction publique 114

CHAPITRE 8
Le fédéralisme exécutif 121

8.1 Définition 122

8.2 Le cadre constitutionnel et le cadre institutionnel 122

8.3 Institutionnalisation du fédéralisme exécutif 124

8.4 Le statut juridique des ententes intergouvernementales 127

8.5 L'importance des personnalités 128

8.6 Le fédéralisme exécutif est-il profitable ou dangereux ? 129

8.7 Conclusion 132

CHAPITRE 9
Pouvoir judiciaire et droit administratif 133

9.1 Introduction 134

9.2 L'érosion des principes traditionnels de notre droit administratif 134

9.3 L'émergence de principes favorisant la constitutionnalisation du droit administratif 144

9.4 Conclusion 149

Chapitre 10
Modernisation administrative au gouvernement du Canada ... 151

10.1 Introduction ... 152

10.2 Le programme d'amélioration de la productivité ... 152

10.3 Le Groupe de travail ministériel sur l'Examen des programmes ... 153

10.4 L'Accroissement des pouvoirs et des responsabilités ministériels ... 154

10.5 Fonction publique 2000 ... 154

10.6 Les organismes de service spéciaux et autres modes d'implantation des programmes ... 157

10.7 La réorganisation de 1993 ... 159

10.8 L'Examen des programmes ... 159

10.9 L'exploitation des technologies de l'information ... 161

10.10 Conclusion ... 161

Références ... 161

Chapitre 11
L'exercice des pouvoirs et l'autonomie gouvernementale chez les Autochtones du Canada ... 163

11.1 Historique ... 164

11.2 Histoire de la colonisation et naissance d'une nation ... 165

11.3 Développement politique et constitutionnel et évolution des politiques ... 167

11.4 Opérations ... 169

11.5 Défis et considérations ... 171

Section B

L'administration publique : l'expérience des autres institutions politiques et administratives

Chapitre 12
Provinces et territoires : caractéristiques, rôles et responsabilités 177

12.1 Introduction 178

12.2 Les provinces : un croquis sur le vif 178

12.3 Les compétences et les pouvoirs provinciaux 180

12.4 Les finances des provinces 181

12.5 Les territoires du Nord 183

12.6 Les organismes gouvernementaux des provinces 185

12.7 Conclusion 188

Chapitre 13
Le cas de la Colombie-Britannique : la gestion des ressources naturelles et le développement durable 189

13.1 Introduction 190

13.2 Ressources naturelles et politique environnementale au sein de la Fédération canadienne : le cadre constitutionnel 190

13.3 Structure de l'économie de la Colombie-Britannique 192

13.4 Questions et réponses : vue d'ensemble 194

13.5 Exemples caractéristiques 195

13.6 Conclusion 201

Références 203

Chapitre 14
Les administrations municipales dans le processus de gouverne 207

14.1 Les administrations locales au sein du réseau intergouvernemental 208

14.2 La structure du gouvernement local 211

14.3 Élections 214

14.4 Financement du gouvernement local 215

14.5 Structures administratives 217

14.6 Tendances récentes et défis 218

14.7 Conclusion 220

CHAPITRE 15
Les relations intergouvernementales de l'Alberta 221

15.1 Introduction 222

15.2 Le mandat du FIGA 225

15.3 Le FIGA à l'ère de la réduction de l'effectif au sein du gouvernement 230

15.4 L'avenir du FIGA 231

CHAPITRE 16
Pratiques novatrices de gestion publique dans les provinces canadiennes 233

16.1 Introduction 234

16.2 Les candidatures au Prix de la gestion innovatrice de l'IAPC 234

16.3 Les programmes d'innovations des gouvernements provinciaux 238

16.4 L'apport de la technologie de l'information à l'amélioration du service 238

16.5 La réingénierie des processus : amélioration des services et réduction des coûts 239

16.6 Les agences spéciales de services : autonomie accrue et meilleur rendement 240

16.7 Les nouvelles pratiques de gestion des ressources humaines : les initiatives d'équité en emploi 241

16.8 Les partenariats : l'atteinte d'objectifs publics par le secteur privé 241

16.9 Conclusion ... 243

Références ... 243

CHAPITRE 17
La restructuration du gouvernement et l'évolution de la fonction publique de carrière dans les provinces et territoires du Canada ... 245

17.1 Introduction ... 246

17.2 Historique ... 247

17.3 Conclusion ... 257

SECTION C

L'Administration québécoise

CHAPITRE 18
La spécificité du Québec et son impact sur les institutions ... 263

18.1 Introduction ... 264

18.2 Le legs catholique ... 264

18.3 La langue et la culture françaises ... 267

18.4 Ressortissants d'une petite puissance ... 273

18.5 Conclusion : ce qui reste de la spécificité institutionnelle ... 275

CHAPITRE 19
Le gouvernement du Québec, son Conseil exécutif et la production des politiques publiques ... 277

19.1 Avant 1960 ... 278

19.2 De 1960 à 1976 ... 279

19.3 De 1976 à 1985 ... 281

19.4 De 1985 à aujourd'hui ... 282

19.5 La direction centrale du gouvernement depuis 1960 ... 283

19.6 La direction centrale du gouvernement et les politiques publiques ... 285

19.7 Défis et perspectives 286

Ouvrages cités 287

CHAPITRE 20
Le processus budgétaire au gouvernement du Québec 289

20.1 Introduction 290

20.2 Le cadre institutionnel et administratif du processus budgétaire 290

20.3 Évolution et ajustements du processus budgétaire 296

20.4 Conclusion 301

CHAPITRE 21
La gestion des ressources humaines dans la fonction publique québécoise 303

21.1 Le partage des rôles 304

21.2 Les caractéristiques et les règles de fonctionnement 306

21.3 Les enjeux actuels et les transformations engagées 310

CHAPITRE 22
Les réseaux dits décentralisés 317

22.1 Introduction 318

22.2 Le système municipal québécois 318

22.3 Le réseau de l'éducation 324

22.4 Le réseau de la santé et des services sociaux 330

22.5 Conclusion : l'avenir des réseaux 335

CHAPITRE 23
Les relations intergouvernementales du Québec 337

23.1 Historique 338

23.2 Les principaux principes organisateurs 340

23.3 Les relations internationales 342

23.4 Le fonctionnement de l'institution aujourd'hui 345

23.5 Défis et perspectives 348

CHAPITRE 24
Les innovations manageriales au Québec 351

SECTION D

L'enseignement et la reconnaissance professionnelle

CHAPITRE 25
L'Association canadienne des programmes d'administration publique : promotion de l'enseignement de l'administration publique au Canada 369

CHAPITRE 26
Les nouvelles orientations du Centre canadien de gestion 377

26.1 Introduction 378

26.2 Mandat et gouvernance 378

26.3 Les trois questions 380

26.4 Un aperçu de l'avenir : les nouveaux principes du CCG 382

Annexe 384

CHAPITRE 27
L'École nationale d'administration publique, carrefour universitaire de l'administration publique au Québec 385

27.1 L'ENAP, école de management public 387

27.2 L'harmonisation de l'ENAP avec le gouvernement du Québec 387

27.3 La Mission gouvernementale auprès de l'ENAP 388

27.4 Une formation sur mesure pour les gestionnaires publics 388

27.5 Les études créditées 388

27.6 La formation continue : les programmes de perfectionnement 391

27.7 La recherche en administration publique 393

27.8 Le rayonnement international de l'ENAP 394

27.9 L'ENAP, institution vivante 395

CHAPITRE 28
L'Institut d'administration publique du Canada ... 397

28.1 Les premières années ... 398

28.2 Une documentation sur l'administration publique du Canada ... 400

28.3 Une focalisation sur la gestion publique ... 400

28.4 Les activités internationales ... 401

28.5 L'examen des questions prioritaires en administration publique ... 402

28.6 La direction ... 402

28.7 L'avenir ... 403

Conclusion ... 405

Les auteurs ... 411

À propos de la traduction ... 419

Québec, Canada
2003